A INVENÇÃO DAS MINAS GERAIS

EMPRESAS, DESCOBRIMENTOS E ENTRADAS NOS SERTÕES DO OURO DA AMÉRICA PORTUGUESA

Coleção Historiografia
de Minas Gerais

Série Universidade

1

Francisco Eduardo de Andrade

A INVENÇÃO DAS MINAS GERAIS

EMPRESAS, DESCOBRIMENTOS E ENTRADAS NOS SERTÕES DO OURO DA AMÉRICA PORTUGUESA

EDITORA PUCMINAS autêntica

COORDENADORES DA COLEÇÃO
Francisco Eduardo de Andrade
Mariza Guerra de Andrade

PROJETO GRÁFICO DA CAPA
Diogo Droschi

REVISÃO
Maria Lina Soares Souza

EDITORAÇÃO ELETRÔNICA
Conrado Esteves

EDITORAS RESPONSÁVEIS
Cláudia Teles de Menezes Teixeira
Rejane Dias

AUTÊNTICA EDITORA LTDA.
Rua Aimorés, 981, 8° andar . Funcionários
30140-071 . Belo Horizonte . MG
Tel: (55 31) 3222 68 19
Televendas: 0800 283 13 22
www.autenticaeditora.com.br

PONTIFÍCIA UNIVERSIDADE CATÓLICA DE MINAS GERAIS
Grão-Chanceler Dom Walmor de Oliveira Azevedo
Reitor Dom Joaquim Giovani Mol Guimarães
Vice-reitora Patrícia Bernardes
Diretor da Editora PUC Minas Geraldo Márcio Alves Guimarães

EDITORA PUCMINAS
Rua Pe. Pedro Evangelista . Coração Eucarístico
30535-490 . Belo Horizonte . MG
Tel: (55 31) 3319 99 04
Fax: (55 31) 3319 99 07
www.pucminas.br/editora

Dados Internacionais de Catalogação na Publicação (CIP)
(Câmara Brasileira do Livro, SP, Brasil)

Andrade, Francisco Eduardo de

A invenção das Minas Gerais : empresas, descobrimentos e entrada nos sertões do ouro da América portuguesa / Francisco Eduardo de Andrade. -- Belo Horizonte : Autêntica Editora : Editora PUC Minas, 2008. -- (Coleção Historiografia de Minas Gerais. Série Universidade, 1)

Bibliografia

ISBN 978-85-7526-366-2 (Autêntica Editora)

ISBN 978-85-60778-32-4 (Editora PUC Minas)

1. Minas e recursos minerais 2. Minas Gerais - História 3. Minas Gerais - História - Condições econômicas 4. Minas Gerais (MG) - Historiografia I. Título. II. Série.

08-10456 CDD-330.9

Índices para catálogo sistemático:
1. Minas Gerais : História econômica 330.9

À Maria.

Ao meu avô, Francisco, recordador de uma terra mineira.

As coisas que não têm dimensões são muito importantes.

Manoel de Barros, *Livro sobre nada*

Sin embargo, la aparición de lo nuevo es condición resolutoria para que el cambio exista y, a su vez, la conciencia de esa novedad lo es para que cualquier forma dinámica de concebir el acontecer pueda ser teóricamente elaborada.

José Antonio Maravall, *Antiguos y modernos*

SUMÁRIO

Apresentação da coleção Historiografia de Minas Gerais

Ainda que seja inegável o quanto já se fez sobre a publicação e a divulgação de textos históricos, desde a década de 1990, e com a profícua participação de historiadores, que ajudaram a revelar o valor documental e historiográfico dessas obras, parte significativa do que se editou em Minas apresentava um caráter institucional e oficioso – resultando, em geral, em publicações de custos mais elevados e, portanto, destinadas a um público segmentado, notadamente o acadêmico.

O cenário editorial mineiro, constituído também pelas editoras universitárias, não vem favorecendo a publicação e a difusão das pesquisas históricas mais recentes e expressivas, denotando até certo enrijecimento dessa atividade editorial, especialmente universitária – o que poderia indicar, numa primeira visada, mais do que uma limitação, a paralisia da produção acadêmica sobre a história de Minas Gerais.

Mas se trata exatamente do contrário! Desde os anos 1990, ainda com a criação e a expansão dos programas de pós-graduação, pesquisas de temas *mineiros*, ou que apresentam Minas Gerais como o seu campo, foram produzidas nas universidades e incrementaram fortemente a discussão historiográfica em face das interpretações convencionais. Diante do enorme acervo de fontes (*revisitadas* ou inéditas) que os pesquisadores coligiram, as temáticas assumiram outras feições, constituídas por problemas metodológicos teoricamente dimensionados. Isso, de fato, contribuiu para renovar o conhecimento histórico e, assim, alargar o campo de discussão dos saberes históricos.

Contudo, ainda é frágil a produção editorial voltada para as temáticas ligadas a esse espaço, embora, deve-se notar, anuncie-se uma reação muito promissora das editoras de Minas para suprir essas lacunas do mercado livreiro. Mas ainda não se faz jus ao crescente labor historiográfico em curso, e depende-se, em grande parte, dos outros eixos culturais do país. E mais: avaliando-se o conteúdo das obras ou dos estudos que se (re)editaram sobre Minas Gerais, observa-se a falta de uma coleção que tivesse como eixo percursos diferenciados da *história da historiografia*, ou seja, que se esforçasse em articular a obra (sobre temáticas mineiras) ao campo historiográfico (discursos e saberes históricos) da sua época.

Daí esta oportuna, justa e nova coleção, que quer se dirigir a leitores diferenciados, estudiosos ou não da vida mineira. Ela se apresenta em duas séries: a *Universidade*, constituída de trabalhos acadêmicos inovadores, que possibilitam a ampliação do panorama recente sobre os estudos históricos mineiros, e a *Alfarrábios*, formada por obras, algumas desconhecidas no presente, cujas edições, há décadas, mostraram, de alguma forma, uma inovação historiográfica quanto aos temas, às abordagens ou aos usos das fontes e que estiveram na raiz das interpretações subseqüentes.

Essas séries que formam a coleção, e que serão editadas sucessivamente com duas obras a cada vez, foram propostas para possibilitar ao leitor um diálogo instigante e vivo com textos dessa historiografia, que se instituiu no confronto entre escritas do passado e do presente. Trata-se, assim, de sugerir a experiência da leitura historiográfica ou dos percursos, sinuosos e oblíquos muitas vezes, das chaves interpretativas da história de Minas Gerais.

Francisco Eduardo de Andrade
Mariza Guerra de Andrade

Apresentação e agradecimentos

Este livro é uma versão relativamente modificada da minha tese de doutorado em História (do programa de História Econômica), apresentada na Universidade de São Paulo, em 2002.

O desenho que ornamenta o mapa em parte reproduzido na capa - *Carta da Nova Lorena Diamantina* (1801) - conduz ao tema da pesquisa desenvolvida neste livro. Na *Carta*, os raios solares da soberania régia, refletidos e ampliados pela dinastia governante, iluminam e desvelam, tornam públicos os tesouros minerais do território. No entanto, um aspecto, não referido explicitamente no desenho, poderia ser pressuposto: a composição necessária do soberano com os seus vassalos, no papel de agentes coloniais.

Isso sintetiza, de certa forma, a trama desta história, apreendida no desenho já como o desfecho de uma saga colonial: a do confronto político (e simbólico) que forjou ou *inventou* um espaço territorial de minas, baseado nas práticas culturais de descobrimento. É certo que esse jogo de aliança e conflito aberto, envolvendo os minerais preciosos, não pode ser reduzido à dicotomia das posições políticas, no modo convencional de interpretação historiográfica: colônia *versus* metrópole, colonizados/colonos *versus* colonizadores, paulistas *versus* reinóis. Pois, nos descobrimentos, formas de apropriação do espaço no sertão, condensavam-se as linhas do poder político e econômico do Estado, que faziam dos seus agentes vassalos encarregados do domínio e exploração coloniais.

Não tracei sozinho esta pesquisa histórica, por isso quero assinalar o meu agradecimento aos estudiosos que influíram, de algum modo, na sua elaboração. Antônio Penalves Rocha foi um orientador atento; aprendi muito com o seu rigor e experiência acadêmica. Laura de Mello e Souza e

John Manuel Monteiro contribuíram, com proposições instigantes, para o desenho da pesquisa, assim como João Adolfo Hansen, cujo ensinamento paciente trouxe nova luz ao tema. Na banca examinadora do trabalho, tirei proveito das críticas pertinentes de Ulpiano Toledo Bezerra de Meneses, Norberto Luiz Guarinello, Luciano Raposo de Almeida Figueiredo e Luiz Carlos Villalta. Busquei inserir as suas sugestões no texto, mas talvez não tenha sido bem-sucedido em todos os casos. Assim, esses professores não são responsáveis pelas eventuais deficiências (ou omissões) do trabalho, advindas, provavelmente, da minha obstinação.

Em Minas, é preciso mencionar o estímulo recebido de Douglas Cole Libby, Célia Fernandes Nunes e, ainda, Luiz Carlos Villalta. Renato Pinto Venâncio, Andréa Lisly Gonçalves e Ronald Polito, do departamento de História da Universidade Federal de Ouro Preto, foram interlocutores criteriosos, concorrendo para o aprofundamento do tema. Ainda sou grato a Fernando Flecha de Alkmim, do departamento de Geologia da mesma Universidade, que, em meio à conversa sobre as técnicas da extração aurífera setecentista, mostrou os sinais da *explotação* antiga no perfil corroído da serra de Ouro Preto.

Houve ainda aqueles que estiveram presentes em certos momentos significativos do cotidiano da pesquisa acadêmica: Aldo Eustáquio Sobral, Celso Taveira, Maurício Monteiro, Guiomar de Grammont. Na fase de composição metodológica, foram importantes as conversas com Cláudia Chaves sobre temas da história econômica, e com Anny Jackeline Silveira e Rita de Cássia Marques sobre a história cultural.

Na cidade de São Paulo, Vânia de Andrade Carvalho e família costumavam hospedar-me com carinho. Houve amigos dedicados, conhecedores da trilha, especialmente Fernando Paiva, Ivana Parrela, Dulcimar Augusta, Rafael Magdalena, Sérgio do Carmo, Marilene Vasconcelos e Rosaly Senra. Numa estada em Portugal, Regina e Rogério, e ainda Silvino Fernandes (entre Porto e Lisboa), foram particularmente calorosos.

Deixo registrado meu agradecimento às historiadoras que atuaram em determinadas fases do estudo: Taciana Botega enfrentou comigo as transcrições mais complicadas dos documentos do Arquivo Público Mineiro, e Maria José Ferro de Souza, em Mariana, transcreveu cuidadosamente um inventário já danificado de famoso sertanista. Com gratidão, lembro a atenção dos funcionários dos arquivos históricos, no Brasil e em Portugal, às minhas contínuas solicitações.

Finalmente, sou bastante grato à Fundação de Amparo à Pesquisa do Estado de São Paulo (Fapesp), que financiou todo o trabalho de pesquisa.

Introdução

Este estudo trata da construção de uma região colonial – as Minas Gerais do ouro e das pedras preciosas – e das práticas que fabricaram tal espaço. A mudança da sua designação convencional revelaria o processo histórico de criação ou invenção sociocultural, política e econômica, nos limites de uma condição colonial: foi Minas de Taubaté, Minas de Cataguases, Minas de São Paulo, Minas do ouro e consolidou-se como Minas Gerais quando passou a capitania autônoma em 1720. Assim, constituiu-se uma região singular da América portuguesa, diferente do sertão indômito ou do sertão da pecuária e, ainda, do litoral açucareiro ou plantacionista.

Mas como se fez tal singularidade, ou melhor, por que se tornou relevante para os agentes sociais tal ordem de distinções, e de que forma se compôs o território de Minas? De que maneira se concebeu a *realidade* destas Minas? A análise de qualquer elemento da realidade das Minas Gerais não pode, simplesmente, pressupor que haja algum tipo de entidade autônoma ou uma unidade social e econômica capaz de articular certa identidade, origem da mineiridade. O lugar tampouco equivale à suposta condição natural, raiz da sua especificidade geográfica.

Assim, para o exame da problemática, é necessário observar as forças e relações sociais, políticas e simbólicas que fizeram esse lugar colonial, definição da sua territorialidade. A análise, numa perspectiva da história do poder, requer compreender os mecanismos ou dispositivos de "divisão" do espaço que delimitam o lugar como uma região, em função do seu enquadramento territorial pelo Estado.[1]

[1] BOURDIEU, 1998. REVEL, 1989. Com isso, subverter o apelo mitológico, e de utilização ideológica, de uma objetividade essencial da realidade sociopolítica e geográfica das

Todas as relações constitutivas desse lugar se aglutinam em torno do fato ou do feito de *descobrimento* de metais e de pedras preciosas. Com efeito, foram os descobrimentos de minerais preciosos que instituíram uma suposta identidade de Minas Gerais, criando, nos campos simbólico, político e geográfico, uma condição e uma razão de ser fundadora de nova experiência no regime colonial.[2] Os descobrimentos, inerentes à constituição política e econômica da mineração, não se encarnam, primordialmente, nos códigos jurídicos, mas configuram, sobretudo, práticas e representações imaginárias que correspondem aos estilos praticados pelos sertanistas-descobridores, agentes que tendem à exploração dos limites da norma jurídica estrita e mesmo da tradição costumeira.

Nesse sentido, os descobrimentos, comportando-se como um rito de instituição social da realidade das Minas, encontram sua significação no meio das tradições culturais, normas político-jurídicas e práticas ordinárias do cotidiano dos coloniais. Nisso reside a invenção ou a fabricação das Minas Gerais do ouro. Foi uma invenção tanto no sentido de uma instituição política e econômica do Estado, quanto no sentido de uma criação afeita às práticas, manipulações e habilidade dos descobridores e de outros exploradores, bem como dos que se seguiram, os mineradores ou mineiros.

Se os mineiros não foram os que inventaram as Minas de ouro – para isso dependia-se de um saber que não era meramente de mineração, mas sertanista e militar, em suma, bandeirista –, foram eles que assumiram a suposta essência da região descoberta, passando, num dado momento, a presumir para si próprios uma identidade. Nesse momento, marcante a partir da década de 1730, os descobertos, que já se desdobravam nas encostas e em serras, foram manifestados por diversos entrantes coloniais ou pelos habitantes de Minas Gerais.

Entretanto, no século XVIII, o verdadeiro descobrimento de ouro ou de pedrarias, aquele que se prezava pela novidade, podendo fundar um território das Minas e sustentar a vocação mineradora de Minas Gerais, era o que ocorria nas fronteiras (ou amplas faixas espaciais das misturas

Minas passa a ser função dessa história. Sobre as relações entre mito e ideologia, cf. EAGLETON, 1997, p. 166-169.

[2] O efeito da instituição é naturalizar, consagrar ou legitimar diferenças e atributos sociais, através dos ritos de instituição simbólica (BOURDIEU, 1996, p. 97-106). Cf. CASTORIADIS, 1982, p. 151.

socioculturais) com o sertão – lugar representado como indômito, deserto, desconhecido.

O mais importante, e que este livro procura mostrar, é que as ações de descobrimentos de jazidas minerais não tiveram como objetivo precípuo, especialmente ao longo do século XVIII, desbravar um sertão desconhecido, estabelecendo concretamente a fronteira territorial da colonização *agromineradora*, mas instituir, legitimar aquele domínio exploratório. Pode-se dizer mais propriamente que, na prática, desde o final do século XVII, a fronteira de ocupação efetiva ou mesmo de povoamento foi, muitas vezes, preexistente ao descobrimento de minerais preciosos. Desse ponto de vista, a constituição do lugar (ou da ordem) colonial das Minas Gerais foi resultante de um embate entre práticas sociais e políticas dos agentes no espaço de fronteiras.[3] Isso porque a colonização das empresas de descobrimentos contou com certo *abrandamento* do sertão, e com as possibilidades oferecidas nas fronteiras dos lugares, levado a efeito originalmente por índios submetidos, ou aldeados segundo o regime da Igreja e da Coroa, entrantes pobres e negros escravos. Não se trata aqui de referir-se aos que, dentre esses, com evidência, foram guias, soldados ou expedicionários nas jornadas de descobrimentos. Mas, sim, atentar para aqueles que, em suas costumeiras entradas nos sertões, sem o alarde da fama ou do rito estatal, ou ainda de forma clandestina, efetivamente ocuparam e exploraram aqueles espaços, conduzindo aos primeiros passos na direção do seu povoamento e da sua colonização.[4] Por isso, as fronteiras coloniais dos sertões do ouro e dos diamantes foram marcadas por programas ou práticas distintas de exploração, que, *grosso modo*, correspondem às dos descobridores poderosos, nomeadamente os paulistas e os senhores das Minas, e às dos entrantes pobres e dos escravos jornaleiros.

Os descobrimentos de minerais preciosos nos sertões da América portuguesa sempre tiveram, na historiografia convencional, a partir de uma interpretação estreita e, em geral, alheia às manipulações formais dos textos coloniais, uma conotação de prática desbravadora. Os descobridores – os paulistas – eram representados como homens que, vivendo na penúria e

[3] Se "o espaço é um lugar [determinada configuração de posições] praticado", então é certo que a experiência do espaço fustiga e estende a condição do lugar (CERTEAU, 1994, v. 1, p. 202).

[4] Também não se atenta, neste lugar, ao papel relevante, e inegável, do gentio dos sertões como guia ou guerreiro aliado de conquistas coloniais, nos descobrimentos mais alentados da época. Cf. PERRONE-MOISÉS, 1992, p. 121; FAUSTO, 1992, p. 385-386.

sob o signo da *auri sacra fames*[5], moveram-se tão somente pela riqueza fácil das Minas.[6] Ora, nesta perspectiva, os aspectos simbólicos e políticos da entrada descobridora, que conformaram a retórica dos discursos e documentos relativos aos descobrimentos, ficam subsumidos na função econômica de exploração ou extração mineral. Com isso, perde-se de vista o sentido amplo de programa sociopolítico do descobrimento pretendido pelos agentes poderosos, quando até mesmo aquela propagada atividade econômica se refaz, para incorporar outras vias econômicas capazes de satisfazer o programa estatal (e régio) explorado pelo estamento dominante, como o plantio de roças e a criação de rotas de comércio.

É antes o contrário do que supõe a interpretação tradicional: a experiência econômica de produzir e acumular recursos com os descobrimentos e, sobretudo, o direito para isto, conduzia-se segundo os valores de outros campos sociais, como o do poder e o da religião. Por isso, os lucros provenientes da exploração colonial que não estivessem ancorados nos princípios do "direito comum"[7] e nas representações canônicas do Estado monárquico perdiam o amparo institucional e a legitimidade para se conservarem. No final do século XVII e durante o século XVIII, os descobrimentos – com o acesso privilegiado dos descobridores ou de outros coloniais ao capital simbólico, aos benefícios e às riquezas – dependiam, primordialmente, da posição social e política do agente, do reconhecimento da Coroa portuguesa e da validade moral das ações que culminavam nas descobertas de ouro e de pedrarias.

Dizer-se que a acumulação de metal precioso ou de riquezas era para

[5] A imagem de vida rústica e de penúria socioeconômica dos paulistas, nas décadas finais do século XVII (ver DAVIDOFF, 1984, p. 63-84), já passou por acurada revisão da historiografia. Cf. MONTEIRO, 1992, p. 494-495; *Idem*, 1994; BLAJ, 1995.

[6] Basílio de MAGALHÃES (1935, p. 269-285), por exemplo, supõe que os descobrimentos de ouro encabeçados pelos paulistas resultavam de imposições essencialmente econômicas, ou seja, da necessidade de criação de riquezas, e que, por isso, os descobrimentos das Minas de ouro tiveram a configuração de um movimento espontâneo de expansão territorial. Cf. ABREU, 1982; VASCONCELOS, 1999; LIMA JÚNIOR, 1985; TAUNAY, 1948, t. 9; VASCONCELOS, 1944.

[7] Essa doutrina fundava-se nas "situações jurídicas reais [desde a Idade Média], estando os poderes sobre as coisas decalcados sobre as suas utilidades particulares, distribuídos por vários sujeitos, mutuamente condicionados, dependentes na sua efectivação e exercício de autorização alheia". Cf. HESPANHA, 1995, p. 64-65. Nas Minas de ouro, os institutos de direito comum (como as terras realengas e de sesmarias) relativos às explorações minerais e agrícolas foram especialmente marcantes.

poucos parece tautologia, e afirmar-se que a sociedade colonial se reiterava pela exclusão de muitos não indica toda a complexidade envolvida na ordem social proporcionada pelos descobrimentos.[8] Na realidade, os sertanistas-descobridores e coloniais que obtiveram maiores lucros nas empresas coloniais e angariaram mercês da Coroa necessitaram sempre da participação da "arraia-miúda"[9] nas entradas e explorações, além de contar, evidentemente, com os índios administrados e os negros escravos. Por isso, os homens e mulheres dessa *qualidade* ligaram-se, com as mais diversas gradações, à experiência (e à rede) colonizadora. O mais correto, talvez, seria admitir que se configurou, como resultante do embate de forças sociais distintas nas Minas de ouro, uma situação tensa de *inclusão subordinada* (ou submetida) aos planos (com matizes diversos) da Coroa, da Igreja e dos poderosos.

Se a formação dos concelhos das Câmaras municipais foi fundamental para a implantação do domínio colonial na região das Minas Gerais, sendo estes os institutos mais visíveis para expressar os interesses e a insatisfação dos coloniais de maior qualidade,[10] eles não foram os únicos meios para isso. Sobretudo nas fronteiras de colonização agromineradora, os procedimentos concelhios não foram os mais valorizados pelos exploradores. Ao mesmo tempo, o interregno de cerca de duas décadas entre as primeiras notícias, em São Paulo e no Rio de Janeiro, de descobertos de ouro nos ribeiros do sertão dos Cataguases, no início da década de 1690, e a criação das primeiras vilas das Minas de ouro, em 1711, não se expressa pela ausência de poderes locais nos arraiais, nem por uma carência de autoridades político-jurídicas, porque se instituíram os postos de guarda-mor dos descobertos ou de superintendente de minas.

Por isso, ao invés de julgar a mobilização e os dividendos sociopolíticos dos coloniais, assim como o seu potencial reivindicatório, a partir das representações camarárias, procura-se sustentar, neste estudo, que as práticas

[8] Sobre a "prática da exclusão social do público", ao tratar das práticas sociais e políticas da elite senhorial (descendentes de conquistadores e senhores de engenho) do Rio de Janeiro, no século XVII, ver FRAGOSO, 2001, p. 29-71.

[9] Termo utilizado, apropriadamente, por Iraci del Nero da COSTA (1992) para se referir aos livres não proprietários de escravos no Brasil do final do século XVIII e inícios do seguinte. No entanto, certamente fizeram parte dessa população pobre os pequenos escravistas – proprietários de 1 a 5 escravos –, que eram a maioria na Capitania de Minas Gerais (LUNA, 1983, p. 25-41).

[10] Cf. RUSSEL-WOOD, 1977, p. 73-77; BICALHO, 2001, p. 203-207.

(e as representações) dos descobrimentos já alinhavam os descobridores e outros entrantes dos sertões do ouro ao programa político-colonizador conferido pelo rito usual de descobrimento de ouro e de pedras preciosas, com a projeção no poderoso, e agora descobridor, de um lugar natural de comando e prestígio. Acontecia, então, uma situação difusa, eminentemente social e simbólica, de exercício de autoridade política encarnada no poderoso.

De fato, a Câmara de São Paulo, que esteve a reboque nas ações descobridoras mais prestigiosas das duas últimas décadas do século XVII, apesar de firmar-se como caixa de ressonância dos interesses paulistas nas Minas de ouro, não assumiu papel preeminente na tomada de decisões relativas aos descobertos de ouro. Isso porque as práticas usuais de descobrimento não priorizaram os mecanismos formais de representação detidos pelo governo local, contribuindo para a incerteza, entre os contemporâneos, sobre a configuração das Minas de ouro, assim como sobre o grau de subordinação ou autonomia em relação aos outros domínios portugueses na América, com as forças sociais correspondentes. Naquela época dos descobrimentos fundadores nas fronteiras, mais do que se valer das ambições jurisdicionais, de resto duvidosas, que partiam da Câmara de São Paulo, os descobridores paulistas enfrentaram as prerrogativas dos representantes régios nas questões minerais, e disputaram a legitimidade de dominação[11] das Minas com descobridores taubateanos, negociantes da praça carioca, autoridades coloniais do Rio de Janeiro e da Bahia, e, finalmente, com *emboabas* (e seus núcleos próprios de poder), confiando, nesses conflitos, no jogo político *invisível* dos laços de aliança e clientelismo que se projetava até à Corte portuguesa.

A instituição das Minas Gerais do ouro remonta à década de 1680, quando tiveram início as apropriações da memória do descobrimento protagonizado pelo paulista Fernão Dias Pais.

De fato, os descobrimentos de ouro, efetuados na década seguinte, foram representados pelos sertanistas-descobridores ou pelos agentes do Estado numa mesma linha de continuidade temporal de conquista e de descobrimento luso do sertão, cuja inflexão foi a entrada em busca de esmeraldas e de prata comandada pelo descobridor Fernão Dias. Portanto,

[11] Trata-se de conseguir o consenso ou, pelo menos, a obediência necessários ao exercício da autoridade e de poderes administrativos. Cf. WEBER, 1996, p. 170-173.

houve um investimento simbólico na façanha do paulista, não tanto pelos seus supostos resultados imediatos, mas pelo que nela serviu de moldura prestigiosa para os descobrimentos posteriores, e pelo que promoveu efetivamente em termos de conquista sertanista e exploração de minerais preciosos nos sertões do ouro.

Por isso, a questão fundamental não é tentar justificar o olhar, aparentemente obtuso, de Fernão Dias, sertanista que palmilhou ricas terras auríferas e que se manteve fixado nas explorações ilusórias de esmeraldas e de prata, mas avaliar o peso simbólico da sua empresa, poucos anos depois do seu desfecho, para os descobrimentos de ouro dos senhores poderosos do planalto paulista.

As práticas consagradas de descobrimento de riquezas minerais, sendo práticas de colonização (e construção) do espaço dos poderosos, mantiveram-se, moldando-se à conjuntura do tempo, no horizonte social e econômico das Minas Gerais ao longo do século XVIII. Elas apareceram, então, nos textos coevos, como um traço determinante da sua trajetória e formação histórica coloniais. Essas práticas e discursos de descobrimentos, inscritos no estilo de exploração das Minas, é que presidiram, neste estudo, o escopo do tempo, que se inicia na década de 1680, e prolonga-se até o fim da época colonial nas Minas Gerais, no início do século XIX. Tal objeto de estudo, baseado na periodização da história, não significa, com evidência, que os campos da prática – simbólico, técnico, político e econômico – se mantivessem simétricos. Os conflitos entre os agentes sociais, de fato, manifestavam esse descompasso na duração.

Assim, desde as últimas décadas do século XVIII, o negócio da mineração experimentava uma crise. Com o aumento crescente dos custos e do trabalho necessários à exploração aurífera subterrânea, e sem se proverem *novos descobrimentos*, aconteceu o reforço da agropecuária e das atividades artesanais como alternativas econômicas que estavam ao alcance das possibilidades dos habitantes de Minas. O estilo de descobrimento e de exploração de ouro segundo o Código das Minas, datado de 1702, quando houve os famosos descobrimentos de aluvião, foi adaptado ou praticamente abandonado, conforme se aprofundava a mudança social e econômica. Entre a segunda e a terceira década do Oitocentos, quando a extração mineral de maior vulto começou a passar para as mãos de companhias estrangeiras e nacionais, os senhores e chefes de família (*mineiros brasileiros*) que ainda mantinham lavras de ouro lucrativas, atuando isolados ou associados, eram vistos pelos agentes do governo como herdeiros de um modo passado de produção mineral.[12]

Para constituir o processo histórico de fabricação das Minas do ouro (e das pedrarias), foi necessário focalizar os momentos fugidios e dinâmicos das experiências na fronteira do lugar colonial ("espaço de liberdade significativo") (Levi, 1989, p. 1335), assim como da legitimação descobridora que a emoldurou. Esses tempos e essas práticas diferentes de conformação das Minas Gerais cruzam-se na composição de diversos textos coloniais cujo apelo foi institucional ou governamental, muito embora apresentem um sentido normativo e estratégico bem característico. Isso acontece porque nos discursos autorizados pelo Estado ou provenientes da administração da Coroa portuguesa – como cartas régias, consultas do Conselho Ultramarino, cartas dos governos das Minas e das autoridades coloniais –, apesar da formalização excessiva a que eram obrigados, insinuou-se a denúncia do espaço social fluido e invisível vivido pelos coloniais, que prefigurou toda classificação e regulação. Por outro lado, em outros textos "públicos", quando se trata de petições de coloniais, cartas de sertanistas e de descobridores aos governos, memórias, relações e mapas, pôde-se entrever, mais firmemente, a contraface do *programa* de descobrimento: outras práticas que estendiam, desviavam ou refaziam os traços normativos do Estado, as representações canônicas e o costume dos coloniais.

Extremamente raras, mas especialmente valiosas para apreender essas outras práticas nas empresas de descobrimentos, foram as narrativas de uso

[12] A carta régia de 12 de agosto de 1817 ao último Governador da Capitania de Minas Gerais, Manuel de Portugal e Castro, foi expressão da política reformista de uma mineração decadente desde as últimas décadas do século XVIII. Ela procurou restringir os direitos dos exploradores e reformar as práticas tradicionais de mineração ao prever a subordinação do descobridor de ouro, do proprietário de data, do mineiro e do guarda-mor aos propósitos da "sociedade" (ou companhia) mineradora e do governo. As limitações mais significativas seriam as seguintes: os novos descobertos deveriam ser preferencialmente concedidos às sociedades; o proprietário de terras minerais de possível rendimento que não as explorassem perderiam seus direitos em troca da participação acionária no empreendimento; formada a sociedade, os acionistas não poderiam reaver seu dinheiro ou seus escravos nem poderiam vender suas ações sem comunicar aos administradores; ficaria proibido ao guarda-mor fazer a repartição das datas e águas minerais sem informar o inspetor geral (nomeado pelo governador), que antes examinaria as condições para a organização de uma sociedade (FERRAND, 1998, p. 156-159). Diante disso, não é sem razão que os mineradores resistiram à organização dessas companhias exploratórias. Cf. ESCHWEGE, 1979, v. 1, p. 43-47.

particular e familiar não recrutadas pelas representações costumeiras do Estado. Houve, efetivamente, escritos familiares que registraram roteiros de entradas de descobrimento, relatos pessoais de descobridores ou mapas de descobertos de minerais preciosos, guardados para uso dos próprios sertanistas-descobridores, ou dos seus parentes e aliados. Infelizmente, pouquíssimos escritos resistiram ao tempo ou às vicissitudes familiares, e, ainda, às danosas compilações.

Contudo, para esta pesquisa, foi possível coligir tais registros *pragmáticos*, ou as esparsas referências mantidas por eles e retidas em relatos oficiais e memoriais, que serviam ao modo de fazer dos descobridores de minas. Ademais, também os historiadores Joaquim Felício dos Santos e Diogo de Vasconcelos, no viés romântico da segunda metade do século XIX, retiveram alguns desses testemunhos pessoais diretos – relatos ou cartas –, conferindo algumas das práticas e das percepções partilhadas pelos coloniais nas Minas Gerais do ouro, embora tendessem a dar muito crédito aos "fatos" (datas, personagens, motivações) contidos nesses textos (Santos, 1976, p. 127-177 *passim*; Vasconcelos, 1999, p. 178-179).

De qualquer modo, os clérigos escritores (Simão de Vasconcelos e André João Antonil, por exemplo), e os agentes do governo da Coroa e dos governos municipais das Minas, quando faziam seus relatos – descrições, cartas, relatórios, informações – sobre entradas e conquistas nos sertões, ou sobre descobrimentos e descobridores, costumavam colher informações nas narrativas pessoais e de famílias – escritas e da memória oral –, recuperando muito do seu conteúdo prático.

Para se fazer um amplo cruzamento entre as representações sociopolíticas e as práticas ordinárias, no sentido de compreender o jogo movediço das práticas de descobridores e de coloniais, é que se dispôs o *corpus* documental e a forma do trabalho de pesquisa.

Um campo documental imprescindível à pesquisa foi representado pelos registros oriundos do governo das Minas do ouro – a partir de 1697 – e, posteriormente, do governo da Capitania de Minas, que compreende o período entre 1709 e 1822. Especialmente, as petições enviadas ao governo para prover descobrimentos, ou aquelas que tratam de conflitos nas lavras minerais, esclarecendo os usos nas explorações de ouro e de diamantes, assim como o modo de expansão da fronteira das Minas Gerais. Além desses documentos, foi indispensável consultar os relatos, as notícias, os roteiros, e os mapas de descobrimentos ou de exploração de minerais preciosos nos sertões orientais da América portuguesa, em fins do século

XVII e no curso do século XVIII. Tais textos, dispersos em diversos fundos arquivísticos e publicações, representaram um desafio a mais para a consulta e a *garimpagem* das fontes.

Por outro lado, no exame das representações ou imagens com as quais se forjaram as entradas de descobrimento de minas de ouro e de pedrarias, nos séculos XVII e XVIII, recorreu-se, neste estudo, principalmente aos discursos políticos contemporâneos que retrataram as empresas virtuosas dos vassalos, segundo a razão do Estado monárquico e a lógica sociocultural do Antigo Regime português.

Dessa maneira, este estudo compõe-se de duas partes: a primeira refere-se a práticas de representações e codificações sociopolíticas que formam os descobrimentos de minerais preciosos; a segunda trata especificamente das práticas de descobrimentos dos sertanistas-descobridores e dos coloniais das Minas Gerais. Mas, é certo, essas representações exprimem-se como práticas de codificação e de instituição dos descobrimentos das Minas.

No capítulo 1°, distingue-se o campo social e político no qual ocorreram os descobrimentos de metais e de pedras preciosas. Procura-se, sobretudo, compor o imaginário do poder (com suas representações) que conferiu sentido às ações dos descobrimentos na América portuguesa.

Esse imaginário está, por exemplo, na raiz da significação (ou apropriação) da jornada de descobrimento de Fernão Dias Pais, tema do capítulo 2°. Para os coloniais poderosos e agentes do Estado, a expedição das esmeraldas transparece como um grande feito, cujo prestígio, passando a encarnar-se nas entradas sertanistas dos naturais do planalto de São Paulo, contribui para legitimar os descobrimentos de ouro e para mostrar a virtude dos vassalos merecedores de prêmios e de reconhecimento da Coroa.

No capítulo 3°, tais prêmios da Coroa, ou mercês régias, que mobilizam os vassalos para os serviços políticos virtuosos e sedimentam o suposto pacto fundador do corpo político do Estado, mostram sua eficácia social. Assim, nas práticas de discursos peticionários, sujeitando os requerentes ao programa estatal, as entradas de descobrimento de riquezas minerais foram virtualmente consideradas empresas políticas para aumento do Estado (da Coroa e do bem comum) e, forçosamente, específicas dos vassalos de maior qualidade e prestígio. Descobrimento e descobridor assumem o traço indelével do Estado.

O título do capítulo 4° (seguindo termos do padre Antônio Vieira) indica o sentido teológico e político ambíguo das Minas de ouro. O capítulo avalia, seguindo as valorizações socioculturais da época, o cenário social e natural do lugar de Minas, e suas implicações políticas. Anuncia-se, nessas representações ambíguas (riqueza e decadência) sobre as Minas, um conflito político e econômico entre descobridores ou coloniais e autoridades da Coroa, entre emboabas e paulistas.

O capítulo 5º dá início à segunda parte do trabalho. Investigam-se, neste ponto as práticas reais que compuseram os descobrimentos, através das trajetórias de três descobridores, entre os mais famosos que foram agraciados – Garcia Rodrigues Pais, Manuel de Borba Gato e Salvador Fernandes Furtado. Considera-se que a legitimidade dos descobrimentos de ouro e de diamantes nas Minas, entre a década de 1690 e a década de 1730, é constantemente colocada à prova pelo jogo dos planos particulares (familiares) dos sertanistas-descobridores e de seus negócios lucrativos com descobertos.

Descrevem-se ainda, no capítulo 6º, as artimanhas e as habilidades dos sertanistas para conseguir, não somente junto à Coroa, mas também frente aos demais coloniais, o crédito e a legitimidade dos descobrimentos e a fama pública de descobridores. Avalia-se que a experiência nas coisas do sertão, e o seu registro oral-escrito, são componentes da mesma prática de efetivação da ação descobridora.

No capítulo 7º, procura-se verificar o que se segue à entrada descobridora no sertão, cujas práticas são apreendidas no capítulo anterior. Nos descobrimentos das Minas Gerais do ouro, na fronteira de núcleos coloniais, aconteceram conflitos políticos, simbólicos e econômicos entre os descobridores legítimos e os forasteiros, entre os poderosos e os pobres. Práticas e atitudes distintas de descobrimento e de mineração, ainda não consagradas, ou não codificadas, acirram as tensões entre os agentes dos descobertos e aumentam as dificuldades de regulação política.

Finalizando este estudo, o capítulo 8º trata das mudanças sociais e políticas nas Minas Gerais, fatalmente visíveis na segunda metade do século XVIII, com a crise generalizada nos modos tradicionais de produção mineral dos poderosos, e nas formas de descobrimento segundo o rito costumeiro do Regimento minerário. Com isso, agentes do governo luso e críticos letrados revigoram uma retórica decadentista, e ainda marcada pela ambigüidade, pleiteando, acima de tudo, uma reforma restauradora que limitasse o papel dos pobres: a reinvenção das Minas sem os alegados erros do passado.

Convém mencionar que os manuscritos citados são transcritos no texto deste livro, e especialmente quando criam dificuldades para a compreensão do leitor, com a ortografia atualizada e sem as abreviaturas de costume da época. Quanto às citações dos documentos impressos, manteve-se, não estando estes demasiadamente eivados de uma grafia arcaica e de termos abreviados, a forma de origem, a bem da estrita honestidade no uso das fontes.

Parte I

As práticas de representação de descobrimento de minas

Capítulo 1

Poder, representação, discurso: feitos de descobrimentos

Nas sociedades européias do Antigo Regime – por convenção, do século XVI ao XVIII –, encontrava-se no conceito de representação o critério fundamental que regia as normas culturais de conduta, comportamento e identidades sociais. Conforme observa João Adolfo Hansen, "o ser social do indivíduo é identificado à representação que faz de si para outros" (Hansen, 1992, p. 353).

Desde o século XVI, definia-se representação como o modo de dar a conhecer um objeto ausente através de uma imagem presente, capaz de fazer figurar na memória o objeto tal como ele é. Isso se traduz, por exemplo, nos exercícios de memória da doutrinação contra-reformista, que procuravam produzir imagens interiores através de obras artísticas ou pedagógicas.[1]

Também o emblema obedecia ao princípio dessa noção de representação. Ele se constituía de uma figura – alguma coisa relativa à natureza, à mitologia ou à religião – que, interagindo com o mote que a acompanhava, promovia uma (re)significação do conjunto e conduzia a um outro significado não expresso pelas partes isoladas. Compreendida somente pelos indivíduos mais corteses (e discretos), o emblema era a metáfora das qualidades morais e religiosas a serem memorizadas para uma vida virtuosa.[2]

[1] No século XVI, em um contexto religioso muito marcado por concepções da magia, os rigorosos procedimentos de memória artificial cristã remetiam à experiência especial, invulgar, dos adeptos da alquimia e da astrologia. Cf. SPENCE, 1986, p. 34-39.

[2] Sobre o emblema, afirma-se que era a mais importante forma de linguagem gráfico-literária do Renascimento e do Barroco (SEBASTIÁN, 1994/1995, p. 57).

No século XVII, a distinção entre representação e representado, e entre "signo e significado", perdeu muito da sua eficácia. A coisa (ou sua significação) conformou-se ao signo que a denota, confundindo-se e dispersando-se nele, como se observa num exemplo do dicionário de Furetière, em 1690: "Este Senhor tem mesmo ar e a representação daquilo que é" (*Apud* CHARTIER, 1990, p. 21. Cf. GINZBURG, 1991).

Afinal, se os fenômenos do mundo só se dão a conhecer por imagem – o que faz a mediação entre o pensamento e o ser –, o pensamento humano é sempre metáfora. Então, pensar é criar metáforas: *figuras* que colocam em cena os objetos sensíveis. Esta sensibilidade do Barroco foi expressa por Baltasar Gracián quando, alterando o "mito da caverna" de Platão (o que o homem contempla na realidade são sombras aparentes das substâncias das coisas), afirmou: "O primeiro [no mundo dos fenômenos] com que tropeçamos não são as essências das coisas, mas as aparências" (*Apud* MARAVALL, 1997, p. 309-310).

Assim, em 1640, Saavedra Fajardo, informado por essa concepção *emblemática* do mundo e de valorização da tradição, afirmou que os instrumentos privilegiados do conhecimento eram os olhos e os ouvidos. Somente esses imprimiam na memória a imagem de ações e de comportamentos reconhecidos como necessários à conservação do quadro social.[3]

As noções do século XVII como a de que o mundo é "todo perspectiva" e de que a vida é sonho eram desse mesmo quadro de significação (MARAVALL, 1997, p. 311-323.). O homem estaria condenado ao fracasso na sua busca do saber: o conhecimento verdadeiro das coisas seria inatingível na vida, e a experiência surgia em meio à fantasia. Característico disso é o poema "El Sueño", da monja mexicana Soror Juana Inés de la Cruz. Como num jogo de espelhos entre sonho e realidade, a alma pode pressentir a "causa primeira" das coisas no sonho noturno do adormecimento, acercando-se da verdade, mas ao despertar pela manhã, na luz do desengano e da disposição divina dos seres, o que parece realidade se torna sonho da presunção humana (BUXÓ, 1997, p. 235-262).[4]

Todas as práticas discursivas adquirem pleno significado quando inscritas no campo teológico-político do Antigo Regime. Nas monarquias

[3] O rei, principalmente, precisava aprender e lembrar através de representações da conduta dos governantes antigos e modernos. Cf. FAJARDO, 1976, v. 1, p. 51-52. A primeira edição do livro foi em 1640.

[4] Para uma profunda análise da obra de Juana Inés, cf. PAZ, 1998.

européias, o poder do rei tinha na representação simbólica o seu arsenal de legitimação. Desde a Idade Média, a nobreza hegemônica estabeleceu rituais e práticas simbólicas que fundaram, sedimentaram e expandiram a dominação política dos seus súditos. De fato, a unção e a coroação dos reis franceses e ingleses, transformadas em ritual cristão, traziam para o plano do sagrado o poder temporal dos príncipes. Mais do que um instrumento político conscientemente criado por uma nobreza cobiçosa, as crenças no poder sagrado (e mágico) dos reis estavam enredadas às "ideas arcaicas" do passado pagão que permaneciam nas "massas" cristianizadas (Bloch, 1988, p. 81).

Nos séculos XVI e XVII, era crença comum que a consagração dos monarcas franceses e ingleses, com a unção do óleo sagrado, instituía uma soberania baseada na natureza divina da realeza e das próprias pessoas reais. Os privilégios reais, incluindo a regalia dos benefícios eclesiásticos, não tinham sua primeira justificativa no pacto moral das leis humanas, mas na qualidade especial de pessoas transformadas em representantes da potência e da majestade divinas (Bloch, 1988, p. 318-322). Nestes termos, afirmou, em 1625, o bispo de Chartres: "No entanto segue que aqueles que são chamados Deuses, o sejam, não por essência, mas por participação, não por natureza, mas por graça, não para sempre, mas por um certo tempo, como são os verdadeiros Tenentes do Deus Todo-poderoso, e que por imitação de sua divina Majestade, representam sua imagem aqui embaixo" (*Apud* Bloch, 1988, p. 322, tradução minha).

A explicação teológica do bispo de Chartres remete à teoria política medieval dos dois corpos do rei – o corpo natural e o corpo político. Um participava da natureza física, e o outro, do poder e da dignidade reais – *persona personalis* e *persona idealis*. Na imagem do rei encontravam-se a natureza humana do indivíduo e o poder soberano comunicado pela divindade. O homem morria, mas a autoridade da realeza permanecia no corpo invisível (místico) que provia justiça. De fato, a frase de Luís XIV "l'État c'est moi" sintetizava bem a noção de corporificação do poder real na conservação e expansão do Estado, ou seja, na razão de Estado (Kantorowicz, 1998; Hansen, 1992, p. 351).

Mas a tradição das monarquias ibéricas, revigorada no pensamento escolástico da Contra-Reforma, rejeitou a noção, considerada herética, de que a criação da sociedade política tinha na vontade divina sua primeira justificativa e de que a autoridade do governante repousava na graça de Deus. Para os tomistas, a *república* – a instituição de uma autoridade pública consentida pela comunidade dos homens para a promoção do bem comum – era a resposta racional e, portanto, natural dos indivíduos para alcançar a justiça e a civilidade. A idéia de que o poder público se fundava no consenso (*consensus*) do "povo", que transferia seus poderes ao governante, era defendida por todos os teóricos dominicanos e jesuítas. Nos termos de Suárez: "decorre que, para ser legítimo conferir tal poder a um determinado indivíduo, na qualidade de príncipe supremo, é essencial que ele lhe seja concedido com o consentimento da comunidade" (*Apud* Skinner, 1996, p. 435-439. Courtine, 1985, p. 94 -103).

Isso não queria dizer, como ressalta Skinner, que a validade das ações e leis de um sistema de governo dependesse do consentimento dos súditos ou de algum procedimento constitucional. As leis, segundo esses teóricos, deviam ser avaliadas à luz da razão natural, na qual se inscreviam a lei e a vontade de Deus. Somente em casos que atingiam mais diretamente a república, como a tributação, é que se devia passar pelo crivo do consentimento dos súditos (Skinner, 1996, p. 439).

Mas a questão era: como o próprio povo criou os meios de instituir-se em personalidade jurídica coletiva, ou em outros termos, como a comunidade natural se fez povo? Skinner observa que, dentre os tomistas, somente Suárez enfrentou a questão de forma consistente. No estado da natureza, as qualidades morais dos indivíduos, fruto da liberdade, do poder e da razão de cada um, são também comuns. Assim, essa comunidade apresenta-se como um "corpo místico único", no qual todos reconhecem e seguem as mesmas regras, configurando um todo moral unificado. É nesse corpo que tem origem uma vontade geral e única, capaz de fundar, legitimamente, o sistema político (Skinner, 1996, p. 440-443).

O importante é que a legitimidade do poder real não é vista aqui como proveniente da sucessão dinástica consagrada por Deus, mas da vontade geral de um corpo místico, cuja ênfase recaía não no governo e majestade reais, mas nos súditos-membros organizados em uma república visível.

De fato, a monarquia de Portugal, marcada pela resistência aos objetivos absolutistas da Coroa espanhola no século XVII, alinhava-se à "política católica", que se caracterizava pela subordinação à moralidade cristã na concepção da prática de governo e à noção de legitimidade monárquica por mediação "popular" (Torgal, 1992, p. XVIII. Hespanha, 1984). No século XVII, o conceito de razão de Estado católica, em contraposição à razão de estado de Maquiavel (injusta e ímpia), veio enfeixar as virtudes e a conduta pretendidas para o governante. Nessa perspectiva, a justiça vinha antes da utilidade, o que significava que o primeiro compromisso do príncipe devia ser com a lei de Deus e com a razão natural (Albuquerque, 1974, p. 89-93). Para isso, o governante cristão e sábio, com conhecimento e experiência, devia exercitar-se nas virtudes morais e heróicas: a prudência, a piedade, a constância, a honra e o valor (Albuquerque, 1974, p. 93-100). Giovanni Botero, no seu livro *Da Razão de Estado*, publicado pela primeira vez em Veneza em 1589, um dos pilares do pensamento político católico, afirmou que a integridade do Estado se assentava nas virtudes do príncipe e na reputação do governo que advinha dessas virtudes. Botero agrupou as virtudes em dois grupos: no primeiro, de escopo moral, estavam as virtudes próprias ao trato do rei com seus súditos, como a humanidade, a cortesia, a clemência e outras mais, incluídas todas na justiça e na liberalidade; no segundo grupo, incluíam-se as virtudes do exercício político exigidas para a administração, o controle e a defesa do Estado, representadas pela prudência e pelo valor.[5]

Na verdade, os discursos sobre a natureza do Estado monárquico em Portugal construíam a legitimidade do poder do monarca sobre uma fundamentação ambígua. Afirmavam a soberania "absoluta" do rei, ao mesmo tempo em que enfatizavam o "pacto" ou "contrato" entre o rei e os súditos. O rei era absoluto na sua soberania e majestade, mas não no governo da república. Neste, ele estava sujeito ao sistema jurídico e às instituições costumeiras que visavam ao bem comum dos súditos ou vassalos. É interessante perceber que a noção do contrato primordial funcionava, assim, como uma reserva moral e legal oposta ao poder absoluto, legitimando as resistências e as subversões ao controle real.[6] Por outro lado, essa dualidade servia também para dar mais flexibilidade ao sistema político, na medida em que críticas aos agentes da Justiça e da Administração ou à inobservância das leis não significavam necessariamente afronta ao poder do rei nem eram consideradas crimes de lesa-majestade.

De todo modo, na prática, lembra Emmanuel Ladurie, o poder dos reis europeus nunca foi absoluto. Na engenharia do domínio monárquico, nem o rei podia tocar nas instituições e costumes legados pela tradição. Mesmo

[5] BOTERO, 1992, p. 18. É possível observar que os ensinamentos de Botero representavam um esforço de transposição dos fundamentos da teoria católica da Contra-Reforma sobre a natureza do poder real para o plano da ação prática.

[6] Essa teoria servia à justificação do direito de soberania do reino de Portugal em relação à Espanha absolutista, no contexto da Restauração. Cf. CURTO, 1988, p. 216-223.

aquelas monarquias que se justificavam na noção, polêmica até para os contemporâneos, do caráter sacerdotal e da eleição divina do soberano, nunca podiam prescindir da "popularidade". A estreita ligação entre o rei e a "nação" é o que, na prática, sustentava o edifício monárquico (Ladurie, 1994, p. 12).

A metáfora do corpo explicava bem esse tipo paradoxal de dominação política. Do rei e sua Corte – a cabeça do todo – o poder disseminava-se em várias comunidades, instituições, cargos e funções para manter-se fortalecido, como o corpo cujo vigor dependia da seiva vital que o sangue espalhava até o mais recôndito dos seus membros.[7]

Com efeito, em Portugal, o rei e a Corte não governavam sozinhos, e nem poderiam. Para governar e manter presente o domínio monárquico, utilizavam-se dos poderes e das instituições tradicionais – Igreja, senhorios, Câmaras municipais e as associações da Misericórdia – que, como os nós de uma rede, faziam a articulação das linhas do poder régio e mantinham funcionando o sistema político e social.[8]

O movimento do regime monárquico produzia os antagonismos entre os súditos, aumentando, assim, a dependência deles em relação ao monarca. Segundo Norbert Elias, ao soberano "basta-lhe exercer uma função reguladora dessas tensões, criar organismos encarregados de manter essas tensões e distinções e de lhe facilitar uma visão de conjunto da situação" (Elias, 1987, p. 104).

Essa manipulação inerente ao justo poder do soberano estava explicitada no *Discurso histórico e político* sobre a revolta de 1720 nas Minas (Discurso histórico..., 1994, p. 157):

> que o príncipe, quando se empenha, é um briaréu de cem braços, que ao mesmo tempo acode a diversas partes, e que não há distância

[7] Mas, se o poder monárquico não se fazia na opressão (sendo a opressão o abuso da soberania, segundo a perspectiva da teoria clássica do direito político), isso não significava, evidentemente, que ele não se fundamentava na dominação. Para Foucault, deve-se enfocar "as múltiplas formas de dominação que podem se exercer na sociedade. Portanto, não o rei em sua posição central, mas os súditos em suas relações recíprocas: não a soberania em seu edifício único, mas as múltiplas sujeições que existem e funcionam no interior do corpo social" (FOUCAULT, 1984, p. 181).

[8] "Por isso [por falta, principalmente de um funcionalismo régio eficaz e competente] tem de procurar um aproveitamento das instituições e dos poderes presenciais existentes, com que inevitavelmente partilha o poder. Já se lhe chamou o "absolutismo bem temperado" (MAGALHÃES, 1994, p. 31). Cf. *idem*, 1985.

> segura das iras do soberano, porque, como o sol, tem igual atividade em todos os hemisférios, ferindo igualmente ao monte que se lhe avizinha [metáfora do poderoso e da terra próxima] e ao vale que dele mais se aparta e dista [metáfora da gente vulgar e das terras distantes].

A visibilidade difusa do poder era a marca da dominação monárquica: o poder político se identificava com o espaço social e geográfico que compunha o reino, agindo e apresentando-se de modo diferenciado conforme as mudanças espaciais.[9] Mas esse poder, encabeçado pelo monarca, tornava-se visível nos signos de majestade régia que se traduziam nas cerimônias, rituais e audiências públicas, nas quais a figura do rei e a sua Corte eram representadas como os modelos de organização política e das relações sociais que se pretendia criar ou reformar. Atento à construção da imagem da vida cortesã, em 1650, o bispo Sebastião César de Menezes, advertiu: "Dos costumes da Corte, procedem o bem, ou mal viver de todo o Estado; a quietação, ou a perturbação dos povos, a fama, ou infamia do Principe" (Menezes, 1650, p. 152).

Como a Corte era o lugar onde residia o monarca, a família real e a nobreza mais prestigiosa, havia ali uma condensação do poder monárquico – "como um resumo pedagógico da sociedade global" nos termos de Ladurie (1994, p. 33) – que se transmitia, em gradações hierárquicas, por uma cadeia de privilégios e obrigações, formando uma rede de sujeição vassálica que chegava ao lugar mais distante das possessões do reino e ao menor dos vassalos.

Um dos mecanismos fundamentais de conservação e de expansão do poder estatal, no período, estava na manipulação da rede clientelista. Saber governar era saber manobrar as linhas de interesses que ligavam os vassalos a outros vassalos, e todos a seu soberano. Botero percebeu bem esse mecanismo quando escreveu em 1606: "no fim de contas, Razão de Estado é, pouco mais ou menos, razão de interesse" (*apud* Torgal, 1992, p. XL). Nesse jogo, os súditos se equilibravam em posições de poder instáveis, conforme o favor real e a concessão de privilégios. Esses podiam recair sobre o sujeito, um grupo ou sobre uma parte do território, diferenciando-os para melhor os integrar. Por outro lado, os vassalos não eram marionetes;

[9] "O conhecimento do território, tendo em vista a acção política, implica uma concepção relativista do Espaço, da Sociedade e do Estado. Neste sentido, o conhecimento dos determinismos geográficos possibilita uma nova fundamentação da acção política" (CURTO, 1988, p. 176).

pode-se dizer que se deixavam manobrar para tirar partido da manipulação: sempre barganhavam cargos e premiações quando faziam algum serviço real. Porém, tudo era um tanto perigoso, pois por força do próprio jogo ia-se de uma posição elevada na hierarquia política à desgraça política e social em curto espaço de tempo (Elias, 1987, p. 65).

A expansão colonial e a formação do Império português, desde o século XV, deram um novo alento à monarquia, que obteve no comércio colonial e nas possessões ultramarinas os rendimentos necessários ao fortalecimento da soberania do Estado, tradicionalmente empenhado em combater as reivindicações espanholas sobre o seu território na península.[10]

Nesse horizonte político e sociocultural é que se podem situar, confrontando tonalidades, os discursos dos feitos de descobrimento de metais e de pedras preciosas nos sertões do Brasil, no final do século XVII e no século XVIII. Assim, segue-se conferindo as representações do campo do poder que informam a composição semântica dos discursos (ver, a respeito, QUADRO 2, Apêndice B).

Em 1725, por ordem do Visconde de Sabugosa, governador-geral do Brasil, o coronel Pedro Barbosa Leal fez um relato dos primeiros descobrimentos de metais preciosos no sertão da Bahia.[11] Pretendia-se que fosse uma avaliação, feita por um sertanista com experiência, da verdade e das reais possibilidades exploratórias dos tais descobertos. O coronel fez, então, um extenso relato no qual a memória oral e os registros documentais – roteiros e requerimentos – se cruzavam para formar uma narrativa conforme a tradição, cujas representações eram os moldes seguros de verossimilhança (aparência de verdade) costumeira das práticas e dos acontecimentos narrados.

No relato, constava que Belchior Dias Moreia (ou Melchior), rico proprietário de terras e gado do rio Real, valendo-se das tradições de riquezas de prata no sertão, e alentado por notícias de descobrimento e amostras de minerais trazidas pelos índios da expedição de Gabriel Soares de Souza, seu primo, armou expedição exploradora com "gentio manso" (escravos),

[10] Luís Felipe de Alencastro, comentando opinião de Vieira, expressa em 1672, sobre os objetivos da expansão marítima e colonial, conclui: "As colônias servem para sermos livres, não para sermos ricos, parece dizer, em resumo, o padre Antônio Vieira" (ALENCASTRO, 1998, p. 203-204).

[11] [22 de novembro de 1725] DOCUMENTOS relativos [...] (1548-1734) – *DIHCSP*, v. 48, 1929, p. 59-104. O prenome correto do sertanista seria Belchior, e não Melchior, como apareceu grafado no relato de Pedro Barbosa Leal. Cf. FREIRE, 1891, p. 49-65.

ao que parece nos primeiros anos do século XVII. Passou por várias serras e desceu o vale do rio São Francisco, descobrindo minas de ouro, prata, pedras preciosas e salitre, além de escravizar vários índios. Após oito anos dessa jornada, retornou Belchior Dias à sua casa e embarcou, logo em seguida, para a Corte, na Espanha. Aí começou o seu desengano: "declarou os haveres que tinha achado, pretendeu mercês, e ou porque julgaram altas as mercês, ou porque julgassem que por ser natural do Brasil não merecia nenhuma atenção, o trouxeram quatro anos em requerimentos, até que desenganado voltou para o Brasil sem ser deferido".

Nessa parte do relato de Barbosa Leal, começou-se a explorar a noção do descobridor enganado, preso à condição menor de colonial do Brasil: ou ele era indigno do feito pretendido, ou suas ações não mereciam crédito. Belchior Dias ficou perdido em meio à gramática da vida cortesã; precisava do favor real ou da proteção de algum nobre influente para ser reconhecido como descobridor.

O engano perseguiu o protagonista. Depois de vários requerimentos à Corte, Belchior Dias conseguiu um protetor, o governador de Pernambuco, Dom Luís de Souza. Mas esse acabou tirando-lhe a glória de manifestar ao rei os supostos tesouros, e ficou com a honraria mais elevada, tornando-se o marquês de Minas. De qualquer modo, ainda com promessas de honrarias, o sertanista quis mostrar as minas ao governador de Pernambuco e ao primo deste, o governador da Bahia, Dom Francisco de Souza. No entanto, sinal do desfecho injusto que aguardava o descobridor, ele percebeu o jogo político dos governantes coloniais:

> Parece que Melchior [sic] Dias Moreia, com o uso das vezes que foi àquelas Cortes, se fez político e soube seguir algumas máximas que nelas se praticam, porque contam seus descendentes que, tendo peitado e obrigado a um pagem particular de um dos governadores, este, sendo inconfidente ao seu amo, revelara ao dito Melchior Dias que, conversando ambos os governadores sobre as mercês que el-rei lhe fazia, dissera um para o outro: – mostre ele as minas, que o caboclo para que quer mercês?

O sertanista exigiu, então, que se lhe passassem os alvarás régios das mercês prometidas para que pudesse fazer o descobrimento. Os governadores, negando-se a esse reconhecimento legal, ordenaram que ele devia primeiro manifestar as pretendidas minas. Com o impasse, Belchior Dias Moreia não quis mostrar as minas aos governadores, que o prenderam, exigindo ainda uma indenização pelos gastos da jornada. Por fim, instado pelos parentes, escandalizados com o tratamento que lhe davam, Belchior Dias pagou a quantia e foi solto. O descobridor injustiçado morreu daí a dois anos, em 1619, na sua fazenda do rio Real, sem manifestar as minas.

O discurso sobre o feito de descobrimento tinha um sentido moralizante e didático. Alertava os governantes e os súditos que, quando vassalos da Colônia e agentes da Coroa não conjugavam esforços – cada um segundo a sua posição no edifício hierárquico e estamental – perdiam o Estado e a Fazenda Real. Tratando dessa tradição de descobrimento de prata no sertão baiano e da indiferença aos pedidos do descobridor pelo crédito merecido, concluiu-se numa *Informação,* ao que parece do final do século XVII, "que a miseria dos reis encrua os animos dos vassallos, para não lhe fazerem serviços, nem lhe basearam haveres ainda que d'elles tenham notícias" (Informação do Estado do Brasil..., t. 25, 1862, p. 471).

Para conseguir as rendas de que precisou constantemente, a Coroa expandiu na Colônia a rede clientelista, pretendendo uma identidade entre suas representações e empreendimentos e as do agente colonial. Como afirma Florestan Fernandes: "Por isso, o "colonizador" ou o "colono" é sempre um vassalo, um agente da Coroa, e arca, por sua conta e risco, embora com alguns privilégios ou vantagens, e por vezes, com algum suporte oficial, com a construção do Império na colônia".[12]

Importavam duas noções subjacentes ao discurso de descobrimento de riquezas minerais: a de qualidade e a de crédito. Com efeito, foi a falta de crédito para o *fato* do descobrimento que fez Belchior Dias amargar o desprezo na Corte. E isso adveio da qualidade do requerente: sendo mestiço, descendente do gentio da terra, não teria razão para querer privilégios e posição.

A forma de significação do texto desviou-se do fato bem conhecido na época de que sem índios não se fazia nenhum descobrimento. Parafraseando Antonil, os índios eram as mãos e os pés do descobridor dos tesouros ocultos do sertão (Antonil, 1968, p. 126). Em 1701, os oficiais da Câmara de São Paulo reclamaram ao rei que não se continuavam os descobrimentos nas Minas de Cataguases "pella falta dos Indios", porque se

[12] O Império colonial português formava-se sob os mesmos fundamentos, já vistos, da monarquia clássica que se organizava, nos termos de Max Weber, como um Estado patrimonialista: "A concentração de poder e de riqueza nas mãos do soberano representava a contraparte da associação deste com a nobreza, o clero e os "homens de fortuna", do país e do Exterior, em uma grande empresa militar, econômica, política e religiosa comum" (FERNANDES, 1976, p. 34-35).

estava tirando da Câmara a sua regalia de administração dos índios das aldeias reais "e se lhe dificulta aquelles moradores o daremselhe para os levarem, satisfazendolhes o seu jornal".[13] O texto apontava para o conflito endêmico, na Colônia e especialmente em São Paulo do século XVII, entre os vassalos e os agentes da Coroa para saber quem detinha o privilégio de escravização do gentio.[14]

Na representação do descobrimento, o feito só se configurava quando a condição social do *descobridor* não desabonava a ação vassálica exigida pelo serviço real. Em 1711, Antonil contou que o primeiro descobridor de ouro nas Minas Gerais foi um

> mulato que tinha estado nas minas de Parnaguá e Coritiba. Este, indo ao certão com huns Paulistas a buscar indios e chegando ao serro do Tripuí, deceo abaixo com huma gamella para tirar agua do ribeiro que hoje chamão do Ouro Preto; e metendo a gamella na ribanceira para tomar agua, e roçando-a pela margem do rio, vio depois que nella havia granitos da cor do aço, sem saber o que erão. (Antonil, 1968, p. 350-352)

Mas quem era esse homem? As narrativas e memórias de descobrimento não registraram o seu nome, nem as suas mercês pelo fato. E o texto de Antonil contém pistas que explicam esse silêncio: o sentido da qualidade social do tal descobridor e da causalidade do descobrimento, que correspondia a um ato marcado pelo engano.

Numa memória de 1733, o mestre-de-campo José Rebelo Perdigão, secretário do governador Artur de Sá e Menezes quando este veio averiguar as Minas recém-descobertas, afirmou que as primeiras "notícias" de ribeirões auríferos chegaram a São Paulo através dos sertanistas que retornaram

[13] [9 de dezembro de 1701] DOCUMENTOS relativos [...] (1701-1705) – *DIHCSP*, v. 51, 1930, p. 51. Em 1681, justificando o desânimo dos paulistas no descobrimento de riquezas minerais, a Câmara de São Paulo já denunciava ao rei o desencaminhamento dos índios, que fugindo aos descobrimentos de minas, trabalhavam nas casas dos moradores das vilas circunvizinhas. ([22 de outubro de 1682] CONSULTAS do Conselho [...] 1680-1718 – *RIHGB*, t. especial, v. 1, 1956, p. 47).

[14] No século XVII, "À medida que persistiam oposições morais ou legais ao cativeiro dos índios, a reprodução do sistema enfrentava contínua ameaça da esfera extra-econômica. Daí a importância fundamental da justificação constante por parte dos colonos perante a Coroa quanto à necessidade absoluta e aos benefícios positivos do serviço particular dos índios, atrelando este à própria sobrevivência da Colônia" (MONTEIRO, 1994, p. 133-134).

da expedição de descobrimento das esmeraldas, e principalmente por "um Duarte Lopes", que teria feito "experiência em um certo Ribeirão". Pouco importa se esse era o mulato ao qual Antonil fez referência; o certo é que no texto de Perdigão o descobrimento não estava configurado. Desde o século XVI, os paulistas viviam na tradição de grandes haveres no sertão, recebendo aqui e ali "notícias" das riquezas ocultas que não tomavam o sentido de um feito de descobrimento.[15] Assim, entre a notícia de um Duarte Lopes (ou de um engano de mulato) e o fato do descobrimento, haveria bastante diferença. O descobrimento só aconteceu quando, animados pela notícia, um grupo de paulistas aparentados, "Chegados à Itaberaba fizerão na sua serra as suas primeiras experiencias, e descobrirão nella o primeiro ouro". Ressoa no texto que os protagonistas que estabelecem o feito são homens de qualidade superior na hierarquia social da gente do planalto (Notícia, t. 69, 1908, p. 277-287).

A qualidade significava a origem e a posição social do sujeito nas quais estava inscrita, necessariamente, uma determinada conduta prevista e prescrita pela tradição.[16] Em 1715, o governador da Capitania, Brás Baltazar da Silveira, justificou a omissão dos paulistas de Pitangui no pagamento dos quintos de uma mina de beta "por serem negros e carijós os que fizeram o descobrimento e quando seus senhores lhe acudiram já eles tinham sumido o que haviam tirado" (APM, Sc 04, f. 187v, [24 de Março de 1715]).

Os textos de lei e os regimentos, convenientemente presos às práticas e aos sucessos nas regiões de fronteira da extração minerária, manifestavam os mesmos quadros de representação nos quais usualmente a

[15] Desde os descobertos de Brás Cubas em 1560, a tradição dos haveres do sertão traduzidos nos mitos de Sabarabuçu (serra da prata) e da serra das esmeraldas era forte o suficiente para alentar os paulistas na armação de diversas expedições exploradoras durante o século XVII. Bento Correia de Souza Coutinho, em carta escrita do Rio de Janeiro ao rei e registrada em Lisboa em 31 de outubro de 1695, avisou que tinha ajustado com o governador Antônio Paes de Sande passar por alguns ribeirões supostamente auríferos no caminho para São Paulo, dos quais ele tinha notícia desde 1683. Uma dessas notícias Coutinho transmitia, em 1694, ao governador-geral João de Lencastre, relativas às "novas minas de ouro, que tem descoberto com alguns parentes" o vigário de Taubaté, João de Faria (DERBY, 1901a, p. 257-270).

[16] "Na esfera do tradicional, saímos daquilo que existe faticamente, que foi de há muito estabelecido e que é apenas reconhecido e praticado de modo geral, para articular a noção de antigo e consensual à de valor. Apenas nesses termos é que se pode reconhecer na tradição a força para cristalizar e fazer um código realmente uniformizador da conduta, pela firme adesão das consciências às suas prescrições" (FRANCO, 1997, p. 61).

Coroa concedia privilégios, ou seja, a cada um conforme a sua qualidade. Assim, em 1714, na *Instrução* do sargento-mor Pedro Gomes Chaves, que foi enviado a Pitangui, Brás Baltazar da Silveira advertia que, se qualquer homem branco com cinco negros para cima fizesse algum descobrimento, ele poderia ser nomeado guarda-mor, mas não se o descobrimento fosse feito por mulato, bastardo, negro, ou carijó (*Apud* Carvalho, 1931, p. 570-573). Como, desde o tempo dos primeiros descobertos de ouro nas Gerais, os paulistas descobridores requeriam e obtinham o cargo de repartidor das datas minerais, o reconhecimento dos mulatos, negros e carijós (e mesmo brancos pobres) como descobridores não se completava e apresentava-se ambíguo. O feito da descoberta não acontecia plenamente, e o fato apresentava-se inverossímil.[17]

Desde o tempo dos primeiros descobrimentos no sertão das Gerais, o cargo de guarda-mor recaía sobre os proprietários paulistas de maior qualidade que se fizeram descobridores. A documentação registra que, para as Minas de Cataguases, foram providos como guardas-mores Garcia Rodrigues Velho, Manuel Lopes de Medeiros, Domingos da Silva Bueno entre 1698 e 1700, enquanto para a Repartição do Rio das Velhas foram nomeados Manuel de Borba Gato e Garcia Rodrigues Pais entre 1700 e 1702.[18]

Nem bem o Regimento das Minas sobre a repartição e demarcação das datas minerais foi aprovado, em abril de 1702, dois supostos descobridores – um de Guaratinguetá e outro de Taubaté – impunham condições contrárias ao que ele dispunha, condicionando a ação descobridora e a manifestação do ouro à provisão de guarda-mor para si próprios ou para seus aliados (Documentos, v. 51, 1930, p. 136.).

Os cargos que atestavam os feitos descobridores eram atribuídos a pessoas das famílias de maior cabedal e reconhecidas, por suas ações, como

[17] Em 1780, o desembargador José João Teixeira Coelho definiu a qualidade dessa "arraia-miúda" e o serviço adequado para os súditos dessa posição social: "Os vadios são o odio de todas as Nações Civilizadas, e contra elles se tem muitas vezes legislado; porem as regras commuas relativas a este ponto não podem ser applicaveis ao Territorio de Minas; porque este Vadios, que em outra parte serião prejudiciaes, são ali uteis: elles, a excepção de hum pequeno numero de brancos, são todos Mulatos, Caboclos, Mestiços, e Negros Forros". Estes são usados adequadamente, segundo Teixeira Coelho, no povoamento de fronteira, no rebate de índios bravos e na destruição dos quilombos dos negros fugidos. (INSTRUÇÃO para o governo... – *RAPM*, v. 8, 1903, p. 479). Cf. COSTA, 1992.

[18] Segundo levantamento de Basílio de Magalhães em: PATENTES, monções, sesmarias – *DIHCSP*, v. 54, 1932, p. 16. Cf. FRANCO, 1989, p. 182, 215-216, 246, 431.

vassalos leais. Ou seja, para a qualidade de descobridores justificavam-se a aquisição do crédito e a obtenção dos prêmios pelo serviço ao rei.

O reconhecimento do feito de descobrimento, traduzido na concessão de privilégios, era tão indispensável aos sertanistas que, em 1718, o rei observou que havia um certo desalento nas ações descobridoras, desde que os descobridores estavam impedidos pelo Regimento de 1702 a repartir eles mesmos as datas minerais. Era preciso, segundo a prática política e cortesã da época, alguma dissimulação, "uma atitude prudentemente conciliatória para com os descobridores".[19]

Na verdade, explicitara-se desde 1708, com a luta entre paulistas e emboabas, um conflito de representação sobre o *fato* do descobrimento. A partir de 1720, em parte reagindo à relativa perda de prestígio na Capitania de Minas Gerais, os sertanistas paulistas continuaram retomando em outros lugares de fronteira – Minas de Cuiabá, Mato Grosso e Goiás – a noção tradicional de expedição exploradora de metais como serviço real de vassalos eleitos por sua especial qualidade e crédito.[20]

Quem não era conhecido – ou não mantinha as relações certas – não tinha crédito suficiente para manifestar o ouro e tornar-se um descobridor. Era suspeito de fugir ao pagamento dos quintos, passando-se mais por um possível criminoso ou um contrabandista. Advertências como as do governador do Rio de Janeiro ao sargento-mor de Parati, em 1704, sobre o ouro que vinha das Minas, têm este sentido:

[19] O governador Dom Pedro de Almeida, sugerindo adaptações no Regimento das Minas para aumentar os descobrimentos, afirmou que os sertanistas paulistas só queriam fazer descobrimentos desde que fossem eles os demarcadores e os repartidores das datas minerais descobertas (APM, Sc 04, f. 206-206v, [22 de novembro de 1717]). Ver a resposta do rei em HOLANDA, 1993, t. 1, v. 2, p. 271-272.

[20] Pascoal Moreira Cabral, um dos descobridores das Minas de Cuiabá, logo foi reconhecido como o guarda-mor do descoberto pelos chefes bandeiristas. O rei confirmou-o no cargo, "cuja occupação se estilla dar aos descobridores" ([6 de novembro de 1720] BANDOS e portarias... – *DIHCSP*, v. 12, 1895, p. 129-130. [28 de julho de 1725] AVISOS e cartas... – *DIHCSP*, v. 18, 1896, p. 151-152). Bartolomeu Bueno Silva, João Leite da Silva Ortiz e Domingos Rodrigues do Prado, associados no descobrimento das Minas de Goiás, "e por este serviço se fazem credores da mercê de Sua Majestade", alcançaram vários prêmios e honras: privilégios de nomeação dos cargos da repartição das terras minerais descobertas, posse das passagens dos rios caudalosos e terras de sesmarias ([30 de junho de 1722] ORDENS régias... – *RAMSP*, v. 12, 1935, p. 131-132. [30 de junho de 1722] BANDOS e portarias... – *DIHCSP*, v. 12, 1895, p. 55-60. [27 de dezembro de 1725] ORDENS régias... – *RAMSP*, v. 22, 1936, p. 377-378. [2 de julho de 1726] BANDOS e portarias... – *DIHCSP*, v. 12, 1895, p. 66-67).

> Também ordenei a Vossa Mercê, e a Câmara que o ouro que aí se registrasse fosse de pessoas que não sejam conhecidas, e abonadas, e moradoras nesta terra, Vossas Mercês lho não entregue [à oficina dos quintos] e o traga pessoa segura para o entregar cá, ou o Mestre [da embarcação] o fazer na Alfândega desta cidade porque tem mostrado a experiência que se furta muito ouro aos quintos porque o registram lá pessoas que se não conhece, que nem o entregam, nem o manifestam, e esta averiguação devem Vossa mercês fazer com todo o cuidado. (Documentos, v. 51, 1930, p. 252-254.)

A presença de qualquer estranho de pouco crédito nos descobertos, principalmente nas regiões fronteiriças com o sertão, era considerada uma ameaça aos interesses e aos privilégios, tanto da Coroa quanto dos descobridores mais poderosos.[21]

Essa noção do poder do crédito também informava o sentido da resistência dos primeiros descobridores à ofensiva exploradora dos emboabas. Segundo a memória de Bento Fernandes Furtado de Mendonça – meados do século XVIII –, a oposição entre os sertanistas paulistas e os forasteiros remontava à época da resistência paulista ao intuito de Dom Rodrigo de Castelo Branco, enviado do rei, e de sua comitiva, em tomar dos verdadeiros descobridores o suposto descoberto de prata e de esmeraldas protagonizado por Fernão Dias Pais. Manuel de Borba Gato, fiel cabo da bandeira do sogro, reagiu contra essa injustiça e, assassinado o fidalgo da Coroa, houve um princípio de luta entre os descobridores e os homens da comitiva de Dom Rodrigo. Estes, por um ardil engenhoso do Borba, acabaram em fuga "e cometeram o sertão dos Currais, que é hoje, e até agora não tornaram a São Paulo, de envergonhados deste caso. E povoaram o sertão, ocupados em criar gados, mais por alta providência divina que acerto do juízo dos homens". Para o memorialista, a luta paulista contra os emboabas, em fins da década de 1700, assumiu a forma da mesma tradição que dava sentido ao conflito com Dom Rodrigo. Novos forasteiros, também vindos, em parte, do sertão curraleiro da Bahia, tentaram apossar-se das riquezas que o lavor das

[21] Eram estes privilégios que Artur de Sá e Menezes queria preservar quando ordenou ao sargento-mor Domingos Rodrigues da Fonseca que impedisse todas as pessoas, de qualquer qualidade, que socavassem no rio das Velhas sem ordem do descobridor, "sendo contra o estillo". No mesmo ano, em 3 de julho de 1702, o governador reiterou a sua ordem sobre os socavões contrários ao Regimento das Minas e advertiu que as penas aos infratores deviam ser uma multa de quatro mil cruzados, e castigos corporais (DOCUMENTOS relativos... – *DIHCSP*, v. 51, 1930, p. 103, 111).

Minas rendia aos paulistas. Os emboabas foram ingratos, porque, deixando de reconhecer que eram justos o poder e a riqueza dos paulistas por terem sido eles os descobridores das Minas Gerais, esqueceram-se do respeito a quem os ajudava, "aumentando-os dos baixos princípios, com que às Minas chegavam". Na figura de agentes da Coroa ambiciosos e apaixonados ou na de mercadores e atravessadores, os significados da tradição atualizavam-se em cada acontecimento do percurso histórico das Minas Gerais.[22]

Nas Minas Gerais, durante todo o século XVIII, além daqueles habitantes da base do edifício hierárquico, o clero regular[23], os estrangeiros[24] e os *criminosos* de toda espécie eram sempre representados com pouco crédito para manifestar ou descobrir ouro.[25] À medida que a fronteira da

[22] NOTÍCIAS dos primeiros descobridores... – CCM, 1999, p. 185-193. Em 1713, com a descoberta de ouro em Pitangui, Brás Baltazar da Silveira, escrevendo de São Paulo, advertiu ao sertanista Bartolomeu Bueno da Silva que não consentisse na entrada de ninguém no descoberto, nem "paulista, nem reinol" até que chegasse o novo governador (APM, Sc 09, f. 9-9v, [3 de setembro de 1713]).

[23] Na carta de Álvaro da Silveira de Albuquerque ao rei, com data de 2 agosto de 1703: "o que é conforme ao disposto no Regimento novo que Vossa Majestade foi servido mandar passar-se para elas [artigo 17º do Regimento das Minas de 1702] em que ordena que se não consinta nelas aquelas pessoas que lá estiverem vadias, e não tiverem serventia sendo de muitos anos também proibido a que não vão a elas oficiais de ... [lacuna do texto; parece referir-se aos oficiais de engenho de cana que estariam indo do Rio de Janeiro para as Minas], clérigos, e frades desnecessários o que se não pode impedir sem que se tire licença para se saber as pessoas que vão" (DOCUMENTOS relativos... – *DIHCSP*, v. 51, 1930, p. 189-196).

[24] Em carta de 9 de agosto de 1703 ao rei, o governador Álvaro da Silveira de Albuquerque mencionou que, apesar da proibição régia, muitos "estrangeiros" estavam passando para as Minas. O governador entendeu que deviam não só despejá-los das Minas, mas expulsá-los dos portos das vilas de serra abaixo (*ibidem*, p. 197-198).

[25] Os "mercadores", na concepção dos agentes do Estado, devido à natureza da atividade mercantil, eram sempre suspeitos de fraudar os quintos e os direitos reais (HOLANDA, 1993, t. 1, v. 2, p. 275-279). Sobre os mercadores, ver, por exemplo, a carta de Artur de Sá e Menezes de 23 de setembro de 1701 a Estevão Cavaleiro na qual mandou averiguar o dinheiro ou ouro levado pelos mercadores que passavam por Taubaté (DOCUMENTOS relativos... – *DIHCSP*, v 51, 1930, p. 37-40). Álvaro da Silveira de Albuquerque, em 13 de março de 1703, atendendo à ordem régia de 1701, mandou o mestre-de-campo Domingos da Silva Bueno executar a proibição do comércio de todo gênero, exceto de gado vacum, entre as Minas de São Paulo e as Capitanias da Bahia e de Pernambuco. Ordenou ainda que se prendesse José Correia, o alferes João de Araújo da Costa e Estevão Ferreira, seqüestrando suas mercadorias – "negros, farinhas secas, e outros gêneros comestíveis" (*ibidem*, p. 157-159).

exploração mineral avançou, reproduziram-se, nos novos descobertos, as mesmas representações dos primeiros tempos das Gerais dos Cataguases ou das Minas do rio das Velhas.[26] Agentes da Coroa e vassalos com poder do crédito atribuíam aos entrantes dos novos descobertos do Serro Frio, de Pitangui, de Minas Novas e de Paracatu condutas morais identificadas com esses espaços ambíguos que misturam ordem e desordem. Assim, os descobertos de fronteira eram representados como couto de ladrões e refúgio para os devedores.[27] Em 1764, continuou-se denunciando que os devedores fugiam para os novos descobertos, agora em direção ao sul de Minas Gerais[28]. Armar um descobrimento à própria custa, endividar-se mostrava o zelo do vassalo ao serviço real, ao qual deviam submeter-se os credores e os mercadores, mas o descobrimento tomava, ao mesmo tempo, o sentido de uma fuga do expedicionário à rede local de obrigações entre súditos.[29] O certo é que a lei ordinária, na monarquia portuguesa, era suficientemente flexível e adaptável à política de dissimulação para atender aos interesses régios e ao bem comum dos vassalos.[30] Dentro dessa prática

[26] Dom Pedro de Almeida, em carta ao rei, mencionou que no Serro Frio, em região apartada das Minas Gerais com promessas de descobrimentos de vulto, e especialmente na Vila do Príncipe, ia-se povoando principalmente de paulistas e de todos os "criminosos" que queriam fugir às justiças do governo localizadas nos núcleos centrais da Capitania (Vila Rica, Sabará, Rio das Mortes) (APM, Sc 04, f. 208-208v, [10 de dezembro de 1717]).

[27] Em 1713, o governador da Capitania ordenou que os credores não cobrassem as dívidas dos descobridores que iam à Casa da Casca, enquanto durasse a expedição. (APM, Sc 09, f. 35, [25 de agosto de 1713]). Nas Minas novas do Araçuaí, por exemplo, os mineiros eram acusados de não pagarem aos mercadores de mantimentos que para lá se dirigiam (APM, Sc 32, f. 85-86, [29 julho de 1729]; APM, Sc 17, f. 174-175, [20 de setembro de 1728]; APM, Sc 23, f. 180-180v, [20 de julho de 1729]).

[28] É o que estava ocorrendo em Desemboque. (APM, Sc 130, f. 134-134v, [8 de maio de 1764]).

[29] Em 1771, Antônio Cardoso da Silveira, quando armava uma expedição de descobrimento de esmeraldas, justificou que a demora desta era culpa da cobrança insistente dos credores. O governador, partindo do princípio de que não se podiam criar obstáculos ao serviço real, entendeu que eles deviam adiar seus recebimentos, mas os credores, temerosos de algum logro, avaliaram que não valia a pena esperar o resultado incerto da entrada. Silveira, então, acabou obrigado a vender uma fazenda para o pagamento dos seus débitos (APM, Sc 176, f. 130-130v, [2 de julho de 1771]).

[30] Dentro desse espírito, o rei recomendou ao governador que não se devia conceder patentes de oficiais militares aos paulistas, porque com eles não se podia ter "toda confiança", exceto os que davam provas de obediência e fidelidade; mas advertiu: tudo devia ser feito com muita dissimulação para que os paulistas não ficassem escandalizados (APM, Sc 05, f. 26, [24 de julho de 1711]). Cf. CARVALHO, 1931, p. 584.

cortesã e política astuta, a origem e a condição social que não desqualificavam o súdito no passado podiam tornar-se mácula no presente, ou vice-versa. Assim, lembrava o rei ao governador da Capitania:

> que ponderando acharem-se hoje as vilas dessa capitania tão numerosas como se acham, e que sendo uma grande parte das famílias dos seus moradores, de limpo nascimento era justo que somente as pessoas que tiverem esta qualidade fossem eleitos para servirem de vereadores e andarem na governança delas porque se a falta de pessoas capazes fez a princípio necessária a tolerância de admitir os mulatos aos exercícios daqueles ofícios, hoje que tem cessado esta razão se faz indecoroso que lhes sejam ocupados por pessoas em que haja [...] semelhante defeito.[31]

É certo que a Coroa procurou, nos termos do requerimento do descobridor e das licenças de descobrimento passadas pelos governadores, impedir que a "arraia-miúda" entrasse em alguma área recém-descoberta. Quando isso não preservou o monopólio do descobrimento, o que era comum, o descobridor reagiu com suas próprias forças de repressão, além de pedir ajuda aos agentes do Estado (APM, Sc 07, f. 2, [20 de junho de 1710]; APM, Sc 59, f. 3v, [22 de fevereiro de 1736].) A violência contra entrantes legalmente *invisíveis* justificou-se na noção de que as pessoas de qualidade suspeita ou de pouco crédito traziam a desordem ao descoberto, desencaminhando os quintos ou os direitos reais e usurpando privilégios concedidos aos vassalos eleitos para o feito descobridor.[32]

[31] APM, Sc 05, f. 115v-116, [27 de janeiro de 1726]. Alguns anos antes, Brás Baltazar da Silveira, resistindo à pretensão dos paulistas que governavam Pitangui em fazer nova repartição de datas, defendia um descobridor de qualidade duvidosa na concepção dos paulistas: "a qual [posse da data] quero que goze, e tenha Gervásio de Campos sem réplica ou embargo algum conforme despacho que lhe mandei por na sua carta de data [...], e diga vossa mercê às pessoas que lhe querem tirar que lhe toca, que se metam pelo mato e que façam descobrimentos próprios, e que não queiram usurpar que não é seu e se Gervásio de Campos é bastardo não importa porque El Rei se serve dos procedimentos, e não das nobrezas porque ele é senhor delas e pode dá-las e tirá-las" (APM, Sc 09, f. 33v-34, [10 de agosto de 1714]).

[32] Em 1736, o descobridor João de Abreu "pediu facilidade" para prender todas as pessoas que entrassem sem sua licença na área do descobrimento. Mas o governador foi cauteloso e, defendendo as prerrogativas do Estado e os povoadores, observou que tal exclusividade seria apenas para o exame do ouro nos ribeiros, não incluiria a feitura de roças. A repartição deveria ser, ainda, como era praticada nas Minas (APM, Sc 59, f. 2, [23 de março de 1736]; APM, Sc 59, f. 117-117v, [9 de março de 1765]; APM, Sc 103, f. 123, [despacho: 24 de novembro de 1768]).

Segundo a tradição dos discursos de descobrimentos de riquezas minerais, para uma expedição angariar crédito, os seus protagonistas deviam possuir algumas virtudes morais que podem ser resumidas em duas: prudência e valor – a primeira, específica da prática política, a última, de natureza militar (Botero, 1992, p. 18).

Da qualidade dos vassalos descobridores de ouro e pedras preciosas faziam parte essas virtudes exigidas nas empresas do serviço real. No texto das concessões e mercês reais (patentes, provisões, instruções, cartas de sesmaria) passadas aos descobridores, o tema da prudência e do valor, aliando-se à origem e à posição social do favorecido, sempre esteve presente. As virtudes funcionavam como normas de conduta e comportamento prescritas para a empresa descobridora em sertão indômito. Não se trata de pensá-las como mero esquema retórico, mas de entendê-las como algo que tinha muito peso na representação e na identidade de pessoas e grupos aos quais tais virtudes eram aplicadas. A patente de capitão-mor passada pelo governador Antônio de Albuquerque Coelho de Carvalho ao paulista Garcia Rodrigues Velho, para descobrir ouro, prata e esmeraldas, é significativa nesse sentido:

> [tem] a verdadeira notícia [dos descobertos] o capitão Garcia Rodrigues Velho por haver andado por todos estes sertões há muitos anos, e ter deles muita experiência, como me há representado; e se faça conveniente repetir-se a mesma diligência por pessoa de toda a suficiência [...], verdade, e talento; requisitos, que se acham no dito Garcia Rodrigues Velho, e o ser natural da Vila de São Paulo, e das principais famílias dela, de respeito, prudente, e amado de todos [segue uma explicação ao lado do texto da patente: "como bem o mostrou em várias ocasiões, que nos princípios destas minas, servindo de Guarda-mor, sossegou muitos tumultos, que sucediam na repartição dos ribeiros, e datas, querendo-se encontrar à força das armas as disposições do Regimento, acomodando a todos com a sua muita prudência, e bom modo"], e atendendo eu as referidas circunstâncias, e à boa vontade com que se oferece o dito Garcia Rodrigues Velho para ir fazer este tão grande serviço a Sua Majestade, não reparando nos seus muitos anos, trabalhos, e despesas que sucede em semelhantes jornadas por sertões ásperos sem caminho, nem povoados em que se achem o sustento necessário, e a utilidade que se poderá seguir deste dito descobrimento, e que convém levar o dito Garcia Rodrigues Velho toda a jurisdição e autoridade conveniente para ser respeitado, e obedecido em tudo, e

poder dispor a seu arbítrio o que entender. (APM, Sc 07, f. 59v-60, [3 de fevereiro de 1711])

A distinção do descobridor vem definida logo de saída: ele tinha a verdadeira notícia das minas, ou seja, conhecia os feitos descobridores por experiência, sua e alheia.[33] Assim, a noção de experiência aproximava-se do sentido de tradição.[34] Sua experiência ancorava-se nas suas ações e vivências – andou muitos anos pelo sertão, administrou justiça no princípio das Minas –, mas também nas notícias verdadeiras dos roteiros e memórias de antigos sertanistas. Como ensina Botero, a experiência própria era muito limitada, ao passo que na experiência dos outros, obtida no acompanhamento dos vivos e principalmente nos escritos deixados pelos mortos, havia um "campo muito maior de aprendizagem" (Botero, 1992, p. 39-40). Nos termos de uma prática do sertão, o descobrimento de ouro podia ser feito pelas "experiências que me deram os antigos" (APM, Sc 157, f. 129-129v, [3 janeiro de 1772]). Dessa tradição tornada experiência, ligada à memória e aos escritos do passado dos sertanistas de maior crédito, nascia a prudência, como sugeriu o texto da concessão de patente.[35]

[33] A experiência do sertão, como pressupunha um conhecimento empírico da natureza e dos costumes dali, qualificava um proponente a descobridor. O sertanista confirmava a experiência com um roteiro: "que ele suplicante com outros seus vizinhos querem dar um entrada pela mata geral dentro, por ter larga experiência dos matos daquele sertão, na diligência de descobrirem um córrego chamado das Pederneiras aonde se diz haver grandezas avultadas de ouro, cujo córrego fica das vertentes do Setúbal rio assim chamado cortando ao sul até o rio Tambaueri [*sic*] até onde for barra com o rio Doce, e da dita barra cortando ao norte pelas vertentes do rio de São Mateus" (APM, Sc 103, f. 110v-111, [1º de junho de 1768]).

[34] Por seu turno, Sérgio Buarque de HOLANDA (1992, p. 76) sugere que a experiência, para os agentes coloniais, significava a participação direta no acontecimento ou vivência pessoal de determinada situação: "A rotina e não a razão abstrata foi o princípio que norteou os portugueses, nesta como em tantas outras expressões de sua atividade colonizadora. Preferiam agir por experiências sucessivas, nem sempre coordenadas umas às outras, a traçar de antemão um plano para segui-lo até o fim. Raros os estabelecimentos fundados por eles no Brasil, que não tenham mudado uma, duas ou mais vezes de sítio, e a presença da clássica vila velha ao lado de certos centros urbanos de origem colonial é persistente testemunho dessa atitude tateante e perdulária".

[35] Foi observado que, na mentalidade renascentista e barroca, o conceito de experiência "expressa o testemunho pessoal e concreto como base para organizar mentalmente a relação prática do indivíduo com o mundo em que se encontra inserido [...]. Talvez, no entanto, seja necessário fazer essa ressalva: se o campo da transcendência não se reduz, mas, ao contrário, expande-se para o homem do barroco, este mostra uma resoluta disposição de tratá-lo com os meios dos quais se serve nos domínios da experiência" (MARAVALL, 1997, p. 282).

Na concepção da razão de Estado católica, a prudência era a arte de fazer justiça, que consistia em conceder com eqüidade, e conforme a qualidade de cada um, os benefícios e os encargos. Considerava-se que onde há justiça, "os trabalhos e os serviços são reconhecidos e remunerados, necessariamente se estabelece a virtude e floresce o valor, pois cada um deseja comodidade e reputação" (Botero, 1992, p. 21). Nessa perspectiva, o exercício da justiça era a maneira de prevenir ou de estancar os excessos produzidos pela violência e pela cobiça. Mas também era justiça a administração do castigo, que, servindo de correção e de exemplo, tornava-se ato de misericórdia (Fajardo, 1976, v. 1, empresa 22, p. 241-249).

O prudente temperava engenhosidade, escolha ajuizada e liberalidade nos favores e nas concessões aos outros, obrigando-se ao reconhecimento da lealdade.[36] Os descobridores de ouro e pedras preciosas procuravam mostrar essa liberalidade na conduta quando enfatizavam, no relato das suas empresas, que tudo tinha sido feito à própria custa, sem dispêndio algum da Fazenda Real. Faziam-se representar com as tonalidades de engenhosos e hábeis no exame dos ribeiros, no conhecimento do espaço (caminhos, veredas, rios) e das direções, no governo da gente da expedição e nas estratégias de luta contra índios ou quilombolas. Narrativas de descobrimentos com esse enredo eram comuns. Produziam-nas os protagonistas, como José Luis Borges Pinto. Para ser favorecido com a patente de capitão-mor dos descobertos das vertentes do rio Doce até o rio Pardo, dos quais já era guarda-mor, o sertanista alegou que

> lhe encarregara [Lourenço de Almeida] a mesma diligência [de conquista e expulsão do gentio e descobrimento de ouro] o qual fizera prontamente penetrando muitos sertões, e vadeando muitos rios, e fazendo roças, e descobrimentos de ouro de que trouxera várias amostras, e descobrira um grande, e muito inveterado quilombo, tudo com grande risco de sua vida, e despesas de sua fazenda de que gastou oito mil cruzados empregando-se três irmãos nesta expedição. (APM, Sc 49, f. 13-14, [8 agosto de 1735])

[36] Por exemplo, o provimento do sertanista José Luís Borges Pinto tem como justificativa as prisões de mercadores e o confisco de comboios de fazendas no sertão, bem como o zelo e liberalidade demonstrados quando deu cem oitavas de ouro para as despesas de guerras contra os franceses que ocupavam o Rio de Janeiro (APM, Sc 08, f. 13-13v, [6 de outubro de 1711]). Em 1714, alegando os mesmos serviços, ele foi promovido a coronel do regimento de cavalaria da ordenança do distrito de Sabará (APM, Sc 09, f. 93v-94, [2 de janeiro de 1714]). Cf. BOTERO, 1992, p. 20-36.

É necessário aos feitos virtuosos e prudentes o valor na execução. Pode-se pensá-lo como coragem, mas ele é mais do que isto. O sentido do valor compreende a constância e a fortaleza na conduta e a imitação dos feitos de outros, tentando, ao mesmo tempo, superá-los – a emulação.[37] Na tradição da experiência sertanista, o valor e a emulação dos descobridores é que fizeram manifestar toda a riqueza das Minas do ouro, pois através de "emulações" uns com outros,

> se transmontaram por vários rumos animados com as esperanças de que podia cada um descobrir minas de que se aproveitassem com o trabalho próprio. Deixando a divina providência ao desvelo daqueles animosos vassalos da Coroa portuguesa, que pretendia enriquecer com os haveres ocultos por aquelas largas e aspérrimas montanhas que a poder de perigos, fomes, sedes e trabalhos, romperam aqueles fragosos montes, e incultas brenhas, não só para utilidade deles como também para o grande aumento da monarquia portuguesa, foi servido guiá-los e deparar-lhes os haveres que se encobriam em tão dilatado mapa, como é a grande extensão de sertão tão dilatado da povoação destas minas. (Notícias dos primeiros descobridores... – CCM, 1999, p. 172)

A emulação somente acontecia entre os pares, entre pessoas de mesma qualidade e crédito. Começava no seio dos parentes e dos aliados – os filhos imitando os pais, os jovens imitando os parentes mais velhos – e expandia-se para incorporar a experiência alheia a esse círculo, a "dos vivos ou dos mortos".[38]

Se a ação valorosa e prudente se fundava na experiência da tradição, segundo os discursos dos fatos de descobrimentos, então o *natural* era que

[37] A insígnia da Ordem militar de Santiago representava bem a qualidade de um soldado valoroso — aquele que para guardar a virtude do feito mantém-se forte frente às incertezas e às dificuldades da empresa: "porque está sobre una concha, hija del mar, nacida entre sus olas y hecha a los trabajos, en cuyo cándido seno replandece la perla, símbolo de la virtud por su pureza y por ser concebida del rocío del cielo" (FAJARDO, 1976, v. 1, empresa 23, p. 251-259).

[38] Conforme uma patente, entre outras do período: "atendendo outrossim aos grandes serviços de seu pai que conquistou o gentio que infestava a cidade da Bahia procedendo nesta larga expedição com tal valor, e acerto que se fez digno de que Sua Majestade honrasse o dito João Amaro seu filho com mercês iguais aos seus relevantes merecimentos e por confiar do mesmo João Amaro que no serviço de Sua Majestade dizem empenhara as obrigações com que nasceu imitando aqueles de quem descende hei por bem de que continue no mesmo Governo do distrito da Guarapiranga" (APM, Sc 09, f. 107v, [13 de março de 1714]).

cada pessoa tivesse a honra, e a reputação que daí advinha, correspondente à sua qualidade.[39]

Nessa perspectiva, os pobres livres e os escravos não tiveram a honra necessária para poder chefiar uma empresa de descobrimento; assim, não conseguiram fama ou reputação de descobridores. Ao contrário, eles foram representados como extraviadores de ouro e de pedras preciosas e tiveram a reputação de serem criminosos ou vadios.[40] Essa visão serviu até para explicar a pobreza das minas (ou dos senhores) e a queda no pagamento dos quintos:

> Os negros que andam todos a faiscar diamantes andam por onde querem, e tiram os diamantes dos rios de mergulho, e em poços que tem vinte e trinta palmos de alto; e como *naturalmente são ladrões*, ou não dão diamantes a seus senhores ou lhe dão o refugo, por cuja causa os senhores se acham perdidos a maior parte deles; os diamantes que os negros tiram e não dão aos seus senhores andam vendendo, escondidamente a homens que lhes vêm comprar, e se costumam ter vendas, de bebidas e de comer e também de vestiário para negros, e negras, e a troco destes gêneros [...], e o cabedal que fica na mão dos negros logo o gastam em bebidas e comer, e em forrarem negras e em outros muitos festos bárbaros que fazem.[41]

O discurso dos agentes do Governo português fazia a junção dos segmentos da população mineira que não tinham crédito nem boa reputação no período colonial: os escravos jornaleiros (faiscadores ou garimpeiros) e os livres pobres representados por vendeiros, vendeiras, e quitandeiras.[42]

[39] Porém a cobiça representava o mal maior e mais constante em terra de tesouros minerais: à vista destes até o vassalo prudente e valoroso perdia a honra. É o que se passou, segundo o governador, com o juiz ordinário e um vereador de Sabará, tidos por prudentes e zelosos do serviço real, que foram para o novo descoberto de Paracatu por não confiarem a repartição das datas somente ao descobridor, contudo, "vendo muito ouro" perderam a honra e o temor de Deus e do rei (APM, Sc 45, f. 153v-154, [7 novembro de 1745]).

[40] Nem mesmo as mulheres, especialmente as pobres e as libertas, eram indicadas para irem a descobrimento, devido à desordem moral e ao extravio dos quintos que elas *naturalmente* criavam, "pella experiencia ter mostrado" ([2 de julho de 1723] BANDOS e portarias... – *DIHCSP*, v. 12, 1895, p. 115-116).

[41] APM, Sc 32, f. 99-101v, [4 de junho de 1731] (grifo meu). O governador Brás Baltazar da Silveira também concebeu esse argumento étnico para justificar a diminuição dos quintos reais no descoberto de Pitangui.

[42] Vejam-se os vários e continuados bandos do governador e acórdãos, posturas e editais das Câmaras municipais, nas Minas Gerais, entre 1710 e a década de 1790, proibindo o

Assim, a reputação de viciosos e extraviadores de ouro recaía especialmente sobre aqueles que movimentavam o pequeno comércio nas Minas.[43]

Nem os escravos escapavam à rede das representações que serviam ao quadro estamental. Percebiam-se como submetidos ao feito descobridor de ouro e de diamantes e, por isso, tentavam manobrar a seu favor as mesmas linhas da dominação colonial cujo traçado não estava em suas mãos, mas nas da Coroa e dos vassalos proprietários e poderosos. Em 1765, o crioulo Pedro Nunes de Morais foi preso porque não manifestou o ouro que descobriu no Serro Frio,

> o que era obrigado a praticar sem demora ao ministro respectivo do distrito, para segurar o real interesse, e a parte que do mesmo ouro lhe tocava; mas antes obrar tanto pelo contrário, que o distribuiu ao seu arbítrio com prejuízo grave da mesma Real Fazenda motivo porque não conseguiu a liberdade que podia alcançar, e possuía por venda, que dele se fez ao domínio do padre Manuel de Andrada. (APM, Sc 59, f. 154, [15 julho de 1765])

Com a devassa que se abriu, verificou-se que o crioulo não era livre como alegou, mas escravo. Mas as ações de Morais seguiam as regras do jogo na época. Ele sabia que a natureza do prêmio acompanhava a qualidade do requerente, assim não se arriscou a manifestar o ouro, cujo descobrimento, se lhe fosse reputado, traria como prêmio uma "liberdade" que ele, na prática, já usufruía.

O poder político no Antigo Regime português, entendido como o exercício de governo baseado na recompensa e no castigo dos vassalos, desdobrava-se, na Colônia, da relação entre a Coroa e os coloniais para incorporar-se, justapondo-se, à relação entre os senhores e os escravos. O governo dos escravos foi também marcado pelo uso temperado e alternado da recompensa e do castigo, para manter a fidelidade e a obediência dos trabalhadores.[44]

pequeno comércio e as vendas nas áreas de mineração, bem como controlando as relações entre vendeiros, libertos e escravos. Cf. FIGUEIREDO, 1993, p. 205-214, Anexo 1.

[43] Cf. Representação do secretário do Governo Manuel de Afonseca de Azevedo ao rei, 20 de fevereiro de 1732 – *apud* BARBOSA, 1972, p. 120-123.

[44] "Assim, as representações das classes dominadas estão prisioneiras do sistema dominante de representações e noções, sistema que elas acabam reiterando e reproduzindo ao nível da ação e do pensamento. Dizemos "prisioneiras", e não que sejam constituídas exclusivamente por aquelas representações dominantes" (LARA, 1988, p. 44).

No Serro Frio, no século XVIII, tradicionalmente premiava-se o escravo conforme o peso do diamante encontrado; a hierarquia dos prêmios começava com uma faca flamenga pelo achado de uma pedra de quatro vinténs e terminava, evidentemente, com a alforria do cativo, que encontrasse uma pedra de uma oitava. E mesmo a partir de 1772, com a Real Extração, a Intendência valia-se do mesmo dispositivo para estimular o trabalho dos escravos nas lavras.[45]

Outras duas categorias conceituais que concorriam para a representação do feito descobridor eram a fortuna e a providência divina, embora essas fugissem ao controle humano e à qualidade moral do protagonista do descobrimento.

É difícil desvelar a noção de fortuna, buscando a cadeia de significados que a constituíam. No século XVII, a fortuna – a "Ímpia providência" nos termos da época – envolvia a idéia da mutabilidade do mundo e da contingência na sucessão dos acontecimentos humanos. Oposta à razão humana e à ordem aparente das coisas, a fortuna escapava ao entendimento, que, no entanto, podia pressentir uma certa regularidade e uma ordem misteriosa no devir. Os homens não podiam administrá-la racionalmente nem afetar o curso dos acontecimentos com atos e ações morais de modo a favorecê-los, mas podiam, com prudência, perceber o "ponto" das coisas e "ater-se à ocasião". Para isso, assinalou Maravall, na representação da época, estabelece-se um jogo estratégico com o mundo e com a sociedade: fica-se alerta e aposta-se na chance da ocasião para a (boa) fortuna (Maravall, 1997, p. 303-308).

Não é possível deixar de pensar na justificativa tradicional dos paulistas depois de se verem trabalhando, com afinco, para fazer descobrimentos de ouro no último quartel do século XVII, em detrimento do apresamento do gentio.[46] Os sertanistas paulistas foram figurados como exercitando o que ensinou Saavedra Fajardo, em 1640: "Todas las cosas llegan a cierto vigor y descaecen. Quien les conociere el tiempo, las vencerá fácilmente" (Fajardo,

[45] Explicava uma atestação de 1801, passada no Tijuco pela Administração diamantina: "os referidos prêmios não são determinados por Lei alguma é uma prática, que vem do tempo do contrato" (APM, Avulsos SG caixa 52, documento 15, [14 de março de 1801]). Sobre a Real Extração, ver FURTADO, 1996.

[46] Veja-se a descrição, assinalada acima, do sertanista Bento Fernandes Furtado de Mendonça. Era noção corrente, nos discursos desse período, que os descobridores, especialmente os paulistas, seriam "favorecidos da fortuna" (APM, Sc 32, f. 97-99, [30 de outubro de 1730]).

1976, v. 2, empresa 88, p. 826. MARAVALL, 1997, p. 307). Era o momento, para os paulistas e a Coroa portuguesa, de descobrir os metais e as pedras preciosas tanto tempo ocultas no sertão do Brasil. A ocasião do descobrimento surgiu quando as virtudes e o trabalho dos vassalos concorreram para a fortuna, deles e da monarquia.

Na memória de Pedro Taques de Almeida Pais Leme, a ocasião da empreitada descobridora das riquezas minerais, pela qual a fortuna acenava aos homens, surgiu com a vinda de Dom Francisco de Souza, marquês das Minas, para o governo-geral do Brasil e com a aclamação do rei Dom João IV, num contexto de infortúnio no governo e na administração das minas descobertas. Os descobrimentos decorreram dessas situações de maior estímulo da Coroa aos descobridores, prometendo mercês ou premiando, pois foi em tais ocasiões que os paulistas "se congratularam para formar Trópas, ecom ellas penetrarem os certoes, pordiversos rumos adescobrimento de Minas de ouro, deprata ede esmeraldas". Considerando a oportunidade do serviço real, eles tiveram o "efficaz dezejo" de descobrir minas; em 1672, deram conta disso, através da Câmara de São Paulo, ao príncipe regente Dom Pedro. A receptividade da Coroa foi tão favorável que o rei escreveu de seu próprio punho cartas aos paulistas de maior crédito (entre os quais se incluía Fernão Dias Pais). Em 1694, após o descobrimento das esmeraldas por Fernão Dias, o rei prometeu honras e mercês aos paulistas descobridores, assim revigorando os feitos descobridores já iniciados com a expedição de Fernão Dias Pais (INFORMAÇÃO..., t. 64, v. 103, 1901, p. 5-68).

Subjacente à narrativa de Pedro Taques, está a noção da fortuna dos descobrimentos que só se alcançava quando se estreitavam os laços entre os vassalos de crédito e a Coroa. Não era diferente a perspectiva da Coroa portuguesa, que procurou ser o artífice da fortuna do Estado, atendo-se sempre à ocasião propícia no jogo do domínio colonial. Assim seguiu o conselho:

> E para isto se podia Sua Majestade valer dos homens de S. Paulo, fazendo-lhes honras e mercês: que as honras, e os interesses facilitam os homens a todo o perigo; porque são homens capazes para penetrar todos os sertões, por onde andam continuamente sem mais sustento que caças do mato, bichos, cobras, lagartos, fructas bravas e raízes de vários páos, e não lhes é molesto andarem pelos sertões annos e annos, pelo hábito que tem feito d'aquella vida. (INFORMAÇÃO do Estado do Brasil e de suas, t. 25, 1862, p. 473.)

O curso e a mudança das coisas humanas obrigavam à variação nos jogos de fortuna, assim o que não era fortuna no passado adquiria outra conotação no presente. Essa visão transpareceu na segunda metade do século XVIII nas Minas Gerais, quando houve a diminuição generalizada da extração de ouro nas lavras. Desde então, diversos descobrimentos de ouro que, no passado, haviam sido desprezados devido ao seu rendimento passaram a ser de boa fortuna, porque "a quem pouco tem, qualquer fortuna, ainda diminuta, faz venturoso" (APM, Sc 192, f. 17-18, [2 de março de 1773]).

Nos séculos XVII e XVIII, providência divina envolvia a confiança na sabedoria do Criador e a noção de que Deus-Pai zelava cotidianamente por seus filhos. Contudo, considerava-se que os desígnios de Deus, expressão da providência inscrita nos acontecimentos e nas vicissitudes da vida humana, escapavam ao entendimento humano, tal como a fortuna (Ehrard, 1994, p. 611-612).

Na concepção da época, a vontade divina podia até inclinar-se às leis da fortuna, que, por sua vez, resultavam da força misteriosa da criação. Mas, sobretudo, segundo os preceitos da tradição católica, a providência estabelecia uma ordem na qual o cristão era escolhido para ocupar uma posição privilegiada.

O cristão virtuoso, vassalo fiel e obediente às leis naturalmente justas do Estado, acomodava-se ao projeto divino que inspirava tais leis. Dependendo do julgamento cotidiano da conduta, Deus convocava o cristão para o castigo ou a recompensa, da mesma maneira que o rei se manifesta ao vassalo. Desse modo, nas relações com o Criador também se exprimiam os procedimentos de oportunidade e de negociação que levavam ao benefício merecido do fiel (Castro, 1994). No século XVIII, dizia-se que Deus tinha abençoado os cristãos da monarquia portuguesa desvelando para eles, "no decurso de poucos anos", os tesouros ocultos que enriqueciam o Estado. Os desígnios enigmáticos de Deus tinham sido finalmente decifrados pelos descobridores de ouro e de diamantes, para a glória da nação portuguesa.[47] "Dilatado é o descoberto da Mantiqueira, que nesta Comarca [Rio Mortes] a Providência Divina demonstrou aos homens"; era ainda nesses termos que, em 1773, a Câmara da Vila de São José considerava a necessidade do amparo real para a continuação dos descobrimentos em meio a um quadro, pintado para as Gerais, de decadência e de opressão (APM, Sc 192, f. 17-18, [2 de março de 1773]).

[47] Cf. APM, Sc 82, f. 110, [29 de março de 1743]. Em 1744, sabendo dos descobertos de Paracatu, Gomes Freire, exortava: "Deus dê a vossa mercê aquelas felicidade que lhe eu desejo; e a seu filho [José Rodrigues Fróes] a glória de ser descobridor de uma novas minas tão abundantes como ele me representa" (APM, Sc 84, f. 59-59v, [1º fevereiro de 1744]).

Capítulo 2

Empresas de descobrimento de minas: o estilo *heróico* de Fernão Dias Pais

Isto suposto, já para a jornada
Manda à Pátria buscar quanto a seu cargo
Incumbe, pois que a fábrica guiada
Destruída se vê do tempo largo.
Determina à fiel consorte amada
Que a nada, do que pede, ponha embargo,
Inda que sejam por tal fim vendidas
Das filhinhas as jóias mais queridas.[1]

Nos séculos XVII e XVIII, os textos sobre os descobrimentos de riquezas minerais no sertão – memórias, relatos e correspondências de governantes e dos coloniais preeminentes – retratavam esses feitos como *empresas* cujo sentido primordial era mostrar e ensinar aos súditos os meios de conservação e expansão do Estado português. Assim, produziram-se discursos emblemáticos do domínio luso no interior da América tropical. O crédito nesses feitos de descobrimento dependia da força cultural da representação do que se costumava considerar adequado e justo, segundo as circunstâncias e a qualidade do protagonista da empresa. Com o poder do crédito, a empresa firmava-se como um fato, uma ação verossímil, que convencia os outros vassalos do rei e os levava à emulação, isto é, à imitação das ações uns dos outros.

No século XVII, Emanuele Tesauro ensinou que a perfeição da empresa ligava-se à prática de alguma ação virtuosa. Em termos valorativos, a ação

[1] Estância 4 do poema de Diogo Grasson Tinoco, escrito em 1689, sobre a figura do descobridor Fernão Dias Pais. Transcrição de Cláudio Manuel da Costa, no *Fundamento histórico* [*Vila Rica*] (COSTA, 1996, p. 375).

mais heróica no convívio humano, e a mais significativa aos olhos de Deus, consistia na defesa do amigo, da pátria (o lugar de origem), do príncipe e de Deus. Constitutiva de uma imagem com funções pedagógicas, e que induzia os cavaleiros cristãos à imitação, a empresa promovia a generalização de pensamentos e feitos virtuosos (Tesauro, 1975, p. 99-100).

Entre os portugueses, *empresa* designava a ação decorosa e virtuosa própria do homem de "mor-qualidade" ou um símbolo (também denominado de *divisa* ou *emblema*) engenhosamente composto de figura – o corpo – e um mote – a alma da empresa.[2] Ambos os sentidos envolviam a representação do desejável, do justo e do racional, sob o ponto de vista do sistema político e religioso do Antigo Regime. No seu dicionário do início do século XVIII, Rafael de Bluteau explicou o duplo, e ambíguo, significado de *empresa*:

> E assim não só do verbo *empreender*, mas também do verbo *imprimir*, ou mais claramente da *empresa* do cavaleiro, ou da impressão da *empresa* se poderá derivar a palavra *empresa*. Com o tempo se foi estendendo a significação da palavra italiana *impresa* [sic], e da palavra portuguesa *empresa*, porque os italianos chamaram *imprese*, não só a representação simbólica das façanhas dos heróis profanos, mas também a dos varões ilustres em santidade, e juntamente os documentos morais, e instrutivos das virtudes do Cristianismo, e neste gênero em particular foi singular o Padre Paulo Aresi [...]. Também na língua portuguesa não só usamos da palavra *empresa*, para significar a pintura, ou escultura simbólica de façanhas, e atos públicos de guerra; mas também se apropria a palavra *empresa* às imagens, e representações das heróicas virtudes dos santos. (Bluteau, v. 3, 1713, p. 71-72 (atualizei a ortografia))

Portanto, a empresa era um signo. Era a composição de uma idéia traduzida pela imagem simbólica de uma ação virtuosa. Não importa se essa idéia-imagem vinha de uma impressão no papel, de uma pintura, de uma escultura ou de um feito. Ela sempre sensibilizava e tocava a alma e o ânimo do vassalo cristão. Continuava como representação pura e ideal da

[2] Buxó aponta uma distinção importante entre empresa e emblema no século XVII. O autor observa que Suárez de Figueroa, em 1615, "definió la empresa como 'composición de cuerpo pintado y mote, para apuntar alguna particular proposición del hombre' e en esta intención se distingue del emblema, que dirige sua lección moral, no a un sólo destinatario, sino a toda una comunidad" (BUXÓ, 1994/1995, p. 31).

ação justa socialmente prescrita. No mundo de aparências e de imagens do universo cortesão, aos olhos de um observador, havia tanta verossimilhança (ou efeito de verdade) numa figuração quanto na prática concreta da ação, já que esta também não deixava de ser idéia-imagem. Ambas eram representações que convergiam para o conceito da empresa. Nessa perspectiva, pôr em execução – empreender – era figurar, representando o feito, que obrigava a compor uma idéia-imagem verossímil, comunicável e persuasiva, tornando-o fato ou acontecimento memorável (ver QUADRO 2, Apêndice B).

No último quartel do século XVII, os paulistas já tinham uma tradição de protagonistas de empresas. A fama por eles alcançada de maior qualidade e crédito, com a representação de sertanistas hábeis, prudentes e valorosos, fazia de suas expedições ao sertão verdadeiros feitos de expansão do domínio luso e da conversão forçada do gentio e de quilombolas à causa da monarquia católica portuguesa. Mesmo as críticas ferrenhas dos jesuítas ao seu procedimento no apresamento do gentio, ou a pouca confiança que mereciam quando se tratava de administração das aldeias indígenas e de alguns temas do governo político, não foram suficientes para comprometer a reputação tradicional dos paulistas, compartilhada tanto pelos coloniais como pelos agentes diretos da Coroa (MONTEIRO, 1994, p. 141-153).

Quando havia necessidade e a ocasião parecia de boa fortuna, a Coroa portuguesa costumava valer-se dessa experiência tradicional dos paulistas, aproveitando os seus serviços. Foi o que ocorreu em 1688, quando o governador-geral Dom Frei Manuel da Ressurreição, alarmado com os ataques indígenas às propriedades dos brancos no sertão do Norte, apelou à Câmara da Vila de São Paulo para que

> persuadam as pessoas que a Vossas Mercês parecerem de maior reputação a quererem vir a esta empresa com todo o maior poder, e maior brevidade que ser possa: que eu da parte Del-Rei meu Sr. [...] seguro aos que principalmente forem cabos deste soccorro, e applicarem a sua expedição as honras, e mercês que devem esperar de sua Real grandeza. E se os Paulistas são tão costumados a penetrar os sertões para captivar Indios contra as provisões de Sua Majestade que o prohibem, tenho por certo que agora que o podem fazer em serviço de seu Rei como leaes vassallos seus, e em tão publico beneficio daquellas Capitanias, o farão com maior vontade, não só pelo credito da sua fama, e esperança da remuneração que ha de ter o que obrarem: mas tambem pela utilidade dos barbaros que prisionarem, que justamente são captivos na forma das leis Del-Rei. (CORRESPONDÊNCIA, v. 11, 1929, p. 142-145. MONTEIRO, 1994, p. 94-95)

Os recursos retóricos empregados pelo arcebispo governador funcionavam, conseguindo o efeito desejado, na medida em que apelavam para as imagens sociais válidas para os vassalos do rei e projetavam uma posição preeminente para aqueles coloniais. De fato, a Coroa não podia prescindir dos paulistas, tidos como leais e afamados vassalos quando a expansão da colonização portuguesa na América estava em perigo. A reputação dos paulistas, desde o final do século XVI, era proveniente da prática em perscrutar os sertões, sobrevivendo na aspereza do ambiente natural e enfrentando feras e índios indômitos.[3] A partir da segunda metade do século XVII, os textos que descreviam o sertão desconhecido do Brasil ou que tratavam das entradas na Repartição do Sul sempre apontavam as táticas eficazes empregadas pelos paulistas para a sobrevivência no meio hostil. Eles eram homens do sertão: sujeitavam-se a comer frutas e raízes bravas, e bichos rastejantes ou desconhecidos (Informação do Estado do Brasil e de suas necessidades, 1862, p. 473.). A experiência da tradição ensinou os sertanistas a percorrerem caminhos e veredas indígenas, conjugando atividades diversas nos "sertões famintos", conforme as condições de sobrevivência e o lugar: coleta, pesca, caça e roças de mantimentos. (Cartas enviadas ao rei, v. 57, 1959, p. 632-633. Holanda, 1994a). Assim, à luz de uma experiência que se conformava às exigências do aperto, entrou para a dieta costumeira dos paulistas o que olhos emboabas viam como "imundície": de "içás" (certas formigas aladas) aos bichos de taquara (Diário da jornada, que fez o Exmo. Senhor Dom Pedro... – *RSPHAN*, n. 3, 1939, p. 295-316. [Notícias do descobrimento das minas de ouro e dos governos políticos nelas havidos] – CCM, 1999, p. 245).

Nesses textos, aparece a crença na adaptabilidade tática da gente de São Paulo às intempéries do sertão e a sagacidade no uso estratégico da percepção indígena para alcançar os seus objetivos – apresamento do gentio e descobrimento de tesouros minerais.[4] Era "o seu modo de lucrar", segundo a terminologia testamentária dos sertanistas paulistas no século XVII (*Apud* Ellis, 1989, p. 277).

[3] Para Myriam Ellis, retomando o quadro narrativo de Pedro Taques de Almeida Paes Leme em 1772, o período de escalada do bandeirismo paulista começou com a vinda de Dom Francisco de Souza como governador-geral do Brasil, em 1591. Cf. ELLIS, 1989, p. 284-285.

[4] "Em paragens ásperas, desertas e de pouco mantimento, os exploradores que o contato prolongado da terra e dos usos da terra não tivesse familiarizado com artifícios de que se socorre o gentio em qualquer contingência, dificilmente poderiam prescindir do auxílio constante de índios amigos e bons vaqueanos" (HOLANDA, 1994a, p. 25).

Por meio da reputação de práticos habilidosos nas coisas do sertão, os senhores paulistas forjaram os discursos da tradição, nos quais se qualificavam com os atributos políticos e militares que convinham à fama de protagonistas de empresas e às pretensões estamentais. Na concepção tradicional da gente do planalto de Piratininga, desde o final do século XVII, os seus *patrícios* surgiam como os verdadeiros agentes da expansão colonizadora no Brasil, servindo à Igreja na conversão do gentio ao catolicismo, e ao Estado na sujeição e destruição da barbaridade, para o povoamento do sertão e o descobrimento de tesouros minerais. Portanto, para os paulistas, o descobrimento de ouro pressupunha a sujeição ou a escravização dos índios. Cativar índios e descobrir minas não eram atividades excludentes, davam-se sob a égide virtuosa da mesma empresa (Ordens régias, v. 20, 1936, p. 61-63; Ordens régias. – *RAMSP*, v. 21, 1936, p. 111-115).

Contudo, a Coroa representava de modo diferente uma e outra ação: o apresamento, com o cativeiro imposto aos negros da terra, servia somente ao particularismo de senhores paulistas insolentes, enquanto o descobrimento atendia aos interesses e à razão do Estado. Mesmo assim, na realidade, a política colonial praticada pela Coroa contribuiu para que se embaralhassem os sentidos previstos nessas atividades. À maneira do raciocínio proposto na carta de Dom Frei Manuel da Ressurreição, o governo, oficialmente, via méritos no apresamento e na escravização dos nativos nas ocasiões de hostilidades desses aos núcleos coloniais. Em tais ocasiões, julgavam-se esses procedimentos dos coloniais como merecedores de crédito e de prêmio. Eram, assim, feitos de guerra justa ao gentio que, ao invés de contarem somente com a dissimulação das autoridades régias como acontecia constantemente nos apresamentos ilegais, obtinham o mais ostensivo estímulo dos governantes, que prometiam recompensar com liberalidade aqueles serviços.

Na mesma medida das ações guerreiras em terras coloniais, mas talvez mais do que a guerra aos bárbaros, no final do século XVII os descobrimentos de metais e de pedras preciosas foram reputados pela Coroa como sinal de virtude política incontestável dos coloniais (descobridores), mesmo porque esses descobrimentos não deixavam de necessariamente figurar como ritos de conquista.[5] Houve mesmo, nessa época, uma disputa entre coloniais poderosos para promover uma prestigiosa *campanha* de desco-

[5] Em 1710, os oficiais da Câmara de Salvador têm uma posição oposta à da Coroa. Para eles devia-se proibir as minas de ouro para evitar maiores prejuízos causados pela esterilidade dos frutos e por ter ficado a terra deserta. Na concepção da Câmara "as minas são mais castigos do céu que fortunas da monarquia" (APEB, Códice 130, f. 143, [14 de junho de 1710]).

brimentos de minerais preciosos. Na Capitania do Espírito Santo, aconteceu um rumoroso conflito entre o donatário e o capitão-mor nomeado pelo governador-geral, pois um e outro pretenderam armar uma expedição de descobrimento de esmeraldas nos sertões da Capitania. A disputa para encabeçar a empresa – o que dava direito a recolher fundos junto aos moradores, a prover-se nos armazéns da Coroa e a recrutar índios mansos dos aldeamentos, ainda que o proponente arcasse com grande parte dos custos – parece ter ajudado no malogro do descobrimento (Correspondência [...] 1675-1709, v. 11, 1929, p. 45-47; Consultas..., v. 92, 1951, p. 211-216; Apees, caixa 01, documento 85; Cartas régias, v. 67, 1945, p. 189-191). Anos antes, Salvador Correia de Sá e Benevides, o poderoso governador da Repartição do Sul, que, seguindo os passos do avô e do pai, se empenhara em descobrimentos de prata e de ouro em São Paulo, Itabaiana (Bahia) e Paranaguá, quis enviar seu filho, o mestre-de-campo João Correia de Sá, ao descobrimento de esmeraldas na mesma região da Capitania do Espírito Santo (Informação, t. 64, v. 103, 1901, p. 20; Pereira, 1897, p. 524. [3 de maio de 1677] Consultas, v. 88, 1950, p. 119-127; Magalhães, 1935, p. 65-67). Assim, inevitavelmente, os descobrimentos de minerais preciosos sempre envolviam os *grandes* do Império português, e denotavam um presumido feito militar. Não é sem razão que as *bandeiras* (de repressão aos índios ou de descobrimento) – denominação empregada desde a primeira metade do século XVII para caracterizar a forma de organização das entradas paulistas no sertão – estiveram, segundo Jaime Cortesão, enraizadas nos procedimentos e técnicas militares do Regimento de ordenanças.[6]

Os descobrimentos figuravam, então, como empresas políticas, nas quais os laços entre a Coroa e os súditos surgiam reforçados, e essa associação que conformava o Estado determinava o campo do poder do monarca. A Metrópole procurava mostrar isso aos coloniais, valorizando as iniciativas de descobrimentos de riquezas minerais, com a promessa de mercês e honras para os feitos de grande reputação. Antônio Paes de Sande, no início da década de 1690, observou que os paulistas não concorriam para os descobrimentos de ouro e prata porque tinham receio de perder os privilégios e o controle do governo local, com o aumento da tributação e a opressão administrativa e jurídica existentes em terras minerais. O governador sugeriu, então, à Coroa que quebrasse a animosidade da gente de São Paulo, concedendo recompensas e cargos preeminentes no governo

[6] CORTESÃO, v. 1, 1964, p. 55-59, 65-66. Sobre a experiência paulista de jornadas no sertão, na segunda metade do século XVII, forjada a partir da organização miliciana portuguesa, cf. PUNTONI, 1998, p. 163-167.

da República e na utilidade das minas (Relatório do governador..., v. 39, 1917, p. 197-200).

Mas, para os sertanistas paulistas, a valorização do fato do descobrimento dependeria da negociação política que se pudesse alinhavar para resolver o impasse com a Coroa e a Igreja, envolvendo a proibição de descimento e as restrições ao uso da mão-de-obra indígena. Da parte da Coroa, parece que se chegou à conclusão, depois de muitas explorações malogradas e de denúncias do desinteresse geral em extrair metais preciosos, de que uma das barreiras para o real empenho dos paulistas nos descobrimentos de minas era a ilegalidade e a imoralidade comumente atribuídas por outros (representantes régios, padres jesuítas, forasteiros) à sua prática de escravização dos índios.

De fato, em São Paulo do século XVII, os índios compunham a força de trabalho em várias atividades produtivas: na agricultura, na pecuária, no artesanato, nos serviços domésticos e no transporte (Blaj, 1995, p. 108-109). Assim, não podia, e nem devia, ser diferente nas entradas descobridoras e na mineração do ouro ou da prata. O descobrimento de metais e de pedras preciosas tinha que vir associado, em alguma medida, ao cativeiro e ao apresamento de índios. Habilmente, os senhores de São Paulo deslocaram o foco da questão indígena, quando foram solicitados por agentes do governo régio para se empenhar mais em descobrimentos. Alegando seguir a estratégia do Estado, eles trouxeram para o primeiro plano de suas entradas no sertão os pretendidos descobrimentos de riquezas minerais, mas submetendo-os obrigatoriamente à repressão e à sujeição dos indígenas e à utilização do seu trabalho. Nos discursos da Câmara de São Paulo em resposta a alguma exortação da Coroa, na segunda metade do século XVII e no início do século XVIII, havia sempre a noção de que, sem índios – guias, *soldados* e trabalhadores –, não se podiam fazer descobrimentos de riquezas minerais (Petrone, 1995, p. 72-74). Além disso, ainda procurando justificar a necessidade de sujeição contínua e de apresamento de índios, os paulistas defenderam o que seria da experiência geral dos europeus na época: sem a conquista efetiva do território aos índios inimigos, nunca se extrairiam os haveres escondidos nos sertões. Portanto, como nas guerras dos bárbaros no Nordeste, no caso de descobrimentos de prata, de ouro ou de pedras preciosas, os fins justos justificariam os meios, que, se não eram tão virtuosos como os coloniais queriam acreditar, tinham pelo menos uma conotação militar de conquista, que não deixava de abrilhantar as ações dos sertanistas.

A Coroa, por meio dos seus representantes na Colônia, passou a transigir sistematicamente, seguindo a lógica dos sertanistas poderosos, como indicam, especialmente no último quartel do século XVII, as ordens do governo-geral para que os padres jesuítas entregassem índios das aldeias administradas por eles para o descobrimento das esmeraldas no Espírito Santo, e a insistência de Dom Rodrigo Castelo Branco junto à Câmara de São Paulo, em 1681, para que ela fornecesse os índios necessários à campanha do descobrimento de prata nas serranias de Sabarabuçu (Correspondência [...] 1675-1709, v. 11, 1929, p. 61-62; [27 de junho de 1676] Correspondência [...] 1675-1709, v. 11, p. 62-63. Blaj, 1995, p. 6-8).

Na realidade, não houve um choque de representações entre os paulistas e a Coroa sobre os descobrimentos de minas. Ambos cederam um pouco nas suas posições: os paulistas foram persuadidos, após a validação prática e legal do cativeiro dos índios e as promessas de grandes mercês e honras, a admitir a virtude política dos feitos de descobrimento de metais e de pedras preciosas; a Coroa avaliou, pragmaticamente, que havia certa razão no apresamento de índios, já que, sem eles, não haveria descobrimento ou aumento das rendas do Estado. Assim, entre as décadas de 1660 e 1690, surgiu uma solução negociada entre os senhores coloniais, os jesuítas e a Coroa para o problema jurídico e político do trabalho compulsório dos índios em São Paulo. Com a carta régia de 1696, um ano antes das primeiras notícias de crédito sobre descobrimentos de ouro, a Coroa reconheceu o privilégio dos paulistas em manter a *administração* particular dos índios. Foi a saída legal encontrada pela Coroa para solucionar o impasse resultante das contradições inerentes à escravidão indígena (Monteiro, 1994, p. 141-153). Pode-se mesmo especular se a fama de outro *Potosi* nos sertões das Capitanias do sul, em meio à necessidade crítica de metal precioso no final do Seiscentos, tenha contribuído para fazer a Coroa transigir com os paulistas (presumidos descobridores), reconhecendo, através do direito legal desses de administrar o gentio descido do sertão, a prática costumeira de escravização dos negros da terra.[7]

Nesse contexto de negociação e de barganhas, e como um dos seus sinais mais claros, aconteceu a expedição de descobrimento de prata e

[7] Com efeito, no último terço do século XVII, nos papéis públicos, as *peças* de índios foram avaliadas em termos monetários, e, por meio delas, os paulistas pagaram os seus débitos ou honraram suas transações com a aprovação dos juízes locais, embora a Coroa mantivesse a determinação formal de liberdade dos índios e, evidentemente, proibisse que eles fossem vendidos. Se isso foi resultado das demandas dos credores (e do fisco), e das necessidades do comércio no planalto de Piratininga, a situação de fato também deve ter contribuído para a Coroa reconsiderar a sua posição quanto aos direitos dos paulistas sobre os índios apreendidos. A esse respeito, cf. NAZZARI, 1992, p. 131-155.

esmeraldas chefiada por Fernão Dias Pais. Percebida pela Coroa e pelos paulistas de crédito como empresa descobridora, a expedição de Fernão Dias foi representada, dentro do modelo tradicional das empresas de vassalos ilustres, com a força de uma ruptura com o passado de caça implacável e exclusiva de índios. Da reputação de sertanista de muito crédito, constituiu-se a de descobridor.

Entre 1671 e 1674, data da saída da expedição de Fernão Dias Pais para o sertão de Sabarabuçu em busca de prata e das esmeraldas, o governador-geral Afonso Furtado de Castro do Rio de Mendonça enviou ao sertanista várias cartas, para "louvar muito" a "empresa" e prometer-lhe grandes honras e mercês se conseguisse o seu intento.

Desde que Fernão Dias declarou, em 1671, a intenção de promover a entrada descobridora, o governador-geral começou a representá-la como empresa. Ele conferiu ao sertanista a qualidade e o crédito que o elegiam para tal, após considerar a "informação da pessoa, cabedal, industria e zelo". No discurso de Afonso Furtado, a expedição ocorreria num tempo favorável à fortuna e amparada na providência divina, antecipando "a felicidade que considero estar guardada para o Principe N. Sr. [o futuro Pedro II]". Todos deveriam estar à disposição de Fernão Dias para ajudá-lo na armação da expedição: o capitão-mor, a Câmara de São Paulo e o provedor da Fazenda. Todos os índios necessários ao feito, fossem das aldeias reais ou da administração da Câmara, seriam entregues ao sertanista. A expedição seria visível o suficiente para apresentar tudo escrito – "da gente que leva [,] tempo em que parte, quando poderá voltar, e a que parte ha de descer [sair para as capitanias litorâneas]" – e teria que relatar ao governador todos os sucessos da jornada. Os expedicionários teriam que obedecer às instruções, e manter-se nos limites da fidelidade à Coroa portuguesa, retirando as amostras de prata ou de esmeraldas que bastassem para a manifestação do descoberto. Desse manifesto faria parte a necessidade de elaborar um roteiro que ensinasse a forma e o lugar do descoberto.[8] Em 30 de outubro de 1672, acertados os planos de descobrimento com o governo, foi conferida ao sertanista a patente de governador de toda a gente que fosse com ele, e de todas as pessoas que entrassem para aquele descoberto, antes ou depois de sua jornada (Cópia de um importante e interessante processo sobre Fernão Dias Pais..., v. 19, 1921, p. 34-35; Leme, v. 3, 1980, p. 66- 67.).

[8] [20 de outubro de 1671] CORRESPONDÊNCIA [...] 1663-1677 – *DHBNRJ*, v. 6, 1928, p. 201-204.

Portanto, o agente da Coroa portuguesa fez da entrada de Fernão Dias Pais uma empresa de descobrimento, fundando-a num tempo em que as forças humanas e divinas conspiravam para a felicidade do Estado e dos vassalos. Ele a promoveu a uma expedição militar virtuosa, iluminada pelo olhar do monarca e de Deus, necessariamente visível para a concessão do prêmio, mas sem um alarde que despertasse o interesse dos inimigos. Dadas as práticas costumeiras dos governantes coloniais quando queriam empregar os súditos em algum tipo de serviço, certamente a expedição foi o resultado de negociações e de estímulos do governador visconde de Barbacena junto à Câmara de São Paulo, e aos paulistas possuidores de muitos índios de serviço, ou, particularmente, a Fernão Dias, "o mais rico e poderoso de escravos".[9] Mas, seguindo-se o artifício político de praxe, que estabelecia para o governo régio o papel de concessor máximo e para o vassalo o de suplicante, e ainda para abrilhantar o serviço real a que este estaria encarregado, devia parecer que o vassalo Fernão Dias tinha proposto, gratuitamente e sem maiores empenhos da Coroa, aquele serviço útil ao Estado, tomando a iniciativa, por si próprio, de fazer o descobrimento.

Em outras cartas enviadas a Fernão Dias, o governador-geral retomou esses temas de promoção do serviço ao monarca, variando somente o tom. Enfatizou a qualidade e o crédito que merecia o chefe da empresa, o rito próprio de manifestação da prata e das esmeraldas ao rei e à Corte, e os prêmios que haviam de conseguir o sertanista e os seus parentes ([19 de fevereiro de 1672] Correspondência [...] 1663-1677 – *DHBNRJ*, v. 6, 1928, p. 221-222.). Mas era preciso, lembrou o governador em uma carta de 31 de outubro de 1672, "nesta materia por sua muita importância grande segredo: pelo encarregar o Principe Nosso Senhor summamente em semelhantes descobrimentos".[10] Todo o exame da natureza e do rendimento dos descobertos deveria ser feito com muita cautela e silêncio. Afinal, os descobrimentos de metais ou de pedras preciosas não deviam ser *inficionados* com gente perigosa ao Estado e de má reputação, como convinha considerar, na época, os estrangeiros, os vadios, os criminosos e os libertos.

[9] Segundo a informação do ex-ouvidor geral da Repartição do Sul, Sebastião Cardoso de Sampaio, ao Conselho Ultramarino, em 1674 (*apud* TAUNAY, 1977, p. 97).

[10] [31 de outubro de 1672] *Ibidem*, p. 231-234. Em 1675, o governador-geral chegou a dar instruções precisas ao descobridor, sobre o modo de ensaio e de coleta das amostras da prata nas betas da famosa serra de Sabarabuçu, que, supunha-se, devia ser perto das cabeceiras do rio São Francisco. ([19 de março de 1675] CORRESPONDÊNCIA [...] 1675-1709 – *DHBNRJ*, v. 11, 1929, p. 3-9).

Isso não impediu que o visconde de Barbacena concedesse indulto aos fugitivos da Justiça que fizessem parte da jornada descobridora, desde que os homiziados não tivessem sentenças judiciais; "porque com parte, nem o Príncipe pode passar absolutamente perdão" (*apud* Taunay, 1977, p. 103).

Em 1674, Fernão Dias escreveu a Bernardo Vieira Ravasco, na Corte, para que este noticiasse ao rei o começo da empresa. O sertanista mencionou que ele escrevia na véspera da partida da expedição ao sertão do Sabarabuçu. Registrou na carta a data da partida – sábado, 21 de julho de 1674 –, o número dos expedicionários brancos – 40, excetuando-se ele próprio, o seu filho e "súditos seus brancos" – e a formação de uma expedição chefiada por Matias Cardoso de Almeida, preparatória da entrada do corpo principal. Fernão Dias investiu na mesma cadeia de significados utilizada pelos agentes da Coroa para valorizar a ação de descobrimento. O sertanista solenizou o início da empresa e ressaltou o seu caráter virtuoso. Tratou-a já como grande acontecimento:

> que este descobrimento, he o de mayor consideração em rasam do muyto rendimento, e também esmeraldas, e diversas pedrarias como sempre se disse, e foy já descoberto, e avendo eu de avizar com ajuda de Deus que o descubry sem todo deserto, povoado de gente assistente para que Sua Alteza o mande ver, e examinar, para que sem gasto nem dilação, havendo muyto que comer, e bastante creação se faça com toda a facilidade que oir, e vir facil cousa fora aos homens de Sam Paulo. (*Apud* Barreiros, 1979, p. 23-24)

Nessa perspectiva, o feito de descobrir esmeraldas, ancorado na experiência da tradição, já era um fato cuja veracidade dependeria menos dos minguados resultados obtidos nas entradas anteriores que da qualidade e do crédito dos descobridores envolvidos. Assim, a tropa de Fernão Dias não sairia propriamente para *descobrir* as esmeraldas, se estas já estavam descobertas, e nem para simplesmente repetir façanhas tradicionais, mas conduziria a isso tudo de uma outra maneira, e com planos políticos (e militares) bem definidos.[11] O *descobrimento* era mais do que um *achamento*

[11] A roça, ligada ao arraial (ou a feitoria) do sertanista, teve função tática para a conquista descobridora de Fernão Dias, que seguiu a disposição militar para fazer roças de mantimentos que sustentassem as tropas nos seus movimentos. Cf. PUNTONI, 1998, p. 154. Mesmo o arraial paulista no sertão conformou-se às possibilidades e às necessidades do movimento, vindo a servir de pousos temporários, simples pontos adstritos às jornadas.

específico de riquezas minerais nas serras, como outros já haviam feito: exigiria agora a conquista militar e o conseqüente povoamento do sertão onde ficavam os descobertos indicados pelos antigos descobridores da tradição.[12]

A reputação do chefe e dos seus súditos conduzia o prestígio da entrada, que podia significar um descobrimento ou um portentoso embuste. Como observa Fernão Dias na mesma carta, "e já se dis que em Iguape se descobrio [prata] tambem, o que for soar". A entrada de Fernão Dias já *soava*, de partida, como empresa descobridora de prata e de esmeraldas e continuou soando, retocada pelos modelos vigentes na tradição dos paulistas.

É certo que para os paulistas e os agentes da Coroa os frutos da empresa descobridora de Fernão Dias foram as esmeraldas, e não a prata como também se pretendia. As pedras verdes seriam mais condizentes com a experiência da tradição revigorada pelo conhecido feito de Marcos de Azeredo, o antigo descobridor, antecessor de Fernão Dias, a quem se costumou creditar, no final do século XVII, a descoberta da serra das esmeraldas no mesmo sertão do Sabarabuçu ([6 de dezembro de 1681] Fernão Dias Pais... – *RAPM*, v. 20, 1926, p. 168-170).

No século XVIII, a narrativa de Pedro Taques de Almeida Paes Leme é significativa como expressão da representação tradicional sobre a empresa de Fernão Dias Pais.[13] A saga do paulista foi inserida na tradição, iniciada desde a primeira metade do século XVII, das entradas que buscavam as serras da prata e das esmeraldas no sertão das Capitanias da Bahia e do Espírito Santo. Quis a providência divina que todas as tentativas de descobrimento malograssem, para que fosse eleito para o grande feito um sertanista valoroso e experiente. Já idoso, mas zeloso do serviço real, o sertanista incumbiu-se do descobrimento da serra das esmeraldas e da conquista dos índios que habitavam aquele sertão. Mostrando liberalidade de vassalo fiel, armou a expedição à sua própria custa, levando seu filho legítimo Garcia Rodrigues Pais, um bastardo chamado José Dias Paes, e por cabo o sertanista, também valoroso e experiente, Matias Cardoso de Almeida.

[12] Quando o Conselho Ultramarino solicitou à Câmara de São Paulo que informasse sobre notícias de minas de prata, de ouro e de esmeraldas nos sertões do seu distrito, chamou-se Fernão Dias ao Conselho municipal, "e pello dito capitão foi dito que elle ia aventurar pellas informaçoins dos antigos [...] e que ficava aviando-se pera março proximo que vem seguir o dito descobrimento a sua custa, por fazer este serviço a sua alteza" (*apud* TAUNAY, 1977, p. 106).

[13] LEME, 1903/1905, v. 3, p. 65-69. Toda a referência feita à narrativa de Pedro Taques sobre a empresa de Fernão Dias baseia-se nesse texto.

Segundo o linhagista, a empresa percorreu o sertão da serra de Sabarabuçu,

> de que resultou descobrirem-se depois as ferteis minas de ouro, e chamadas vulgarmente Gerais ou de Sabará, e Cataguases por Carlos Pedroso da Silveira, e seu socio Bartholomeu Bueno da Siqueira; os quaes paulistas animados da entrada que tinha feito o governador Fernando Dias Paes, penetraram o dito sertão, seguindo os vestigios que nele deixava o dito governador, e descobriram ouro, de que por mostras dele apresentaram 5/8as em 1695 a Antônio Paes de Sande.

Segundo esse defensor das pretensões paulistas, os descobrimentos subseqüentes – os das Minas de ouro – deviam ser perspectivados à luz da tradição de empresas anteriores. Os descobrimentos – de esmeraldas e de ouro – fariam parte da mesma linha histórica, e a virtude e a necessidade de um seguiria a de outro. Nesse sentido, a empresa de Fernão Dias era a precursora dos fatos que dariam origem às Minas Gerais; ela surgia como uma ruptura real para a criação do *novo*, embora tal novidade viesse enraizada na tradição dos feitos descobridores lusos e luso-brasileiros dos séculos XVI e XVII.

A narrativa de Pedro Taques sobre a jornada das esmeraldas não deixou de repercutir as apropriações ou ideais dos antigos senhores (e descobridores) paulistas, que compuseram um enredo inteligível, verossímil e virtuoso da história subseqüente à jornada das esmeraldas. Assim, convém considerar que, embora respondendo aos desafios próprios de seu tempo, Pedro Taques investiu em uma narrativa na qual representações e modelos tradicionais que, aos poucos, numa duração de século, os paulistas vinham esboçando, viriam receber seu arremate.[14]

Com efeito, ao protagonizar o descobrimento das esmeraldas, Fernão Dias Pais acabou sendo incluído pelos paulistas poderosos e pelas autoridades régias, nas duas últimas décadas do século XVII, no rol tradicional dos famosos descobridores de tesouros minerais no sertão das Capitanias de Porto Seguro e do Espírito Santo. No início da década de 1660, conforme o livro do provincial

[14] Para Kátia ABUD (1985, p. 98), "Ao traçar a imagem do habitante de São Paulo, os historiadores do século XVIII [Pedro Taques de Almeida Pais Leme e Frei Gaspar da Madre de Deus] respondiam a um problema que lhes era colocado pela realidade em que viviam, e sua resposta foi, não o esboço, mas o traçado firme da figura do sertanista, sobre a qual poderiam recair as qualidades exigidas para alguém ser, naquela época, considerado nobre".

dos jesuítas no Brasil, Simão de Vasconcelos, já se compusera uma seqüência de entradas notáveis àquele sertão rico, cuja história (uma verdadeira *história do futuro*) indicava a promessa, para um futuro próximo, de descobrimento dos metais preciosos e das pedrarias nos domínios lusos da América.[15] Por isso, pode-se compreender por que, décadas depois, os grandes descobrimentos de ouro foram reputados pelos paulistas e pelos descobridores das Minas como tendo sido sinalizados, de certa forma, nas façanhas dos sertanistas-descobridores do século XVII e, em especial, no feito de Fernão Dias Pais.[16]

Assim, nas primeiras décadas do século XVIII, o relato de Vasconcelos continuou sendo empregado pelos descobridores que perscrutavam o sertão oriental das Minas Gerais, onde tradicionalmente vinham localizando as serras e as lagoas que escondiam tesouros, para corroborar o que acreditavam poder descobrir. Ainda na segunda metade do século XVIII, na época de forte pressão sobre os valores estamentais das famílias poderosas do planalto paulista, ao fazer um relato do descobrimento de Fernão Dias, Pedro Taques voltaria ao enredo que correspondia à tradição prestigiosa dos sertanistas e dos descobridores de ouro.

Na visão do linhagista, a expedição do "Governador das esmeraldas" serviria bem à composição de uma empresa heróica. Com outros paulistas, amigos e parentes, ele "formou o seu troço de avultado número de soldados, com concurso dos índios *Guaianãs* da sua redução, já católicos". Durante sete anos ele vagou, com constância e zelo no serviço do rei e de Deus, em sertão deserto e áspero, sofrendo com desgraças apocalípticas – "pestes, fomes, e guerras dos bárbaros inimigos" – e com a ingratidão dos seus. Como provação divina da férrea vontade do sertanista, a traição partiria do seu próprio filho, José Dias Pais. Mas, ressaltou-se na narrativa de Pedro Taques, esse era mameluco, "filho bastardo dos delírios da mocidade do governador Fernando Dias". A qualidade e o sangue de José Dias anunciavam a sua falta de coragem e de virtude para semelhantes empresas. O mameluco era o oposto do filho legítimo, Garcia Rodrigues Pais, cuja origem denotava os brios para sertanejar e a necessária fidelidade ao pai, que, com alguma ingratidão, não lhe retribuía como merecia.

[15] Ver a referência aos diversos descobridores de metais e de pedrarias no sertão do rio Doce em VASCONCELOS, t. 1, 1663, p. 34-37.

[16] O genro de Fernão Dias, Manuel de Borba Gato, e o filho, Garcia Rodrigues Pais, que o acompanharam no descobrimento das esmeraldas, foram mesmo reconhecidos pela Coroa, e certamente pela maior parte dos outros poderosos de São Paulo, como virtuais descobridores das minas do ouro.

José Dias e seus companheiros, procurando fugir para o povoado, conspiraram para assassinar o governador. Mas a divina providência zelava por tudo: uma índia convertida da administração de Fernão Dias, "velha e casada", ouviu, em uma noite, a trama dos conspiradores e, mostrando gratidão por seu benfeitor, contou-lhe o que ouviu das "diabólicas assembléias". O governador, prontamente, foi confirmar o que disse a velha, ouvindo ainda o que diziam os conspiradores. Mas não ficou irado: mostrando prudência, esperou o amanhecer e, junto com os expedicionários e parentes leais, como num tribunal, julgou os culpados. Ao verificar que toda a culpa era do seu filho mameluco, e "como o caso pedia um exemplar castigo para evitar outra futura ruína, Fernão Dias, justo e reto como era, negou-se ao amor e piedade de pai" e mandou enforcar o filho, após esse ter confessado a culpa e se arrependido da sacrílega intenção.

A narrativa desse caso serviu para ressaltar as qualidades morais e políticas do protagonista da empresa. O discurso utilizou-se dos mesmos temas validados pela tradição. O protagonista, apesar do amparo da providência divina, enfrentou todas as provações da fortuna, mas acomodou-se aos desígnios de Deus e à obrigação do serviço real, porque a empresa do vassalo fiel estava acima de qualquer infortúnio particular, ou dos laços familiares e parcialidades. Fernão Dias aceitou tudo com retidão, mesmo o castigo de Deus, causado pela fragilidade passada – ou pela ingratidão do presente – para com a sua família legítima. O castigo veio na forma de um filho mameluco, naturalmente destinado, por sua qualidade, a ações indignas e traiçoeiras.[17]

[17] Pode-se mesmo especular se Pedro Taques seguiu os moldes interpretativos e figuras da história bíblica para conferir feição heróica e virtuosa à façanha de Fernão Dias: Moisés chefiando o povo no deserto rumo à terra prometida; Jó sofrendo pacientemente as provações divinas; Abraão dando seu próprio filho em sacrifício para um bem maior. Tais comparações não eram incomuns nos discursos de louvor dos *varões ilustres* da época. No final da década de 1760, nos poemas oferecidos ao chefe da expedição exploratória ao sertão de Minas Gerais, coronel Inácio Correia Pamplona, além das analogias com figuras heróicas da mitologia clássica (como Hércules) ou da Antigüidade (como o rei Xerxes), o *conquistador* viu-se comparado a personagens da história sagrada, como David, Moisés e Salomão (NOTÍCIA diária... – ABN, v. 108, 1988, p. 47-113). Já o neto de Garcia Rodrigues Pais, o genealogista padre Roque Luís de Macedo Pais Leme, no final do século XVIII, ao relatar uma suposta negociação daquele descobridor com o rei Dom Pedro II a respeito da manifestação das minas de ouro e de esmeraldas, observou que o rei procedeu com Garcia do mesmo modo que o faraó do Egito fez com José: mandou que providenciasse os meios para o aumento da riqueza do Império (NOBILIARQUIA brasiliense... – *RIHGSP*, v. 32, 1937, p. 35-45).

No entanto, havia gente dessa qualidade que praticava ações de virtude, desde que fossem mantidos na sujeição que uma baixa condição recomendasse. É o caso da índia. Como mulher e índia, a ação de virtude mais verossímil, segundo as regras do discurso bem composto (ou do decoro), consistia em ser informante. É interessante perceber como, no relato de Pedro Taques, houve uma ênfase na condição social da índia – velha e casada –, o que aliviava a idéia indecorosa de uma perturbadora presença feminina no meio de homens distantes de suas mulheres legítimas há vários anos. Além disso, o que seria mais verossímil na tradição bandeirista senão uma mulher índia como informante de sertanistas-descobridores? Tal personagem de uma delação não poderia faltar.

Na perspectiva de Pedro Taques, com o castigo exemplar, Fernão Dias quis, acima de tudo, inclusive da própria linhagem ou da posição dos seus parentes, manter a integridade da empresa. Também não poupou esforços, armando e mantendo a expedição à custa de sua própria casa. Para isso, vendeu toda a prata, o ouro e até as jóias das mulheres da casa, deixando a esposa e as filhas solteiras ao desamparo, sem o "adorno" da distinção ou o engrandecimento do dote – mais uma mostra de honra e da grande liberalidade do governador, para quem o poder do rei e a glória de Deus viriam em primeiro lugar.

A saga heróica não seria em vão. Com constância, valor e prudência, Fernão Dias acabou encontrando a lagoa e a serra apontadas pelos antigos. Validando-se na experiência passada e prestigiosa, o novo descobridor, "Dos socavões que fez dar, extraiu [as] ditas esmeraldas nos mesmos buracos onde Marcos de Azeredo antes de falecer tinha achado estas pedras".[18] Mas, no papel de verdadeiro herói, que tomba no momento de usufruir da vitória conquistada, o sertanista-descobridor pagou com a própria vida o preço pelo seu grande feito.[19]

[18] Pedro Taques, para compor a narrativa da tradição, como próprio da época, reuniu a memória oral e os registros documentais. A tradição do feito de Azeredo era significativa para o próprio Fernão Dias. Em 27 de março de 1681, ele assinalou que fez o descobrimento de esmeraldas "no mesmo morro dadonde As levou Marcos de Azeredos já defunto couza que hade estimar se em Portugal se forém boas" (CÓPIA de um importante... – *RAPM*, v. 19, 1921, p. 52-53).

[19] A história de Pedro Taques tem o sentido da narrativa do herói: "Para garantir a fama, fama que aparece ligada à idéia de imortalidade, o herói deve arriscar a vida e empreender uma aventura sem precedentes. A finitude o obriga a gravar seu nome na história. 'Não inscrevi meu nome em tijolos, como meu destino decretou; irei, portanto, ao país

Poucos anos depois da morte do descobridor, a historieta da venda dos bens da família para custear a expedição foi aludida num poema épico de louvação ao descobridor das esmeraldas, composto, em 1689, por um certo Diogo Grasson Tinoco. Este, na verdade seguindo os passos daqueles que atestaram na época os serviços de Fernão Dias ao Estado português, conferiu à figura do vassalo morto a reputação de ações heróicas e de uma conduta virtuosa. Mostra-se isso nas quadras transcritas por Cláudio Manuel da Costa para compor o panorama originário das Minas Gerais do ouro e dos diamantes (o *Fundamento Histórico*) que abriu o seu poema *Vila Rica*, de 1773.[20] Segundo Afonso Taunay, é muito provável que tenha sido Pedro Taques de Almeida Pais Leme que remeteu o manuscrito de 1689 a Cláudio, como revelou o mesmo poeta sobre "todos os documentos" públicos necessários à verdade da obra, e os manuscritos achados nos arquivos dos padres da Companhia de Jesus em São Paulo, desde o ano de 1682.[21]

Observando-se as estâncias do poema do século XVII – somente quatro –, transcritas por Cláudio, pode-se considerar que o historiador Pedro Taques assim como o poeta Cláudio Manuel da Costa reproduziram os mesmos *fatos* relatados naquele antigo poema, que, por sua vez, condizem com os relatos orais, e com os registros da folha corrida de serviços do descobridor das esmeraldas, reunidos pelos herdeiros e aliados do planalto paulista,

onde o cedro é derrubado. Estabelecerei meu nome no local onde estiverem escritos os nomes de homens famosos; e, onde não esteja escrito ainda o nome de qualquer homem, aí erigirei um monumento aos deuses [disse Gilgamesh, o rei mítico de Uruk, na Mesopotâmia]'". Cf. GIUCCI, 1993, p. 77-78.

20 COSTA, 1996, p. 360-376. Cf. *idem*, 1897. *Vila Rica* faz "a narração dos violentos episódios que se seguiram aos descobertos do ouro, celebrando a pacificação dos conflitos pela ação regalista do governador português Antônio de Albuquerque, mas louvando acima de tudo a intrepidez dos desbravadores paulistas, que deram início à ocupação civil daquela terra inculta. Heroísmo de Albuquerque apenas completa o dos paulistas, ao estabelecer em seus primeiros núcleos mineradores uma estrutura administrativa civil e militar a serviço do Reino de Portugal" (AMARAL, 1996, p. 18).

21 COSTA, 1996, p. 360. Cf. TAUNAY, 1977, p. 149. O *Fundamento histórico* de Cláudio Manuel da Costa foi apropriado, no último quartel do século XVIII, por José Joaquim da Rocha, em seus escritos históricos — *Geografia histórica, Descrição geográfica* e *Memória histórica da Capitania de Minas Gerais* —, e estes, junto com o texto de Costa, foram retomados no relato histórico escrito por Diogo Pereira Ribeiro de Vasconcelos — *Breve descrição geográfica, física e política da Capitania de Minas Gerais* —, nos primeiros anos do século XIX ([Estudo crítico de Maria Efigênia Lage de Resende] ROCHA, 1995, p. 58-66).

na ocasião de sua morte. Na estância 27 do poema, fez-se referência à fidelidade à Coroa e à liberalidade do descobridor, quando ajudou a custear, com o envio de cargas de mantimentos, a empresa de descobrimento de Agostinho Barbalho Bezerra, apoiada diretamente pelo monarca.[22] A estância 35 ressalta o valor militar e a constância, quando relata que depois de partir da "Pátria" para os "serros pretendidos", Fernão Dias enfrentou "trabalhos infinitos", ou como fez notar na estância 61, conquistou inimigos indígenas à altura, como o guia do descobridor para a serra das esmeraldas: "Era o Silvestre moço valeroso,/Sobre nervudo, de perfídia alheio,/O gesto respirava um ar brioso,/Que nunca conhecera o vão receio". No sertão do Sabarabuçu, pretendendo ainda fazer os descobrimentos das esmeraldas mesmo depois de desamparado pelos outros expedicionários, Fernão Dias, que continuava sustentando a empresa, deu mostras de extrema liberalidade, quando "Determina à fiel consorte amada/ Que a nada, do que pede, ponha embargo,/ Inda que sejam por tal fim vendidas/ Das filhinhas as jóias mais queridas" (Costa, 1996, p. 373-376).

Assim, desde a década de 1680, a entrada de Fernão Dias para o sertão das minas de prata e de esmeraldas *soou*, para os paulistas poderosos e para muitos dos seus contemporâneos, como uma empresa de descobrimento, que vinha merecer a fama e o crédito públicos, além de entrar para memória oral dos feitos portugueses na América. Nos discursos produzidos em 1681, na forma de certidões que serviam de comprovação das ações de Fernão Dias, observou-se o mesmo investimento nas representações que atestavam a qualidade superior do sertanista poderoso. Desde os oficiais das Câmaras de São Vicente, de São Paulo, de Taubaté, de Santana de Parnaíba e de Santos até o reitor do convento de São Bento e o do colégio dos jesuítas na vila de São Paulo, todos apontaram as virtudes de Fernão Dias e os seus serviços prestados para a grandeza da Coroa e da Igreja. Para os homens de crédito da Capitania de São Paulo, a expedição de Fernão Dias se afigurava como uma empresa descobridora de esmeraldas. Mas, segundo os oficiais da Câmara de Santana de Parnaíba, a expedição foi atingida pelas "calamidades ordinarias do Certam", ficando os familiares do governador empobrecidos e endividados pelos aprestos da jornada.

[22] A expedição de descobrimento de minas de esmeraldas, chefiada por Barbalho, teria saído da Vila de Vitória, na década de 1660. Consta, realmente, que Fernão Dias Pais enviou, através do porto de Santos, 42 arrobas de carne de porco, 80 alqueires de feijão, e "duas cargas" de biscoito para esta expedição (CÓPIA de um importante... – *RAPM*, v. 19, 1921, p. 31-33).

Ainda assim, "em todo o discurso de sua vida mostrou o defunto Fernão Dias Pais tam grande Zelo do serviço real, que parece não queria vida nem fazenda mais que para a empregar nos aumentos da Coroa; e a sua ordinária conversação era sobre a obrigação que tinhão os vasalos de servir a seu principe" (Fernão Dias Pais... – *RAPM*, v. 20, 1926, p. 174-176).

Na certidão passada pela Câmara de São Paulo aos herdeiros de Fernão Dias, conta-se que, no sertão, o governador continuou animado com a empresa do descobrimento de prata e de esmeraldas, mas os expedicionários (inclusive dois capelães que seguiram na tropa), percebendo que ele somente tratava de "exames dos Serros, e mais actos necessarios, e não de conduzir índios barbaros a seu proprio serviço, se despidirão todos do serviço do Principe", para tratar de suas próprias conveniências (leia-se cativar índios), deixando-o só com o filho, o genro, outros familiares e os próprios índios.[23] Com isso, nesse novo apego aos descobrimentos, a entrada de Fernão Dias tornou-se distinguível das demais que aconteciam na sua época – tropas de apresamento de índios –, e o caráter inovador, singular e politicamente prestigioso da sua jornada foi pela primeira vez assinalado.[24] O reitor do colégio dos jesuítas da vila de São Paulo, informando-se das ações do descobridor das esmeraldas para fazer a pregação nas suas exéquias, achou mesmo que a sua empresa, premiada conforme os seus serviços grandiosos, podia conduzir à imitação de outros moradores do planalto, para "buscar e descobrir os mais haveres assim de ouro como de prata que por estas partes houverem; por

[23] Fernão Dias Pais... – *RAPM*, v. 20, 1926, p. 168-170. O abade do Convento de São Bento da vila de São Paulo, em 1681, também verificou que o plano determinante da expedição era o serviço real de descobrimentos, e não o "serviço proprio", ou seja, "a conducção dos Indios brabos" (*ibidem*, p. 183-185).

[24] Os oficiais da Câmara de Taubaté acusaram o capitão Matias Cardoso de Almeida, um dos cabos maiores da expedição ao Sabarabuçu e à serra das esmeraldas, de ter desertado com outros de sua facção para fazer descer índios daqueles sertões, como depois conseguiu, quando conduziu por duas vezes vários índios para a sua propriedade (*ibidem*, p. 172-173). Se a tropa de Fernão Dias realmente não quis saber de apreender índios naquele sertão é pouco provável. Mas, entre os papéis que justificaram os pedidos de prêmios à Coroa, reunidos pelos herdeiros do descobridor, há um termo de um mandato de Fernão Dias, datado de 27 de março de 1681, ao se recolher para o seu arraial do Sumidouro em busca do administrador régio, ordenando que os cabos expedicionários, seus comandados, se afastassem da serra das minas de esmeraldas, e não perseguissem o gentio dos seus arredores (CÓPIA de um importante... – *RAPM*, v. 19, 1921, p. 52-53).

serem os naturais desta terra os idôneos para esse fim, pelas grandes e continuas experiências que tem dos sertões" (Fernão Dias Pais... - *RAPM*, v. 20, 1926, p. 186-189).

Ainda, o "obrar heroico" (para o abade do convento de São Bento) praticado por Fernão Dias foi testemunhado pelo reitor do colégio dos jesuítas a respeito da manutenção: "ouvi dizer a pessoas muito fidedignas e totalmente desinteressadas, [que chegou a vender] ouro e prata do uso de sua casa com o que a deixou, e sua família que era grande em miserável estado de pobreza". Com relação à pobreza dos filhos de Fernão Dias, a opinião dos oficiais da Câmara de São Paulo é que "era indecoroza a sua Calidade, e deste serviço e outros que tem feito ao Príncipe" (Fernão Dias Pais... - *RAPM*, v. 20, 1926, p. 170, 183, 187). Na época, essa teoria da ação heróica, que conferia singularidade aos atos pessoais, tirando-os da esfera cotidiana (ou ordinária), vinha codificada na prática política regida pelas virtudes morais e religiosas.[25]

Quanto ao administrador das minas da Repartição do Sul, depois de sair de São Paulo para averiguar os pretendidos descobrimentos do Sabarabuçu, escreveu a Fernão Dias, no início de junho de 1681, para parabenizá-lo porque soube que "tinha descuberto as esmeraldas" (Cópia de um importante... - *RAPM*, v. 19, 1921, p. 50-51). Mas Dom Rodrigo Castelo Branco, certamente atento às recomendações da Coroa e seguindo a cautela da Corte quanto aos descobrimentos dos coloniais, cuidou de ser menos crédulo. Assim, na certidão de entrega de amostras das pedras, além de roças e de criações, que passou a Garcia Rodrigues Pais quatro meses depois de felicitar Fernão Dias, o administrador das minas, tomando posse de tudo em nome da Coroa, ressalvou: "y me trujo a manifestar umas Piedras Berdes trasparentes *disienoo ser esmeraldas*".[26]

Mas, naquele momento, não importava muito o valor do tesouro, considerando-se a força do crédito do descobridor e a sua inserção na tradição heróica das maiores empresas. Em 1682, Garcia Rodrigues Pais,

[25] Ao mesmo tempo, é possível que alguns dos maiores sertanistas paulistas, como Fernão Dias Pais, "poderoso de indios obrigatorios", como atestou a Câmara de São Paulo em 1681 (*ibidem*, p. 163), assumissem os traços de distinção guerreira e de autoridade próprias dos "heróis" nativos. Cf. MONTEIRO, 1992, p. 483; DEAN, 1996, p. 104-105.

[26] Fernão Dias Pais... - *RAPM*, v. 20, 1926, p. 161-162 (grifo meu). Pode-se admitir que se Dom Rodrigo tivesse feito uma avaliação desagradável da qualidade das pedras verdes, como depois talvez acabou ocorrendo, haveria uma reação violenta da parte dos supostos descobridores e de seus aliados.

junto com o seu tio, o padre João Leite da Silva, levou as amostras das supostas esmeraldas à Corte, mas não aceitou as mercês que o aguardavam em retribuição aos serviços prestados pelo pai. O filho do descobridor das esmeraldas alegou que não as aceitaria "por querer fazer mayores serviços" ao rei.

Parece que Garcia Rodrigues Pais pretendeu adquirir mais crédito para habilitar-se a outros serviços reais e a mais elevadas remunerações. Assim, ele armou novas expedições para o descobrimento das esmeraldas na década de 1680. Com o descobrimento de ouro naqueles sertões na década seguinte, o sertanista arvorou-se em descobridor das Minas de ouro, pleiteando renovados prêmios. No final da década de 1690, o primogênito de Fernão Dias argumentou, assim como os paulistas poderosos, os parentes desses e os seus aliados no século XVIII, que aquelas novas Minas de ouro tiveram sua verdadeira origem nos sucessos ou desdobramentos da jornada, chefiada por seu pai, para descobrir a prata e as esmeraldas no misterioso sertão do Sabarabuçu. Numa petição ao rei, na época da virada do século XVII ao século XVIII, o sertanista e descobridor Garcia Rodrigues Pais definiu o seu serviço como sendo o mais vantajoso à Coroa do que

> todo o outro serviço que os mais vassallos podião obrar; por ser feito em tres formas, ou em tres maneyras muito distinctas, que por qualquer dellas merecia huá larga remuneração: sendo a 1ª o descobrimento das Minas das esmeraldas em companhia do dito seo Pay, de que não duvida que existem, e por lhe morrer agente de peste, e fugir senão proseguio a sua averiguação. A 2ª o descobrimento dos Campos Geraes dos Cathagás [Cataguases] em companhia tambem do dito seu Pay, de cujas Minas se está tirando a grande quantidade de Ouro que produzem. E a 3ª [a] abertura do Caminho do Rio de Janeiro para as mesmas Minas, donde com mais brevidade, e sem risco de Piratas vem os Reaes quintos de Vossa Magestade. (Cópia de um importante... - *RAPM*, v. 19, 1921, p. 11-18)

Com isso, para o sertanista, o seu pai e ele próprio eram verdadeiros descobridores, que se equipararam àqueles antigos descobridores de novas terras, mares e haveres, que os reis de Portugal costumaram premiar com mercês, honras, graças, privilégios, e liberdades, prestigiando e premiando, significativamente, certas linhagens familiares (Cópia de um importante... - *RAPM*, v. 19, 1921, p. 17).

De fato, os descendentes diretos de Fernão Dias Pais (ou a linhagem do descobridor das esmeraldas, e supostamente das Minas de ouro) e do seu filho mais velho, Garcia Rodrigues Pais, foram amplamente remunerados pela Coroa com títulos, cargos públicos, terras e privilégios. O cargo de guarda-mor geral das Minas de São Paulo, e depois Minas Gerais, com atribuição, a princípio, de demarcar, repartir e conceder as datas minerais, permaneceu propriedade dos parentes, sucessores diretos em linha paterna, dos supostos descobridores das esmeraldas e do ouro. Chefiando uma parentela poderosa com ramificações em Minas Gerais, no Rio de Janeiro e em São Paulo, o capitão-mor Garcia Rodrigues Pais foi o primeiro guarda-mor geral das Minas, desde 1702. Nobilitado pela Coroa, que lhe concedeu o título de fidalgo da Casa Real pelos seus serviços, Garcia Rodrigues Pais passou o título, os privilégios, e a guardamoria ao filho Pedro Dias Pais Leme, que se manteve no cargo até 1783, ano de sua morte em Mariana. Este, além do título de fidalgo, tornou-se comendador da Ordem de Cristo, alcaide-mor da cidade da Bahia (por três gerações, sendo ele o primeiro), e reivindicou o efeito do privilégio concedido ao pai de instituir um morgadio, na passagem do rio Paraíba. Em 1750, o rei Dom José I ainda agraciou Pedro Dias com o direito de portar, sendo o seu chefe legítimo, o brasão de armas da linhagem dos Leme, que remontava a nobres antepassados originários de Flandres, e participantes dos combates contra os mouros na África. No final do século XVIII, sucedeu a Pedro Dias no cargo de guarda-mor geral, e de mestre-de-campo de um terço de auxiliares da cidade do Rio de Janeiro, o filho Fernando Dias Pais Leme da Câmara, que acabou reconhecido, em 1786, como donatário de uma vila fundada na propriedade familiar da Paraíba – o único com essa honraria nas capitanias do Brasil no início do Oitocentos. O filho deste, Pedro Dias Pais Leme, que passou a barão de São João Marcos por concessão de Dom João VI (1818) e foi donatário da Vila de Resende, por sua vez, sucedeu ao pai no cargo de guarda-mor geral e nos outros privilégios. Assim, essa linhagem enobrecida manteve, ao longo do século XVIII e até o fim do período colonial, a função de guarda-mor geral da Capitania de Minas Gerais sob o seu estrito controle, o que lhe permitiu um uso lucrativo das prerrogativas políticas e econômicas do cargo.[27]

[27] NOBILIARQUIA brasiliense... – *RIHGSP*, v. 32, 1937, p. 35-45. [Anexa] Carta de brasão de armas e baronia de Leme, passada por Dom José I a Pedro Dias Pais Leme, 15 de dezembro de 1750 – *Ibidem*, p. 49-51. [20 de maio de 1813] CÓPIA de um importante... – *RAPM*, v. 19, 1921, p. 224-225. Cf. um levantamento de autoridades coloniais mineiras, em CÓDICES e documentos avulsos: Casa dos Contos de Vila Rica (impresso); REGIMENTO que trouxe... – *DHBNRJ*, v. 6, 1928, p. 354-358; TAUNAY, t. 9, 1948, p. 443.

Embora as recompensas concedidas ao sertanista-descobridor Garcia Rodrigues Pais, e aos sucessores diretos, tenham sido atípicas quando comparadas aos prêmios obtidos por outros sertanistas e descobridores, mesmo os poderosos, é certo que tais elevadas recompensas e pretensões foram, na época dos descobrimentos de ouro e de diamantes, as aspirações constantes dos pretendentes a descobrimentos. De maneira geral, os sertanistas-descobridores costumavam supor que poderiam receber por seus merecimentos, quando serviam à justa causa do Estado, prêmios ou mercês, que eram as concessões reais experimentadas como privilégios, e que resultavam das façanhas e do lugar na hierarquia social dos cabeças da empresa. A Coroa criava essa expectativa com suas promessas de prêmios e honrarias aos descobridores de minas certas e ricas. Alguns governantes coloniais, na época das primeiras explorações em Minas Gerais, chegaram a exagerar nisso. Em 1701, o rei repreendeu o governador Artur de Sá e Menezes por exorbitar da concessão real, quando prometeu aos descobridores dos ribeiros auríferos premiá-los como protagonistas de ações guerreiras (Documentos relativos [...] 1701-1705 – *DIHCSP*, v. 51, 1930, p. 46).

Essas mercês reais puderam ser concedidas, conforme a qualidade e os feitos do sertanista-descobridor pretendente, na forma de postos militares, títulos honoríficos, cargos públicos, pensões, direitos de exploração das passagens de rios, terras de sesmarias e datas minerais. Aproveitando a situação favorável aos seus interesses a partir das promessas da Coroa portuguesa, no último quartel do século XVII e no século XVIII, houve descobridores ou descendentes deles que requereram, por exemplo, o hábito da Ordem de Cristo, uma prestigiosa distinção enraizada na velha tradição dos feitos guerreiros dos portugueses para bater os infiéis nas fronteiras do reino, e que não deixava de ser bastante condizente com a imagem das empresas colonizadoras.[28] Todavia, qualquer nobilitação dependeu de outros serviços (como funções no governo municipal) e requisitos (como a origem "limpa"), além daqueles assinalados para os trabalhos de descobrimentos de ouro e de diamantes nas Minas.

Conduzidos por essas mercês e honrarias do Estado, os sertanistas-descobridores ainda pleitearam os "lucros" (ou o proveito próprio) que pudessem resultar das empresas de descobrimento nos sertões do ouro. A

[28] DEFINIÇÕES e estatutos dos cavaleiros... 1628, p. 52-56, 76. Ver o Título 1, "Da fundação, e criação da ordem de nosso Senhor Iesu Christo" e o Título 11, "Da obrigação que os Cavaleiros desta ordem tem de pelejar pella fee de Christo".

manipulação conveniente dos cargos ou funções, a apropriação dos ribeiros auríferos de maior rendimento, a conquista de terras férteis e localizadas ao longo de caminhos, o domínio de passagens estratégicas, o controle de rotas comerciais e o apresamento de índios mostraram que a força econômica daqueles descobrimentos residia mais no potencial da prática sertanista ligada à dinâmica colonial, transtornando aquelas motivações concedidas pela Coroa. Afinal, para muitos exploradores, o lucro, resultado do aproveitamento das oportunidades, sempre foi um móvel mais certo do que as reiteradas promessas dos mandatários da Metrópole.

Assim, honrarias, mercês e lucros disputados pelos sertanistas-descobridores indicam que a empresa política de descobrimento de terras minerais foi, a um só tempo, empresa econômica e comercial (Holanda, 2000, p. 182-183). Significou ações de vulto dos súditos de maior qualificação, que, abrigados no Estado colonizador, trouxeram lucro e recompensas para a própria parentela e aumento da Fazenda para o rei.

Capítulo 3

Razão de Estado e suas mercês

Contava-se, no século XVII, que o rei de Portugal, D. Afonso, tinha o costume de entreter-se com caçadas longe da Corte. Certa vez, em Sintra, um de seus conselheiros o advertiu sobre isso, dizendo que ele faltava com a sua obrigação de rei e senhor, já que em vez de assistir na Corte e nela atender aos clamores e necessidades dos seus vassalos, gastava o tempo em caçar aves e matar feras. O rei reagiu com desagrado, mas isso não intimidou o conselheiro e vassalo, que prosseguiu: "acodi senhor a isto, e se não...". Ao que o rei, num acesso de cólera, replicou: "E se não que será? E se não, respondeo o Vassalo, buscaremos Rey que nos governe" (Miranda, 1785 (1622), p. 56-57..

Nessa narrativa, aparece o objetivo básico do governo monárquico no Antigo Regime português: zelar pelo bem comum dos súditos. Se o rei, como a cabeça do corpo político, não dirigia o Estado para um fim que beneficiasse tanto o público quanto o particular, então era melhor trocar de rei. A expressão do bom governo era a diligência e prontidão com que o monarca despachava os requerimentos ou súplicas dos súditos. Assim transparece uma das prescrições do direito corporativo formador do Estado monárquico em Portugal, nos séculos XVII e XVIII: o governo existe para cuidar da conservação dos corpos sociais legítimos que compõem o Estado, administrando os conflitos, caso eles surjam, no sentido dessa conservação. Todos os atos e ações de governo devem obedecer à política de manter a vitalidade da tradição. Todos os assuntos do *centro* do Estado se resumem em esperar e julgar os pedidos ou as súplicas dos vassalos para assim recompô-los conforme o preceito jurídico reconhecido. Por isso, no sentido dessa narrativa moralizante das funções reais, governar é despachar com justiça.

Na prática, os despachos de governo tomam as vezes de um julgamento, de uma ação jurídica. Não é de estranhar tal fato, já que, como se sabe, o Estado português e as práticas políticas, na época moderna, refletem o modelo "jurisdicionalista". "Ou seja, toda a actividade dos poderes superiores – ou mesmo do poder supremo – é tida como orientada para resolução de um conflito entre esferas de interesses, conflito que o Poder resolve "fazendo justiça", ou seja, atribuindo a cada um o que, em face da ordem jurídica, lhe compete".[1] Por isso, no século XVII e até meados do século XVIII, não havia, por parte das instituições estatais, uma ingerência direta e autônoma na formação das condutas desejáveis dos súditos. A Coroa apenas ratificava – premiando, agraciando ou punindo –, como uma instância jurídica suprema, as supostas disposições naturais da ordem social codificada no direito positivo. Somente com a política pombalina de recrudescimento do poder da Coroa, começaram a ocorrer mudanças nas práticas jurídico-políticas tradicionais, revelando-se o empenho novo em disciplinar ou criar condutas necessárias à ordem política e social (Hespanha, 1998, p. 213-226, 237-239).

No entanto, essa ausência relativa da Coroa no cenário social não significava a ineficácia do seu domínio político, como apontou Foucault.[2] Ao contrário, através da *invisibilidade* institucional da Coroa, ou melhor, da partilha do Poder em vários níveis, a experiência política de súditos não era percebida por eles como específica das funções no governo ou na administração, mas das posições no conjunto da sociedade, já que esta

[1] XAVIER; HESPANHA, 1998a, p. 115-116. "O debate seiscentista [...] mostra que, em Portugal, a esfera estatal e a actividade política ficaram, no campo ideológico e no institucional, enquadradas por uma perspectiva sacral, ética e jurídica", enquadramento que, apesar das mudanças nas práticas políticas, o século XVIII não conseguiu destruir, mesmo no período pombalino. Cf. ALBUQUERQUE, 1983, v. 1, p. 204-206; MACEDO, 1981, p. 75-76; VILLALTA, 1999, p. 138-178.

[2] FOUCAULT, 1984, p. 181. Dominação política que, mais do que baseada numa noção fisicalista do Poder, resultava de construções simbólicas. "Tudo remete à concentração de um capital simbólico de autoridade reconhecida que, ignorado por todas as teorias sobre a gênese do Estado, surge como a condição ou, pelo menos, como acompanhamento de todas as outras formas de concentração [do capital da força física, do capital econômico e do capital da informação e cultural], se eles têm alguma permanência. O capital simbólico é uma propriedade qualquer (de qualquer tipo de capital, físico, econômico, cultural, social), percebida pelos agentes sociais cujas categorias de percepção são tais que eles podem entendê-las (percebê-las) e reconhecê-las, atribuindo-lhes valor" (BOURDIEU, 1996, p. 107).

aparecia no lugar do Estado. Portanto, para os agentes sociais, participar do jogo das posições sociais era forçosamente inserir-se numa luta política de exercício de poder e de conquista de autoridade para si próprio e, ao mesmo tempo, para o Estado, que se sustentava da ambivalência dos interesses particulares.[3] Daí se dizer que, no Antigo Regime português, havia uma sociedade "sem Estado"[4] ou que os campos constitutivos do espaço social – político, econômico, cultural, simbólico – não estavam formalmente delimitados.[5]

Assim, o Estado monárquico (ou o campo do poder) era percebido segundo os mesmos critérios que regulavam as relações sociais e morais entre os agentes. Dos governantes aos súditos, cada um se conduzia pela estimativa pública do seu valor social, que se manipulava, por sua vez, segundo uma tecnologia das virtudes nobres necessárias à representação da honra. Nessa concepção, o valor social (ou o capital simbólico) de cada pessoa conferia legitimidade às suas ações ou autoridade para ela exercer determinadas funções, ou seja, estabelecia as posições no jogo político.[6]

Até mesmo a figura do rei (a autoridade central que representava o Estado) era julgada por sua qualidade social e moral. Em outra história do século XVII com o mesmo tema do rei que não atendia às súplicas dos vassalos, indicam-se as virtudes tidas como específicas dos governantes: piedade, caridade, gratidão, liberalidade. O relato faz referência ao pastor que acolheu, em sua casa, São Germano, a quem o rei tinha negado abrigo na Corte. O santo, ultrajado pela conduta indecorosa do rei, acabou destituindo-o da Coroa e colocando o pastor em seu lugar. A narrativa induz a concluir que, se as virtudes de governante existiam em um pastor e não em um rei, aquele devia exercer a função real e não este. Nessa lógica, o Poder

[3] A ambivalência ocorre quando a interdependência de grupos sociais é acompanhada de um inerente antagonismo de interesses, "o que os torna dependentes do coordenador central supremo, para continuarem a existir socialmente, num grau muito diferente do que na situação em que os interesses interdependentes são menos divergentes e é mais fácil obter acordos" (ELIAS, 1993, v. 2, p. 147).

[4] A designação é de HESPANHA, 1998, p. 213.

[5] MONTEIRO, 1998, p. 297. Só há campo específico do Poder, quando "A concentração de diversos tipos de capital (que vai junto com a construção dos diversos campos correspondentes) leva, de fato, à emergência de um capital específico, propriamente estatal, que permita ao Estado exercer um poder sobre os diversos campos e sobre os diferentes tipos específicos de capital, especialmente sobre as taxas de câmbio entre eles (e concomitantemente, sobre as relações de força entre seus detentores) (BOURDIEU, 1996, p. 99).

[6] Sobre o poder estratégico do "valor social", cf. ELIAS, 1993, v. 2, p. 226.

do monarca mantinha-se por meio da arte de governar, isto é, saber conceder (ou retribuir) aos súditos (peticionários) com justiça, o que significava beneficiar aqueles que serviam ao Estado (Lorea, 1674, p. 146-149).

A prática da liberalidade foi vista como a mais fundamental estratégia do Poder e da dominação de caráter simbólico, pois "Assi como polos effeitos se conhece a causa, assim pola liberalidade a natureza, que se he nobre, de força há de ser liberal".[7] Na liberalidade, juristas e teólogos construtores do poder monárquico encontraram a chave para o domínio do Estado. Damião de Faria e Castro, por exemplo, é taxativo, em meados do século XVIII:

> Segurar a soberania com o ouro, he usura da Real contratação. O povo he mar soberbo; porém cada moeda, que se lhe lança, he huma ancora com que o Throno se firma. A misericordia, e verdade guardão o Rey, e com a clemencia se segura o Throno. As virtudes grandes, como emanaçoens do ser Divino, tem ás Coroas justissimo direito e sendo a liberalidade o Diadema de Deos; em lhe faltando os Principes com a imitação, desemparelhão as imagens. (Castro, 1749, t. 1, p. 304)

Ao fugir à verdadeira representação da majestade terrena, o rei que não exerce a liberalidade põe a perder a soberania devida ao trono em dois sentidos: primeiro, em termos propriamente econômicos, porque o monarca não obtém a fidelidade política quando faltam mercês e prêmios aos súditos; segundo, em termos simbólicos, porque faz com que se desconfie da representação do poder monárquico (tem efeito de contrapropaganda monárquica), já que não segue os signos legítimos de imitação divina. Ambos tinham efeitos políticos danosos à legitimidade e ao reconhecimento social do Estado.

No Antigo Regime ibérico, uma das tópicas comuns era relacionar o amor dos vassalos ao favor do rei. Em um dos emblemas que buscaram forjar o domínio espanhol em Portugal, o poderoso Felipe II assim é retratado: "quase disposto a acabar de armar-se para reclamar a sua herança, mostra aos portugueses, com a mão direita, o seu Amor na forma de um coração em chamas, enquanto que a outra mão, estendida como prova de liberalidade e com o polegar levantado, mostra o seu Favor" (Álvarez, 1989, p. 42-43). No cálculo político dos agentes, o amor sem afetação, a

[7] COSTA, 1655, p. 132. "De modo que Principe, e liberal se equivocão de tal sorte, que são huma mesma cousa" (ANJOS, 1693, p. 227).

fidelidade política verdadeira, deveria mesmo vir na forma de retribuição de um favor. Da mesma forma que nas relações entre o fiel e a divindade, havia mais crédito em um laço entre a Coroa e os súditos, mantido por relações de obrigações mútuas reconhecidas, do que em uma possível união que não tinha representação codificada.[8]

A estratégia de governo da Coroa baseava-se na economia do favor e dos prêmios aos súditos que, com gratidão, retribuíam com mais amor, fidelidade e serviços. O edifício monárquico precisava desse jogo socialmente reconhecido de prestação mútua de favores; não se governava nem se mantinha a legitimidade do Poder sem recorrer à lógica social do favor entre *amigos*.[9] Disso dependia a opinião que os súditos tinham do Estado, ou a sua reputação, cujo sentido público era assinalado no século XVII: "Dixe ser credito, y opinion; para mostrar que la essencia de la reputacion, aun no depende de tãto de realidad de la cosa, como de la creencia, y parecer de los humanos juizios" (Homem, 1626, f. 75). Assim, a reputação expressava a posse de capital simbólico necessária ao exercício de qualquer poder no Estado, especialmente nas funções de autoridade da monarquia. Ocupar uma posição destacada no Estado era natural da nobreza, cuja qualidade, dizia-se no século XVII, "não se presume [...] pois não é intrínseca à natureza [comum] dos homens, mas atribuída [a alguns] por feitos ilustres, pelas letras, pela riqueza ou pela graça do príncipe e, assim deve provar-se por indícios, fama e testemunhas de ouvir ou outras presunções" (*apud* Hespanha, 1993, p. 32).

Como já foi apontado anteriormente, o Poder, para subsistir, fazia funcionar as redes clientelistas do espaço social, que do centro do Estado monárquico (Corte) se estendiam até os núcleos periféricos ou locais (Câmaras, ordenanças) e até cada um dos súditos. Isso é sinal do quanto era difusa a experiência política. O "mecanismo régio" consistia, então, em manter essas redes ativas através da economia do favor, retirando

[8] Supunha-se a analogia entre as dádivas concedidas pelo rei e as dádivas de Deus: "Que poucos amarião Deos, se no Ceo não desse gloria, e na terra as suavidades da graça!" (CASTRO, 1749, t. 1, p. 304).

[9] "Parece ser evidente a amplitude do horizonte semântico do conceito de amizade, abrangendo desde relações entre o rei e os vassalos reciprocamente ligados por laços de amor/amizade (desigual), até às relações filiais (os familiares são simultaneamente os mais amigos) ou de pura amizade (que, quando muita intensa, se assemelharia às relações de família). Essa transposição do imaginário familiar para o campo das relações sociais informais é uma constante da época" (XAVIER, 1998, p. 342).

dela ganhos políticos e econômicos não só para Coroa, mas para todos os agentes. O clientelismo era percebido como uma disposição natural da sociedade, que o Estado devia conservar alterando o menos possível o que estava prescrito pelo direito e costumes comuns. Portanto, como já se observou, "As razões de amizade sobrepõem-se [...] às razões da política" (Xavier, 1998, p. 342). Com isso, em Portugal dos séculos XVII e XVIII, a razão de Estado – esta designava a área e a racionalidade específicas da política – não tinha autonomia. Os agentes percebiam as relações políticas pelas mesmas formas simbólicas e hierárquicas (*habitus*[10]) que regiam as práticas de outros campos sociais: da moral, da religião, do direito.[11]

A economia do favor (ou dom) era base da convivência num espaço social medido por valores pessoais e percebido segundo as representações do imaginário familiar. A lógica da reciprocidade dos favores conduzia as relações políticas e econômicas entre os vassalos, impondo uma cadeia de obrigações mútuas, que se traduzia em privilégios e prestígio social para os envolvidos. "O acto de 'dar' podia corresponder a um importante investimento de poder, de consolidação de certas posições sociais, ou a uma estratégia de diferenciação social" (Xavier, 1998, p. 344). Isso estava na origem do cálculo político de manipulação das redes clientelistas. O cálculo do prestígio ou de ganhos simbólicos, no Antigo Regime português, pressupunha que cada membro do corpo político teria o seu quinhão de privilégios e obrigações, conforme a sua posição social e as suas ações. O cálculo previa que, do mesmo modo que as ações eram percebidas como da natureza da posição social do agente, os privilégios e obrigações também deviam ser proporcionais ao estatuto e aos supostos serviços. Assim é que,

[10] "Os habitus são princípios geradores de práticas distintas e distintivas [...]; mas são também esquemas classificatórios, princípios de classificação, princípios de visão e de divisão e gostos diferentes. Eles estabelecem as diferenças entre o que é bom e mau, entre o bem e o mal, entre o que é distinto e o que é vulgar etc., mas elas não são as mesmas. Assim, por exemplo, o mesmo comportamento ou o mesmo bem pode parecer distinto para um pretensioso ou ostentatório para outro e vulgar para o terceiro" (BOURDIEU, 1996, p. 22).

[11] "A *ratio status*, como supremo interesse, era pois geralmente repudiada, e quando se adoptava a fórmula *razão de Estado* fixavam-se-lhe fronteiras divinas e humanas; postulava-se a sujeição do poder estatal ao comando divino, pelo que não se pressupunha a cisão da moral e da política e se afirmava a plena vigência na esfera do governo do direito anterior e superior ao Estado – o *jus divinum, naturale et gentium* – bem como, via de regra, também do próprio direito positivo, com a negação do *princeps legibus solutus*" (ALBUQUERQUE, 1983, p. 197).

da parte do rei, em 1694, promete-se aos colonos que descobrissem "mina rica, e certa" de ouro ou de prata, o foro de fidalgo da casa real e qualquer dos hábitos das três ordens militares, além da posse legítima das minas, com a obrigação de pagar o quinto para a Fazenda Real ([18 de março de 1694] Avisos, cartas régias... – *DIHCSP*, v. 16, 1895, p. 23-24). Mais tarde, em 1722, os paulistas lembram a injustiça de não terem sido devidamente recompensados, pois sendo os primeiros descobridores das Minas Gerais, "herão hoje os unicos que se achavão, pedindo húa esmolla, e que agora sendo tambem destas [Minas de Cuiabá] lhe succederia o mesmo". Por isso, no sentido de remediar a ingratidão anterior, os paulistas pedem ao governador da Capitania que defenda o monopólio da posse, a que tinham direito, nas Minas de Cuiabá (29 de abril de 1722] Correspondência interna... – *DIHCSP*, v. 20, 1896, p. 19-24).

Do desagrado dos sertanistas paulistas pode-se inferir que, quando os privilégios concedidos não pareciam estar à altura do pretendente, era atingida a reputação do agente e saía comprometida a sua condição social. A narrativa do descobrimento praticado pelo senhor de engenho Belchior Dias, referida no capítulo 1, foi exemplar nesse sentido e indica os caminhos costumeiros nos quais transitavam as petições dos vassalos no Antigo Regime português ([22 de novembro de 1725] Documentos relativos [...] 1548-1734 – *DIHCSP*, v. 48, 1929, p. 59-104). Com a suposição de ter descoberto minas de prata, de ouro e de pedras preciosas, Belchior Dias pediu mercês à Corte espanhola, que, como sugere a narrativa, descuidada dos interesses imperiais portugueses durante o domínio filipino, não deferiu nenhuma de suas petições. Após anos de peregrinação na Corte, cansado de requerimentos vãos e de favores de cortesãos que nada adiantaram, Belchior Dias, já desanimado, foi convidado a valer-se, mais uma vez, dos intermediários de prestígio, cuja proteção era necessária a qualquer petição e despacho no Estado corporativo. O novo patrono, bem posicionado na hierarquia do império colonial português na América, surgiu na figura de um fidalgo, Dom Luís de Souza, governador de Pernambuco, que, no entanto, advertiu o descobridor desavisado do jogo das petições para "que se coartasse nas mercês que pretendia de Sua Majestade que ele [governador] queria ser seu procurador para na Corte alcançar aquelas que pudesse conseguir". Assim, quando o descobridor se sujeitou à ligação clientelista e fez corresponder a petição à sua condição e aos serviços prestados, formou-se o despacho, deferindo o que se almejava: as mercês. Em retribuição ao favor alcançado, Belchior Dias devia mostrar o descoberto ao seu patrono. No entanto, julga-se que na história de descobrimento de

Belchior Dias, o verdadeiro premiado foi Dom Luís de Souza, por ser agraciado com o título de marquês das Minas, enquanto o descobridor obteve "algumas mercês" que nem estavam confirmadas, por serem condicionadas à manifestação do descoberto. Tudo mostrava ao vassalo injustiçado o seu desprestígio, que culminou com o menosprezo do próprio patrono, que o chamou de "caboclo" – indigno, portanto, das mercês que pleiteara. Assim, com a reputação depreciada, a posição social de Belchior Dias, por seu turno, foi prejudicada a ponto de o descobridor ser preso, no final do episódio, para escândalo de seus parentes e amigos da sociedade baiana, por ordem daqueles que, no início, diziam protegê-lo.

A história do desengano de Belchior Dias havia se difundido no meio dos descobridores e dos sertanistas, nos séculos XVII e XVIII. O episódio entrou para a tradição expressando ensinamentos morais e práticos a todos – governantes e colonos – na época dos descobrimentos das Minas de ouro. O sentido pedagógico da história ficou por conta do modo como devia ser visto o descobrimento e o seu agente, dos meios legítimos de manifestação, da maneira de se obter o reconhecimento estatal. Em suma, de quais eram as estratégias legítimas de instituição do *feito* de descobrimento.

De saída, o descobridor cometeu um erro grave não se dirigindo em primeiro lugar ao seu superior imediato no quadro estamental e político – o representante do rei na Colônia, o fidalgo governador da Capitania. Devia-se seguir a lógica clientelista (e corporativa), começando pela ponta e compondo, com um a um da cadeia ascendente de clientes (e amigos) até o topo, a força política e a legitimidade necessária a um pleito ou um pedido para merecer a atenção do rei.[12] Pois, se "entre a cabeça e a mão deve existir o ombro e o braço, entre o soberano e os oficiais executivos [ou os vassalos] devem existir instâncias intermédias".[13] Assim, apelar

[12] Isso pressupõe, no campo do poder, o valor estratégico da reputação, que se constitui das "aparências". Segundo ELIAS (1987, p. 83-84), elas manifestam "a primazia que se dá, em tudo o que se é e se faz, às oportunidades de estatuto ou de poder da pessoa que age, tendo em conta as suas relações com os outros". Nessa lógica, os agentes experimentam o mesmo que Peter Burke disse ser característico da Itália do século XVII: "a metáfora do mundo como teatro" (BURKE, 1992, p. 153).

[13] XAVIER; HESPANHA, 1998a, p. 115. A concepção corporativa da sociedade e do Estado em Portugal teve vida longa, mantendo-se como a explicação convencional das práticas sociais até o final do século XVIII e começando a mudar com a reforma pombalina e pós-pombalina. O modelo da representação da organização sociopolítica era um corpo (ou corpos), nos quais os membros conviviam numa interdependência harmônica,

diretamente ao monarca, como fez Belchior Dias, era desvirtuar o funcionamento natural do corpo político do Estado, especialmente quando o requerente não tinha o devido crédito.

Um outro abuso a ser evitado, que a tradição do descobrimento de Belchior Dias ensinava aos descobridores das Minas de ouro, era o de pedir mais do que se merecia ou além do que permitia a posição social. A desgraça do suposto descobridor, pensava Rocha Pita em 1730, foi que "Robério Dias" (era comum trocar o nome do descobridor pelo de seu filho), após a fama pública de possuir e usar minas de prata que "achara" em suas terras, dirigiu-se a Madrid oferecendo o descoberto, desde que se lhe concedesse o título de marquês das Minas. Mas nisso o pretendente errou, porque "Não é justo que mereça conseguir os prêmios quem nos requerimentos pede mais do que se lhe deve conceder" (Pita, 1976 (1730), p. 98). Pedir além do que o seu crédito permitia, ao contrário de favorecer o peticionário, fazia, na verdade, desconfiar da sua qualidade e da sua honra.

Ainda, com o pseudofeito de descobrimento de metais e pedras preciosas do malfadado Dias, os sertanistas e descobridores podiam lembrar quais eram os esquemas legítimos de ação para instituir o descobrimento: manifestar o descoberto, comunicando a entrada, por meio de relatos ou petições, às autoridades coloniais e enviando amostras dos minerais; e construir, aos olhos de todos os súditos, o feito de descobrimento, fazendo um roteiro da entrada ou um mapa descritivo do lugar dos achados de minerais preciosos. Na verdade, isso foi feito no caso de Belchior Dias, o que explica as diferentes opiniões sobre ele e sua ação – injustiçado, como sugeriu o sertanista Pedro Barbosa Leal, e dissimulado, como quer Rocha Pita.[14] O coronel Pedro Barbosa Leal, após as suas próprias diligências

embora necessariamente posicionados hierarquicamente para que o todo funcionasse. Evidentemente, a cabeça, no topo e no governo dos demais membros, representava o rei. Mas, "Tão monstruoso como um corpo que se reduzisse à cabeça, seria uma sociedade, em que todo o poder estivesse concentrado no soberano. O Poder era, por natureza, repartido; e numa sociedade bem governada, esta partilha natural deveria traduzir-se na autonomia político-jurídica (*jurisdictio*) dos corpos sociais, embora esta autonomia não devesse destruir a sua articulação natural (*cohaerentia, ordo, dispositio naturae*)" (*ibidem*, p. 114-115).

[14] O filho natural de Belchior, Robério Dias, "com poucos brios, pouca atividade, e temeroso do mau sucesso de seu pai não só não quis seguir aquela empresa[,] senão também deixou perder todas as memórias e roteiros que tinha deixado o dito seu pai" ([22 de novembro de 1725] DOCUMENTOS relativos [...] 1548-1734 – *DIHCSP*, v. 48,

no sertão, afirmou que as minas de prata não podiam ser uma quimera, e concluiu: "Com esta certeza já não é para desprezar o roteiro de Melchior [ou Belchior] Dias, e por este se devem acreditar todos os seus descobrimentos" ([22 de novembro de 1725] Documentos relativos [...] 1548-1734 – *DIHCSP*, v. 48, 1929, p. 84).

No entanto, mais do que provar por textos o que se fez, era preciso ter a fama (o crédito) de ter feito ou poder fazer. Tanto a fidedignidade quanto a verossimilhança da ação dependiam do crédito do agente. Isso era tão significativo que, mesmo quando o pretendente a descobridor não tinha serviço (ou documento) algum que demonstrasse seu mérito, o crédito do parecer era o bastante para que se fizesse passar por descobridor ou para que o descobrimento tivesse "efeito" nas pessoas de opinião. Era o que ocorria, principalmente, quando o presumido agente de descobrimento caía nas boas graças da Corte. Foi o que se deu, em 1731, num caso rumoroso envolvendo o vice-rei, conde de Sabugosa, e o pretendente a descobridor, Manuel Francisco dos Santos Soledade, premiado pelo rei com o cargo de superintendente da Conquista das Minas do Brasil "desde as vertentes do rio Paraguassú até a capitania da Parayba do Sul" (Lamego, 1920, v. 2, p. 303), além de outras honrarias como a de cavaleiro da Ordem de Cristo. O conde de Sabugosa representou ao rei que as promessas de descobrimento de minerais preciosos feitas por Soledade na Corte não passavam de uma "quimera e falsidade", porque ele não fizera nada do que disse e nem tinha capacidade para projetos daquele tipo ou de outro que exigia maior crédito, "por não ter nada de seu e ser mal procedido". O vice-rei tentou, como era o costume, ferir a reputação de Soledade, seu desafeto, mas, na Corte, o efeito político foi contrário. No parecer apresentado pelo Conselho Ultramarino, o procurador da Coroa volta-se contra o vice-rei, ao apontar seu afetado desinteresse e a injustiça que o movia, pois a informação que o vice-rei dera dos procedimentos abusivos do explorador não se confirmava nem mesmo com a que deu o próprio "êmulo" (concorrente) de Soledade e amigo do vice-rei, Manuel Nunes Viana. Além disso, "se os defeitos que se lhe argúem foram tão notórios se não ocultariam a

1929, p. 67-68). Em 1655, uma cópia de um roteiro de Belchior Dias teria ido parar nas mãos do padre Antônio Pereira, parente de um sobrinho de Dias, Francisco Dias d'Avila, tendo este já feito uma entrada de descobrimento das tais minas com base no velho roteiro, no final da década de 1620, uns dez anos depois da ação de Dias (MAGALHÃES, 1935, p. 55-56).

pessoas tão graves como as que lhe deram as atestações juntas à consulta, e moveram a Vossa Majestade a deferir-lhe". Aqui, indica-se o porquê de Soledade ter conseguido tanto, oferecendo tão pouco na Corte: era bem relacionado, obtendo de amigos (entre os quais, talvez, estivesse o procurador da Coroa) proteção para suas pretensões. Mas o procurador foi mais longe na sua defesa, sugerindo que o superintendente, ao contrário, merecia mais atenção do rei, pois graças a ele soube-se na Corte do descaminho nos interesses reais na Bahia e da negligência do vice-rei em "lhe não administrar justiça", perseguindo-o por todos os meios, com perigo até de sua vida. Com certa dose de pragmatismo, o procurador observou que "não há mais motivo de desconfiança para êle obrar o que prometeu do que já existia, quando se lhe concederam as mercês e privilégios em que a Fazenda de Vossa Majestade não arriscou nada". Por fim, o procurador sugeriu que, com a pobreza e a falta de "talento" admitida pelo próprio Soledade, mas tendo em vista o valor dos seus pretendidos serviços, seria necessário, além de algum dispêndio da Fazenda Real, recomendar-se ao vice-rei que mantivesse a ajuda a Soledade no que fosse conforme às mercês e ordens reais passadas na Corte ao pretendente a descobridor. Assim, de acordo com os conselheiros, evitar-se-iam tanto as "vexações aos povos" nos tais descobertos do superintendente, quanto prejuízos à Coroa, pois "não parece decente passarem-se logo ao Vice-rei ordens em que se lhe cometa o exame da utilidade que resulta dos projetos dêste homem [de Manuel Soledade], quando pelo decurso do tempo sem prejuízo e sem êste exame se pode vir a experimentar o que produzem as suas diligências".[15] A força de capital simbólico ou da reputação reunida pelo pretendente a descobridor, no centro do Poder, apresentava-se tão elevada que nem o vice-rei conseguiu desestabilizar, pelo menos naquele momento, a posição e o poder do explorador agraciado com a atenção real.

Um governo prevenido, porém, que mantém o presumido descobridor sob suspeição, destrói qualquer pretensão de crédito de feito de descobrimento de minerais preciosos. Na conta que o governador de Pernambuco prestou ao rei, pelo Conselho Ultramarino, em 1735, sobre usurpações

[15] Os conflitos de interesses entre o vice-rei e o superintendente, tratados aqui, são mencionados numa Consulta do Conselho Ultramarino a respeito de duas cartas do conde de Sabugosa ao rei, 12 de setembro de 1730 (CONSULTAS do Conselho [...] 1724-1732 – *DHBNRJ*, v. 90, 1950, p. 221-223). Sobre a trajetória de Manuel Francisco dos Santos Soledade como explorador dos sertões do leste do Brasil, ver LAMEGO, 1920, v. 2, p. 301-305.

praticadas por Antônio de Araújo Gonçalves em minas de prata no Ceará, esse sertanista foi acusado de querer persuadir a todos de que ele era o verdadeiro e o primeiro descobridor das tais minas, e de usar de violência para destituir, desse título, todos os outros exploradores. O procurador da Fazenda observou, então, que a denúncia do governador servia para alertar a Corte dos "embustes" de Antônio Gonçalves de forma que ela estivesse prevenida ao receber os requerimentos de descobrimentos "que pretende ou afeta". Por sua vez, o procurador da Coroa, seguindo o parecer do representante da Fazenda Real, opinou que se "guardasse" a conta do governador, para que se confrontasse, no futuro, com todas as petições que Antônio Gonçalves fizesse ([27 de agosto de 1736] Consultas do Conselho [...] 1716-1746 – *DHBNRJ*, v. 100, 1953, p. 176-183).

Isso significa que o peticionário (o dito descobridor) marcado por uma memória de ações indecorosas ou imorais (uma espécie de juíza implacável da presunção futura de serviços ao Estado) tinha como medida do seu prêmio, além dos merecimentos no presente, as ações ilícitas do passado, o crédito suspeito. O desejável era proceder conforme recomendava, segundo a tradição, o rei D. João II, cujo gosto de fazer mercê era tanto que recomendava ao vassalo que quando pedisse não lembrasse os agravos recebidos.[16]

Contudo, os agentes da Coroa tinham plena consciência de que era preciso precaver-se dos interesses em jogo, não confiando demais nas informações dos mandatários locais. Na Corte, com a experiência das práticas clientelistas do Estado, todos sabiam que a manipulação do crédito de um vassalo dependia dos seus amigos e inimigos, ou seja, da cadeia de favores a que se prendia. Assim, na disputa pelo título de descobridor das minas de prata do Ceará, entre Antônio Gonçalves de Araújo e Antônio da Costa e Silva, o procurador da Fazenda, que, no início, tinha confiado nas informações do governador de Pernambuco e do ouvidor, ambas contrárias a Antônio Gonçalves, voltou atrás quando chegaram ao Conselho os requerimentos dos pretendentes. Ele teria percebido o favor com que os representantes da Coroa tratavam Antônio da Costa e a "parcialidade" de suas informações sobre o outro contendor. Por seu turno, o parecer do juiz da Índia e Mina, consultado pelo Conselho, era da opinião de que havia também afetação contrária a Antônio da Costa, representada pelo

[16] BNL, Reservados, códice 917, Regras de estado do perfeito príncipe tiradas da vida de el-rei Dom João 2º de Portugal.

juiz ordinário local: "tendo por êste modo ambos [Antônio da Costa e Antônio Gonçalves] a mesma suspeição merecendo o mesmo crédito". Portanto, nos embates políticos e sociais, era por meio das correntes de clientes que as facções arregimentavam forças e sobrepujavam o grupo rival. De qualquer modo, no caso citado, os conselheiros não observaram somente a reputação dos pretendentes, admitindo que o "melhor direito" recaía no suplicante cujos documentos e certidões produzidas tinham "qualidade" (Antônio Gonçalves), ou seja, justificavam e instituíam o feito de descobrimento e o descobridor do modo legítimo e juridicamente reconhecido.[17] Todavia, o peso determinante para avaliação do direito a descobridor era, na administração colonial, a reputação do pretendente; essa, baseada na rede de amigos, sobrepunha-se ao governo. Em 1752, o conde de Bobadela alertava o irmão sobre isso. Segundo ele, os que têm dinheiro nas Minas sempre encontram, na Corte, "mil protectores, e, por porem em mais obrigação e dependencia aos seus protegidos, não duvidam manchar com imposturas a honra do Governador". O conde chama a atenção para as certidões falsas, produzidas ao sabor das conveniências e das amizades pelos escrivães. Quando sobem esses documentos aos tribunais, os desembargadores, sendo parentes, amigos e partidários dos potentados locais, fazem valer tais certidões. É interessante notar que o conde de Bobadela não critica propriamente as práticas clientelistas, mas os abusos produzidos pela riqueza de alguns habitantes das Minas Gerais (Instrução e norma... – *RAPM*, v. 4, 1899, p. 730).

Pode-se concluir que, além de recobrir as entradas de descobrimento com as virtudes morais e políticas das empresas (como fez o *descobridor* das esmeraldas, Fernão Dias Pais), cumpria seguir o processo burocrático de requerimento dos serviços e da manifestação dos resultados – o que Belchior Dias não fez de modo adequado –, para que os agentes do Estado reconhecessem a ação como um (verdadeiro) *descobrimento* de minerais

[17] [27 de agosto de 1736] CONSULTAS do Conselho [...] 1716-1746 – *DHBNRJ*, v. 100, 1953, p. 178-180. A constituição do documento escrito em monumento (comemoração) – a invenção do feito – implica a memória das informações e uma reordenação textual que servia à composição do fato – cf. LE GOFF, 1984, p. 17. Assim, na colonização lusa da América, a escrita reconstrói o lugar do "novo", reintegrando-o no projeto institucional da história do Estado português. Nos registros escritos de descobrimentos, "Estamos, de fato, diante da corporificação simbólica do descobridor, ao mesmo tempo pessoa singular e entidade coletiva, que atua como agente da instituição e mantém vínculos indissolúveis com os centros de poder" (GIUCCI, 1993, p. 88-90, 97).

preciosos e o vassalo tomasse o nome de *descobridor*. Esse reconhecimento traduzia-se em prêmios e mercês ao descobridor, em acréscimo de capital simbólico e político. A concessão de mercês, por parte da Coroa, significava o reconhecimento tácito de que a ação teve efeito, de que a atividade sertanista resultou em descobrimento. Por isso, além do que se recebia de mercês, o próprio ato de premiação trazia dividendos políticos ao agraciado, e também à Coroa, que revertia o possível dispêndio com os particulares em acréscimo de poder e de riqueza ao patrimônio do Estado.[18]

Nos séculos XVII e XVIII, era um atributo do governo monárquico premiar, através de mercês reais, os vassalos de qualidade e de serviços e, ao mesmo tempo, punir, por meio de castigos, os que desviavam da norma moral e política. Assim, premiar e punir apareciam como as faces da administração real da Justiça distributiva ou comutativa. Luís de Vasconcelos observou, em 1612, que a monarquia é análoga ao reino celeste, onde Deus castiga os maus e eleva os nobres e virtuosos (são pensados como sinônimos) para ocuparem as cadeiras vazias dos anjos caídos em desgraça, "Porque o temor do castigo como freo deterà os màos na carreira de suas maldades, e esperança do premio fará aos bõs trabalhar polo alcançar" (Vasconcelos, 1612, 57v-58v). No final do século XVIII, frei Francisco de São Bento ainda se expressava em termos semelhantes para justificar a preferencial premiação dos nobres: "Eles [os príncipes] se reconhecem obrigados a distribuir os empregos, e títulos honoríficos segundo as invioláveis regras da justiça distributiva. Mais ainda concedem nobres, e grandes títulos aos que também apresentam líquidas provas de obras e ações vantajosas ao bem público já da Religião, já do Estado político".[19]

Havia uma tendência, nas representações do período, a fazer uma distinção entre os prêmios régios devidos aos súditos por merecimento de obras e os outros tipos de mercês. O prêmio incluía algum tipo de compensação econômica direta – um "proveito" – para o vassalo beneficiário. Os outros tipos de mercês eram favores concedidos pelo rei, às vezes

[18] "Que de Reis Lusitanos empobrecerem os tesouros próprios, para acrescentarem os cabedais dos súbditos? Não os diviso, porque a uns a liberalidade, e à maior parte dêles o amor esgotou a fonte para enriquecer os regatos: mas tudo conveniências do mar, donde emanam as águas, porque estas sempre se recolhem ao centro com maiores cabedais do que saíram" (PRAZERES, 1943, p. 105-106 – 1ª ed. 1692).

[19] BNL, Reservados, códice 1674, f. 103v – Dissertação judiciosa sobre a desigualdade de nobreza entre os homens, sendo a constituição da natureza em todos igual, e semelhante.

graciosamente, na forma de privilégios não "remunerativos", como, por exemplo, as honrarias ou alguma espécie de atenção real.[20] Contudo, na prática, todos os tipos de mercês eram percebidos, pelos vassalos, como privilégios concedidos, ao mesmo tempo, para o proveito e para a honraria. Segundo Severim de Faria, em 1624, a concessão de benefícios era a tática mais eficaz para juntar um grande número de soldados na defesa do império português, "Porque se huã coroa de louro, ou de grãma fazia aos Romanos aventurar a vida na guerra tantas vezes; com quanta mais razão se aventurariāo os Nobres por estoutro premio, que alem da honra, lhes traz tambem proveito" (Faria, 1655, p. 82.).

De fato, a transformação das entradas nos sertões em empresas descobridoras pelos sertanistas tem sua razão no que eles obtinham com isso, em termos de ganhos simbólicos, políticos e econômicos. Daí, o jogo das petições de serviços de descobrimentos de metais e pedras preciosas ser regulado pelas representações de prêmios e mercês em retribuição por serviços prestados à causa da Coroa. Além de saber pedir, conformando-se às ligações políticas e hierárquicas entre amigos, o pretendente de descobrimentos devia pedir apenas quando havia oportunidade para isso, apesar de se dizer, na época, "que a mercê antes do memorial, são duas mercês: remedease a necessidade, e evita-se o rogo" (Castro, 1749, t. 1, p. 315).

O "direito de petição" era uma das prerrogativas definidoras da posição de vassalo, enquanto atender às súplicas era atributo específico da função real (Cardim, 1998b, p. 134). O súdito que usava desse direito (privilégio) demonstrava, no próprio ato, reconhecer o monarca como senhor supremo e ter interesse em persistir nos laços do favor do Estado. Pois, na lógica da política do favor, quem concedia fazia-se de senhor, enquanto quem recebia conservava-se na necessidade de sujeição.[21] Portanto, pedir era um sinal claro da virtude política do vassalo, porque significava conferir legitimidade à majestade real e ao seu Poder. Por imitação de Deus, o rei queria que os vassalos fizessem pedidos para que pudesse exercer os

[20] "A liberalidade dos Principes não consiste só em repartir os thesouros: tambem dão mercês, officios, graças, e sobre tudo boas palavras, que não são pequenas beneficências" (CASTRO, 1749, t. 1, p. 312. BNL, Miscelânia/Reservados, códice 1674, f. 91v-92 – Dissertação judiciosa, e política sobre a eqüitativa distribuição dos privilégios, empregos, e mercês; e das obrepções, subrepções, e abusos com que se acha bloqueada).

[21] Por isso, o padre Antônio Vieira assinalou: "A todos se há-de dar e nem de todos se há-de receber; dá quem quer diz Séneca, porque quem quer hé bom pera escravo, e nem todos são bons pera senhores" (*apud* XAVIER; HESPANHA, 1998b, p. 344).

atributos característicos da realeza, como a liberalidade, a caridade e a magnificência. Ao vassalo, por fazer súplicas ao rei, atribuíam-se as virtudes de fidelidade, constância, amor e modéstia. Como ensinava uma tópica da época, quem tinha mãos para servir convinha ter língua para suplicar. Entretanto, "O ponto está em saber pedir", advertia Damião de Faria e Castro (*apud* Xavier; Hespanha, 1998b, p. 316). A regra básica era a pretensão corresponder à posição, ao merecimento e às circunstâncias do pedido, nunca devendo o vassalo requerer além do que podia, do que merecia e do que permitia o objeto do pedido. Nas Minas de ouro, se o pretendente insistisse numa representação de descobridor, sem crédito e amigos que a sustentassem, o resultado podia ser a expulsão e a proibição de voltar a elas novamente.[22]

Nenhum detalhe desses procedimentos da representação do descobrimento de riquezas minerais escapou aos paulistas nas entradas posteriores à empresa de Fernão Dias, nos sertões do leste do Brasil. A tradição dos feitos de outros descobridores e as práticas extrativas já empregadas nas minas de ouro do Sul, especialmente em Iguape e em Paranaguá, dava à gente de São Paulo o conhecimento e a habilidade para pleitear ações de descobrimento (Holanda, 1993, p. 253-258). Muito desse conhecimento já vinha codificado nos regimentos minerais enviados pela Coroa a Salvador Correia de Sá (o velho) e a Salvador Correia de Sá e Benevides, na primeira metade do século XVII, ou a D. Rodrigo de Castelo Branco, na segunda metade do mesmo século, para estabelecer a forma dos descobrimentos das supostas minas de prata, de ouro e de esmeraldas na Repartição Sul e na Bahia. No *Regimento que há de usar nas minas de São Paulo e São Vicente do Estado do Brasil Salvador Corrêa de Sá e Benevides*, a Coroa deixava estipulado que para se "descobrir minas", a pessoa deveria apresentar-se ao provedor das Minas, declarando como faria o descobrimento e a extração dos tais metais, e comprometendo-se a pagar a quinta parte do metal extraído à Coroa. Tudo teria que ser registrado em um livro pelo escrivão do provedor. De posse da certidão desse assento, passada pelo escrivão, o

[22] Por exemplo, Agostinho de Azevedo Monteiro caiu em desgraça por fazer promessas vazias ao governador D. Brás Baltazar da Silveira, pois disse que faria descobrimentos em várias partes, onde haveria grandeza de ouro pelos estrondos que se ouviam nas rochas. Além disso, a falta de cabedal (pediu 200 índios das aldeias de São Paulo) e a conduta indecorosa (estimulou sublevações nas Minas e conflitos entre os homens principais) mostravam que o pretendente não tinha crédito para o que se propunha ([9 de outubro de 1717] DOCUMENTOS relativos [...] 1674-1720 – *DIHCSP*, v. 53, 1931, p. 129).

pretendente poderia sustentar, com o governador e os oficiais da Coroa, o direito e o favor no descobrimento. Caso o descobrimento tivesse efeito, o presumido descobridor teria que vir comunicar ao mesmo provedor, que registraria o descoberto, "com todas as declarações e confrontaçoens necessárias", junto ao assento feito na apresentação da proposta de descobrimento. Quando o tal descobridor começasse a lavrar a mina, deveria "manifestar" ao provedor, por meio de amostras do ouro ou da prata retirada, no prazo de trinta dias, jurando, na presença do escrivão, que as amostras resultavam das minas descobertas. Desse momento em diante é que o pretendente se tornaria um efetivo descobridor e que o descobrimento se realizaria plenamente (seria um feito), porque "sendo passados os trinta dias ditos sem fazerem a dita manifestação do metal que tiver tirado não gozara do previlegio de descobridor salvo ao se alegar e justificar tal cauza e empedimento ao Provedor porque pareça que deve ser Relevado". A manifestação do descobrimento era tão dependente da apresentação do metal extraído das minas, que o Regimento previa critérios para o caso de duas ou mais pessoas "ach[ar]em metal" no mesmo dia: ocorrendo essa situação, passaria "por descobridor" quem primeiro trouxesse amostras do metal ao provedor ou, na ausência deste, ao juiz da terra ou, ainda, a duas testemunhas dignas de fé, de quem se cobraria certidão para constar ao provedor quem foi o verdadeiro descobridor.[23] No Regimento de 13 de Agosto de 1679, passado ao provedor das Minas por D. Rodrigo Castelo Branco, na Vila de Iguape, seguiam-se as práticas de manifestação de descobrimentos de prata e de ouro estabelecidas por Salvador Corrêa de Sá e Benevides. No entanto, assinalava o primeiro artigo que o pretendente a descobridor teria como obrigação levar milho, feijão e mandioca para ser plantado, "porque com esta diligencia se poderá penetrar os certoens, que sem isso hé impossível". Sendo já "Descobridor de qualquer Mina que seja", ele seria obrigado a fazer uma petição ao provedor que assistisse na Vila. O conteúdo da petição deveria seguir o seguinte padrão: "Diz Fuão

[23] REGIMENTO de que há de usar nas minas de São Paulo... – *RIHGB*, t. 69, 1908, p. 201-203. D. Rodrigo de Castelo Branco, nomeado administrador-geral das Minas, também recebe instruções régias precisas quanto ao exame dos supostos descobertos e ao envio à Corte das amostras dos minerais das serras da prata (Itabaiana, Paranaguá e Sabarabuçu), devendo ainda comunicar a localização das minas ao governador-geral ([19 de março de 1675] CORRESPONDÊNCIA [...] 1675-1709 – *DHBNRJ*, v. 11, 1929, p. 3-7. Instrucção de Regimento que se deu à D. Rodrigo de Castel-Branco. INFORMAÇÃO sobre as minas... – *RIHGB*, t. 64, v. 103, 1901, p. 35).

que elle descobrio húa Mina em tal Serro (ao qual porá por nome o Santo ou Santa a que tiver devoção) que se lhe dê para lavrá-la e povoá-la para dar 5º a S. Alteza – E o dito Provedor lhe porá por despacho. – Dem-se-lhe 60 váras – E porá o Escrivão hora, dia, mez e anno". Após o reconhecimento do feito, o provedor deveria ir ao descoberto para fazer as medições das lavras devidas ao descobridor e à Coroa, e escolhidas pelo descobridor aonde desse "mais lucro" (Informação sobre as minas... – *RIHGB*, t. 64, v. 103, 1901, p. 53).

O foco desse Regimento, como dos outros que vislumbravam minas de metal precioso no Brasil semelhantes às que se descobriram em Potosi, era a prata ou o ouro de beta. Isso se confirma pelo que aparece na justificativa de abertura do Regimento das terras minerais de 27 de abril de 1680, passado por ordem de D. Rodrigo Castelo Branco, na Vila de Paranaguá: "que ponha estas cousas na melhor fórma e conveniente ao seo Real serviço e *como se pratica nos Reinos de Castela*".[24] Assim, o ouro de lavagem, superficial e de aparência residual (pó e grânulos), encontrado, desde o final do século XVI, nas "minas" de São Vicente e de São Paulo, não encontrava eco nesses regimentos. Isso ocorria não só porque o seu rendimento fosse baixo, mas também porque, na concepção da época, os descobrimentos por excelência, os verdadeiros tesouros minerais, eram aqueles cujo metal estava nas profundezas, em minas de beta. O ouro de lavagem não poderia, de maneira verossímil, vir de veios profundos porque, aparecendo nos leitos de rios e nos lugares úmidos por influência da ação do sol, achavam-se certas quantidades em todas as capitanias do sul do Brasil. Segundo essa interpretação um tanto paradoxal, a presença mais ou menos constante de depósitos auríferos nos leitos de rios era sinal de escassez, e não de riqueza de ouro, pois naturalmente o metal não era de beta. Talvez as dúvidas sobre a veracidade dos descobertos auríferos, originadas de um *habitus* de classificação do mundo, seja uma das explicações para que, no século XVII, muitos sertanistas, incluindo-se Fernão

[24] (Grifo meu). Esse Regimento manteve as disposições assinaladas no Regimento de Salvador Corrêa de Sá e Benevides (1644), incluindo-se explicitamente a necessidade de licença para as ações de descobrimento, o que não foi feito no Regimento de 1679. Tal ausência talvez fosse motivada, em Iguape, pelo fato de a exploração do ouro de aluvião ter menos valor para a Coroa, merecendo pouco cuidado, e não representar um verdadeiro descobrimento, enquanto as betas das supostas minas de prata de Paranaguá apresentavam todas as condições para impulsionarem uma empresa de descobrimento (*ibidem*, p. 49-50).

Dias, tivessem procurado prata, enquanto pisavam em depósitos de ouro nos sertões que constituiriam as Minas Gerais ([22 de novembro de 1692] Relatório do governador... – *ABN*, v. 39, 1917, p. 200-201). De qualquer modo, essa experiência codificada nos regimentos balizava as condutas de todos os pretendentes a descobrimentos durante todo o período colonial. Uma delas, que aparecia de modo significativo no Regimento de 1679 da Vila de Iguape, era a necessidade de usar nomes de santos ou santas da devoção do sertanista, para assinalar o descobrimento e demarcar a posse das lavras. Dar nomes de patronos do reino divino, ligando-os, às vezes, ao nome do descobridor, era prática comum dos colonizadores lusos e luso-brasileiros, e uma constante nas posses, por meio de descobrimentos, das Minas de ouro. Seguramente, esse tipo de nomeação fazia parte das retribuições de favor e das expressões de gratidão, praticadas na relação com a divindade, aos protetores da empresa de descobrimento.[25]

Fernão Dias Pais, desde o início, seguiu a norma, não necessariamente codificada em Regimento, dos agentes do Estado. A expedição das esmeraldas contou com todas as formalidades necessárias para se tornar empresa de descobrimento: reputação virtuosa e distintiva, reconhecimento explícito da Coroa, promessas de mercês, requerimento de serviços por parte de um vassalo de qualidade, apoio de patronos na Corte, obediência à organização hierárquica do Estado (do colono ao governo local, deste à Corte). Os sertanistas da expedição possuíam roteiros dos lugares dos supostos tesouros minerais e não descuidaram, sobretudo, de socavar a serra das esmeraldas para reunir as amostras das pedras. Após a morte de Fernão Dias, em 1681, seu filho, Garcia Rodrigues, segundo consta, passou as amostras e todas as roças, criações e benfeitorias produzidas pela comitiva do pai ao administrador-geral das Minas, D. Rodrigo de Castelo

[25] Além disso, o ato legal de posse envolvia costumeiramente a nomeação, pois os juristas da Coroa [espanhola] "acreditavam que ninguém poderia reivindicar apropriadamente uma cidade sem nome e que uma província sem nome mal poderia ser considerada uma província. Todavia, há mais coisas envolvidas aqui do que formalidade legal. Os primeiros dois nomes [de lugares da América] – San Salvador e Isla de Santa María de Concepción – sugerem de novo que a afirmação da posse está relacionada, no imperialismo cristão, com a oferta de um presente valioso. E essa oferta, por seu turno, relaciona-se com um conhecimento superior, o conhecimento da verdade" (GREENBLATT, 1996, p. 110-111). Então, a condição de fronteira e a apropriação colonial começavam pela segmentação taxinômica. Cf. CALVET, 2002, p. 82-83. Para Patrícia SEED (1999, p. 9-28), no século XVI, a prática de posse por meio de uma cerimônia centrada no discurso era comum aos espanhóis, mas não aos outros colonizadores europeus.

Branco, que fez certidão do manifesto das esmeraldas e assento em livro próprio (Fernão Dias Pais... – *RAPM*, v. 20, 1926, p. 162, 166, 167). Mas, ao que parece, sabedor das artimanhas na manifestação de descobrimentos minerais e dos procedimentos necessários a pleitos como esses, Garcia Rodrigues passou ao administrador somente parte das pedras, guardando algumas consigo para apresentá-las diretamente na Corte.[26]

Na década de 1690, com a expansão dos descobrimentos auríferos, mantinha-se o costume de apresentar as amostras aos representantes da Coroa na formalização do feito, mas, como já foi indicado, devia-se também encaminhar a eles um roteiro ou uma relação do descobrimento, que servia para sustentar a pretensão e eleger o pretendente a descobridor. Em 1694, Bernardo Corrêa de Souza Coutinho escreveu ao governador-geral, D. João de Lencastre, para manifestar as minas de ouro encontradas nos campos gerais do sertão da Vila de Taubaté, e anexou à carta um roteiro feito por sertanistas de Taubaté, à frente dos quais estava o vigário da Vila, o padre João de Faria. Na carta, Coutinho contou que o vigário, além de trazer amostras do metal, apresentara o roteiro para ser enviado ao governador. Nesse roteiro das minas, o vigário e seus parentes afirmaram que examinaram três ribeiros de pinta boa de "ouro de lavagem", dos quais tiraram amostras para levarem ao Rio de Janeiro ([29 de julho de 1694] Correspondência [...] 1675-1709 – *DHBNRJ*, v. 11, 1929, p. 204-205. Roteiro das minas acima declaradas. *Ibidem*, *DHBNRJ*, v. 11, 1929, p. 205-207). O governador-geral, na resposta à carta de Coutinho, poucos meses depois, interpretou que esse desejava empenhar-se no descobrimento de minas. D. João de Lencastre lembrou que o serviço representava tanto para a Coroa que não seria preciso enviar petições à Corte para obter a premiação, bastaria ao descobridor de minas de ouro ou de prata dirigir-se ao governador-geral para a concessão das mercês (foro de fidalgo, hábitos e tenças de ordens militares). D. João de Lencastre ainda exortou Coutinho a buscar a companhia dos homens das capitanias do sul do Brasil que tivessem cabedais, porque todos mereciam os prêmios, caso descobrissem minas

[26] [20 de abril de 1703] – *apud* TAUNAY, 1977, p. 156-158. Em 1715, o Conselho Ultramarino advertia que, sendo administrador e descobridor das esmeraldas há três anos, por mercê régia, Garcia Rodrigues não fazia uso do privilégio e nem permitia que outro fizesse. Assim, parecia ao Conselho que se ele quisesse continuar com o privilégio de descobridor das esmeraldas devia aplicar-se ao descobrimento e enviar de três em três anos as amostras das pedras ([16 de dezembro de 1715] DOCUMENTOS relativos [...] 1674-1720 – *DIHCSP*, v. 53, 1931, p. 117-119).

([17 de setembro de 1694] Correspondência [...] 1675-1709 –, *DHBNRJ*, v. 11, 1929, p. 201-202). O momento era favorável ao reconhecimento social e político dos feitos de descobrimentos de ouro (de lavagem), e não foi desperdiçado pelos paulistas e taubateanos. No ano seguinte à carta de D. João de Lencastre, em 1695, Carlos Pedroso da Silveira e Bartolomeu Bueno de Siqueira, representados como "descobridores", enviaram ao governador da Capitania do Rio de Janeiro cinco oitavas de amostras e noticiaram o descobrimento de mais ribeiros auríferos no sertão da Vila de Taubaté, requerendo e obtendo cargos na administração das Minas ([16 de dezembro de 1695], *apud* Derby, 1901a, p. 270-271).

Os regimentos criados, a partir de então, para regular a exploração das minas de ouro de lavagem mantiveram os usos tradicionais de instituição da ação de descobrimento.[27] No *Regimento que se há de guardar nas minas dos Cataguases e em outras quaisquer do distrito destas capitanias de ouro de lavagem*, passado pelo governador da Capitania do Rio de Janeiro, Artur de Sá e Menezes, na vila de São Paulo, em 3 de março de 1700, não se mencionava a obrigação de licenças para fazer descobrimentos, tal como se verificava no Regimento de D. Rodrigo Castelo Branco, passado anos antes na Vila de Iguape. Mas a manifestação exigia a comunicação ao guarda-mor (responsável pela administração dos descobertos), que mediria as datas e concederia ao descobridor duas datas de terras minerais, uma como descobridor e uma como lavrador nas partes que ele quisesse, "porque sempre os descobridores devem ser favorecidos em tudo, para que este favor anime a muitos a fazerem descobrimentos". Após medir a primeira lavra (a do descobridor), o guarda-mor escolheria para a Coroa uma lavra com pinta (rendimento) semelhante à apresentada pela data do descobridor. O Regimento partia do pressuposto de que o descobrimento só tinha efeito quando era legitimamente manifestado: se o descobridor o ocultasse, qualquer vassalo poderia denunciar, em seu lugar, o feito ao

[27] Em 1833, comparando o antigo Regimento dos provedores (*Primeiro Regimento das terras minerais do Brasil*, 1603) com o Regimento dos superintendentes (1702), o barão von Eschwege concluiu que ambos só previam a "apuração do ouro", e não a "exploração das minas". "A primeira lei [a de 1603, cuja atenção estava voltada para o metal de beta] somente fez ligeira referência a respeito. Isto constitui mais uma prova de que, até à promulgação da última lei citada [a de 1702, que tratava da extração do ouro de lavagem], a exploração se fazia apenas nos leitos dos rios. Além disso, a primeira lei era de todo em todo inaplicável, porque, além de não serem trabalhados ainda os veios auríferos [das minas de beta] naquela época, não possuía ela nenhum fundamento prático" (ESCHWEGE, 1979, v. 1, p. 102).

guarda-mor, ficando com o privilégio de posse e exploração devidas ao "verdadeiro descobridor". O descobridor teria, ainda, direito a oito dias para o exame do rendimento da pinta dos ribeiros, antes da repartição. Se ultrapassasse esse período, visando lucros ilícitos, perderia os privilégios nas concessões das datas minerais (ANRJ, Códice 77, v. 7, f. 64-75v). Em dezembro desse mesmo ano, Artur de Sá e Menezes, procurando favorecer ainda mais os descobrimentos de ouro e marcando o período de auge do favor real aos descobrimentos, lança um edital com a ordem de emissão de certidão para os descobridores de "ribeiro de lavra", aos quais se "mandará premiar como serviço feito em guerra viva".[28] No *Regimento do superintendente, guarda-mor e mais oficiais das Minas do ouro de São Paulo,* passado por ordem régia em 19 de abril de 1702, ficaram assegurados o modo convencional de manifestação dos descobrimentos, a premiação devida aos descobridores e as penas impostas aos ocultadores de lavras minerais. Mas houve nele a preocupação de controlar mais diretamente os descobrimentos dos ribeiros de lavras e de fiscalizar o pagamento dos quintos reais. O Regimento determinou que se registrassem, no livro da Guardamoria, o dia, mês e ano dos descobrimentos, bem como o dia da repartição das datas minerais, os nomes das pessoas a que foram repartidas e o tamanho da data concedida a cada pessoa. Mas estabeleceu também a subordinação do guarda-mor a um oficial escolhido pela Coroa, o superintendente das Minas, cuja jurisdição civil e criminal seria a mesma que se atribuía aos ouvidores das Comarcas.[29] Em carta de maio de 1703, em atenção às práticas de descobrimento, a Coroa estendia aos sócios dos descobridores o privilégio de escolher uma data, depois de tiradas as duas

[28] ANRJ, Códice 77, v. 7, f. 79v. O rei estranhou o ato do governador e anulou essa espécie de promessa de mercês (DOCUMENTOS relativos [...] 1701-1705 – *DIHCSP*, v. 51, 1930, p. 46). Nenhuma das práticas de descobrimento, codificadas no Regimento de Artur de Sá e Menezes, era desconhecida dos paulistas, que, na realidade, participaram diretamente da elaboração das disposições regimentais. Entre 1697 e 1700, Artur de Sá e Menezes já tinha feito uma visita às Minas, a partir da vila de São Paulo ([Comentário crítico de Andrée Mansuy] ANTONIL, 1968, p. 388).

[29] Documentos relativos [...] 1701-1705 – *DIHCSP*, v. 51, 1930, p. 550-559. O Regimento de 1702 não exigia licença do governo para as entradas de descobrimentos, mas, em 1714, o governador D. Baltazar da Silveira, temendo os descaminhos do ouro, lançou um bando em que proibia aos descobridores fazer qualquer exploração nos ribeiros que não fossem antes manifestados. O descumprimento da lei resultava em pena de pagamento de três vezes o valor do ouro que "verossimilmente" tivessem os descobridores extraído, além de multa e prisão (ESCHWEGE, 1979, v. 1, p. 103).

datas do descobridor e a data da Fazenda Real, e antes do sorteio das outras lavras entre todos os interessados.[30] É inegável que o Regimento minerário de 1702 expressou, e ao mesmo tempo instituiu, o compromisso entre os descobridores paulistas e a Coroa, explicitando os privilégios e as obrigações que regulavam as relações entre os vassalos em assuntos de descobrimento e de exploração mineral. Isso pode ser percebido no cuidado com que ele garantia a preferência dos descobridores e seus amigos nas mercês, e a legitimidade do monopólio de exploração detido por aqueles que tinham a reputação de serem os primeiros descobridores – os paulistas.[31] Após 1720, a despeito de uma diminuição da presença paulista nas ações de descobrimento nos sertões das Minas Gerais, o sertanismo descobridor continuou contando com toda a atenção e favor da Coroa.[32]

Nas décadas de 1720 e 1730, embora ocorressem alterações no Regimento de 1702 com o objetivo de atender às novas necessidades de exploração de minas de ouro nas montanhas e regular o uso intensivo das águas de lavagem (ver capítulo 7), permaneceram intocados o privilégio e a proeminência do descobridor nas concessões das terras minerais. Assim, em linhas gerais, o significado dos descobrimentos e as práticas de exploração aurífera, inicialmente codificadas no Regimento de Artur de Sá e Menezes e sancionadas no Regimento minerário da Coroa em 1702, acabaram prevalecendo durante todo o período colonial.[33]

[30] Carta em que se revoga o capítulo 6º do Regimento (*apud* [Comentário crítico de Andrée Mansuy] ANTONIL, 1968, p. 559).

[31] Veja-se o cuidado, expresso no artigo 17º, em manter a entrada de pessoas e de mercadorias nas Minas Gerais passando por Taubaté e São Paulo, o que servia ao propósito da Coroa de evitar os descaminhos do ouro, e que também pode ser interpretado como a garantia da lucrativa intermediação paulista nas relações econômicas e políticas com os habitantes das Minas (*ibidem*, p. 555).

[32] Ao que parece, influiu na relativa perda de primazia dos paulistas nos feitos de descobrimento a separação, em 1720, entre as Minas do ouro e São Paulo, constituindo-se ambas em capitanias distintas (CASAL, 1976, p. 164). Por outro lado, foi em torno de 1720 que os sertanistas de São Paulo descobriram ricas lavras de ouro em Mato Grosso e Goiás, contribuindo para desviar a atenção dos paulistas de maior qualidade dos sertões contíguos às Minas do ouro.

[33] Entre os decretos do governo desta época que visavam regulamentar algumas práticas da mineração, dois tiveram maior abrangência: o *Bando de 26 de setembro de 1721 do Governador D. Lourenço de Almeida* e o *Bando de 13 de maio* de *1736, adicional ao Regimento dos superintendentes e guardas-mores das Minas*, do governador Gomes Freire de Andrada (FERRAND, 1998, p. 148-152).

No século XVIII, não mudou a concepção dos agentes do Estado de que a posse legítima das terras e águas minerais dos sertões ocorria somente por meio das práticas de descobrimento. Senhores e autoridades régias supunham que só com a intermediação dos descobridores, a posse dos minerais preciosos podia fornecer todos os benefícios aos vassalos e à Coroa. Ainda em 1807, comunicado da apresentação de amostras de platina sem o "achador", o governador da Capitania de Minas Gerais advertiu que, com a falta de um descobridor para declarar o local dos depósitos minerais, malograva-se um descoberto raro, que podia interessar ao patrimônio régio e ao progresso das artes (APM, Sc 315, f. 9-9v, [18 de fevereiro de 1807]). O governador ordenou, então, que se procurasse saber quem era o "descobridor desta mina, por que sem isso seria preciso um impossível, qual poder adivinhar o local preciso desta matéria tão rara" (APM, Sc 315, f. 9v, [18 de fevereiro de 1807]).

A forma das petições de descobrimentos de minerais preciosos

A análise dos procedimentos requeridos para a representação dos descobrimentos permite concluir que o *rito* peticionário devia seguir as regras tradicionais de legitimidade para se configurar o feito de descobrimento alegado ou pretendido. Assim, além das práticas já apontadas, a forma das petições, isto é, a forma do discurso empregado pelos agentes – vocabulário, estilo e manobras retóricas (Robin, 1977, p. 119-129) – cumpria um papel primordial na interpretação da ação e na negociação de mercês. A tradição do governo de D. João II ensinava as astúcias necessárias, na produção dos textos, para se formar um despacho favorável. Segundo se dizia, o rei recomendou, certa vez, a um vassalo que não lembrasse os agravos sofridos (ou praticados) quando fosse pedir por seus serviços; e lembrou ainda a outro vassalo "que pedia com ruim termo, que pedisse por outrem por não lhe tirar a vontade de lhe fazer mercê".[34] Em outro conselho sobre os cuidados na elaboração do *discurso peticionário*, no século XVII, advertia-se aos vassalos: "não [...] deveis molestar [S. Majestade] com petições desarrezoadas, pretençoens desordenadas, anticipadas, ou fora de tempo, que o presente he mais servir que de pedir".[35] Melhor

[34] BNL, Reservados, códice 917, f. 105-105v, Regras de estado do perfeito príncipe tiradas da vida de el-rei Dom João 2º de Portugal.

[35] O presente a que o frei Cristóvão de Lisboa (autor desta exortação) se referia era o

para o presumido descobridor seria, na petição, afetar imparcialidade na justificação dos direitos e serviços, supondo-os como disposições naturais e conseqüentes de uma posição e de circunstâncias imperiosas, e desviar o foco das amizades que protegiam o pedido e dos agravos ou dos benefícios próprios.[36] Assim, quem pretendia ou alegava serviços à Coroa na forma de descobrimento de riquezas minerais (e pedia as mercês que em tais ações se podiam alcançar) devia saber utilizar, no discurso peticionário, as representações específicas de tais feitos.

Em primeiro lugar, o pretendente a descobridor fazia-se passar por vassalo de qualidade, por pessoa cuja conduta e habilidades (ou experiência como se dizia) denotavam as condições necessárias a sua eleição para o feito. No Antigo Regime português, ser privilegiado (e distinto) era a melhor garantia de continuar recebendo privilégios. Desde os primeiros descobrimentos das Minas Gerais, as petições dos descobridores sempre começavam com um memorial dos atos do pretendente, uma história de vida, que serviam para corroborar o pedido que se fazia. Ao divulgar esses atos, o peticionário estava alegando para si uma posição social privilegiada e uma virtude política. A publicidade fazia parte da composição do crédito da pessoa e da sua inserção no estamento dominante. Em 1713, Paulo Nunes Felix, "natural e morador das villas de Serra acima districto de São Paulo", ao requerer ao governador de São Paulo e Minas do ouro, Antônio de Albuquerque Coelho de Carvalho, licença para fazer "novos descobrimentos" de ouro, assinalou que já experimentava falta de lavras, apesar de ser um dos primeiros assistentes nas Minas de ouro e, como observa o governador, ser "grande certanejo". Por isso, o sertanista pedia para fazer um descobrimento no sertão de Ibitipoca, pela experiência nas diligências que fazia naqueles matos e nos exames dos rendimentos de ouro dos ribeiros. A licença de Antônio de Albuquerque, que fazia referência à petição de Paulo Nunes, indicava claramente que não era alguém sem qualidade que

das guerras resultantes da Restauração da monarquia portuguesa (*apud* CARDIM, 1998a, p. 140).

[36] A respeito da forma das queixas nas petições enviadas às Cortes portuguesas no século XVII, Pedro CARDIM (*ibidem*, p. 146) verifica: "Resultava uma narrativa onde o sujeito de enunciação da petição procurava, em muitos dos casos analisados, posicionar-se "acima" dos acontecimentos que eram focados, para aparecer ao leitor como "capaz" de avaliar a situação, e tal posicionamento era mais um gesto, mais um aspecto da já referida estratégia de construção de uma competência de "imparcialidade" por parte daquele que redigia o pedido".

pedia, era um paulista e um prático de descobrimentos de ouro no sertão. Pela reputação construída pelos sertanistas de São Paulo, paulista, sertanista e descobridor de ouro quase chegavam a ser sinônimos nos textos da época. A menção a uma origem e a uma posição social serviam para sugerir alguma virtude merecedora de crédito, facilitando, assim, o deferimento do pedido.[37] Mas não era só a menção ao lugar de moradia que trazia ganhos simbólicos (prestígio, experiência e fidedignidade) aos peticionários. Para a persuasão dos agentes do Estado, indicava-se também, nas petições, a origem familiar do pretendente, cujo prestígio pudesse facilitar o acesso aos privilégios já conquistados pelos antepassados. Em 1721, tendo Garcia Rodrigues Pais requerido que o filho Fernando Dias Pais o sucedesse como guarda-mor geral das Minas Gerais, o conde de Assumar lembrou ao rei os serviços e a capacidade do filho pela experiência acumulada com a "doutrina de seu pai, e pelas que pessoalmente tem granjeado assistindo nestas minas há muitos tempos".[38]

Assim, o pedido propriamente dito – de descobrimentos já efetuados ou que teriam efeito – acoplava-se à capacidade e à condição social do pretendente, o qual selecionava da sua história aquilo que persuadisse os funcionários régios do seu crédito e da concordância com o objeto do pedido. Sobretudo, a prática sertanista e a riqueza sustentavam a proposta de serviços de descobrimentos, permitindo ao sertanista rico representar-se, com verossimilhança, em um lugar de destaque nos feitos estabelecidos nas petições. Esses homens prestigiosos e experientes pensavam como um dos descobridores das minas de Cuiabá, João Leme da Silva, que, recusando a patente de sargento-mor por não estar à altura de sua condição social, teria dito que "lhe bastava ser quem era" ([30 de maio de 1723] Bandos e portarias... – *DIHCSP*, v. 12, 1895, p. 137-139). Não aceitava pouco do

[37] DOCUMENTOS relativos [...] 1711-1720 – *DIHCSP*, v. 49, 1929, p. 99-101. A preferência dada pela Coroa aos paulistas nos maiores descobrimentos era tal que, quando o rei quis voltar a promover os descobrimentos das minas de esmeraldas buscou, em primeiro lugar, atrair os paulistas para aquela empresa, com promessas de mercês de fidalgo da casa real e o hábito da Ordem de Cristo com pensão de 300 mil réis sobre os rendimentos dos descobertos (APM, Sc 20, f. 21, [16 de abril de 1722]).

[38] APM, Sc 4, f. 262v, [23 de Março de 1721]. Em 1683, Garcia Rodrigues Pais, ainda jovem, apresentando amostras de esmeraldas na Corte, disse que foi acompanhante do pai no descobrimento das minas, e ofereceu-se a continuar o descobrimento. O rei atendeu o sertanista prontamente, concedendo-lhe a mercê régia de capitão-mor da entrada de descobrimento e administrador das minas das esmeraldas ([23 de dezembro de 1683] CARTAS régias 1681-1690... – *DHBNRJ*, v. 68, 1945, p. 140-141).

Estado, por estar acostumado a querer muito. Modéstia demais por parte do peticionário podia ter efeito contrário ao do favor real presumido, significando insegurança e falta de forças para o intento. De fato, não é essa a imagem que transparecia, por exemplo, na "representação" de Bartolomeu Pais de Abreu endereçada ao rei em 1720. O sertanista ofereceu-se para fazer uma entrada ao rio Grande e abrir um caminho que saísse em São Paulo. Como demonstração de sua capacidade, Bartolomeu Pais exprimiu um conhecimento prévio das rotas, distâncias e lugares que pretendia inspecionar. Além disso, listou os benefícios que o caminho podia trazer à Fazenda Real (dízimos, direitos de passagem dos rios, minas de metais e de pedras preciosas) e à dominação monárquica (redução do gentio e formação de novos vassalos). Após demonstrar bem a sua capacidade, o sertanista acrescentou as *possibilidades*: "Acho-me com talentos e cabedais para, com forças de um avultado corpo de armas, fazer entrada ao Rio-Grande sem a menor despesa da fazenda real [...], à custa da minha fazenda e riscos de vida" (*apud* Leme, 1980, v. 1, p. 169-170). Aqui, foram apresentadas, claramente, as condições mais persuasivas (talento e cabedal) para os agentes do Estado deferirem os pedidos de descobrimentos e legitimarem tal pretensão, no período colonial.

Em segundo lugar, os requerentes de descobrimentos procuravam sempre indicar com a expressão *a sua custa* (do suplicante) ou *à custa da minha fazenda*, que o esforço da empresa (pretendida ou alegada) não devia nada ao Tesouro real. Assinalar isso na petição servia para representar que o requerente tinha riqueza suficiente para o que pretendia e, ao mesmo tempo, não se importava, por sua liberalidade, em despender grandes somas no interesse do Estado. Assim, a ênfase nos gastos próprios para a armação da expedição era uma maneira de valorizar os serviços prestados, que teoricamente não necessitavam de estímulo régio ou de dispêndios do governo, devendo-se apenas aos anseios virtuosos de um súdito fiel ao monarca. No entanto, na prática, os gastos com a manutenção (mantimentos e munições) das expedições de entradas, que incluíam escravos, agregados e até mesmo homens que recebiam soldos, eram tão elevados que muitos sertanistas ficavam endividados. Pelos riscos financeiros envolvidos na ação, era preciso que o sertanista tivesse todo o cuidado em defender o monopólio e os lucros da exploração. Esse cuidado é que faz, na década de 1720, José Rebelo Perdigão, mestre-de-campo dos auxiliares da Vila do Ribeirão do Carmo, em petição ao rei, dizer que mandou tropas "a sua custa" para explorar os sertões da Casa da Casca (a leste da Vila), e que haveria de fazer descobrimentos de ouro; mas para isso, o mestre-de-campo pedia que não permitisse a intromissão de ninguém nos seus descobrimentos (APM, Sc 23, 81v-82, [anexa à carta régia de 19 de março de 1728]).

Em terceiro lugar, as pretensões de descobrimentos, convencionalmente, justificavam, em parte, as riquezas minerais na medida em que pudessem servir ao bem comum dos vassalos, beneficiar o Tesouro real e aumentar o poder do monarca. Com isso, constituía-se o objeto da petição com algum grau de legitimidade, que de outra forma seria dificilmente defensável. Esse era o caso, em especial, daqueles pretendentes de reputação não reconhecida, e dos que pediam ajuda de custo à Coroa para a jornada de descobrimento. Quando o sertanista não tinha condições de bancar sozinho os custos da empresa, ele requeria ajuda de custo à Coroa, mas apontava "fiadores abonados" para conquistar o privilégio do dispêndio da Fazenda Real. Um feito que exigia, de antemão, um comprometimento direto da Coroa, e uma possibilidade de lucro particular com recursos públicos obrigava o peticionário a ser mais incisivo, ao apontar os benefícios que a Coroa e os vassalos podiam auferir com o descobrimento. Também, nesses casos, podia-se apelar, como fez o pretendente Francisco Esteves da Silveira, para os males ou prejuízos das circunstâncias locais (sertão do rio São Francisco) – diminuição dos quintos e dos dízimos reais, danos ao Estado causados pelo gentio, miséria dos colonos por falta de lavras, roças e criações. Isso servia para indicar a urgência do remédio, representada pela expedição de descobrimento de terras e de minas. Assim, segundo o suplicante Francisco Esteves, não havia tempo a perder para o descobrimento de minas tão promissoras, porque ele "já tem visto o ouro e disposição delas, não só em uma parte senão em várias; e não será bem tendo tão bom meio para poder estabelecer minas em muitas partes, com tão limitado dispêndio da zpromessas do peticionário de fazer alguma coisa notável".[39] Dessa busca de prêmios dependia, até mesmo, o reconhecimento de ter tido efeito o que foi prometido. O vassalo que buscava prêmios em troca dos seus feitos estava enobrecendo a ação, fazendo-a parecer uma empresa e elevando a sua posição social. Assim, no século XVII, quando os representantes da Coroa portuguesa acusavam os sertanistas paulistas de não buscarem os prêmios prometidos aos descobridores de minas, estavam, na realidade, sugerindo que eles, por não se animarem com o

[39] Para Luís Mendes de VASCONCELOS (1612, f. 61), há mais verdade e lustre quando o virtuoso busca prêmio, porque é natural do desejo de conservação da vida do homem. Este, por natureza, aborrece-se da guerra porque ela é inimiga das partes singulares de que se compõe a república.

favor real, eram vassalos suspeitosos, e semelhantes às feras (ou brutos), como os mamelucos e os índios (Vasconcelos [1612, f. 61v]).

Por isso, um dos meios mais eficazes para os peticionários serem reconhecidos como descobridores era demonstrar uma qualidade virtuosa através dos pedidos de mercês régias. A demonstração do anseio de mercês era, sobretudo, sinal de virtude política e de rememoração do suposto pacto de benefícios mútuos que unia o rei e seus vassalos. Enquanto o pedido de serviços era representado como a oportunidade do súdito de mostrar sua gratidão e fidelidade ao soberano, no pedido de mercês o súdito testemunhava o Poder do soberano, e o fazia lembrar de que só o rei podia formalizar um feito e distribuir as benesses necessárias ao reconhecimento social.

Desde a revelação das Minas de ouro, no final do século XVII, e até meados do século XVIII, os sertanistas de cabedal com fama de descobridores (até a década de 1710, a quase totalidade era de paulistas[40]) quase nunca deixavam de requerer mercês para os seus supostos feitos. Prometidas ou não por disposições legais, as mercês mais concedidas pela Coroa aos descobridores de ouro e de diamantes até meados do século XVIII (ver QUADRO 3, no Apêndice C) foram, na realidade, obtidas por meio de uma intensa negociação, que as petições dos vassalos e os despachos (ou concessões) do governo expressam de modo muito fragmentário.

Mesmo assim, como mostra o Quadro 1, a mercê régia do hábito da Ordem de Nosso Senhor Jesus Cristo – a mais prestigiosa das ordens militares portuguesas – foi concedida com bastante parcimônia pela Coroa aos descobridores de minerais preciosos, apesar das constantes promessas entre o último quartel do século XVII e a década de 1710.[41]

[40] Na verdade, eram designados de paulistas todos os que fossem naturais da serra acima, sob influência do distrito de São Paulo.

[41] Em carta de 17 de setembro de 1721, o governador da Capitania de Minas Gerais, Lourenço de Almeida, recomendava ao rei que, nas Minas, aos homens principais (ou ricos), "e de respeito, entre eles", não se devia conceder o hábito, pois não mereciam, "e como estes povos estão quietos e obedientes", não se devia fazer também (e nem se tinha feito) nenhuma promessa, que poderia desagradar aos ricos (APM, Sc 23, f. 97-97v). Em suma, não se arriscou a ir contra o respeito social conquistado pelos ricos nas Minas, prestigiando outros, dentre aqueles povos, através da concessão do hábito. Daí, o melhor modo, por enquanto, era não prometer ou não vir a mercê régia para ninguém. O rei achou acertado esse procedimento (APM, Sc 20, f. 31, [30 de abril de 1722]).

Além disso corresponder à prática política contumaz do governo régio na Colônia – a de prometer mais do que cumprir –, no que se refere aos descobridores e sertanistas, outras razões podem ter contribuído para que quase nenhum destes conseguisse o título de cavaleiros da Ordem de Cristo: a primeira foi que nem a Coroa nem os próprios descobridores reputavam os descobertos de ouro como sendo de rendimento duradouro, e as promessas régias de comendas das ordens militares diziam respeito a *verdadeiros* descobrimentos, ou seja, *minas* certas e ricas (que excluíam os depósitos e manchas de ouro de aluvião, ou os socavões de esmeraldas de baixa qualidade)[42]; a segunda foi a falta de notório merecimento devido às muitas ações consideradas ilícitas e à conduta pouco virtuosa (como a escravização *injusta* de índios), crimes, e atitudes contrárias aos governadores[43]; e a terceira razão talvez tenha sido o fato de muitos descobridores estarem infamados de máculas de sangue (pais e avós com pecha de cristãos-novos ou de gentio da terra), o que criava obstáculos na Mesa da Consciência e Ordens, que fazia as *provanças* dos candidatos aos hábitos.[44]

[42] Todavia, as esmeraldas e os diamantes mereceram, na primeira metade do século XVIII, e desde o feito de Fernão Dias, prêmios (ou promessas deles) bem mais relevantes do que os que se conseguiam com a manifestação de ouro. Em 1722, década que dá início à estreita moderação das recompensas aos descobridores de ouro, o rei ordenou que o governador de Minas Gerais *prometesse* a Lucas de Freitas ou a um paulista amigo de Garcia Rodrigues Pais, no caso de efetivo descobrimento de esmeraldas, o foro de fidalgo, e um hábito da Ordem de Cristo com pensão de 300 mil réis advinda do rendimento das minas descobertas (APM, Sc 20, f. 21, [16 de abril de 1722]). Ver, ainda, APM, Sc 09, f. 169, [18 de janeiro de 1715]; APM, Sc 05, f. 142-142v, [8 de abril de 1732].

[43] APM, Sc 04, f. 208-208v, [10 de dezembro de 1717]. Esta reputação dos (descobridores) paulistas e a imagem de uma *La Rochelle* de revoltosos heréticos aplicada aos lugares de fronteira onde viviam os paulistas (comparação sugerida por Dom Pedro de Almeida) foram recolhidas por um francês, no final da década de 1690, em Santos, associadas à forma de pagamento do quinto ao rei: "Eles lhe pagam este direito, não por medo, porque eles são mais poderosos que ele; mas por um costume de seus pais, os quais não estando ainda bem arranjados nas suas aposentadorias, queriam livrar-se da dominação dos governadores, sob pretexto de cuidar dos interesses do rei, do qual eles se dizem hoje tributários, não súditos, a fim de sacudir o jugo na primeira ocasião" (*apud* MAGALHÃES, 1935, p. 168-169, tradução minha).

[44] Nas inquirições às testemunhas arroladas nas provanças, as perguntas sobre o candidato (e sobre os quatro costados) tinham como temas a moralidade cristã da conduta, a fidelidade ao rei e à Igreja, a reputação social e econômica do pretendente — envolvido em "algum caso grave" infamante entre os homens bons, em crimes de lesa-majestade

De qualquer modo, nas primeiras duas décadas do Setecentos não se premiou quase nenhum descobridor com o hábito da Ordem de Cristo, e depois desse período essa qualificação recaiu sobre pouquíssimos colonos com fama de descobridores nas Minas Gerais (pode-se mencionar o reinol Bernardo da Fonseca Lobo, recompensado como descobridor dos diamantes na Comarca do Serro Frio). Na segunda metade do século XVIII, a Coroa ficou ainda mais reticente nas concessões de honrarias prestigiosas aos que se reputavam descobridores ou sertanistas qualificados, não havendo, segundo tudo indica, nenhum caso de cavaleiro professo da Ordem de Cristo com base em serviços de descobrimentos de minerais preciosos, ou de devassamento do sertão e abertura de caminhos. Em 1801, o coronel Inácio Correia Pamplona, um afamado potentado com cerca de 80 anos, que, como regente e mestre-de-campo, tinha promovido entradas no sertão do Campo Grande, na picada de Goiás, para descobrimento de ouro e repressão de quilombolas e de índios, entre as décadas de 1760 e 1780, ainda não tinha sido premiado com o hábito da Ordem de Cristo (APM, Avulsos Capitania de Minas Gerais/AHU, caixa 160, documento 07. Cf. [1798] Carta da Câmara de Tamanduá... - *RAPM*, v. 2, 1897, p. 382-385). Ele o requereu para o filho, mas em 1806 ainda se pediam informações ao governador de Minas Gerais sobre as mercês e merecimentos de Pamplona, sendo que a mercê do hábito não havia sido concedida, nem para recair no filho do pretendente, como algumas vezes ocorria (Informa um requerimento... - *RAPM*, v. 11, 1907, p. 294-295).

Na realidade, acontecia que, para muitos colonos ou descobridores de minas, as negociações na Corte para obtenção de mercês prometidas mostravam-se complicadas. Para quem havia chegado do Brasil, havia certa opacidade nas divisões clientelistas dos cortesãos e burocratas de Lisboa. Aproximar-se precipitadamente de um funcionário podia ser desastroso, pelos inimigos que tal amizade necessariamente promovia. Havia um tempo

(ou se cometido pelos seus pais e avós), e de justiça; acumulado de dívidas que não possa pagar —, a genealogia e representação de nobreza (até avós paternos e maternos) — se possui sangue de herege, mouro ou judeu; se foi gentio; se teve ofício mecânico —, as condições físicas do pretendente. Ver "Como se hão de fazer as provanças", título XIX: "Interrogatorios porque se há de preguntar nas inquirições" - DEFINIÇÕES e estatutos dos cavaleiros... - 1628, p. 89-90. Mas o defeito de possuir antepassado ameríndio não foi considerado um impedimento sério como o de descender de judeus ou de mouros. Mesmo um antepassado negro africano parecia ser menos problemático à habilitação do candidato ao hábito do que esses impedimentos convencionais (DUTRA, 1970, p. 10-12).

que era necessário observar, uma oportunidade ou um contexto favorável para se conseguir o que outros, em outros momentos, não conseguiram. Também era preciso saber como e quando dar "regalos" aos funcionários e ministros do rei, no intuito de apressar processos e conquistar pareceres favoráveis. Assim, para os coloniais que perambulavam atrás de despachos, portarias e provisões, um desconhecimento dessa gramática da Corte era fatal para as negociações das mercês pretendidas, e ocasionavam requerimentos e recursos dispendiosos. Por isso, os colonos ricos da América portuguesa e os corpos do Estado (como as Câmaras) tinham seus procuradores no Reino, os quais representavam os interesses dos pretendentes da maneira mais adequada possível, ou assim acreditava-se. O problema é que esses procuradores eram oportunistas, tendo seus próprios jogos de interesses. Em 1731 assinalava-se, numa consulta do Conselho Ultramarino, a "dilação, e toda a despesa, e engano, roubos com que muitos dos procuradores tratam os negócios dos seus constituintes chegando a maldade de muitos a tal excesso, que para lhes tirarem maiores quantias, infamam os ministros do conselho, e ainda os superiores dizendo-lhes que para conseguirem a sua benevolência lhes foi preciso oferecerem-lhes regalos" (APM, Avulsos Capitania de Minas Gerais/AHU, caixa 19, documento 49). Em 1752, Pedro Dias Pais Leme, ao requerer na Corte a execução das mercês que ficaram devendo pelos serviços do pai e do avô (Fernão Dias Pais) – sesmarias e o morgado na Paraíba –, e sendo obrigado a apresentar folhas corridas do pai e do avô, certidões e testamento do pai para comprovação de que era o herdeiro das mercês, deixou transparecer sua irritação, alegando que os serviços do pai e do avô eram públicos e notórios e que, por esses mesmos serviços, havia sido recompensado como herdeiro com o cargo de guarda-mor geral das Minas, e habilitado pela Mesa da Consciência e Ordens e pelo Santo Ofício para receber a honraria do hábito. Embaraçado com uma reputação de serviços e um reconhecimento público que lhe pareciam óbvios, e demorando a obter portaria régia favorável, em razão de novos pedidos de documentos e formalidades, Pedro Dias denunciou que muitos documentos desapareceram devido à malícia dos procuradores, sugerindo que estes lucravam com a renovação constante de requerimentos (APM, Avulsos Capitania de Minas Gerais/AHU, caixa 59, documento 19). O desvio de documentos de justificação de mercês era tão comum que um outro filho de descobridor, e também bandeirista, Bento Fernandes Furtado, um dos primeiros descobridores do Ribeirão do Carmo, nas Minas Gerais, mandou registrar, em meados do século XVIII, todas as patentes passadas ao pai e certidões de serviços na

Câmara da Vila de Nossa Senhora do Carmo, pois "lhe he percizo mandar para fora [Portugal]" (AHCSM, Registro de Provisões e Patentes, 1726-1754 [Câmara de Mariana], f. 195). Também Bartolomeu Bueno da Silva, herdeiro homônimo do descobridor de Goiás, e procurador do sobrinho (o filho do outro descobridor, João Leite da Silva Ortiz), passou maus momentos na Corte, quando quis a execução das mercês prometidas em razão dos descobrimentos chefiados pelos parentes e por ele (passagens de rios, sesmarias, dois hábitos de Cristo e ofícios de escrivão da Ouvidoria e dos Defuntos e Ausentes de Goiás). O Conselho Ultramarino demorou a tomar alguma decisão, não deferindo os requerimentos nem fazendo uma consulta. Bartolomeu Bueno, como muitos pretendentes às mercês prometidas que se dispuseram a enfrentar a burocracia do Estado monárquico, teve grande prejuízo, como disse em 1744: "nesta Corte estrangeiro", longe de casa e sem meios de subsistência, principalmente "nesta cidade [Lisboa] em que os gastos são excessivos" (APM, Avulsos Capitania de Minas Gerais/AHU, caixa 44, documento 90).

Garcia Rodrigues Pais – o mais reputado dentre os descobridores das Minas de ouro no século XVIII –, quando quis entrar para a Ordem de Cristo, cuja comenda tinha sido formalmente concedida pelos serviços de sua *casa*, teve a candidatura negada, em 1710, sob alegação de "infamado de christão novo por parte de sua Avó materna por fama constante".[45] A portaria régia de concessão da mercê é de 1703, mas até o final da década o sertanista-descobridor não tinha feito a profissão do hábito. A demora na execução da mercê para Garcia Rodrigues, comum nesses casos, foi se complicando, pois, de acordo com os estatutos da Ordem de Cristo, o hábito não podia ser lançado em candidato com mais de 50 anos, e o sertanista, em 1710, chegava a esta idade (Título XIX, artigo XII – Definições e estatutos dos cavaleiros... 1628, p. 92). Sabe-se que o sertanista foi à Corte em 1709, seguramente para apressar e negociar pessoalmente um parecer favorável da Mesa da Consciência e Ordens, mas o resultado não lhe foi favorável, como se viu.

[45] *Apud* SALVADOR, 1992, p. 7. Cf. NOVINSKY, 2001, p. 16. Contudo, isso talvez não fosse suficiente para que Garcia Rodrigues, homem rico e respeitado, obtivesse a comenda da Ordem de Cristo, pois era sempre possível a dispensa desses impedimentos, sabendo-se negociar na Corte, que incluía subornar os comissários e deputados da Mesa, e dissimular algum dos costados de infâmia. Cf. MELLO, 2000, p. 21-39; SILVA, 1998, p. 127, 135.

Na prática, o rei dispensava alguns impedimentos ao lançamento do hábito, interpostos pela Mesa, como ofícios vis praticados pelo pretendente ou por seus ascendentes. Mas, no caso de mácula de cristão-novo, era necessário recorrer-se a Roma. De todo modo, Dom João V não concedeu a Garcia a graça de dispensá-lo do impedimento.[46] Para o genealogista cônego Roque Luís de Macedo Pais Leme, neto de Garcia Rodrigues Pais, o sertanista-descobridor

> era sincero e nam entendia de cortes [...]. Teve uma visita em sua Casa a quem elle nam servio com prontidam que devera, a ser manhoso [com costumes diferentes e considerados incompreensíveis]. No dia seguinte querendo, já lhe nam aceitaram, e dali em diante foram otros os agrados com que o recebiam: e finalmente ouvio, que se queria que sua Magestade cumprisse o que lhe tinha prometido avia de ir governar Angola [ou seja, devia ter mais qualificação do que a representada]. (Nobiliarquia brasiliense... – *RIHGSP*, v. 32, 1937, p. 41)

É provável que a história do neto seja tendenciosa, mas ela não deixa de corresponder às imagens da Corte portuguesa divulgadas no Antigo Regime. Além disso, é significativa como tradição de família, cujas representações continuariam nos descendentes para justificar a posição social e a reputação arranhadas. Entrou para esta tradição que Garcia Rodrigues voltou de Portugal desapontado e desconcertado com os subornos e a sujeição requerida pelos ministros. A partir do infeliz resultado dos recursos e da suposta ingratidão do monarca, o paulista teria ficado mais cioso do que nunca de seus interesses particulares, vindo a eximir-se de serviços à Coroa

[46] É bastante possível que o sertanista paulista tenha ido à Corte e pretendido mercês por seus serviços em má hora. No final da década de 1700, acontecia o conflito armado dos emboabas nas Minas, cujos cabeças, reinóis ligados ao trato mercantil, insurgiram-se contra as pretensões dos paulistas de governar sozinhos os descobrimentos e reger as atividades produtivas locais. Pode ser que, com as tensões entre paulistas e forasteiros avolumando-se ao longo da década, houvesse a difamação dos membros destacados dos partidos opostos e a quebra do silêncio tácito que envolvia as origens obscuras, e nada prestigiosas, de uns e outros. As provanças de Garcia Rodrigues Pais surgiram como mais uma peça nesse jogo político. Essa suposição inspira-se num caso análogo, ocorrido na mesma época: o do mazombo Felipe Pais Barreto e do seu processo de habilitação à Ordem de Cristo, no contexto do conflito entre a *nobreza* olindense e os comerciantes do Recife, na primeira década do século XVIII. Pode-se observar uma analogia (condição partidária e social da personagem e o contexto) surpreendente entre as histórias dos dois processos. Cf. MELLO, 2000, p. 30-35.

(Nobiliarquia brasiliense... – *RIHGSP*, v. 32, 1937, p. 42. Taunay, 1948, t. 9, p. 431). De fato, em 1724, o rei foi informado de que Garcia Rodrigues se isentara de atalhar o percurso da Serra do Mar, no caminho novo do Rio de Janeiro às Minas, certamente dando o caminho por aberto e terminado quando foi instado para que desse acabamento final à obra. Com isso, a Coroa viu-se obrigada a contar com outro homem, o sargento-mor Bernardo Soares de Proença, que fez as melhorias no caminho e concorreu para o seu arremate, que se arrastava por mais de 20 anos ([6 de julho de 1725] Garcia Rodrigues Paes – *RIHGB*, t. 84, 1920, p. 39-40).

Em compensação, a Coroa foi pródiga na concessão de patentes de oficiais milicianos. Desde o último quartel do século XVII, era usual recompensar os sertanistas-descobridores de maior mérito com postos de capitão-mor ou sargento-mor de Ordenanças, e de coronel ou mestre-de-campo de Milícias.[47] Especialmente no posto de coronel, os sertanistas tinham legitimidade para moverem-se, eles e seus séquitos, nos sertões, em supostos serviços à Coroa.[48] Eram honrarias muito valorizadas pelos paulistas por serem condizentes com os costumes bandeiristas e a representação de poder conferida pelo séquito militar no planalto de Piratininga. A credulidade na nobreza inerente às atividades militares pode ser aferida, em São Paulo, pela tosca representação de um grupo de cavaleiros, quando Dom Pedro de Almeida foi à cidade, em 1717. Conta-se que os paulistas, enviados pelo capitão-mor, esperavam o novo governador "formados" em 150 cavalos, e que o receberam ao som de uma salva de tiros e muita charamela. Vestiam-se exageradamente – casacas muito abotoadas e de cores

[47] As Ordenanças e as Milícias, durante o período colonial eram auxiliares da tropa de 1ª linha (ou regular), e seus membros não recebiam soldos. Diferentemente das Ordenanças, as Milícias podiam ser deslocadas de sua circunscrição territorial, "formadas pelos excluídos do recrutamento das tropas regulares: lavradores, filhos de viúvas e homens casados". A Milícia era comandada pelo mestre-de-campo, enquanto, em cada cidade ou Termo de vila, o capitão-mor chefiava a Ordenança da terra (SALGADO, 1985, p. 97-101).

[48] Segundo Rafael BLUTEAU (1712, v. 2, p. 557), a patente de coronel era semelhante à de mestre-de-campo, no entanto o primeiro podia prover livremente os seus comandados, enquanto o segundo não tinha esse privilégio, "e com esta diferença é muito mais aventajado". Por exemplo, Pedro Leolino Mariz, sertanista e descobridor de origem italiana do sertão da Bahia, mostrou o orgulho de conseguir a patente; ao relatar os serviços à causa da Coroa, em 1759, observou: "mereci a honra do posto de coronel deste vasto continente, confirmado pela Real mão em tempo, que se fazião mais raras estas mercês" ([18 de junho de 1759] INVENTÁRIO dos documentos... – ABN, v. 31, 1913, p. 344-345).

variadas, cabeleiras postiças desfeitas, e chapéus caídos –, numa caricatura da etiqueta européia, que, segundo sugere o texto, estava além de suas reais condições (Diário da jornada... – *RSPHAN*, n. 3, 1939, p. 302).

Em 1697, a Coroa procurou manter a respeitabilidade dos postos militares nas capitanias da Repartição Sul, conferindo privilégios de justiça aos oficiais de Ordenanças – capitães, alferes, sargentos –, semelhantes aos que gozavam os auxiliares do reino (APM, Sc 01, f. 17-17v, [11 de setembro de 1697]). Os postos de oficiais milicianos mais graduados nobilitavam o seu ocupante (uma *nobreza rasa*), promovendo distinções semelhantes às que se conseguiam com os hábitos das ordens militares e os ofícios na República (juízes, vereadores, procuradores) de cidades ou vilas privilegiadas (Monteiro, 1987, p. 19-23). Nas duas primeiras décadas do século XVIII, foram concedidas pelos governadores muitas patentes militares nas Minas (na época do governo de Baltazar da Silveira, este teria passado, em pouco mais de ano e meio, mais de 270 patentes), achando o rei que houve excesso e sanção de vaidades de colonos poderosos, e que isso era perturbar o governo da República dando a "pessoas indignas e de quem se não tem tanto conhecimento da sua nobreza, e préstimo".[49] Mas, no século XVIII, todos os descobridores e sertanistas de renome que batiam índios hostis ou quilombolas ocuparam prestigiados postos de Ordenanças e das Milícias.[50]

O significado prático dessas honrarias da Coroa, e de outras mercês, será discutido mais detidamente no capítulo 5º. No momento, basta lembrar que, ao seguir o rito peticionário à risca, os descobridores conseguiram mais do que a posse de datas auríferas: conquistaram uma posição sociopolítica que serviu de base para novos pleitos.

[49] APM, Sc 04, f. 46v, [25 de abril de 1719]; APM, Sc 05, f. 13v, [9 de julho de 1725]. Preocupado também com o luzimento de nobreza dos oficiais das Câmaras nas Minas, o rei ordenou ao governador, na década de 1720, que não fosse eleito vereador ou juiz ordinário "que seja mulato dentro nos quatro graus em que o mulatismo é impedimento, e que da mesma sorte não possa ser eleito, o que não for casado com mulher branca ou viúvo dela" (APM, Sc 05, f. 116, [27 de janeiro de 1726]).

[50] Assim, como ser cavaleiro da Ordem de Cristo, ascender a oficial de Milícia era um anseio comum aos senhores e negociantes ricos na América portuguesa do século XVIII. A Milícia servia à integração política (através de membros proeminentes) dos grupos de parentesco ao Estado, compondo a territorialidade deste, e, ao mesmo tempo, satisfazia os interesses familiares ou partidários. Cf. KUZNESOF, 1988/1989, p. 39-43.

Capítulo 4

Escondidos de Deus: as minas como castigo do Brasil

A historiografia que trata da sociedade de Minas Gerais do período colonial tem se apegado, estritamente, à economia do ouro e dos diamantes quando procura compor um quadro explicativo dos processos sociais e culturais. Essa abordagem, no limite, parece admitir que os modos de pensar e de agir na sociedade das Minas só se tornam inteligíveis quando confrontados com a produção aurífera e suas vicissitudes, ao longo do século XVIII.[1]

Perspectivas como as de Francisco Iglesias e Wilson Cano, embora bastante discutíveis com o avanço das pesquisas sobre o poder político e a economia de Minas colonial, foram, e continuam sendo, matrizes para as análises históricas. Iglésias é enfático quando afirma o significado das Gerais no seio da colonização lusa na América: "Economia original configura sociedade que também é original". Essa originalidade se expressaria em três pontos básicos bem conectados: economia mineradora, que produz "mercado interno" e induz a sociedade à diversificação econômica (agricultura de subsistência, atividades artesanais e comércio); centralização política severa e rígido aparelho tributário e de Justiça; "possibilidades para os grupos médios", resultantes de um "processo de urbanização mais intenso que no resto do país".[2]

[1] Entretanto, apareceram alguns trabalhos de história social inovadores que buscam fugir às fronteiras da análise centrada exclusivamente na produção aurífera. Mesmo assim, certas análises ficam demasiadamente atreladas ao ritmo econômico e mercantil de um contexto minerador, raiz da suposta peculiaridade de Minas Gerais, que subordinaria todas as práticas políticas e sociais na Capitania. Cf., por exemplo, FURTADO, 1999.

[2] IGLÉSIAS, 1974, p. 268-271. Caio BOSCHI (1994, p. 101-106), seguindo os passos de

À sombra do processo econômico característico da exploração mineradora, a historiografia que defende a originalidade da sociedade das Minas, em relação ao contexto colonial agroexportador, busca compreender, por exemplo, desde a evolução do índice de casamentos, nascimentos e óbitos em Vila Rica até o caráter da sociedade e da organização político-administrativa na Capitania.[3]

Sob o ponto de vista de uma história sociocultural, conjugar-se-iam, nesse horizonte econômico aurífero, o caráter errante da população, a instabilidade e fluidez social, a flexibilidade dos costumes, a heterodoxia política e religiosa, num cenário urbano peculiar, até então inédito na América portuguesa.[4] É devido a tal conjunção que, principalmente nos primeiros anos do século XVIII, o imigrante português, ao chegar às Minas, "conheceria os tumultos provocados pelo nomadismo e pela quase absoluta ausência de lei ou ordem". Decididamente, esse colono aventureiro teria experimentado nas Minas "um caldo de cultura(s) que, numa confusão babélica, atritava valores, crenças, línguas" (GOMES, 1997, p. 19).

Mesmo quando referidos a uma perspectiva mais complexa do meio econômico das Gerais setecentistas, os valores culturais e as práticas de sociabilidade são avaliados à luz das diferenças em relação a outras regiões

Iglésias, observa que a criação das vilas, conforme política deliberada da Metrópole, estava na dependência do apego desta à tributação e à fiscalização da exploração minerária, ou seja, para a Metrópole deviam-se fundar vilas onde houvesse ouro. Para Wilson CANO (1977, p. 95-96), a mineração não criou um "complexo econômico" em Minas Gerais. Formou-se, segundo o economista, um mercado eminentemente consumidor de gêneros e produtos importados da Metrópole e de outras regiões coloniais, mostrando que "essa economia não foi capaz de gerar, em seu próprio interior, aqueles segmentos produtivos antes referidos [que pudessem garantir a reprodução dos livres e a manutenção da força de trabalho dos escravos]".

[3] Dois trabalhos tornaram-se referência nos estudos sobre a sociedade mineira colonial: COSTA, 1977; SOUZA, 1986.

[4] Cf. FIGUEIREDO, 1997. Adriana ROMEIRO (1996, p. 212), referindo-se à experiência de trabalho de um colono perseguido pela Inquisição, conforma-se com o depoimento do próprio colono: "Pouco revelam informações tão vagas, válidas, de resto, para a maior parte da população das Minas, que se distinguia pela mobilidade geográfica e pela inserção nos descobrimentos e na mineração". Já Marco SILVEIRA (1994, p. 81) considera que a economia minerária era "suporte" de outros segmentos produtivos, mas aposta nos "matizes especiais" que o ouro deu à sociedade mineira: "Os deslocamentos populacionais, o abismo entre ricos e pobres, o decréscimo do metal, a pluralidade de valores, tudo apontou para um estado de aluvionismo social".

coloniais, notadamente as regiões açucareiras do litoral, o que faz o contexto minerador aparecer como o fator diferencial.[5]

Todavia, tem-se atenuado a especificidade do poder político e do processo sociocultural de Minas da época colonial. Chegou-se a isso, considerando como objeto da análise aqueles grupos sociais (definidos pelo papel no contexto produtivo, pelo modo de vida e por suas relações de parentesco) que não estavam ligados diretamente à exploração mineral. Mas, ao pressupor para o século XVIII de Minas Gerais, precisamente da primeira metade, uma vigorosa e instável vida urbana, intensa mobilidade populacional e um conflito social endêmico ocasionados pela economia aurífera, tais análises dão peso excessivo à mineração e seus supostos frutos e, assim, acabam reafirmando a singularidade dessas Minas.[6] O resultado disso é que os temas pesquisados continuam subordinados a um processo econômico considerado primordial: o do ritmo da produção de riquezas minerais.

Além disso, a história sociocultural de Minas Gerais do ouro, quando polarizada em torno da questão do que é Minas, permanece confusa e aproxima-se do discurso mítico da mineiridade – construção a-histórica de uma identidade "imantada" pelo lugar dos minerais (Arruda, 1999, p. 112). A essencialidade de Minas, como expressão da condição atávica do mineiro, relacionada ou não à definição de uma originalidade, surge como o molde da interpretação histórica. Por isso mesmo, a pesquisa empírica, embora seja amplamente exercitada, persiste no impasse advindo dos enquadramentos e conclusões totalizantes; desse modo, a sociedade

[5] AGUIAR, 1999, p. 124. Por sua vez, Ida LEWKOWICZ (1992, p. 188) procura observar semelhanças e diferenças entre "Minas" e as outras regiões do Brasil colonial quanto às características demográficas da escravaria: no que se refere ao número e perfil dos casamentos, por exemplo, aponta mais semelhança com a região de São Paulo.

[6] Cf. FURTADO, 1999, p. 149-196. Mesmo observando uma alta mobilidade populacional no contexto rural e agrário das Minas Gerais do século XIX, Donald RAMOS (1993, p. 654, 662) associa o século XVIII sob a febre do ouro à mobilidade que "deve ter sido muito elevada". No final do artigo, Ramos aponta outros estímulos econômicos regionais com alguma indefinição: "Em Minas Gerais, os movimentos eram também modelados por fatores econômicos – novos descobertos de ouro ou oportunidades de negócio" (tradução minha). Entretanto, Ramos acaba concluindo que os valores socioculturais e os padrões de comportamento que regiam a família mineira ("Mineiro family") se forjaram menos nos fatores sociais e econômicos específicos das Minas Gerais do que nas condições econômicas do norte de Portugal (escassas oportunidades econômicas e pobreza), o lugar de origem da grande maioria dos imigrantes portugueses das Minas.

mineradora (origem da dinâmica sociocultural) é considerada democrática e relativamente fluida ou é fluida, mas não se apresenta democrática (ou igualitária), ou, ainda, não é nem fluida nem democrática.[7]

Nessa ênfase da singularidade da sociedade mineradora, as análises parecem retomar, sob outros contornos, o esquema de Basílio de Magalhães (1935), que divide a expansão geográfico-colonizadora em dois tempos e lugares: o ciclo oficial e o ciclo espontâneo. Concluindo o seu texto, Magalhães explica: "Em resumo: – o norte de nossa pátria distingue-se pelo maior desenvolvimento *colonial*, de origem metropolitana, ao passo que o sul se caracteriza mais pela desenvolução *espontânea*, isto é, pelo desdobramento das suas próprias forças" (Magalhães, 1935, p. 273). Nesse quadro dicotômico, a conquista colonizadora sob a égide da ação espontânea dos próprios habitantes (cuja vanguarda cabia aos bandeiristas de São Paulo) alcança seu ápice com o descobrimento do ouro de beta, marca da virada socioeconômica e política da Colônia. Assim, a metrópole portuguesa, apanhada de surpresa, a reboque da frente colonizadora, foi obrigada a se debater, durante todo o século XVIII, com a espontaneidade de ações que o povoamento do ouro proporcionou, bem como com os (inovadores) valores socioculturais nele gerados.[8]

Na verdade, os discursos morais e políticos do Antigo Regime português estão na raiz do que se escreveu sobre as Minas Gerais nos séculos XIX e XX. Esses textos, comumente compreendidos pela historiografia como fontes documentais primordiais da natureza da sociedade mineradora e da identidade do mineiro, procuraram inserir o *fato* dos descobertos minerais no universo das representações socioculturais que, fundadas na tradição, fossem legítimas e verossímeis.[9] A arquitetura dos discursos tem como

[7] As posições são controversas e existem nuanças notáveis em certos autores. Cf. LEWKOWICZ, 1992, p. 11, 222; SILVEIRA, 1994, p. 106; ROMEIRO, 1996, p. 242-243.

[8] Oliveira Martins, em quem Basílio de Magalhães se vale para escudar suas próprias conclusões, afirma: "Foi esse caso fortuito (*o descobrimento das minas*) que determinou uma grande corrente de emigração para o sul central do Brasil; foi elle que deu um alento passageiro á rachitica vida do Portugal brigantino; e, permittindo a d. João V fazer na Europa de rei *brasileiro*, permittiu ao marquez de Pombal declarar guerra aos jesuitas e salvar o Brasil, sinão da sorte do Paraguay, ao menos da agitada vida que lhe promettia a coexistencia do regimen civil e do regimen theocratico, no governo e na organização do trabalho servo. Esse caso fortuito é o descobrimento das minas, ao qual o Brasil deve a rapida definição de sua independencia" (*apud* MAGALHÃES, 1935, p. 266).

[9] É imperioso ao processo de significação e de compreensão de algo o molde público e compartilhado das concepções socioculturais com as quais a pessoa se forja. Cf.

base um olhar ambíguo, que faz do *outro* sempre uma imagem refletida pelo espelho do observador.

Na tradição da literatura política e teológica portuguesa da época moderna, o lugar de extração de minerais preciosos era visto como possuindo especificidades sociais, econômicas e geofísicas, obrigando os envolvidos com as minas a ações políticas e morais correspondentes à necessidade de remediar a sua inerente instabilidade social.

O ouro em si, como elemento da natureza e fruto da criação divina, não produzia o mal ou o pecado. "O ouro não he bom, nem máo, o uso lhe dá o ser", diria Damião de Faria e Castro, no século XVIII, retomando um tópico discursivo tradicional.[10] Indicativo disso é que a primeira atitude em relação ao ouro como objeto natural é de maravilhamento, mas essa experiência (emoção ou processo intelectual) é amoral, porque precede ao julgamento do bem ou do mal proporcionados pela coisa admirada.

BRUNER, 1997, p. 22-23. Elucidativa é a análise de Maria Alzira SEIXO (1996, p. 124, 125), que, ao tratar dos textos portugueses sobre a natureza americana no século XVI, aponta neles a ambigüidade de um olhar "em trânsito": "O esquema temporal da observação poderia compreender-se do seguinte modo: fator inesperado (a descoberta de uma terra), com qualidades estéticas assinaláveis (reconhecidas por identificação, reforçada pela supremacia), onde há homens como os ocidentais, mas com aspectos e comportamentos diferentes (donde, é-se mais afetado pela alteridade porque não se trata de monstros, ou de seres anormais – são mesmo mais perfeitos, em certos aspectos, que os europeus –, e a *alteridade aparece assim como uma possibilidade diferenciada do mesmo*, complexo nocional este que está no centro das ambigüidades de percepção e de descrição de todos os textos que vão seguir-se ao ocuparem-se do mesmo fenômeno)" (grifo meu). Em perspectiva semelhante, GREENBLATT (1996, p. 20-21) procura "reconhecer que indivíduos e culturas tendem a apresentar mecanismos assimilativos fantasticamente poderosos, que trabalham como as enzimas para modificar a composição ideológica de corpos estranhos. Esses corpos estranhos não chegam a desaparecer totalmente, mas são arrastados para dentro do que Homi Bhabha chama o "em-entre", a zona de intersecção na qual todas as significações culturalmente determinadas são questionadas por uma hibridez não resolvida e insolúvel".

[10] CASTRO, 1749, t. 1, p. 340. Mas, se o ser só tem existência para os homens no modo de uso, a ambigüidade do metal precioso já aparece na arte da extração mineral, explica o autor da *Arte de Furtar* (1991, p. 59), no século XVII: "Com arte tirão os cobiçosos das entranhas da terra, e centro do mar a pedraria, e metaes preciosos, que a natureza produzio em tosco, e aperfeiçoando tudo, lhe dão outro valor [...]. Não perde a arte seu ser por fazer mal, quando faz bem, e a proposito esse mesmo mal, que professa, para tirar delle para outrem algum bem, ainda que seja illicito". O autor mais provável dessa obra foi o padre Manuel da Costa.

O maravilhar-se, explica Descartes, é um momento instável de surpresa e de certa paralisia mental, "evitando que percebamos mais que a primeira face apresentada do objeto e, conseqüentemente, alcancemos um conhecimento mais específico dele. Eis o que denominamos comumente "ficar atônito" e ficar atônito em excesso só pode ser mau" (*apud* Greenblatt, 1996, p. 37).

Bem ao contrário de uma maldade inata, na tradição de chineses e de indianos o ouro era signo solar e real; por ser considerado o metal perfeito, era próprio para a representação das divindades e dos reis no Oriente Próximo. Na Europa, numa longa tradição que remontava aos gregos, "o ouro evoca o Sol e toda a sua simbólica fecundidade-riqueza-dominação, centro de calor-amor-dom, foco de luz-conhecimento-brilho" (Chevalier, 1999, p. 669-671).

Em um manuscrito português do século XVII – *Regra de Armaria na perfeição dos escudos, e forma das pinturas* –, o autor, Bento Pereira, ensina:

> Os metais são ouro, e prata, que são de mayor nobreza que as cores, porque participão mais dos elementos, e dos sete Planetas, e tambem do ouro se pode fazer cor amarela, e da prata cor branca, mas as cores não podem servir de metais: o ouro he o principal metal e mais nobre, por participar mais que outro algúm do sol, e assi o ouro nos escudos de Armas, significa nobreza. A prata he o segundo metal, participante da lua, significa gentileza e religião.[11]

Durante a expansão marítima e colonizadora dos europeus, entre os séculos XV e XVII, os relatos sobre as *Índias*[12] comumente retomavam o tópico medieval das riquezas minerais associadas ao paraíso terreal e ao Oriente mítico. Assim, os tesouros de metais e de pedras preciosas (nomeadamente as esmeraldas, rubis e diamantes) seriam vistos como indícios da localização do espaço edênico – o que indica o apreço dos europeus por esses minerais, cuja qualidade essencial comunicava, corporal e

[11] BNL, Reservados, códice 1337, f. 1. Em uma tradição estética italiana, supunha-se que nas empresas poéticas (e políticas), as criações do "maravilhoso" e ornatos, fabricados com argúcia, ao evocarem, por crédito, determinados conceitos, inclinavam o ânimo dos sujeitos (DOGLIO, 1975, p. 23-24).

[12] Para os portugueses, era tal a associação entre a noção de opulência e a Índia que, em 1702, com o prenúncio de ricas descobertas minerais na América e as perspectivas desanimadoras do comércio oriental, dizia-se que a "Índia já não he Índia", mas sim o Brasil era a "verdadeira Índia e Mina de Portugal" (*apud* HOLANDA, 1994b, p. 69).

espiritualmente, os benefícios e a bem-aventurança que caracterizariam a experiência edênica.[13]

À geografia maravilhosa do Oriente e a um influxo solar mais pronunciado devia-se a suposição de que quanto mais oriental fosse a localização das terras ou das supostas minas de um país, por necessidade natural, maiores seriam os tesouros minerais encobertos. Assim, esperava-se que o Brasil se transformasse em um "outro Peru", mas com mais riqueza e reputação (Holanda, 1994b, p. 94). Em *Diálogos das Grandezas dos Brasil* (1618), o interlocutor Alviano não compreende por que as descobertas de metais e pedras preciosas tinham sido até aquele tempo tão frágeis, ao contrário do que se verificava com os castelhanos, "porque habitando nós os portuguezes a mesma terra que elles habitam, com ficarmos mais orientaes (parte onde, conforme a razão, devia haver mais minas), não podemos descobrir nehuma em tanto tempo há que nosso Brasil é povoado, descobrindo elles cada dia muitas" (Brandão, 1943, p. 41-42). Ainda em 1692, pouco tempo antes da manifestação dos descobertos auríferos no leste do Brasil, Sebastião Cardoso de Sampaio informava acerca de uma tradição corrente entre os moradores das Capitanias de São Paulo e da Bahia sobre a probabilidade de haver minas de prata nas serras de Itabaiana e de Sabarabuçu,

> pela circunstancia de confinar o Brazil pelo sertam de Pernambuco athe o Rio da Prata, e com o Reino do Perú, e concorrerem as serras de Tabiana e Sabarabussú debaixo da mesma altura e pararello, como o celebrado cerro de Potosy que he a fonte de prata inexausta que tem inundado todas as quatro partes do mundo, onde se conjectura que sendo a producção de todos os metaes effeito do calor e actividade do sol pela igualdade da altura e pararello participarão aquellas serras das mesmas influências.[14]

[13] "As duas noções, a de fantásticas riquezas e a de um mundo de maravilhosas delícias, facilmente se enlaçam, pois uma natureza extremamente pródiga parece admissível que se ultrapasse até ao sobrenatural. Essa associação faz-se, aliás, no próprio Gênese, com o ouro e as pedrarias do Rio Fison, no jardim do Paraíso, que São Jerônimo, em sua Epístola CXXV, identificara com o Ganges. E não é a Índia, áurea e paradisíaca, a mais constante obsessão do descobridor?" (HOLANDA, 1994b, p. 166). Ver também p. 166-167, 202-203.

[14] Na mesma *Informação*, observa-se que, diferentemente do que ocorria em Potosi, no Brasil a prata escasseava quando se aprofundava a mina, o que, segundo Dom Rodrigo Castelo Branco e "pessoas intelligentes", "podia ser a cauza a diferença de clima, e do

Vários textos do século XVII (inclusive cartas da administração colonial), notadamente alguns na esteira da política da Restauração, aludem a essa fatalidade geofísica e moral – e, portanto, da vontade de Deus – de o Brasil possuir minas de metais e pedras preciosas, já que ficava a leste da Colônia espanhola e era domínio de Portugal, cujo rei cristão e justo chefiava vassalos tão valorosos como os da Espanha, ou até mais. Persuadido da chave teleológica da história, feita de sinais da providência divina, afirma um anônimo ao rei de Portugal, em papel do século XVII:

> E ainda que contra a opinião de muitos ponho grandes dificuldades a se acharem facilmente estes tesouros anima-me podermos presumir em certo modo que quando os não haja os criava Deus de novo a Vossa Majestade porque [...] para um Rei fidelíssimo ao qual reservou a misericórdia divina a restauração de Pernambuco se deve também guardar o descobrimento das Minas. Não pareça lisonja o que eu tenho, como por Fé. (Informação sobre as minas... – ABN, v. 57, 1935, p. 159-160)

Assim, são justos e, portanto, necessários os indícios de riquezas minerais no Brasil com que se compraz a própria natureza, já "que a mesma natureza [...] ali está mostrando descoberta", anuncia frei Vicente do Salvador.[15] No convite feito pelo governador-geral Alexandre de Souza aos paulistas, em 1669, para guerrearem contra os índios que hostilizavam os coloniais da Bahia, o governador insinua que a justiça e o valor de tal empresa seriam premiados não só com a glória da ação e a conveniência da escravização dos índios, mas com um proveito adicional às suas famílias: "a probabilidade do descubrimento da Serra das Esmeraldas com que de caminho podem topar na altura do Spírito Santo [...] e a esperança das mercês, e honras, que justamente devem esperar de S. A. [Sua Alteza] por ser guerra" (AHMWL, Avulsos/ Fundo Câmara Municipal de São Paulo/ Série Correspondência, caixa 17, [15 de novembro de 1669]).

A imagem solar, magnificente e nobre do ouro mal esconde a ambigüidade que parece ser a característica da arte de sua extração e do uso.

terreno, pois sendo o do Brazil muito mais frio impedia e baldava as influencias do sol, cuja actividade não podendo vencer a rezistencia da frialdade do centro não passava a produzir mais do que na superfície". (CARTA do provedor da fazenda... – ABN, v. 39, 1917, p. 200-202). Na *Informação do Estado do Brasil e de suas necessidades*, o autor anônimo afirma que a serra do Potosi prolonga-se para o norte, "e dizem se termina na altura de Porto Seguro" (INFORMAÇÃO do Estado do Brasil... – *RIHGB*, t. 25, 1862, p. 465-478).

[15] SALVADOR, 1982, p. 63. O texto manuscrito da obra foi finalizado em 1627.

Afinal, como ensinou Baltasar Gracián em 1647, "Não basta a substância, requer-se também a circunstância. Um mau modo tudo estraga, até a justiça e a razão. Um bom tudo supre; doura o *não*, adoça a verdade e enfeita até a velhice" (Gracián, 1996, p. 36.).

O livro de Rocha Pita, *História da América Portuguesa*, editado em 1730, sinalizando o titubeio do autor, traz uma obliteração indicativa da percepção quanto ao estatuto movediço dos metais preciosos. Ao retomar a representação discursiva tradicional do ouro como tendo sido gerado no interior da terra pelo sol, Rocha Pita levanta a hipótese de que o ouro deve ter sido criado antes do homem, "pois sendo operação do príncipe dos planetas, que Deus criou no quarto dia, desde logo poderia (existindo o seu vigor nos seus atos) produzir os seus efeitos dois dias antes do sexto, em que o Senhor fez o homem" (Pita, 1976, p. 221). É como se Rocha Pita sugerisse que, se o sol e o homem foram criações de Deus, a criação do ouro exigiria, além da vontade divina, uma *causa eficiente*[16] – o astro-rei. Poderiam as conseqüências da criação escapar ao Criador universal? Se Deus era a causa primeira de todas as coisas porque não criaria, *direta e explicitamente*, os metais e as pedras preciosas?[17] Haveria uma brecha na bem-aventurança paradisíaca, um *escondido* do próprio Deus que não deveria ser revelado ou descoberto?

Nos escritos moralistas comprometidos com a "política católica" dos reinos ibéricos, a outra face do ouro-metal, fruto da arte de apropriação dos homens, está marcada pelo pecado e pela perversão. Para a *mentalidade barroca*[18] (dos séculos XVII e XVIII), a prática de representação do ouro-metal no âmbito da política e da moral, mesmo entre aqueles escritos

[16] No pensamento tomista, a causa eficiente, distinguindo-se da causa primeira – "*causa prima e universalis*, isto é, *causa remota*" –, de autoria divina, intervém diretamente no objeto, produzindo os efeitos determinantes. Cf. COURTINE, 1998, p. 315.

[17] Significativamente, não há menção explícita, no Gênese bíblico, ao ato de criação dos minerais preciosos. Antes da Queda do pecado original, a terra criada por Deus é qualificada somente por sua superfície, como espaço das produções vegetais, habitat dos animais e abrigo deleitoso do homem (SAGRADA Bíblia... 1953, p. 41-42, versículos 1-31).

[18] O termo é de José Antônio Maravall. Este autor observa, a propósito, que as expressões da cultura barroca são dramáticas, violentas e de extrema tensão. "Isto explica o papel das antíteses e outros recursos de estrutura semelhante na retórica barroca, com seus mil jogos de contraposição extremada (por exemplo: gelo-fogo, brilhar-escurecer etc)" (MARAVALL, 1997, p. 333-334). O ouro, como signo, leva consigo essa antinomia que produz a ambigüidade de sentido.

mais pragmáticos e preocupados com o poder do Estado, sempre associa o ouro à cobiça, "raiz de todos os males".[19] Assim, em 1693, reproduzindo a perspectiva tradicional do efeito enganoso da cobiça sobre as coisas, frei Manuel dos Anjos explica que a cobiça domina a imagem e o discurso, obscurecendo a verdade. "Tiray a cubiça, e logo todos os outros males se acabão, cessa a guerra, pàra a discordia, o odio se converte em amizade, os pleitos, e contendas em união de pacificos agrados" (Anjos, 1693, p. 208). Luz enganadora é a luz da cobiça, tal como a luz do sol e o brilho do ouro.

Nesse sentido, a luz (ou brilho) do ouro é compreendida como uma luz que cega, embora a pessoa pense que está enxergando. No *Theatro moral de la vida humana* (Theatro moral..., 1701, p. 108-109), um emblema intitulado "Nada refrena la codicia del oro" retrata um homem que, absorto em contar e guardar as suas moedas de ouro e bens, não percebe grilhões, punhais, espadas e o fogo que se voltam contra ele e ameaçam sua riqueza. No primeiro plano de toda a cena, uma serpente – o pecado – posta-se em vigília da ação compenetrada do homem. No fundo desta primeira cena, no lado esquerdo, brilha o sol, representação da soberania divina e real; no lado direito, entre nuvens, em meio à chuva tempestuosa, aparecem os raios dos castigos e das penas; abaixo, entre o resplendor solar e a chuva de raios, uma embarcação oceânica, o símbolo do comércio ultramarino, naufraga.

Conforme a retórica moralista, o ouro mais danoso à sociedade e ao governo dos homens é o ouro-moeda, precisamente porque ativa a cobiça.[20] É um tópico comum, nos séculos XVII e XVIII, o da corrupção da virtude e do poder causados pelo dinheiro. Em meados do século XVII, assim se falava dele:

> Famoso invento foy o do dinheiro, pois com elle se alcança tudo, e naõ há couza, que se lhe naõ renda: do mais incorrupto Juiz alcança sentença: da mais arisca femea tira favores, no mais invencivel gigante obra ruinas, do mais numeroso exercito alcança victoria, nos mais inexpugnaveis muros rompe brechas, arromba portas de diamantes

[19] Advertia frei Antônio do Rosário, nos termos da moral tradicional, em *Frutas do Brasil numa Nova e Ascetica Monarchia*, 1702. (*Apud* HOLANDA, 1994b, p. 241).

[20] "Se o ouro-cor e o ouro-metal puro são símbolos solares, *o ouro-moeda é um símbolo de perversão e de exaltação impura dos desejos* [...], uma materialização do espiritual e do estético, uma degradação do imortal em mortal". Cf. CHEVALIER, 1999, p. 671.

melhor, que petardos, arraza torres, quebra omenagens, tudo se lhe sugeita, nada lhe resiste! (Arte de furtar..., 1991, p. 347)

Ainda no período de expansão da exploração aurífera nos sertões do Brasil, Damião de Faria e Castro utiliza-se de semelhante forma de expressão, indicando que a riqueza sustenta a vaidade e a arrogância: "Tal está o tempo, que por hum pedaço de pão se vendem os guardas da Justiça. Se os gigantes, que querem subir ao Ceo, temem que Jupiter lhe arroje a escada, firmem-lhe os pés nos montes do Potosi, que não só subirão seguros, mas voarão não arriscados" (Castro, 1749, t. 1, p. 72).

Talvez a expressão mais transparente e acabada desse lado obscuro do ouro, e das conseqüências morais, políticas e econômicas de seu uso pelos coloniais, encontre-se em um sermão do padre Antônio Vieira – "Sermão da Primeira Oitava de Páscoa" –, pregado na cidade de Belém do Grão-Pará, em 1656.[21]

O texto alude à tristeza e ao desengano dos coloniais com as notícias do malogro de mais uma expedição de descobrimento de minas de ouro e de prata nos sertões da Capitania.[22] Vieira procura reverter as expectativas dos coloniais: da esperada redenção, com o descobrimento de metais preciosos, da cidade, do Brasil e até do reino viria, na verdade, a desgraça de toda a gente; "Livrou-vos Deus da prata, porque vos quis livrar do ferro" (p.

[21] VIEIRA, 1959, t. 5, p. 219-255. Em carta ao cônego Francisco Barreto, datada de 23 de junho de 1683 na Bahia, Vieira, tratando dos sermões que compõem o 4º tomo da sua obra mais afamada, ressalta que "O das Minas vem agora a propósito do sucesso". Segundo João Lúcio de Azevedo, o pregador fazia referência ao sucesso da expedição de descobrimento das esmeraldas, cujas primeiras amostras Garcia Rodrigues apresentou na Metrópole em 1682 (VIEIRA, 1928, t. 3, p. 469-472).

[22] Em carta escrita do Maranhão ao rei D. Afonso VI, em 20 de abril de 1657, Vieira denuncia: "As missões, Senhor, continuam, como tenho avisado, com mui conhecido proveito espiritual e salvação de muitas almas, assim de gentios novamente convertidos como dos que já tinham nome de cristãos. Só a missão dos Pacajás, vulgarmente chamada a *Entrada do Ouro*, teve o fim que tão mau nome lhe prognosticava. Gastaram nela dez meses quarenta portugueses, que a ela foram com duzentos índios. Destes morreram a maior parte pela fome e excessivo trabalho; e também morreu o Padre João de Sotomaior, tendo já reduzido à fé e à obediência de V. M. quinhentos índios, que eram os que naquela paragem havia da nação Pacajá, e muitos outros da nação dos Pirapés, que também estavam abalados para se descerem com êle. Esta, Senhor, são as minas certas dêste Estado ["conquistas do Maranhão"], que a fama das de ouro e prata sempre foi pretexto com que de aqui se iam buscar as outras minas, que se acham nas veias dos índios, e nunca as houve nas da terra" (VIEIRA, 1925, t. 1, p. 460-472).

225). Vieira funda seus argumentos num jogo de paradoxos – apenas aparentes – cuja lista se pode prolongar, alinhando, de um lado, os efeitos morais e sociais da exploração mineral e, de outro, o significado providencial de Deus: desgraça-redenção, vício-virtude, engano-desengano, cativeiro-liberdade, descoberto-escondido, castigo-prêmio, minas incertas-minas certas, ouro e prata-agricultura, tesouros de minas-tesouros de almas (índios)... [23]

O sermonista famoso, segundo Pécora (1994), tece a sua rede retórica no sentido de desvendar o mistério que enlaça, encobrindo todos os seres da natureza e todas as ações humanas. Esse verdadeiro *descobrimento* de sentido, pensado histórica e factualmente pelo exegeta, opera-se com (e sobre) o *modo sacramental* – a latente comunhão entre o humano e o divino – na representação e na prática das coisas. Esgrimido na retórica do pregador, é o único modo que revela a verdade escondida da participação essencial de Deus no devir humano (p. 113, 114).[24]

Para Vieira, a natureza e a história, seguindo a escritura da providência divina, sinalizariam aos homens para que eles ficassem advertidos contra as minas. Não quis Deus que se descobrissem os metais preciosos, porque os mantém nas entranhas da terra, longe da vista humana, que é

[23] Para Vieira, a natureza e a história humana perfazem, nos seus múltiplos contornos materiais e cotidianos, a forma do Ser, com o qual guardam correspondências analógicas. Alcir Pécora esclarece essa *lógica*: "Eis aí: estar encoberto, ou estar invisível sob as espécies visíveis, não necessariamente canônicas, revela-se ser, em Antônio Vieira, o núcleo determinante de toda a argumentação da "união" ou quase-unidade entre o humano e o divino, realizada no próprio plano terreno em que vive o homem. Nesse lugar aparentemente paradoxal (mas nunca de fato o sendo, em seu raciocínio), de forma misteriosa, em que o divino se sinaliza ao mesmo tempo em que se esconde na matéria, nesse preciso *lugar* constroem-se e multiplicam-se as operações básicas a que a retórica de Antônio Vieira vai, mobilizando-as, conferir eficácia" (PÉCORA, 1994, p. 101).

[24] "De início, para não fugir aos termos vieirianos, há que considerá-lo [o modo sacramental] como relativo, basicamente, ao movimento característico através do qual o que é da ordem de Deus – e, portanto, por natureza, transcendente e não determinado por qualquer essência particular, segundo a matriz comum do pensamento católico – toma espécies visíveis, existentes no mundo da determinação material, e imprime nelas a substância única e pessoa do seu Ser [...]. Quer dizer, esse novo lugar [da presença oculta do divino em plano terreno] supõe uma constituição ambígua, dúplice, participativa, misteriosa, em que o Ser divino se apresenta em traço material, mas em que esse traço, ao mesmo tempo, não dá senão uma indicação pouco explícita de sua natureza substancial" (*ibidem*, p. 113).

naturalmente tentada a tomar os seus efeitos por seu fim (*essência*). O procedimento vieiriano de inscrever, dialeticamente, as Escrituras Sagradas na história fornece a chave interpretativa para esse enigma divino de ocultar o que é do apreço e do *desejo* humanos[25]: as minas de ouro e de prata são os "escondidos de Deus" (*De absconditis tuis*),

> [...] castigos escondidos debaixo de aparências contrárias: porque se apetecem, estimam e festejam enganosa e enganadamente, sendo certo que debaixo do preço e esplendor do ouro e prata se ocultam e escondem grandes trabalhos, aflições e misérias, com que a Justiça Divina por pecados quer castigar e açoutar as mesmas terras onde as veias desses metais se descobrem. (p. 219)

Ou seja, nos passos da hermenêutica bíblica, segundo o padre Vieira, castigo e descobertos minerais significam a mesma coisa. Nessa concepção, o descobrimento de minas apresenta-se como punição divina para pecados considerados primordiais, o que faz figurar um outro *descobrimento*: o do sentido oculto dos desígnios de Deus.

Mas quais seriam esses "grandes pecados"? No sermão, Vieira denuncia a cobiça e a vaidade dos coloniais, porque eles não se contentam com o que os campos abundantemente fornecem na superfície da terra, insistindo, com seus *apetites*, em buscar tesouros escondidos nas entranhas do solo.

> Aqui os cobiçosos e enganados também se metem, não pelas covas que a terra tem aberto, senão pelas que eles cavam e rompem à viva força, muito mais penetrantes e profundas: [...] aqui estima-se e adora-se tanto a mesma vaidade, que por novos e ocultos caminhos de tantos estádios se vai buscar e desenterrar o ouro e prata, para se fundirem e lavrarem ídolos. (p. 231)

Ainda, como corolário do descobrimento cobiçoso,[26] o sermonista descreve situações que indicariam usos pecaminosos da riqueza mineral,

[25] O desejo humano não é um erro em si mesmo; ele é o sentimento natural do homem de falta do Ser que, mesmo após a Queda, participa de sua essência. "Para supri-la adequadamente é necessário preenchê-la com uma qualidade da substância análoga ao Ser único de Deus, a que o padre Vieira chama de 'santidade'" (*ibidem*, p. 117).

[26] Antônio VIEIRA (1925, t. 1, p. 460-472) também vê as entradas do trato de índios (apresamento) com as marcas danosas da cobiça; na carta escrita, em 20 de abril de 1657, ao rei Afonso VI, ele menciona: "Os resgates dos escravos (que é outro ponto de interesse dos moradores deste Estado) se fizeram nestes dois anos com pouca fortuna, porque se quiseram fazer com maior cobiça" (p. 463).

nos quais despontam luxo, ostentação, luxúria, idolatria e infidelidade. Isso compunha um quadro de injustiça e de corrupção das famílias e do Estado, neste "escuro e horrendo teatro da paciência sem virtude" (p. 231).

Os castigos viriam de várias formas. A extração de metais obrigaria ao trabalho árduo e à sepultura em vida, suplício a que muitos não resistiriam. Mas, para Vieira, a maior punição viria na forma da opressão político-jurídica e fiscal da Metrópole, colocando em cheque as relações costumeiras de poder local. Com veemência, o pregador alerta: "Quantos ministros reais, e quantos oficiais de Justiça, de Fazenda, de Guerra, vos parece que haviam de ser mandados cá para a extracção, segurança, e remessa deste ouro ou prata? Se um só destes poderosos tendes experimentado tantas vezes, que bastou para assolar o estado, que fariam tantos?" (p. 232-233).[27]

Ao mesmo tempo, toda a hierarquia social estaria em perigo, porque novas ocupações com diferentes jurisdições viriam complicar e confundir os estamentos tradicionais. Todo o cabedal dos coloniais ficaria subordinado aos interesses das minas: escravos, meios de transporte, roças, gado, engenho e casas. Surgiria ainda um mercado regulado insidiosamente pelo dinheiro, no qual o valor de troca substituiria o valor de uso, empobrecendo a todos. Os habitantes do Brasil, e especialmente os da Capitania do Grão-Pará e Maranhão, é que mais sentiriam os malefícios das minas; "Tudo isto não o haviam de fazer nem padecer os que passeiam em Lisboa". No entanto, os maiores beneficiários seriam os estrangeiros, que pelo comércio ficariam com o maior proveito das minas.

O sentido enigmático (ou latente) do ouro, que se apresenta no texto de Rocha Pita, dependente das circunstâncias de sua criação, ilumina-se no sermão de Antônio Vieira. Na origem bíblica, há efetivamente omissão quanto à criação dos minerais, ao contrário da menção explícita às plantas

[27] Em carta a Duarte Ribeiro de Macedo, em 7 de novembro de 1678, escreve VIEIRA (1928, t. 3, 323-325), referindo-se à imaginação das minas, cujo proveito, necessariamente contingente e acidental, nunca compensa os males e os desvarios que traz: "Todas as nossas indústrias se empregam em descobrimento de minas, e se gastam nestas contingências tesouros que noutros empregos nos puderam ter enriquecido. As de Vila Real e Bragança já se desvaneceram; as dos Rios [Cuama, na África Oriental] se têm totalmente errado; para as de Paranaguá se têm mandado novos ministros, que nada entendem daquele mister, mas para si têm já descoberto e embolsado muita prata, pelos grandes salários que levam, com poderes sôbre tudo quanto há naquelle Estado". Para João Lúcio de Azevedo, faz-se referência aqui a D. Rodrigo Castelo Branco. Ele tinha sido nomeado administrador-geral das Minas e, na companhia do tenente-general Jorge Soares de Macedo, estava encarregado de averiguar as Minas de Itabaiana e Paranaguá.

e aos animais. Vieira esclarece que essa lacuna do texto sagrado segue uma intenção divina: ocorre porque, enquanto o uso de plantas e animais serve à conservação e sustento dos homens, o ouro e a prata são supérfluos e danosos a eles. "Por isso assim como as tinha sepultado e escondido debaixo da terra, assim lhe escondeu e encobriu também a notícia delas, passando totalmente em silêncio, e não fazendo menção de tal cousa" (p. 236).

No "Sermão da Primeira Oitava de Páscoa", alcança plena expressão o quadro discursivo do sistema político e socioeconômico específico das regiões mineradoras, continuamente propagado no século XVIII. Aqui, toda a arquitetura de categorias e conceitos da representação da sociedade mineradora se baseia nas concepções morais e teológicas de pecado e de castigo. Os descobrimentos de minerais preciosos surgem, assim, como uma espécie de maldição dos mineiros cobiçosos; um mau agouro que desvirtua a missão político-teológica do Império colonial português na América.[28]

A providência divina de esconder o que é do apreço humano, como o ouro, a prata e as pedras preciosas, tem o sentido de justamente proteger o homem de tentar preencher o desejo verdadeiro de "ser o que importa" [29] com os efeitos enganosos dos signos da riqueza e da posse, o que produz a

[28] De todo modo, para Antônio Vieira (1959, t. 5, p. 251) as de metais e pedras preciosas, quando serviam de pretextos para intenções cobiçosas e interesses espúrios, foram sempre uma quimera, uma miragem cujos efeitos (naturalmente danosos) foram somente gastos desnecessários da fazenda Real e a injustiça e violência contra os povos, isto é, um desvio do caminho verdadeiro da redenção do Estado cristão. Isso transparece na exortação do sermão de 1656 em Belém: "Este grande rio [Amazonas], rei de todos os do mundo, que ribeira tem na sua principal e maior corrente, ou nas de seus tão dilatados braços, que em lugar das areias de ouro, de que outros fabulosamente se jactam, não esteja rico destas pérolas, que assim chamou Cristo às almas?". No final do século XVII, o padre Vieira (1928, t. 3, p. 657-659) continuou não confiando na "esperança" de descobrimento de minas no Brasil se era pretexto para ganhos ilícitos (carta ao duque de Cadaval em 24 de julho de 1694). Outra carta, escrita ao padre Manuel Luís, sobre os conflitos na administração dos índios de São Paulo, continuou acusando o fantástico nos relatos de descobertos de minas rendosas no Brasil, que só serviam para sustentar a injustiça perpetrada pelos paulistas ("lobos" que se passavam por "pastores de ovelhas"): "Finalmente, V. R^{evma} me diz que não sabe a resolução que se tomará, e lhe parece que S. M. se lançará de fora; eu o quisera muito metido de dentro, porque vi cartas de alguns, que não estão mui longe dos seus ouvidos, nas quais se fala com empenho sôbre as minas de prata de S. Paulo, tão fantásticas e sem fundamento como os seus cativeiros. Não me temo de Castela, temo-me desta canalha" (*ibidem*, p. 665-670).

[29] Nos termos de Vieira, no "Sermão de Todos os Santos", em 1643: "Não está o erro em desejarem os homens ser, mas está em não desejarem ser o que importa" (*apud* PÉCORA, 1994, p. 117).

degeneração de um desejo genuíno de virtude em "apetite" voraz de uma vida viciosa. E o que é esse apetite desordenado e irracional, porque contrário à natureza essencial do ser (homem), senão a cobiça (efetivamente a raiz de todos os males): um desejar ser, já possuindo o que é qualidade do Ser (Deus)?[30] Por isso, no sermão das minas, alerta o padre Vieira: "Benzei-vos desta tentação [de querer dinheiro] como da outra: lograi o que Deus vos deu tão abundantemente sobre a terra, e de debaixo dela nem queirais minas, nem o que delas se bate" (p. 239).[31]

Assim, na visão do pregador, os coloniais do Grão-Pará pecam quando contrariam a disposição da ordem natural e das coisas do mundo – tal como se apresenta na essência de vassalos cristãos e na natureza encoberta das minas –, a qual, em termos da teologia neotomista do século XVII (e vieiriana), figura o modo sacramental (participação e comunicação entre o humano e a substância do divino). Mais ainda do que isso: os coloniais empenhados em descobrir as minas de ouro e de prata não só pecam (ação contrária à lei da natureza e à lei divina), mas também praticam potencialmente um crime (transgressão moral), já que a lei humana positiva, que governa o Estado, deve, *imperativamente*[32], seguir a justiça da lei natural e a da vontade de Deus, com a qual essa justiça natural vem incorporada.[33]

[30] "Quando Antônio Vieira diz que "A mais poderosa inclinação e o mais poderoso apetite do homem é desejar ser", ele está afirmando que, degenerado em afeto, ou humor passional, o que é da natureza mesma dos seres passa a negá-la, e, em conseqüência, negar a sua própria semelhança com o Ser. A "tentação", cujo não-modelo o demônio se encarrega de fornecer, é justamente esse desejo sem forma e disforme, que, em vez de orientar-se para a "santidade" [e o heroísmo santo] e o Ser, encerra-se no irracional da contradição e da negação dele" (*ibidem*, p. 118-119).

[31] Há quem diga (Raymond Cantel, por exemplo), dando grande peso à concepção messiânico-milenarista de Vieira, que o missionário pensava todas as ações e atividades humanas sob o índice da espera e preparo para a redenção histórica da humanidade através da fundação do *Quinto Império* (*ibidem*, p. 64).

[32] Suárez verifica, de acordo com SKINNER (1996, p. 427), que, "embora a lei da natureza seja com certeza 'indicativa' em virtude de ser inerentemente justa, é também 'imperativa', em razão de incorporar a vontade de Deus". Para compreender a concepção de Suárez (professor da Universidade de Coimbra no início do século XVII) em relação ao pensamento tomista tradicional, e a sua crítica que resulta numa maior "laicização" da teoria do poder político, cf. COURTINE, 1994, p. 310-322.

[33] Entre os tomistas, interpretam-se as relações entre a lei da natureza (e a vontade divina da qual é expressão) e as leis humanas positivas assim: "A primeira [proposição] associa a idéia da lei humana positiva com a lei da natureza. Eles salientam que, para que as leis positivas criadas pelos homens assumam o caráter e autoridade de leis genuínas,

No entanto, se os descobrimentos de minerais preciosos nos sertões do Brasil eram castigo de Deus com intenção de punir os coloniais pecadores, haveria, por outro lado, segundo Antônio Vieira, um sentido lícito – político e teológico – para as riquezas descobertas: que tais riquezas não servissem somente para (in)satisfação (passageira e inconstante) do ser do homem ou para sustentar os lucros do comércio colonial, mas que pudessem incentivar a conversão universal e a sujeição ao Império português, preparação necessária à fundação do reino de Cristo na terra. Vieira explica melhor no seu *História do Futuro*:

> E assim foi porque a prata, o ouro, os rubis, os diamantes, as esmeraldas, que aquelas terras criam e escondem em suas entranhas; as áquilas, os cambucos, o pau-brasil, o violete, o ébano, a canela, o cravo e a pimenta, que nelas nascem, foram os incentivos do interesse tão poderoso com os homens, que grandemente facilitaram os perigos e os trabalhos da navegação e conquista de umas e outras Índias, sendo certo que, se Deus, com suma Providência, não enriquecera de todos estes tesouros aquelas terras, não bastaria só o zelo da religião para introduzir a Fé.[34]

Se, por um lado, o jesuíta André João Antonil, no relato sobre os descobertos de ouro incluído no seu livro *Cultura e opulência do Brasil por suas drogas e minas*, de 1711,[35] mantém-se fiel às formas de expressão propagadas

devem ser compatíveis, em todos os momentos, com os teoremas da justiça natural propostos pela lei da natureza. Assim, essa última fornece uma estrutura moral dentro da qual devem operar todas as leis humanas; inversamente, o objetivo dessas leis humanas consiste apenas em fazer vigir (*sic*), no mundo (*in foro externo*), uma lei superior que todo homem já conhece em sua consciência (*in foro interno*)" (SKINNER, 1996, p. 426).

[34] VIEIRA, 1992, p. 208-209. O manuscrito, inacabado, é da segunda metade do século XVII.

[35] Quase todos os exemplares impressos da obra foram logo destruídos por ordem do rei D. João V, sob instigação do Conselho Ultramarino, que pretendia sustar qualquer divulgação das Minas do ouro (e dos seus roteiros) que atraísse a ambição das potências estrangeiras (SILVA, 2001, p. 43-54). O relato sobre as Minas de ouro vem na terceira parte da obra, compondo-se de 17 capítulos (ANTONIL, 1968). O texto citado provém dessa edição, que apresenta profundo estudo crítico de Andrée Mansuy. Alice CANABRAVA (1967, p. 25-26) supõe que Antonil terminou a redação do livro em 1709, mas as informações sobre a mineração chegaram aos poucos ao autor: "A cronologia dos descobertos não vai além de 1700-1; a lista de preços nas gerais é de 1703; e a descrição das técnicas de mineração é anterior a 1707, pois, nesta data, os mineiros começaram a utilizar a água corrente para desmonte da terra vegetal dos tabuleiros, aperfeiçoamento que não registra o texto". Além disso, o texto faz referência ao conflito dos emboabas (1708-1709) e ao roteiro do caminho novo do Rio de Janeiro para as Minas (1709).

por Vieira, assim como às tópicas da literatura barroca sobre a experiência da riqueza mineral, por outro lado, ele opera um deslocamento no conteúdo do discurso sobre as minas, ampliando as zonas de *sentido* observadas no texto de Antônio Vieira. Prática de significação, o sentido constitui-se nesse ato de confrontação do campo da linguagem; realiza-se

> como uma escolha binária que o destinatário da frase (e o remetente quando pensava em como devia ela ser interpretada) realiza entre as várias possíveis ramificações componenciais dos lexemas [signos verbais]. Se o significado do lexema era o conjunto da sua denotação e das suas conotações, já o sentido que se lhe atribui é um percurso seletivo (que procede por sim e não).[36]

No texto de Antonil, a fluidez social e geográfica é característica da "gente" da mineração, o que a distingue da estável sociedade açucareira, cujo protagonista é o senhor de engenho. Além de brancos, pardos, pretos e índios, a "mistura he de toda a condição de pessoas: homens e mulheres, moços e velhos, pobres e ricos, nobres e plebeos, seculares e clérigos, e religiosos de diversos institutos, muitos dos quaes não tem no Brasil convento nem casa".

Por isso, torna-se dispensável o ensinamento moral e político centrado na figura do *mineiro* ou *descobridor,* como é feito para o senhor do litoral da Colônia.[37] Faltaria aos agentes das Minas de ouro, ainda, uma qualidade social, suficientemente definida, que presidisse uma suposta hierarquia social e determinada conduta moral. Nem havia, nesse lugar, a necessária sujeição jurídico-política e religiosa, com as jurisdições civis e eclesiásticas assentadas e a fidelidade de súditos prevenida. Nos sertões do ouro, todos vivem em mobilidade, na fluidez de uma errância sem direção definida, à procura de uma riqueza ilusória, que, para o jesuíta, tem a forma de castigo: "E quando se averigue o direito do provimento dos parocos, pouco hão de ser temidos e respeitados naquellas freguezias móveis de hum lugar para

[36] Esse percurso funciona nos moldes da *semiose ilimitada* – cadeia interpretativa na qual um signo é traduzido por outro –, que, configurando oposições e combinações semânticas, traduz-se nas formas – unidades semânticas e culturais – assumidas pelo conteúdo da mensagem (ECO, 1999, p. 11-75). Sobre o signo, ver também ECO, 1997.

[37] "Este [senhor de engenho] se projeta como personagem central que domina amplo e movimentado cenário. O produtor de açúcar em *Cultura e Opulência* representa um tipo social, definido por quase dois séculos de desenvolvimento de um sistema econômico-social, à base da economia açucareira, visto através da perspectiva do jesuíta" (CANABRAVA, 1967, p. 43).

outro como os filhos de Israel no deserto" (p. 370). É por causa do caráter passageiro e da instabilidade congênita das Minas, em relação às regiões açucareiras do litoral, que Antonil retoma o esquema de detração da *lavoura de ouro*. Ele usa uma forma de expressão comum aos oficiais da Câmara de Salvador, que estavam preocupados com os efeitos inflacionários e a perturbação social que os descobertos auríferos forçosamente criavam: "[açúcar e tabaco] erão as verdadeiras minas do Brasil e de Portugal" (p. 464).[38] O mesmo tópico é evocado pelo governador-geral D. Rodrigo da Costa, em 1706, quando denuncia que os "ambiciosos", descuidando do aumento da Fazenda Real e das próprias "utilidades" particulares, puseram a perder a agricultura do açúcar e do tabaco, o que exigia pronto e igual remédio do mesmo dano ao Brasil e a Portugal, "durante a lavoura do ouro que hoje se acha nos vastíssimos sertões" ([19 de junho de 1706] Carta do governador... - ABN, v. 39, 1917, p. 302-304). Indica-se aqui que sendo a causa do dano – os descobertos de ouro – temporária, a desordem devia passar, mas, até lá, a Coroa precisava emendar esse mal.

Essa *anti-sociedade* – "a cobiça, com a prata, desfaz e rompe todas as ligas" (Vieira, 1959, t. 5, p. 225) –, que era a das Minas de ouro, atualizava o quadro de representação pintado por Antônio Vieira para a hipótese de descobrimento de minas no Maranhão. O batido tópico dos séculos XVI e XVII "sem fé, lei ou rei" bem poderia se aplicar aos discursos sobre a mineração e aos relatos sobre as práticas nas Minas Gerais. Na retórica de Antonil, ressurgem os danos sociais, políticos, morais, econômicos e religiosos supostamente *próprios* dos descobrimentos de ouro: estratificação social fluida ("salvo o [ouro] que se gasta em cordoens, arrecadas e outros brincos, dos quaes se vem hoje carregadas as mulatas de mao viver e as negras, muito mais que as senhoras"); administração da Justiça corrupta e negligente ("porque nas minas a justiça humana não teve ainda tribunal, nem o respeito de que em outras partes goza, aonde ha ministros de supposição, assistidos de numeroso e seguro presidio"); conduta imoral e viciosa ("Convidou-os [homens de cabedal] ouro a jogar largamente e a gastar em superfluidades quantias extraordinarias sem reparo, comprando (por exemplo) hum negro trombeiteiro por mil cruzados, e huma mulata de mao trato por dobrado preço, para multiplicar com ella continuos e

[38] O senado baiano argumenta em defesa do poder dos agentes da plantação: os "lavradores eram os nervos da República"; "as minas são mais castigos do céu que fortunas da monarquia" (APEB, Sc 130, f. 143, [14 junho de 1710]).

escandalosos peccados"; religião de apóstatas e heréticos ("o não se fazer conta alguma das censuras para reduzir aos seus bispados e conventos não poucos clerigos e religiosos que escandalosamente por lá andão ou apostatas ou fugitivos"); mercado especulativo e dominado por contrabandistas ("O irem tambem às Minas os melhores gêneros de tudo o que se pode desejar, foy causa que crecessem de tal sorte os preços de tudo o que se vende, que os senhores de engenho e os lavradores se achem grandemente empenhados, e que por falta de negros não possão tratar do tabaco").

Antonil, retomando a tradicional tópica dos moralistas e políticos do século XVII, considera que o que rege toda a gente de minas é a cobiça, pecado que sob o ponto de vista moral da conduta humana é um vício. Segundo ele, a "sede insaciavel do ouro" criou a desordem moral e política que se instaurou nos sertões "asperos" – supunha o jesuíta que são necessariamente ásperas as serras onde aparecem minas, como se estivessem sinalizando os males que advêm da mineração. Com a cobiça, surge a vaidade, pela natureza comum aos dois vícios de desejar ser, já que nesses tempos, diria Matias Aires de Eça em meados do século XVIII, é "rara a empresa heróica, em que não entre algum fim indigno, e vil: a mais ilustre acção fica infame pelo motivo" (Eça, 1980, p. 31).

Precisando mais o sentido de tais males em Antonil (e em Antônio Vieira), deve-se observar que a cobiça não é somente a motivação do descobrimento de minas, mas também acompanha a ação indefinidamente, aguçando outros vícios e pecados, isto é, castigando a gente com a insatisfação, a dor e a miséria causadas pelos próprios pecados. Nessa concepção, a outra face de qualquer pecado é a punição e o sofrimento do pecador. Assim vem suposto por frei Antônio de Lorea, em 1674, no *David Pecador*:

> Que pocos ay que abran los ojos de la consideracion para conocerse, y conocer, que si padecen un trabajo, ni es enbidia de quien imaginan, ni persecucion que les buscan, sino pena de su delito! E cometido un delito, è ofendido à Dios, y al proximo, el que està agraviado de mi toma satisfacion, ò los Iuezes, y Superiores ponen enmieda em mi mala vida, refrenan mis apetitos, quitanme las ocasiones de ser malo llevalo mal mi mal natural, no quiero conocer la causa que è dado, para que asi me castiguen, y para aliviar mi dolor publico quexas [injustamente] del Iuez.[39]

[39] Excerto do Discurso V. A empresa se compõe de uma rosa em meio aos seus espinhos, com o mote: "*Dominus convertit in Bonu*" (LOREA, 1674, p. 62-63).

A dimensão viciosa das Minas de ouro, apesar de convencional e legítima, não esgota todo o campo semântico que as constitui. Permanece, no texto de Antonil, a ambigüidade de sentido da exploração do ouro, conforme sua significação de metal-cor ou de moeda. Se como moeda – a forma de expressão privilegiada em Vieira – o ouro corrompe tudo e todos aguçando a cobiça e a vaidade, como metal-cor seu uso é benéfico e até mesmo virtuoso. Esse mistério quase essencial do ouro causaria admiração ao próprio jesuíta: "Que maravilha, pois, que sendo o ouro tam fermoso e tam precioso metal, tam util para o commercio humano e tão digno de se empregar nos vasos e ornamentos dos templos para o culto divino, seja pela insaciavel cobiça dos homens continuo instrumento e causa de muitos danos?".[40]

Para André João Antonil, o modo (de ser) especialmente "útil" do ouro é o metal que se apresenta como fruto da natureza, numa acepção semelhante à que aparece no Diccionario de Autoridades de 1732: "Cuerpo mixto de naturaleza homogenea, que se engendra en la tierra de exhalaciones y vapores, y sacado della se funde en fuego violento, y despues de frio queda solido y duro para poderse labrar [...]. Son los metales como plantas

[40] Por seu turno, o padre Vieira (1992, p. 327) observa, com ousadia, que, atendendo à "cobiça natural dos Judeus", a mercancia tem uma dimensão político-teológica das mais necessárias à fundação do Império cristão a cargo dos portugueses: "Desta inclinação dos Judeus se serviu a Providência divina para os levar suavemente às terras e regiões mais remotas, e os introduzir e misturar com todas as nações, metendo-lhes em casa, sem uns nem outros o pretenderem, as drogas do Céu entre as mercadorias da Terra". Os mercadores/judeus, sendo portadores da Lei velha e de sua fé em Deus, preparam a chegada da nova Lei e da nova fé – a cristã – que se instauram com as missões católicas. Para Vieira, então, esses judeus são pré-evangelizadores, abrindo as portas para a civilização cristã. Esse aspecto de fundo teológico está certamente na raiz do poder civilizador (moral e político) confiado ao comércio, no século XVIII, apesar do estigma tradicional que o associa à usura e ao judaísmo. Cf. FURTADO, 1999, p. 57-72. Com efeito, a estratégia estatal de aproveitamento político e econômico dos comerciantes era característica do Antigo Regime; sua utilidade tornava-se explícita na concessão de crédito ao Estado, na organização fazendária da Coroa (como na cobrança de impostos), no abastecimento de víveres às comunidades e na urdidura de uma dependência proveitosa para os poderosos ou patronos. Cf. HANSON, 1986, p. 65; ver, ainda, a descrição de Elvas, feita pelo conde de Atouguia ao rei (1661) e citada por GODINHO, 1975, p. 191-192. Seja como for, no período da Restauração monárquica em Portugal, para Vieira e para outros que partilhavam das concepções ditas "mercantilistas", as riquezas – produzidas e acumuladas pelos comerciantes (cristãos-novos) ou advindas das minas – deviam atender à *razão de Estado católica* que sustentava o trono português (HANSON, 1986, p. 130-138).

encubiertas en las entrañas de la tierra" (Antonil, 1968, p. 452.). Esse sentido positivo de "frutos da terra" (do qual, conforme se viu, provém a questão teológica de Vieira) aplicar-se-ia bem ao ouro em pó e aos granitos das pintas aluviais dos ribeiros que, quase sem indústria humana,[41] serviam para pagamento dos quintos reais. Não é sem razão que Antonil descreve o descobrimento de ouro das Minas Gerais como um fato de puro acaso, retirando dos descobridores paulistas e dos mineradores qualquer mérito – "Pelo que se tem por jogo de bem ou mal afortunado o tirar ou não tirar ouro das datas" – e dando peso à divina providência, por supor, à maneira de frei Vicente do Salvador, que a natureza ali mostra a descoberta.[42]

A essa origem qualificada do ouro corresponderia, num jogo dialético utilizado por Antonil, um necessário fim elevado, qual seja, o de pensão devida pelos vassalos àquele que, segundo a razão natural e por vontade divina (manifestada pelas doações papais), seria o senhor absoluto de todo o patrimônio do Estado – o rei;[43] e o de justo tributo para, na ótica da razão de Estado católica, servir à conservação e ao aumento da República, cobrindo os gastos do governo (Corte e administração da Coroa) e promovendo o bem comum dos vassalos através da liberalidade real.[44]

[41] O informante de Antonil descrevia as Minas nestes termos: "Posto que o commum do ouro he estar ao livel [nivel] da agua, vi muitas lavras (e não das peyores) que não guardão esta regra, senão que ao ribeiro hião subindo pelos outeiros acima [buscando o ouro de beta], com todas as disposições que temos dito de cascalho, etc. Mas não he isto ordinario" (*ibidem*, p. 448).

[42] O "primeiro descobridor" teria sido um "mulato", que havia minerado no sul e acompanhava os paulistas no apresamento de índios, no entanto, Antonil destacou o engano ocorrido no ribeiro do Ouro Preto: "Nem os companheiros aos quaes [o mulato] mostrou os ditos granitos [encontrados em sua gamela] souberão conhecer e estimar o que se tinha achado tão facilmente, e só cuidàrão que ahi haveria algum metal não bem formado, e por isso não conhecido" (*ibidem*, p. 352). Na crença da época, o metal bem formado devia estar nas profundezas da terra, como a prata do Peru.

[43] "Nota mais Solorzano, num. 27 do dito cap. 1 do Livro 5, que quando se falla de frutos da terra, se entendem tambem os metaes [...]. E que consequentemente, como os outros frutos da terra, estão sujeitos ao dizimo que os Papas concedèrão aos Reys de Portugal e aos de Castella [...], posto que os reys (como diz o mesmo Solorzano) não tratem de cobrar esses dizimos dos mineiros, contentando-se, por razão dos gastos, com que lhe paguem a quinta parte do ouro e prata que tirão de suas minas, que são parte do seu patrimonio, e parte sempre reservada, como está dito" (*ibidem*, p. 406).

[44] Para Antonil (que recorre a Suárez), é tudo uma questão de justiça comutativa, que obriga não só por princípio legal de direito positivo, mas "obriga em consciência"; por isso, as leis que ordenam o pagamento dos quintos "não são puramente pennaes, mas

Na base dessa justiça comutativa que regia o pacto entre vassalos descobridores/mineiros e o rei, segundo o padre Antonil, devia-se dar o comércio entre a gente das Minas ou entre essa e os comerciantes do litoral e do reino. O ouro devia fluir de uns para os outros sob a obrigação de servir aos quintos, subordinando seu uso ao papel moral de sustento da monarquia e de promotor do bem comum e da fé. Em outras palavras, para emendar os danos inerentes à experiência da lavoura do ouro dos sertões ásperos, o ouro-metal-cor devia sujeitar o ouro-moeda das relações mercantis. Diante disso, seriam imorais e pecaminosos os preços exorbitantes praticados naquelas Minas, como também os ganhos ilícitos que comerciantes, roceiros e criadores de gado usufruíram com a suposta desordem das coisas, abastecendo de "tudo o mais que os moradores imaginavão poderia appetecer-se, de qualquer genero de cousas, naturaes e industriaes, adventicias e proprias". Ao modo de Vieira, Antonil considera que tais apetites – "sede insaciavel" – dos moradores criavam miragens das coisas, produzindo uma satisfação sempre incompleta de um ser desejante e pecador enganado pela "paixão do olhar" com o qual produzia as quimeras com que via o mundo (Pécora, 1988, p. 309). Assim, notadamente a ilicitude dos lucros do comércio residia não somente no fato de os preços das mercadorias serem abusivos, mas de estas servirem às imagens do pecado e à conduta imoral dos mineiros, reproduzindo um "círculo diabólico".[45]

A emenda patrocinada pelo Estado era mais necessária já que, como descreve Antonil, o contexto das Minas, determinado por sua natureza e formação social passageiras, inscrevia-se na história da colonização lusa no Brasil como um momento fluido, um tempo e lugar de desvio com pecados e castigos (cobiça, vaidade, violência, ostentação, luxúria, venalidade, usura, idolatria, apostasia, heresia, latrocínios, assassínios), relativamente ao verdadeiro sentido *civilizador* sustentado pelas lavouras de exportação do litoral.[46] Nessa perspectiva histórica das Minas é que se justifica alertar

dispositivas e moraes " (*ibidem*, p. 408). Análoga à justiça que rege o pacto contratual entre as partes, a concessão real de usufruto das minas aos vassalos e o bem comum que só o poder real sintetiza, obriga em troca, da parte dos vassalos, o pagamento das pensões e tributos na forma dos quintos do ouro.

[45] Figura utilizada por Alcir PÉCORA (1988, p. 118) que alude à prisão das paixões que separa o homem de Deus e da ordem da salvação, obrigando-o reiteradamente a pecar.

[46] É válido o sentido de processo civilizador, conformando o *habitus*, mecanismos socialmente estruturados de autocondicionamento psíquico do sujeito: "A moderação das

contra os ganhos injustos daqueles que eliminavam do ouro sua substância benéfica – quintos reais e magnificência da fé – para empregarem o metal em aumentos particulares de riqueza, como faziam os descobridores paulistas, os funcionários reais e religiosos corruptos e aqueles sonegadores naturais que tinham acesso ao ouro através de outras atividades de produção. Veja-se, por exemplo, o tom de denúncia assumido pelo discurso de Antonil após sugerir que o total manifestado de ouro, do qual advinham os quintos, estaria muito aquém do efetivamente extraído:

> E com isto não parecerá incrivel o que por fama constante se conta haverem ajuntado em diversos tempos assim huns descobridores dos ribeiros nomeados como huns mais bem afortunados nas datas, e tambem os que metendo gado e negros para os venderem por mayor preço, e outros generos mais procurados, ou plantando ou comprando roças de milho nas Minas, se forão aproveitando do que outros tiràrão. Não fallando pois do grande cabedal que tirou o governador Artur de Sá que duas vezes foy a ellas do Rio de Janeiro, nem dos que ajuntàrão huma, duas e tres arrobas, que não forão poucos

Portanto, mais do que nunca, as Minas – por sua natureza e por seu papel histórico, fadadas a acabar rapidamente – precisavam que a Coroa e a Igreja interviessem, aproveitando-se delas. O jesuíta italiano do colégio da Bahia adianta, depois de referir-se à desordem social nas Minas e aos lucros insatisfatórios da Fazenda Real, que isso logo aconteceria com a vinda do governador, ministros de Justiça e soldados, "para que tudo tome melhor

emoções espontâneas, o controle dos sentimentos, a ampliação do espaço mental além do momento presente, levando em conta o passado e o futuro, o hábito de ligar os fatos em cadeias de causa e efeito – todos estes são distintos aspectos da mesma transformação de conduta, que necessariamente ocorre com a monopolização da violência física e a extensão das cadeias de ação e interdependência social. Ocorre uma mudança 'civilizadora' do comportamento" (ELIAS, 1993, p. 198). Renato Janine RIBEIRO (1994, p. 10) esclarece o fundo da tese de Elias, confrontando-o ao livro *Da Genealogia da moral*, de Nietzsche: "a moralidade não é um traço natural, nem legado da graça de Deus – ela foi adquirida por um processo de adestramento que terminou fazendo, do homem, um *animal interessante*, um ser previdente e previsível. Foi preciso que, pela dor, ele constituísse uma memória, mas não no sentido aparente de apenas não esquecer o passado: onde ela mais importa é quando se faz prospectiva, quando se torna como que um programa de atuação – marcando o sujeito para lembrar, bem, o que prometeu, o que disse, de modo a não o descumprir". Pode-se concluir, então, que o conteúdo do *habitus* é a moralidade, que, para o padre Antonil, baseia-se na justiça natural e divina.

forma e governo". Uma das medidas do governo reformador a ser imposto nas Minas seria fazer com que as atividades produtivas que concorriam com a extração de ouro voltassem a ser mero suporte da exploração lícita: a dos descobertos manifestados segundo o receituário legal e moral.[47]

Os sertanistas paulistas, especialmente, são acusados de sonegadores do ouro das Minas que "secretamente se achão e se não publicão para se aproveitarem os descobridores dellas totalmente e não as sujeitarem à repartição" (p. 358). Mas os ditos primeiros descobridores sofrem uma censura velada adicional de Antonil: atravessam o ouro a ser quintado, quando, plantando roças junto às Minas de ouro ou no caminho para elas, aproveitam-se das necessidades de abastecimento dos mineradores e viajantes, vendendo a preços abusivos os gêneros de subsistência.[48] Dentre os (maus) afamados de notável riqueza, "que se forão aproveitando do que outros tiràrão", consta que a maioria fosse de paulistas, cujas atividades de produção não incluíam somente a mineração, mas "roças" e "industrias". Aproveitamento injusto feito pelos paulistas que resultariam em lucros também injustos. No entanto, as duas maiores fortunas citadas por Antonil não eram, supõe-se, de paulistas; coerente com a sua representação da riqueza dos coloniais das Minas advinda de meios ilícitos e injustos, a maior fortuna, em arrobas de ouro expressamente citadas, era a de Francisco de Amaral (Gurgel?) com 50 arrobas feitas de "negociação com roças, negros e mantimentos" (p. 390), seguida da de Tomás Ferreira,

[47] Em 1780, José João Teixeira Coelho, desembargador da Relação do Porto (ex-intendente do ouro de Vila Rica), em interpretação semelhante à de Antonil sobre a necessidade da autoridade do Estado para emendar os males morais e a instabilidade social dos primeiros tempos, observa que o governador Albuquerque reduziu "os habitantes de Minas a húa tranquil idade geral, e fes que huns Povos dispersos, sem Governo legítimo, se unissem nas Villas que creou, sujeitando a liberdade em que vivião para serem verdadeiramente livres, e felices, debaixo da proteção das Leys, que he o grande objecto dellas" (INSTRUÇÃO para o governo... RAPM, v. 8, 1903, p. 461).

[48] É significativo o que diz o jesuíta italiano sobre o caminho da vila de São Paulo para as Minas do ouro: "E aqui ha roças de milho, aboboras e feijão, que são lavouras feitas pelos descobridores das minas, e por outros que por ahi querem voltar. E só disto constão aquellas e outras roças nos caminhos e paragens das Minas, e quando muito tem de mais algumas batatas. Porém em algumas dellas hoje acha-se creação de porcos domesticos, gallinhas e frangões que vendem por alto preço aos passageiros, levantando-o tanto mais quanto he mayor a necessidade dos que passão. E dahi vem o dizerem que todo o que passou a serra de Amantiquira ahi deixou dependurada ou sepultada a consciencia" (ANTONIL, 1968, p. 422).

minerador e comerciante, que "abarcando [atravessando] muitas boyadas de gado que hia dos campos da Bahia para as Minas, e comprando muitas roças e occupando muitos escravos nas catas de varios ribeiros, chegou a ter mais quarenta arrobas de ouro, parte em ser e parte para cobrar" (p. 392). Isso significa que os maiores e mais perniciosos lucros advinham do comércio colonial e atlântico[49], ao qual os sertanistas de São Paulo não aparecem associados, já que, segundo Antonil e outros textos coevos, os descobridores paulistas não vêm representados como vivendo de lavras de ouro e atividades comerciais de monta (ou como atravessadores), mas aparecem conjugando a mineração basicamente com o plantio e a venda de gêneros alimentícios de abastecimento.[50]

A imagem do castigo divino que envolve a natureza e a sociedade do lugar onde se descobrem minerais preciosos, seguindo um uso pecaminoso do metal, teve vida longa entre os discursos do século XVIII sobre as Minas Gerais, e mesmo entre os historiadores dos séculos seguintes. O fio da navalha representado pela relação dos descobridores e dos mineiros com o ouro ou com os diamantes definiu, por sua vez, a posição ambígua em que foram retratados os habitantes das Minas.

Imagens descritivas do lugar das Minas do ouro como estéril, penhascoso, cercado por muros de serras complementam-se com relatos de raios, luzes, tremores e fatos maravilhosos, reforçando a noção de um espaço singular e ambíguo.[51]

[49] O comércio varejista é bastante responsável, segundo o jesuíta cioso da moralidade social e dos quintos do Estado, pelo descaminho do ouro, porque os negros e índios, roubando ou catando para si o metal, o gastam em "comer e beber, e insensivelmente dão aos vendedores [comestíveis, aguardentes e garapas] grande lucro [...]. E por isso até os homens de mayor cabedal não deixàrão de se aproveitar por este caminho dessa mina à flor da terra, tendo negras cozinheiras, mulatas doceiras e crioulos taverneiros occupados nesta rendosissima lavra, e mandando vir dos portos do mar tudo o que a gula costuma appetecer e buscar". (*Ibidem*, p. 394). Mais um passo no discurso de Antonil em que o fluxo necessário do ouro (sob o crivo dos quintos reais) e o controle moral andam juntos.

[50] Confrontando a relação, feita por Antonil dos homens assinalados por sua riqueza nas Minas do ouro com as cartas, provisões, patentes, alvarás (e confirmando as suas indicações), observa-se que os de São Paulo eram a maioria deles, e que nestes textos da administração colonial não é sugerido o comércio, mas sim a produção agropecuária como uma das atividades exercidas pelos sertanistas paulistas. Cf. *ibidem*, p. 357-358, 390-394; FRANCO, 1989, p. 27, 165, 182, 215-216, 223, 264, 294, 424-427.

[51] Tanto Antônio Vieira como Antonil, nos textos analisados, recorrem a esquemas descritivos do espaço natural das minas: muros para representar as serras, a esterilidade da terra e a carência natural de víveres.

A crença na providência divina faria supor que tais sinais da natureza eram um alerta do castigo de Deus, em meio à miragem humana do prêmio. Ater-se ao prêmio maravilhoso da riqueza aurífera poderia significar um castigo terrível. Isso bem cedo se comprovaria com os primeiros descobridores e entrantes dos sertões das Minas: instigados pela cobiça do ouro, eles não plantaram roças de alimentos, e o efeito viria logo na forma avassaladora de um castigo "manifesto", nos termos de Vieira – a fome.[52]

Essa verdadeira maldição de Midas, com a qual, confundido pela cobiça, experimenta-se um irremediável engano, foi sempre o fundamento de composição da conduta e do comportamento dos mineiros no século XVIII, tanto nos textos da Administração colonial quanto naqueles oriundos de uma literatura política e moral.[53]

A ambição dos que vivem da fábrica do ouro surge como verdade inquestionável na concepção da época. O mesmo tema, fundamento para acusar os outros, abriga diferentes atitudes, ou reações opostas, dos coloniais: tanto o desapego quanto uma contínua obsessão. Se os paulistas, no século XVII, não se interessavam pelos descobrimentos de minerais preciosos, o motivo seria a sua repugnância a uma fatal escravidão causada pelo domínio cobiçoso dos representantes da Coroa. Em 1704, Jauffret, francês que teria sido escrivão da Câmara de São Paulo, reproduz esse pretexto ao ouvir muitas vezes os velhos dizerem aos filhos que não fizessem nem consentissem descobrimentos (Mansuy, 1965, p. 34-35). Por outro lado, ao longo do século XVIII, torna-se já convencional criticar os moradores das Minas por sua irracional ambição, quando cuidam somente dos lucros imediatos provindos de exploração e descobrimentos do ouro, desinteressando-se de outras formas de produção.

[52] "Os castigos manifestos são os que todos temem e reconhecem por castigos, como são as fomes, as pestes, as guerras, e as outras calamidades temporais: os castigos escondidos e ocultos são aqueles que não se reputam, nem temem como tais, antes se estimam e desejam como felicidades e boas fortunas: e deste género são as minas e seus descobrimentos" (VIEIRA, 1959, t. 5, p. 229). Os historiadores, quando descrevem a tal fome dos primeiros tempos das Gerais, infalivelmente recorrem a Antonil e ao seu *Cultura e opulência do Brasil por suas drogas e minas*. No próximo capítulo haverá ocasião de voltar mais detidamente à questão da fome nas Minas.

[53] Diogo de VASCONCELOS (1999, p. 140) retém a memória de que os "aventureiros descobridores", reproduzindo o toque de Midas, foram castigados: "Este rei, tendo alcançado o dom de converter em ouro tudo aquilo em que tocasse, sabe-se, morreu de fome, e figurado com orelhas de asno pelos poetas".

À vista de metais e pedras preciosas, explode a ambição em todos os níveis do governo e da sociedade, corroendo continuamente as bases do corpo político e da vida socioeconômica. Afinal, explica o Peregrino da América, retomando o jogo alegórico convencional de crítica da acumulação de riquezas: "É a Ambição irmã da Soberba, e ambas produzidas da Inveja: por ser esta semelhante ao Inferno. Aonde entra este vicio, impera a Soberba, cresce a Avareza, reina a Luxuria, accende-se a Ira, existe a Gula, governa a Inveja, acha-se a Preguiça" (Pereira, 1939 [1728], v. 1, p. 28).

Para os agentes do Estado, desde as crises de fome nas Gerais, causadas pela euforia dos descobridores paulistas com o ouro, entre os anos de 1697 e 1701, até os danos das oscilações com tendência descendente da extração de ouro, na segunda metade do século XVIII, a raiz da ruína ou da decadência nas Minas é a pretensão cobiçosa de enriquecimento fácil com tesouros a serem descobertos.

O *Discurso histórico e político*, que julga a revolta de 1720, em Vila Rica, contra o governo da Coroa, retoma as imagens utilizadas por Antonil para descrever o lugar das Minas. O caráter ambíguo do ouro – tesouro e ruína –, a cobiça e o orgulho movidos pelo metal, a infecção viciosa dos habitantes, o mundo social às avessas, a aparência enganosa das coisas, a natureza montanhosa e infernal culminam com a representação discursiva da desordem. O mal maior está em subverter o exercício do poder dos vassalos e a soberania do rei:

> porque os grandes e poderosos, que nas Minas são folhetas ou estátuas de ouro nos quais o acaso e a destreza o ajuntou em maior abundância, são os que mais imitam e seguem esta propriedade da terra. Como se vêem com maior poder, fazem estrondos, excitam tumultos, movem bulhas, formam motins, solicitam liberdades, se não é que onde a fortuna melhora os humildes, necessariamente se hão de sofrer estes desmanchos. (Discurso histórico..., 1994, p. 61)

Na lógica dessas representações a ruína das Minas tem como medida os pecados e a confusão hierárquica do corpo político incitados pelos usos do lugar. Não é somente em termos de vicissitudes econômicas motivadas pelos movimentos da extração aurífera que se denotaria o valor do domínio colonial. Nas práticas discursivas do século XVIII, tanto quanto a instabilidade da produção agromineradora e comercial, avalia-se a corrupção política e moral. Assim, as possibilidades de riqueza e honrarias nas Minas não mobilizam uma análise positiva do lugar e do modo de vida; ao contrário, vêm fundamentar a perspectiva detratora:

ainda agora se sabe menos o que eles [mineiros] são; porque vereis que, se neste o bastão de Marte mostra que é mestre-de-campo ou coronel, o malho de Vulcano diz que é ferreiro; notareis que, se naquele a vara de Mercúrio insinua que é juiz, o tridente de Netuno declara que é barqueiro. (Discurso histórico..., 1994, p. 64)

No enredo demoníaco dos pecados comunicado pelo ouro à natureza e à sociedade, colhem-se o engano e a dissimulação ("o falso brilhante"[54]), e esses surgem como atributos típicos do protagonista das lavras de ouro: o mineiro. A atividade produtiva do mineiro, ou minerador, explica suas artimanhas; supõe-se "que só uma creatura, que tanto procura buscar o centro da terra, ou avizinhar-se com o inferno, parece vai aprender lições infernaes com os mesmos demônios, para atormentar as creaturas racionaes" (Pereira, 1939, v. 2, p. 164).

O *Compêndio Narrativo do Peregrino da América* relata a história de uma moça, vítima de um plano ardiloso, que representa o mineiro e as Minas por meio das imagens negativas veiculadas no século XVIII. Vivia a moça em uma cidade do Brasil, junto com seus pais. Por sua educação aprimorada, jovens nobres a procuravam com intenção de casamento, mas seu pai dizia que a criava para a vida religiosa. Certo dia, mudou-se para uma casa vizinha "o mineiro", moço que ostentava grande pompa, liberalidade e cortesia. Conhecedor de retórica e de linguagem elegante, bom cavaleiro, ricamente vestido, conduta refinada, o rapaz simulava elevada qualidade. Assim, e auxiliado por cartas e presentes que enviava à moça, ele insinuou-se na estima dela, com muita cautela, para que os pais não percebessem. No último bilhete enviado para a moça, o mineiro dizia que estava apaixonado por ela e que a queria para esposa, afirmando que a família dele – o pai teria sido governador no Alentejo e seria dono de um morgado – tinha tanta nobreza quanto a dela. Contou que enriquecera com as minas, multiplicando muito o que tinha trazido de Portugal. Por último, propôs que ela o acompanhasse quando partisse da cidade. A moça aceitou o pedido e fez os preparativos para uma fuga. Na noite marcada, os dois fugiram com a ajuda de escravos armados, levando a moça consigo uma pequena fortuna em ouro e diamantes da casa de seus pais. Logo, durante a jornada para as Minas, o mineiro mostrou sua verdadeira face: ambicioso, impiedoso, tirânico, rústico, temerário. Ao invés de tratar a moça com afeto, tratou-a com frieza; em lugar de levá-la

[54] Nos termos retóricos da Câmara de Mariana (1789) (CAUSAS determinantes... – *RAPM*, v. 6, 1901, p. 146-147).

para uma casa, ele a conduziu para uma gruta; em lugar de ricos vestidos e ornamentos, o mineiro a fez "vestir uma [camisa] de panno de linho, e um gibão de baeta, e pôr um talabarte na cintura, e nelle meter uma meia catana"; em lugar de divertimentos corteses e desinteressados, o rústico "negocio". Nas Minas, o desengano da moça consumou-se no infortúnio: endividado, o mineiro morava em uma palhoça e possuía somente três escravos, adquiridos a crédito de um comerciante português. Ele era filho de um sapateiro, tinha mulher e filhos em Portugal, e sua família vivia miseravelmente. De origem nobre e honrada, a moça passou a ser criada e concubina do mineiro (Causas na Colônia, esse mineiro ostenta uma representação indecorosa, ou seja, sua qualidade não condiz com aquilo que busca afetar. O mineiro é acima de tudo alguém cuja origem e posição social vulgares são dissimuladas por expressões de fortuna, que se passam por signos de nobreza, o que aumentaria a falsidade e a inverossimilhança. O jogo discursivo, ao implicar que nas Minas a gente vulgar ascende à fortuna, está fazendo uma crítica conservadora da estratificação estamental subvertida pela riqueza dos mineiros. A "elevação" hierárquica mesmo dos que servem nas Câmaras e nos postos militares é mera aparência "que o pó das minas mette nos narizes ainda dos habitantes, que a pobreza traz nús e descalços", ensinava o governador Gomes Freire em 1752 (Instrução..., v. 4, 1899, p. 731).

Denuncia-se, com freqüência, uma ascensão social espúria, que assume contornos estereotipados e se estende a todos os coloniais enriquecidos do Brasil. Em papel impresso de 1746, diz-se de um "brasileiro" cuja identidade se baseia na trajetória de comerciante:

> Sécia Contratador é aquele moço, que foi de pé descalço de um bate-folha, que foi ao Rio de Janeiro vender Santos Antoninos de coco, e cá vem obstentar moedas de ouro: foi lá roubar pelos Sertões as Minas, e cá vem dispender às mãos cheias: já por sécia metendo-se em contratos [...] que mercara um Navio; porém que tem a maior parte nele, e que nas frotas lhe foram devendo tantos, e quantos de riscos, e mais ganâncias [...]. Tendo missa em casa, porque hoje inculca muita Sécia, e com o fim de lhe não namorarem as filhas: se é que o não tem de lha tirar algum Sécia por justiça [...]. Finalmente contratador afamado, Sécia introduzido, sem lhe lembrar quando levava as meninas à mestra, e lhe pedia do cabazinho: esquecido do seu antigo estado; porque toda a memória conserva no presente:

> Trovão da rua nova, nos dias de pagamento, e muitas vezes sucede ser relâmpago a sua riqueza.[55]

O tema dos mineiros afetados e ambiciosos, tocados moralmente pelos usos enganosos dos minerais preciosos, é um pressuposto implícito ou explícito de todas as memórias, crônicas e textos da administração colonial – do governo-geral às Câmaras – que analisavam a "decadência" das Minas Gerais.[56] A noção da decadência situava-se na articulação das formas de produção às condições políticas: havia ainda muito ouro a ser devidamente explorado ou descoberto, mas para isso era preciso restaurar um antigo estado de coisas relativo às relações políticas e sociais, envolvendo coloniais, agentes da Coroa (governo, Justiça e Câmaras) e representantes eclesiásticos. Todo o discurso da decadência deve ser percebido, portanto, como um desvio do sentido positivo do ouro, já utilizado por Antonil: a sustentação da monarquia e o aumento do bem comum dos coloniais por meio da concessão de privilégios e prêmios. O tom restaurador dos textos, na segunda metade do Setecentos, não está em um possível aumento de possibilidade de riqueza dos mineiros (que todos acreditam possível), e sim na capacidade de emendar abusos e injustiças envolvendo as práticas

[55] "Definição de Sécia, in: *Venezia Nella Stamperia Baglioni Anno 1746*" (*apud* EÇA, 1980, p. XXV).

[56] Teixeira Coelho, em 1780, retomando a velha noção do círculo diabólico patrocinado pela ambição, afirma que as calúnias e a perda de crédito "são as producçõens mais naturaes da relaxação dos custumes dos mesmos habitantes de Minas; onde a virtude he soffocada pela ambição, pela soberba, e pelo orgulho; a riqueza he que faz a honra, e a veneração popular; a vingança he que adquire, e estabelece o respeito; e a grandeza do fausto he o único caracter da Nobreza, e Fidalguia" (INSTRUÇÃO para o governo... – *RAPM*, v. 8, 1903, p. 483-484). José Joaquim da ROCHA (1995, p. 84) reproduz o mesmo sentido fundamental das Minas de ouro: "Bem se pode considerar o estado em que se achavam as Minas [antes da ida do Governador Artur de Sá e Menezes às Minas] por todo este tempo, em que só o despotismo e a liberdade dos facinorosos punham e revogavam as leis ao seu arbítrio. O interesse regia as ações e só se cuidava em aviltar em riquezas, sem se consultarem os meios proporcionados a uma aquisição inocente. A soberba, a lascívia, a ambição, o orgulho e o atrevimento tinha chegado ao último ponto". Em 1799, José Vieira COUTO (1994, p. 62-67) denuncia que os mineiros são os culpados pela decadência da mineração. Indicando a ignorância e a preguiça deles, o memorialista avalia que se tem buscado os veeiros de mais fácil extração, deixando os montes apenas arranhados. Em outro escrito, Vieira COUTO (1905, p. 82) afirma que entregar-se ao luxo faz parte do caráter do "povo" das Minas.

de extração mineral, de modo a revigorar um quadro social hierárquico supostamente combalido.[57]

A ambição natural dos funcionários do Estado e dos coloniais, nas Minas, arruinaria tudo, caso não fossem restituídas, nas antigas lavras, as jurisdições e as práticas de *novos descobertos*.[58] Isso significa uma reforma restauradora que direcionasse a ambição de fáceis riquezas e honrarias – raiz de toda a ruína nas Minas – para o caminho da reconciliação entre os interesses régios e os dos descobridores e do restabelecimento das prerrogativas dos mineiros capazes de custear a atividade minerária. Portanto, para recuperar a antiga opulência das Minas, era necessário recobrar o valor tradicional dos vassalos de qualidade. Esta era uma atitude política concebida como suficiente para o aumento da produção aurífera, sendo as próprias disposições técnicas subordinadas ao vigor da tradição estamental. A miséria da Capitania resumia-se, na verdade, a uma "moléstia política", que, assim, exigia como remédio as virtudes políticas dos vassalos escolhidos para exercer autoridade pública.[59]

Nas proposições sobre o problema da decadência das Minas, no final do século XVIII, não se trata simplesmente de revisão (e nova) crítica política ou histórica – conforme as "pretensões do colonizado de emergir como sujeito de sua própria história"[60] ou num sentido "iluminista" (Couto, 1994, p. 32) –, mas de (re)ligação com uma tradição do discurso legítima

[57] "A dificuldade procede menos da falta do ouro do que da irregularidade dos antigos serviços nas alturas dos montes, aonde a mineração era mais cômoda: o que foi parte para que as riquezas das terras inferiores ainda intatas ficassem submergidas de modo a se não poderem, sem grande custo, extrair. Nem se duvide que a desabafar estes lugares dos desmontes sejam fracas e insuficientes as forças dos particulares, se é que o Estado não vier em seu socorro com isenções, ao menos, e privilégios" (VASCONCELOS, 1994, p. 121).

[58] Nesse discurso, como no de Teixeira Coelho, a solução da decadência passa por uma fundação cuja melhor forma se encontra, muito provavelmente, no tempo do governador Antônio de Albuquerque Coelho de Carvalho (1710), agente pacificador que instituiu os poderes nas Minas. Havia uma ordem de opulência que constituiu os descobertos novos, mas, com os desvios sociais do tempo, sobreveio a desordem na mineração (INSTRUÇÃO para o governo... – *RAPM*, v. 8, 1903, p. 497-511).

[59] Informação do Intendente do ouro de Sabará, Basílio Teixeira Cardoso de Saavedra, datada de 1805 (INFORMAÇÃO da Capitania... – *RAPM*, v. 2, 1897, p. 675-676).

[60] Cf. [Estudo crítico de Maria Efigênia Lage de Resende] ROCHA, 1995, p. 58-66. Resende refere-se aos escritos de José Joaquim da Rocha – *Geografia histórica* –, de Cláudio Manuel da Costa – *Fundamento histórico* – e de Diogo Pereira de Vasconcelos – *Breve descrição geográfica, física e política da Capitania de Minas Gerais*. A historiadora

que remonta ao século XVII, do qual Vieira é uma expressão significativa. Assim, a forma de representação, usual no *alvitre* de governo, relativa ao sentido ambíguo das Minas de ouro – tesouro e ruína – compõe a prática de discurso desse período das luzes em contexto colonial, como se observa nos escritos coevos (de Teixeira Coelho, Cláudio Manuel da Costa, José Joaquim da Rocha, Diogo Pereira de Vasconcelos, José Vieira Couto).

Essa ordem do discurso, tal como Foucault compreendeu, na medida em que se situa entre o empírico e o teórico ("entre o olhar já codificado e o conhecimento reflexivo"), constitui-se como prática de representação das coisas e assegura a própria possibilidade da crítica (Foucault, 1992, p. 10-11; Coelho, 1996, p. 45-46). Por outro lado, a diferença de conteúdo a ser observada entre os textos diz respeito ao enredo e à narrativa, ou seja, às práticas não discursivas que, inseridas na *experiência* do discurso, o subvertem silenciosamente no tempo, modificando as representações socioculturais.[61]

Com efeito, no fim do século XVIII, o *Roteiro do Maranhão a Goiás pela capitania do Piauí* é exemplar no grau de pragmatismo do sentido do ouro-metal e das minas herdado do século XVII (ROTEIRO do Maranhão... – *RIHGB*, v. 62, 1900, p. 116-136). Refere-se aqui, ainda, ao fato de que o ouro é mera representação: o seu valor é de "opinião", e não real ou substancial,

defende a existência de duas posturas discursivas nesse período nas Minas: a do colonizado e a do colonizador, esta exemplificada pelo escrito de Teixeira Coelho.

[61] Segue-se Michel de CERTEAU (1994, p. 142) para quem há "uma pertinência teórica da narratividade no que concerne às práticas cotidianas". Para Teixeira Coelho (como para Antonil), os paulistas "cazualmente descobrirão o Ouro nos Corregos, e Rios", eliminando a virtude e o saber prático que o descobrimento deliberado importava. A opressão cobiçosa dos primeiros tempos deveu-se aos paulistas e à gente (vulgar) emboaba, sendo remediada somente com a direção da Coroa a cargo de Antônio de Albuquerque em 1710 (INSTRUÇÃO para o governo... – *RAPM*, v. 8, 1903, p. 455-461). Para José Joaquim da ROCHA (1995, p. 77-89) e Cláudio Manuel da COSTA (1996, p. 367-372 e canto VIII), o descobrimento paulista resultou das diligências e do saber dos paulistas que remontaram a Fernão Dias Pais, sendo legítimo e verossímil, porque visou engrandecer a monarquia portuguesa. A cobiça surgiu com *outros*, entrantes de baixa qualidade e emboabas. A anarquia dos primeiros tempos tem dois momentos: um anterior à ida de Artur de Sá e Menezes às Minas, em três estadas entre 1697 e 1702 ([Comentário crítico de Andrée Mansuy] ANTONIL, 1968, p. 388), que promoveu os descobridores paulistas aos postos superiores da administração colonial; o outro começou com a entrada de emboabas, após a ausência do governador. Durou esta última desordem até a posse de Albuquerque: "Foi Albuquerque o primeiro que susteve com desembaraço as rédeas do governo".

refletindo o falso brilhante que emoldura o seu uso. Distanciando-se de Vieira – "Sermão da Primeira Oitava de Páscoa" –, mas continuando no percurso de Antonil,[62] esse *Roteiro* de autoria desconhecida, quando retoma o lugar-comum de que o uso, e não a coisa em si, é que é significativo, ressalta que mesmo o ouro-moeda – representação das mercadorias e riquezas – tem como efeito verdadeiro aumentar a opulência da Metrópole e o bem comum dos vassalos.[63]

No *Roteiro*, critica-se a "Cantilena" dos que julgam "que as Minas são a ruina de Portugal, e o ouro, a perdição das Minas": os que assim pensam não parecem perceber que o ouro, por sua aceitação e valor de representação, serve à ordem da natureza que obriga o comércio entre os homens, na qual a necessidade de uns é o supérfluo de outros. Nesta "Arithmetica Politica", todos ganham com o ouro-moeda, pois ele sedimenta o caminho da interdependência entre as capitanias do interior com a produção aurífera, as capitanias litorâneas com os gêneros agrícolas de exportação e o reino com as manufaturas. Assim, mesmo ampliando positivamente os usos práticos de Vieira e de Antonil urdidos para o ouro-metal, dissimulando o apelo maléfico da moeda em usos políticos e morais benéficos, a preocupação de todos se dá sob o crivo da conservação e aumento da Monarquia, ou seja, da razão de Estado.[64] Na tradição dos alvitres

[62] VIEIRA (1959, t. 5, p. 242) alerta: a opressão fiscal e a corrupção das práticas políticas, motivadas pela sede cobiçosa das minas de ouro, deixam perder até o reino, porque causam a rebelião dos vassalos. O signo do uso pecaminoso do ouro-metal é a cobiça, tornando-se como que a sua segunda natureza.

[63] Da mesma forma, Rocha PITA (1976, p. 210) supõe que o luxo e o bem particular de cada um levavam "ao iminente perigo a que ficava exposta a nossa América extinguindo-se a moeda, que é a substância dos impérios, pois sem ela são cadáveres, vindo a faltar o trato e comércio que sustentam as monarquias". Esse é o sentido da metáfora tradicional, nos séculos XVII e XVIII, da moeda como o sangue do corpo político. "Segundo Hobbes, o circuito venoso da moeda é o dos impostos e das taxas que subtraem das mercadorias transportadas, compradas, ou vendidas, uma certa massa metálica; esta é conduzida até o coração do Homem-Leviatã – isto é, até os cofres do Estado. É lá que o metal recebe o "princípio vital": o Estado com efeito, pode fundi-lo ou tornar a pô-lo em circulação. Em todo o caso, somente sua autoridade lhe dará curso; e, redistribuído aos particulares (sob forma de pensões, emolumentos ou de retribuição por provisões compradas pelo Estado), estimulará, no segundo circuito, agora arterial, as trocas, as fabricações e as culturas" (FOUCAULT, 1992, p. 192-193).

[64] Há um outro uso positivo do ouro ligado a esse, que foi lembrado pelos padres Antônio Vieira (1992, p. 327) — "Não me atreverei a o afirmar assim [a justificação das usuras], mas sei que não é cousa nova em Deus, quando quer passar a religião de um reino a

dirigidos ao poder público, o *Roteiro* propõe um plano abrangente para o Estado acautelar-se do jogo de coloniais, particularmente dos habitantes das Minas, para tornarem-se mais independentes em gêneros agrícolas e manufaturas; pois o que se pode esperar "De um paiz em cujos habitantes tanto predomina a ambição e tanto cresce o orgulho, que admiravelmente os instrue na rebeldia e oposição a toda auctoridade?".[65]

No fundo, o ouro-moeda transparece como mercadoria. Com isso, enredada no desejo ambicioso e ilusório de representar todas as riquezas de uma vez em ouro ou em dinheiro, "a nação mineira", numa espécie de maldição de Midas, cava a própria ruína, pois quanto mais toca no que retira das minas, menor é seu valor real e poder de representação das coisas. É o círculo do diabo de um mundo mercantil que se criara.[66]

outros, meter neles a Fé às costas do interesse" – e André João Antonil: o de glorificação da fé católica. No relato do *Triunfo Eucarístico* (1734), avalia-se que a liberalidade de Deus permitiu o descobrimento das Minas de ouro e de diamantes como prêmio, que contentasse a natural cobiça, aos *portugueses* pela instituição da cristandade em seus domínios. Assim, a festa da paróquia do Ouro Preto, sinalizando a cadeia de reconhecimento e de liberalidade que enlaça os cristãos desde o plano divino, manifesta a magnificência e o lustre vitorioso da Fé, "desmentindo a maledicencia daquelles, que os [moradores] pretendem infamar de ambiciosos" (TRIUNFO Eucarístico – *RAPM*, v. 6, 1901, p. 985-1016).

[65] ROTEIRO do Maranhão... – *RIHGB*, v. 62, 1900, p. 122. A ruína do reino e das Minas reside na diversificação não regulada das atividades produtivas em terras minerais, corolário da cobiça e do orgulho dos habitantes. O discurso da decadência não reside no esgotamento dos veios auríferos, nem na diminuição do número de mineiros, mas na autonomia econômica, que coloca sobre bases frágeis os liames políticos entre as Minas, demais colônias e o teino. Assim, como sugerem outros textos, é preciso prestigiar a "classe" dos mineiros e valorizar suas atividades (ROTEIRO do Maranhão... – *RIHGB*, v. 62, 1900, p. 129-136).

[66] Cf. discurso da economia política das Minas (1804), de Azeredo COUTINHO (1966, p. 196-197).

Parte II

A fabricação das Minas do ouro e dos diamantes

Capítulo 5

Práticas de lucro

Trajetórias de descobridores das Minas do ouro

No âmbito – e com o confronto – dos discursos dos agentes da Coroa portuguesa e da Igreja, constituiu-se a representação dos paulistas sobre as suas ações de descobrimento. A diferença de representação entre esses poderosos, efetivamente, foi de grau, de ênfase no feito de descobrimento. Os sertanistas descobridores e os mineradores diziam que observavam estritamente a obrigação de vassalos, servindo os seus descobertos minerais ao aumento do Estado na forma de quintos e à glorificação da fé católica através da magnificência das igrejas. Assim, na luta para garantir um espaço específico de poder político e ganhos econômicos nos domínios coloniais, paulistas e mineradores buscaram negociar com os agentes da Metrópole as representações de legitimidade das Minas de ouro. Fundados no próprio discurso metropolitano, eles inseriram essas Minas na história mais ampla da colonização portuguesa e da expansão da cristandade, instituindo os descobrimentos em fato significativo de inflexão da história colonial baseada na atividade açucareira, como anuncia a *Previa allocutoria* que antecede o relato da festa do Triunfo Eucarístico (1733):

> alterarão a muitos moradores do Brazil a cultura dos campos; fizerão outros vacilantes; a muitos nos cabedaes inferiores, e outros opprimidos da necessidade fizerão sahir a este Zenith da riqueza; convidando a uns com esperança de melhoras, a outros com principio de prosperidade: e porque os primeiros habitadores do trabalho do caminho passarão logo á felicidade da fortuna, quasi ao mesmo tempo, ou com pouco intervallo vendo, e habitando a terra, epossuindo a affluencia do ouro, em breve tempo das cidades, e lugares

> maritimos sobre-veio innumeravel multidão; uns com cobiça de facil fortuna, outros anhelando remedio á necessidade. (Triunfo Eucarístico. – RAPM, v. 6, 1901, p. 994)

Investindo, em suas narrativas, na noção de novo tempo desde os descobrimentos de ouro e pedras preciosas, os paulistas replicam aos seus críticos, dentro do mesmo jogo de contrastes, tomando para si mesmos o papel de descobridores ou inventores de riqueza e de protagonistas do movimento colonizador português. Em 1746, Pedro Dias Leite, o guarda-mor geral das Minas Gerais na época, filho do descobridor Garcia Rodrigues Pais, num relato sobre os dois primeiros séculos da colonização no Brasil, observou que os novos povoadores do Brasil só queriam cuidar do açúcar. Até que a "industria dos portugueses, denominados hoje paulistas pela capital de sua habitação", fez com que estes penetrassem os serros ásperos habitados por bárbaros, povoando o interior, nos serros do Paranaguá e Jaraguá, com a descoberta de metal precioso. Ao retomar a tradição do feito de Marcos de Azeredo, Pedro Leite afirmou que teria descoberto haveres de ouro, prata e esmeraldas nos "serros de Sabarabuçu incognitos, e no das esmeraldas". Continuando a sua narrativa, o guarda-mor revelou ainda que o prêmio desse descobrimento caiu em mãos alheias com o título de marquês das Minas em Dom Francisco de Souza, "que não podendo alcançar mais, que as conjecturas dos que por pouco atendidos pagarão em perpétuas prisões a constância do seu segredo, seguiu este o destino de penetrar o sertão pelas vilas, que chamam de serra acima [São Paulo]". Das "confusas notícias" do tempo de Dom Francisco, foi então cometida a diligência das esmeraldas ao seu avô, Fernão Dias Pais, por patente de 1673 (AIEB, Códice 9. 8, A8, Exposição de Pedro Dias Pais Leme..., [1° de outubro de 1746]).

Nesse relato, Pedro Leite produz uma série de deslocamentos dos fatos que demarcam bem a posição paulista sobre os descobrimentos encetados por seus antepassados: tira da indústria açucareira a proeminência na colonização do Brasil; faz do paulista o verdadeiro representante de uma espécie de *ethos* português; inclui o ouro entre os minerais preciosos descobertos na empresa de Azeredo, fazendo desse, numa junção com a tradição de Belchior Dias, mais um injustiçado pela usurpação reinol. Na realidade, não consta que Marcos de Azeredo, nas expedições anteriores a 1614, tivesse manifestado ouro ou prata, nem que mantivesse em segredo a localização da serra das esmeraldas por não ser atendido nas suas pretensões, ou ainda que ficasse preso por causa disso a mando do governador da Repartição Sul, o suposto marquês das Minas, falecido em 1611 (Franco, 1989, p. 49. *Idem*, 1940, p. 39-51).

Na forma narrativa dos descobrimentos de minerais preciosos, observa-se uma verdadeira bricolagem de origem paulista (e mineradora), quando se reordenam os elementos do discurso metropolitano e as práticas tradicionais de fazer o descobrimento, mas com o prestígio e a mobilização de capital simbólico necessários à legitimidade do feito. Desse modo, as Minas de ouro – descobertos do final do século XVII – configuram uma *invenção*, do modo combinado de Michel de Certeau, porque se "supõe que, à maneira dos povos indígenas, os usuários [como os sertanistas e os descobridores] 'façam uma bricolagem' com e na economia cultural dominante, usando inúmeras e infinitesimais metamorfoses da lei, segundo seus interesses próprios e suas próprias regras" (CERTEAU, 1998, v. 1, p. 40).

Quando narravam os supostos feitos, os sertanistas e descobridores conservavam-se no campo político e social limitado pelos discursos da colonização portuguesa.[1] Evidentemente, isso não significa que as práticas estavam confinadas a esses discursos construídos sobre ou para elas,[2] pois as narrativas de descobrimentos abriam-se ao "relato do tato" – a expressão das táticas sociais, um modo próprio de operar –, cuja natureza era ambivalente: aproveitava-se dos discursos ao mesmo tempo em que se conseguia subvertê-los.[3]

Assim, entre os discursos dos descobrimentos e as práticas dos descobridores, inscreve-se uma *arte de saber-fazer* das coisas do sertão, cuja característica híbrida (discurso e prática) se manifesta nas narrativas. Por isso, nos relatos dos sertanistas e descobridores, chega-se ao jogo das representações sociais reais, pois são elas que traduzem as experiências significativas desses agentes. "Assim considerada, a narrativa representa o corpo de acontecimentos que serve como seu referente primário e transforma esses 'acontecimentos' em sugestões de padrões de sentido que

[1] As práticas do discurso sujeitas à ordem da disciplina, da reflexão e do saber de um poder próprio (CERTEAU, 1998, v. 1, p. 136).

[2] Vale aqui o princípio metodológico: "Toda a análise cultural deve levar em conta esta irredutibilidade da experiência ao discurso, resguardando-se de um uso incontrolado da categoria texto, indevidamente aplicada a práticas (ordinárias e rituais) cujas táticas e procedimentos não são, em nada, semelhantes às estratégias produtoras dos discursos" (CHARTIER, 1995, p. 189).

[3] Nessa perspectiva, a narratividade e a discursividade exprimem modos distintos de apropriação da *realidade*. A narrativa expressa um "saber não sabido" (saber-fazer), isto é, um conhecimento prático sobre o qual não há reflexão do "sujeito", mas que se reconhece como um talento ou uma habilidade. Cf. CERTEAU, 1998, v. 1, p. 142-143.

qualquer representação *literal* deles como 'fatos', nunca poderia produzir" (White, 1991, p. 75). As narrativas permitem aos agentes explorar as possibilidades oferecidas pelas práticas do discurso dominante, construindo sentidos inesperados ou imprevistos que ultrapassam os limites convencionais,[4] tal como se observa nos relatos e roteiros das bandeiras de descobrimentos, nos quais, em meio à condição de discurso, aparecem os modos específicos (táticos) de adaptar-se às situações ou de enfrentar os desafios dos sertões.

Como notou Sérgio Buarque de Holanda, a eficácia do sertanismo paulista provinha da adaptabilidade ao meio natural e às agruras do sertão através da apropriação do *modus operandi* indígena, resultando em soluções socioculturais condizentes com a necessidade de sobrevivência (Holanda, 1994a). Na sua análise, Holanda "parte das necessidades mais prementes do adventício, tece as urdiduras do cotidiano, evidenciando as tensões, os embates, mas também as adaptações e a cultura material resultante, chegando, por fim, à própria mentalidade e, logo, à cultura imperante nas várias sedimentações provisórias" (Blaj, 1998b, p. 45).

Portanto, para a configuração das práticas de descobrimentos dos minerais preciosos, trata-se de compreender que, assim como as narrativas dos sertanistas exploram as possibilidades do discurso colonialista, as experiências singulares (as trajetórias) dos sertanistas ou bandeiristas jogam com a força do *habitus* e da tradição prática bandeirista.

Se as práticas bandeiristas nos sertões do ouro se situavam na interface entre o que era legítimo (ou legal) e o que era possível (ou costumeiro), e assim continuamente ampliavam o campo de ação, não há por que retomar a discussão da historiografia convencional sobre o conceito de *bandeira* sertanista, e nem sobre sua diferença em relação ao termo *entrada*. Historiadores como Basílio de Magalhães argumentavam que, na Colônia, as bandeiras eram ações de particulares com autonomia e relativa independência em relação à Metrópole, enquanto as entradas tinham caráter estratégico e estavam vinculadas ao governo português (Oliveira Júnior, 1995, p. 399-401; Goes Filho, 1999, p. 89-127). Houve reparos aqui e ali no

[4] Aspecto assinalado por Giovanni LEVI (1989, p. 1335): "Não se pode negar que haja um estilo próprio a uma determinada época, um *habitus* resultante de experiências comuns e reiteradas, assim como, a cada época, há o estilo próprio de um grupo. Mas existe também, para cada indivíduo, um espaço de liberdade significativo que encontra precisamente a sua origem nas incoerências dos confins sociais e que dão origem à mudança social" (Tradução minha).

conteúdo das bandeiras sertanistas (isto é, paulistas), e houve mesmo quem defendesse o contrário da concepção tradicional, como Raymundo Faoro, para quem as bandeiras "eram recrutadas e organizadas pelo governo, sobretudo nos cinqüenta anos que precederam a descoberta das minas" (Faoro, 1997, v. 1, p. 161).

De qualquer modo, o anacronismo subjacente a essas classificações – público/estatal versus privado/particular – é evidente, pois subestima o poder simbólico mobilizado nessas atividades e a intermediação clientelista que se impunha nas relações de força entre o monarca, os governantes da Colônia e os próprios coloniais. Ademais, o tema das bandeiras (temática historiográfica tradicional) deve ser tratado com relativa diferenciação interna, com atenção às práticas e funções distintas que iam sendo enfeixadas, sob a mesma nomeação ou designação, ao longo dos séculos XVII e XVIII.

Com efeito, na documentação relativa às Minas, entre o final do século XVII e início do XIX, o termo bandeira podia referir-se a qualquer comitiva de entrada no sertão, composta de uma ou mais dezenas de homens (brancos, negros e índios), que apresentasse estratégias diferenciadas – apresamento, exploração mineral ou punitiva –, sem que estas fossem, no entanto, exclusivas. O conteúdo comum dessas entradas bandeiristas era, sobretudo, simbólico e ligava-se às táticas de um saber sertanista e militar, pois, desde os primeiros descobertos de ouro, as entradas de envergadura no sertão, quando recebiam o nome de bandeiras, contavam com a possibilidade da qualificação que a forma tática da tradição militar conotava.[5]

O procedimento aqui, à luz do que se propôs, é a composição do percurso dos sertanistas cujas práticas instituíam descobrimentos e serviam de invenção (prática e de representação) das Minas do ouro. Essas se enraízam, como já indicamos anteriormente, no modelo e nas práticas usadas na expedição de Fernão Dias Pais, pois sua herança marcaria os

[5] Conforme a terminologia empregada na documentação (expressando-se no *Regimento dos capitães-mores e mais capitães e oficiais das companhias de gente de cavalo e de pé*, 1570), a bandeira, no século XVI e no início do XVII, confundia-se com a companhia de ordenança, e na origem (ibérica) era termo de uso estritamente militar (CORTESÃO, 1964, v. 1, p. 52-56). Ricardo Román BLANCO (1966, p. 430-431), cujas conclusões compreendem mais o século XVII, interpreta a bandeira como sendo uma prática de entrada no sertão que assumia feição tático-militar. Para John Manuel MONTEIRO (1994, p. 57), que salienta a função econômica, todas as expedições sertanistas da gente do planalto de Piratininga, durante o século XVII, "sempre girou em torno do mesmo motivo básico: a necessidade da mão-de-obra indígena para tocar os empreendimentos agrícolas dos paulistas".

acontecimentos da manifestação oficial do ouro, na década de 1690, sendo bem manipulada pelos sertanistas paulistas, em especial aqueles que tiveram a reputação, na concepção dos agentes do Estado, de exercer papel proeminente na empresa.

Em 1674, quando Garcia Rodrigues Pais, aos 13 ou 14 anos, partiu com o pai, Fernão Dias, para o sertão de Sabarabuçu, ele iniciava-se, como era o costume, na prática paulista de sertanejar, aprendendo com os parentes e amigos nas entradas.[6] Assim como o pai e o tio – eficientes apresadores de índios – iam buscar "o seu remédio" no sertão, levando-o com eles, Garcia Rodrigues iria, mais tarde, levar o próprio filho à expedição comandada por ele em 1717, embora com um sentido diferente (Ellis, 1971, p. 120-127; Taunay, 1977, p. 93-94; Franco, 1989, p. 156). Junto com ele, iriam outros jovens parentes do governador da expedição, como o sobrinho Francisco Dias da Silva, que tinha 16 anos (Machado, 1980, p. 233-234).

O sertanismo servia de aprendizagem prática de um negócio que, se não solucionava a alegada "pobreza" dos jovens bandeiristas, fornecia uma base econômica sobre a qual se podia constituir uma fazenda ou sítio próprio. Além disso, como assinala John Monteiro, a partir dos testamentos e inventários paulistas do século XVII,

> os jovens que partiam em busca de cativos recebiam ajuda de custo de seus pais ou sogros, que empregavam pequenas somas de capital e alguns índios nas expedições, com a expectativa de expandir suas próprias posses. Os armadores [da expedição], que forneciam dinheiro, equipamentos e índios, assumiam todo o risco da viagem em troca da perspectiva de ganhar metade dos cativos eventualmente presos. No mais das vezes, a armação era um empreendimento familiar. (Monteiro, 1994, p. 86)

Era uma pedagogia violenta, e isso chegava a alarmar os responsáveis pelos jovens. Em 1704, por exemplo, um sertanista que quis levar seus sobrinhos órfãos para o sertão do rio São Francisco, para "tomar conhecimento do negócio" a que ia, encontrou forte oposição no padre local e no tutor dos menores ([18 de agosto de 1704] Correspondência dos governadores [...] 1704-1714 – *DHBNRJ*, v. 40, 1938, p. 173).

[6] Em 1700, Garcia Rodrigues aparece com a idade de 39 anos. Portanto, teria nascido em 1661, e com 13 anos partira com o pai na jornada das esmeraldas ([26 de novembro de 1700] ABN, v. 39, 1917, p. 268). Cf. AIEB, Códice 9. 8, A8, Exposição de Pedro Dias Pais Leme..., [1º de outubro de 1746].

Com os primeiros descobrimentos das Minas de ouro no sertão dos Cataguases, os pais desses meninos vão "botando-os para as minas", a ponto de um dos seus antigos habitantes afirmar que pouca notícia podia dar do seu princípio "pela falta de discurso que naquele tempo tinha, por vir muito menino a estas Minas ([Notícias do que ouvi sobre o princípio destas Minas] – CCM, 1999, p. 217-219). O recordador nota aqui um traço talvez típico desses lugares de fronteira do sertão: a presença turbulenta de jovens, indicando a condição nova do lugar, no qual as práticas são sempre constitutivas das normas vigentes.

A entrada comandada por Fernão Dias Pais ao serro de Sabarabuçu foi precedida por uma comitiva cujo capitão-mor era o experimentado sertanista Matias Cardoso de Almeida. Essa tática de mandar troços de sertanistas antes da coluna principal serviria ao propósito de preparar o caminho e considerar os locais mais adequados para pousos e roças. O roteiro não era desconhecido para os sertanistas paulistas, pois Matias Cardoso já o havia trilhado em bandeiras apresadoras até as cabeceiras do rio São Francisco, na rota do Sabarabuçu, pelo menos desde a década de 1660.[7] Mas muito antes disso, desde o início do século XVII, sertanistas paulistas, aproveitando o traçado indígena daquelas bandas, tinham buscado o Sabarabuçu, que supunham junto às cabeceiras do rio São Francisco. No roteiro do holandês Glimmer, de uma expedição paulista em 1601 (ou 1602) ao Sabarabuçu, há referências a aldeias indígenas abandonadas ao longo do trajeto, e a uma aldeia onde os sertanistas finalmente encontraram abundância de mantimentos, possivelmente na mesma paragem onde a gente de Fernão Dias constituiria um arraial. Desse lugar, onde os sertanistas passaram um mês, eles tiveram acesso a uma estrada larga e trilhada, que só podia ter sido feita pelos nativos (Derby – *RIHGSP*, v. 4, 1898-99, p. 329-350).

Na entrada, Matias Cardoso conseguiu repelir os grupos indígenas hostis, escravizando-os e tomando-lhes os víveres quando era possível, além de reconhecer as veredas mais adequadas para as roças (e arraiais) do roteiro, e de varar as vertentes de um rio buscando as de outro naqueles sertões.[8] Na sua patente de mestre-de-campo, passada em 1690, pelo então

[7] Conforme a patente, concedida a Matias Cardoso, de capitão-mor da expedição de Fernão Dias, citada por Pedro Taques (INFORMAÇÃO sobre as minas... – *RIHGB*, t. 64, v. 103, 1901, p. 30). Cf. FRANCO, 1989, p. 29-30.

[8] Apropriação sertanista de prática indígena: "Os indígenas, para percorrer o território ou trocar produtos de culturas diferentes, passavam, com muita freqüência, das cabeceiras

governador-geral frei Manuel da Ressurreição, há indícios significativos dessas práticas. Matias Cardoso contou que, após repetidos encontros com os índios e uma batalha com muitos feridos, ele conseguiu "os desbaratar e tomar-lhes os mantimentos, formou logo arraial no dito serro [de Sabarabuçu] com diversas plantas e criações que levou da vila de São Paulo, e dalli mandou conduzir ao caminho ao mesmo governador [Fernão Dias]". Após alguns anos, ao apartar-se da expedição, Matias Cardoso diz que deixou com Fernão Dias 15 escravos, por serem dois naturais da serra, e assim valiosos guias no descobrimento das esmeraldas (*apud* Franco, 1940, p. 111-113).

De fato, em 1674, como já foi mencionado no capítulo 2º, na véspera da partida para o sertão, Fernão Dias contava que partiria com seu filho e com mais 40 homens brancos, além dos índios e negros da comitiva, indo ao encontro de Matias Cardoso, que já o esperava no sertão. Esse tinha mandado pedir mais gente, pólvora e chumbo. Naquele dia, o governador da expedição enfatizou que aquele *descobrimento* era "o de mayor consideração em rasam do muyto rendimento [de prata], e também esmeraldas, e diversas pedrarias". Embora asseverando que o tesouro "foy já descoberto", Fernão Dias conferiu a si próprio um papel especial: "avendo eu de avizar [ao monarca] com ajuda de Deus que o descubry sem todo deserto, povoado de gente assistente". Uma vez povoado, o princípe regente poderia mandar examinar, para que sem dispêndio nem dilação, "havendo muyto que comer, e bastante creação" se fizesse o descobrimento com toda a facilidade. Pois, "oir e vir facil cousa fora aos homens de Sam Paulo, e dificultoso ao depois, e somente se examinaram os serros, e ficará o mais por descobrir" ([20 de julho de 1674] *apud* Barreiros, 1979, p. 23-24).

É significativa essa passagem, pois mostra que Fernão Dias deu mais importância ao beneficiamento do caminho e à povoação do sertão das minas, a partir das roças e das criações locais, do que às notícias dos serros, cujo tesouro mineral afirmou já ter sido descoberto. O descobrimento era um processo mais complexo do que um "descoberto"; era uma lavra de rendimento constante que, reconhecida pela Coroa, seria lucrativa à Fazenda Real e aos súditos. Isso se conseguiria com a colonização em

dum rio ou dum sistema fluvial para os outros. Para isso utilizavam as canoas de casca, fàcilmente transportáveis às costas, ou inteiriças e escavadas em tronco de árvore, que transportavam também a dorso, ou faziam rolar em toros de madeira" (CORTESÃO, 1964, v.1, p. 121-122).

função do Estado, com os arraiais, as roças e a circulação dos coloniais. O "descoberto" era difícil, mas não suficiente.

Os agentes da Coroa e ainda os diversos coloniais, notadamente os mais qualificados, comungavam dessa concepção. Num contexto de notícias repetidas de minas e extração irregular do ouro nas Capitanias do Sul, em especial na região da vila de São Paulo, o beneficiamento dessas minas, que se mostravam nos leitos e encostas dos riachos, passou a ser a principal preocupação. Contudo, a mudança parecia-lhes impraticável, por causa dos escassos rendimentos das experiências, e irracional, caso persistissem as disposições naturais do ouro de lavagem, com sua ocorrência superficial e bastante variável.

Era preciso que o rendimento fosse lucrativo o suficiente para manter a fábrica da lavra do ouro, que devia ser de beta. Em 1662, num alvitre de autoria desconhecida, explicava-se que, em São Paulo e vilas circunvizinhas, só os moradores de maior cabedal (de mais de 10 escravos) conseguiam tirar ouro, porque os "pobres de tres, e quatro athe dez escravos" não o faziam. Quando os pobres iam tirar ouro, por ser em sertão desabitado dos seus naturais, os escravos levavam às costas os mantimentos de que precisavam, mas nunca era o bastante para os dias da jornada, assistência nas minas e dilação no retorno ao povoado, não ficando, por isso, mais de 12 ou 15 dias nas diligências de extração do ouro. Assim, não cresciam os rendimentos do ouro, não se redimia a pobreza dos coloniais, nem eram extraídas rendas e quintos consideráveis para a Fazenda Real.

Visto que o povoamento e a expansão econômica entre as praças do Rio de Janeiro e de Santos e a região de Piratininga são indicados como causas da falta de índios entre os moradores das vilas de serra acima, essas circunstâncias só aumentaram a miséria de alguns. Isso porque o apresamento foi se tornando cada vez mais difícil e oneroso, por ocorrer mais distante das povoações e em sertão desabitado de índios, que, fugindo do cativeiro dos bandeiristas, embrenharam-se cada vez mais em áreas de difícil acesso. Foi nesse contexto do apresamento de silvícolas, que, aos moradores das povoações circunvizinhas de São Paulo, "lhes mostrou a experiencia nas escarvas das agoas do Inverno grãos de ouro que despertou a diligencia com que conheserão haver em toda terra de cem legoas daquella Costa as minas". Mas a distância daqueles sertões e a fuga dos nativos, excedendo as possibilidades de cabedal daquela gente com a falta de índios e sem escravos de Angola, criaram obstáculos à exploração das lavras auríferas, ainda possível somente para alguns poderosos locais, e os paulistas continuaram com as lavouras que já possuíam – trigo e algodão – e com a criação de gado.[9]

O alvitre é uma análise das mais perspicazes do processo econômico-social ocorrido na região de São Paulo ao longo do século XVII, e segue na direção das interpretações mais recentes da historiografia.[10] Segundo Luís Felipe de Alencastro, a conjuntura favorável aos paulistas na primeira metade do Seiscentos muda de rumo na segunda metade do século, especialmente a partir da década de 1680, quando, após as "investidas luso-brasílicas" e a consolidação do domínio luso do comércio atlântico de africanos e mercadorias, observa-se um refluxo do tráfico de índios. Isso porque a posse de índios e de terras não garantia mais o acesso dos paulistas ao mercado colonial (e atlântico).

> Para transformar o excedente extorquido aos indígenas em mercadoria, o colono devia se enfiar no circuito atlântico de trocas. Desde logo, ele caía na imposição comercial – e não apenas demográfica (a eventual inexistência de mão-de-obra indígena) – de adquirir africanos e se vinculava mais ainda à metrópole traficante. "Falta de terras" e "falta de braços" têm, portanto, muito pouco a ver com a geografia e com a demografia aborígene. (ALENCASTRO, 2000, p. 242; BLAJ, 1995, p. 134-183)

Diante de um quadro de mudança econômica nas Capitanias do Sul, as propostas do alvitrista anônimo para a fabricação das Minas podiam ser reunidas a partir de um único argumento: povoamento dos sertões dos descobertos de metais e pedras preciosas, e o conseqüente plantio de

[9] O alvitre consta de 12 capítulos (INFORMAÇÃO sobre as minas... – ABN, v. 57, 1935, p. 160-171).

[10] "Se, de um lado, as formas peculiares de apropriação do trabalho indígena sofreram as restrições institucionais ao cativeiro dos nativos, de outro, representaram sempre o meio mais econômico de preencher as necessidades dos colonos. A viabilidade desse esquema começou a declinar com o aumento das distâncias, da resistência indígena e dos custos envolvidos. O resultado deste processo foi, inevitavelmente, um vertiginoso declínio do retorno das viagens" (MONTEIRO, 1994, p. 98). Entre as décadas de 1620 e 1650, durante a pressão holandesa no Brasil e na África ocidental, São Paulo firma-se como pólo exportador de alimentos na Colônia, mandando para as praças do Norte e Angola cal, farinha de mandioca e de trigo, milho, feijão, carnes salgadas, toucinho, lingüiça, marmelada, tecidos rústicos e gibões de algodão à prova de flechas. Nas costas dos índios era feito todo o transporte de mercadorias, e chegavam as que eram importadas, via praça de Santos: sal, tecidos, especiarias, vinho, ferramentas, pólvora (ALENCASTRO, 2000, p. 194-195).

frutos, legumes e mantimentos. Para ele, esses procedimentos deviam ser usados em todos os descobertos – de ouro, de prata e de esmeraldas – do Estado do Brasil. Vale citar a sua proposição sobre como se devia fazer o descobrimento de esmeraldas porque aponta para as mesmas táticas utilizadas por Fernão Dias e sua gente na expedição de 1674. Sabia-se, por tradição e roteiros antigos, que os descobertos de esmeraldas conseguidos por Marcos de Azeredo ficavam na altura do rio Doce, cuja navegação era difícil, por isso o alvitrista aconselhou:

> Remedia-se com mandar Sua Majestade no último porto deste Rio em que desembarcam situar, e plantar frutos, e sementes daquele país, que em seis meses os que mais se dilatam acodem ao sustento como se fez na Bahia nas terras do Orobo contra os bárbaros que danificavam por aquela via os moradores daquele território [guerra na qual os paulistas tiveram ativa participação], e no verão seguinte indo os descobridores com mantimento necessário para a viagem acham quando desembarcam provisão bastante das sementeiras feitas para se deterem um ano nas experiências, e busca daquelas serras. (Informaçâo sobre as minas... – ABN, v. 57, 1935, p. 167-168)

Desde a década de 1660, e firmando-se na década de 1670, os bandeiristas conferiam às roças e criações o papel de vanguarda das suas atividades no sertão, acoplando à empresa descobridora a fabricação costumeira de roças. Na expedição de Fernão Dias, estabeleciam-se as feitorias e roças antes de impulsionar as atividades de apresamento de índios e de descobrimento de prata e esmeraldas. Por essa época era já conhecido o caminho das vilas de serra acima, passando por Taubaté, para o sertão das cabeceiras do rio São Francisco (E Sabarabuçu) Como "Caminho Geral" Dos Sertanistas Que Buscavam As Minas (Fernão Dias Pais... – *RAPM*, v. 20, 1926, p. 172-173). Ao longo dessa rota, Fernão Dias, segundo o relato de seu neto em 1757, teria formado arraiais (e roças): Vituruna (ou Ibituruna) na Comarca do Rio das Mortes; Paraopeba, Sumidouro e Boca Grande na Comarca de Sabará; Tucambira (ou Itacambira), Itamarandiba, Esmeraldas, Mato das Pedreiras e Serro Frio.[11]

Tais táticas de descobrimento eram recomendadas aos forasteiros reinóis e pouco experientes, como Dom Rodrigo de Castelo Branco, provido administrador-geral das Minas e encarregado pela Coroa de averiguar a

[11] De acordo com a memória de Pedro Dias Pais Leme, citada por SOUTHEY, 1981, v. 3, p. 33.

certeza das Minas do sertão de Sabarabuçu, cujos frutos demoravam. Em 1680, em reunião dos camaristas de São Paulo com alguns sertanistas experientes sobre o melhor modo de fazer a entrada a cargo de Dom Rodrigo, todos opinam "que se devia mandar plantar os sítios, que nomeados e assignalados fossem, para quando chegasse a tropa terem mantimentos promptos para o necessario sustento no sertão". De pronto, Dom Rodrigo acatou o conselho (Leme, 1980, v. 2, p. 51). Mas, antes disso, o plantio de roças de mantimentos no sertão já era a forma recomendada para o descobrimento de prata e de ouro, segundo o Regimento para as minas paulistas da costa do Sul, passado pelo próprio Dom Rodrigo em 13 de agosto de 1679, na vila de Iguape, cujo artigo 1º estabelece: "Toda a pessoa de qualquer qualidade que seja, que for ao certão a descobrimentos será obrigado alevar milho, efeijão emandioca, para poder fazer plantas edeixá-las plantadas, porque com esta diligencia sepoderá penetrar os certoens, que sem isso hé impossível" (Informação sobre as minas... – *RIHGB*, t. 64, v. 103, 1901, p. 53).

Em 1681, enquanto Dom Rodrigo rumava para os descobertos, Fernão Dias entrava em conflito aberto com alguns capitães das tropas paulistas que insistiam em buscar índios na serra das esmeraldas, valendo-se ainda do milho das roças que lá tinham sido produzidas a mando do velho bandeirista. Para o governador da expedição não devia haver riscos à integridade da mina; ele advertia aos capitães que abandonassem o local para a vistoria e replantassem a roça que serviria ao emissário régio, Dom Rodrigo. Atento ao fato de que o descobrimento era mais do que coletar as amostras e apresentá-las à Coroa, ele publicou os resultados de sua fábrica junto à mina de esmeraldas: 50 aves, 12 porcos, bastante milho estocado do ano anterior e para colher de uma roça aos cuidados de cinco índios e duas índias, e uma tenda armada ([27 de março de 1681] Cópia de um importante... – *RAPM*, v. 19, 1921, p. 52-53).

No decurso do tempo que ficou no sertão, houve certamente uma diferenciação na estratégia dos sertanistas capitães da entrada: enquanto a maioria promovia o descimento de índios para São Paulo, Fernão Dias e alguns aliados apostavam *também* na fábrica do descobrimento de prata e esmeraldas ([Petição de Garcia Rodrigues Pais, 1700] *RAPM*, v. 19, 1921, p. 11-18).

Quando, finalmente, a comitiva do administrador-geral das Minas alcançou o sertão dos descobertos, Fernão Dias já estava morto no arraial de Sumidouro. Garcia Rodrigues completou, então, o serviço do pai, tomando a frente do descobrimento. Tirando proveito de uma situação já bastante difícil, com as doenças e mortes de amigos e escravos, o moço sertanista não vendeu a produção das roças fabricadas por seu pai; em vez disso, ofereceu-a a Dom Rodrigo para o descobrimento da prata, e por serviço do rei. Encontrou-se com o delegado régio no arraial de Paraopeba e manifestou o descobrimento entregando a Dom Rodrigo as amostras de "esmeraldas" e oferecendo a ele todos os mantimentos e criações das feitorias do pai ([Certidões: 8 de outubro de 1681, 10 de outubro de 1681] Fernão Dias Pais... - *RAPM*, v. 20, 1926, p. 161-162, 166-167.).

Muitos paulistas (ou seja, moradores das vilas de serra acima), junto com Garcia Rodrigues, não duvidaram que a empresa de Fernão Dias tivesse resultado no descobrimento de esmeraldas. Quanto ao emissário do rei às Minas, ele denotou sua dúvida numa certidão requerida por Garcia Rodrigues para instituir o feito; afirmou que o filho de Fernão Dias manifestou "unas Piedras Berdes transparentes disienoo ser esmeraldas". Mas, apesar de contido, talvez por duvidar do descobrimento, o administrador das Minas lembrou que Garcia Rodrigues tinha sido merecedor de honras régias que se conformassem aos seus serviços ([8 de outubro de 1681] *RAPM*, v. 20, 1926, p. 162).

Para Garcia Rodrigues Pais, e muitos outros sertanistas que vieram depois, com pretensão de descobridores, os serviços eram grandes e mereciam muitas honrarias e prêmios. Logo ele partiu para a Corte em Lisboa, levando as amostras das tais pedras verdes. Acompanhado do tio, ele requereu no Conselho Ultramarino, em 1683, as mercês régias que se deviam em troca dos serviços paternos, e dos seus próprios serviços, no descobrimento das esmeraldas ([1700] Cópia de um importante... - *RAPM*, v. 19, 1921, p. 11-18. Cf. [20 de abril de 1703] - *apud* Taunay, 1977, p. 156-158).

O resultado dessa petição foi a renovação cautelosa de promessas aos herdeiros de Fernão Dias: o hábito de Cristo para o primogênito Garcia Rodrigues e os hábitos de Avis ou São Tiago para seus dois irmãos mais velhos, cujas tenças adviriam do rendimento das minas descobertas de esmeraldas – e das minas de beta de ouro ou de prata que o suplicante descobrisse. Caso essas minas "tivessem importancia a fazenda Real", o prêmio total das pensões, que poderia alcançar 220 mil réis, subiria para 350 mil réis, com hábitos da Ordem de Cristo, e Garcia Rodrigues ainda poderia requerer o foro de fidalgo "a que se lhe teria particular respeito". Assim, a Coroa ligou o valor das mercês que viessem a ser concedidas ao descobrimento das minas *reais*, entendendo-se esse descobrimento como a manifestação de depósitos de minerais preciosos cujo rendimento fosse lucrativo para a Fazenda Real. Afeita ao engenho político, a Coroa pouco cedeu, mas conservou os laços do contrato com o peticionário.

Há nuanças de sentido aqui que precisam ser indicadas. O descobrimento de minas significava, como foi assinalado, a manifestação e a fabricação de lavras de rendimento para os agentes coloniais e a Coroa, mas isso não implicava que se descobrissem necessariamente lavras lucrativas para a Fazenda Real. Contudo, vê-se que a Coroa negociava mais esse elemento visando submeter os sertanistas e descobridores ao jogo político e econômico do Estado monárquico.

As esmeraldas não foram reconhecidas como de boa qualidade na Corte, o que talvez explique certa reticência da Coroa na concessão de mercês. Por outro lado, de sua parte, o descobridor Garcia Rodrigues não se fez de rogado e ofereceu-se para descobrir mais do que o manifestado naquela ocasião, muito provavelmente por prever que seus requerimentos não seriam atendidos da maneira que desejava. Enquanto, anos depois, na sua petição sobre a inteira execução das promessas régias, Garcia Rodrigues afirmou que não aceitou aquele despacho de 1683 por querer fazer maiores serviços ao rei, na Resolução régia de 1702 consta simplesmente que não se tirou portaria do tal despacho. Os dois lados mantêm-se no jogo político da economia da dádiva, cujos frutos seriam aproveitados anos depois pelo sertanista descobridor.

Mostrando que a sua família tinha ainda poder econômico e crédito suficientes para armar expedições, apesar dos alegados gastos da jornada do pai (6 a 7 mil cruzados para alguns, mais de 12 mil cruzados segundo o próprio Garcia), o sucessor Garcia Rodrigues empreendeu mais duas entradas para "continuar" o descobrimento das esmeraldas no sertão de Sabarabuçu, e para aprofundar mais na terra e assim achar pedras "mais perfeitas". Na primeira entrada, ele referiu que durante dois anos reformou as plantas e feitorias deixadas por seu pai e esperou as ordens régias que lhe garantiram o cargo de capitão-mor e administrador do descobrimento das tais minas. Na segunda entrada, enfatizou que teve gastos consideráveis de sua fazenda "em mantimentos, carnes e farinhas, comprando muitos Cavallos para a carruagem, levando Homens, escravos, e Indios de seu serviço, com capellam para a tropa", tendo a empresa durado entre cinco e seis anos.

Tiveram pouco efeito essas entradas ao Sabarabuçu e serra das esmeraldas, além do possível descimento de indígenas, sabendo-se que vinha de muito tempo a tática paulista de legitimar as suas entradas alegando empresa de descobrimentos.[12] Os interesses sertanistas de escravização de índios permaneceram, pois teria Garcia Rodrigues, após abandonar as escavações na serra das esmeraldas, explorado a região entre o rio das Mortes e Ouro Preto, e avançado pelo rio Doce, no final da década de 1680 e início de 1690.[13] Mais tarde, em 1705, useiro do trabalho dos índios no plantio de roças, nas lavras do ouro e na fabricação do caminho para os campos das Minas Gerais, o bandeirista continuou insistindo na redução dos nativos que viviam nos sertões das Minas, e no seu aldeamento em uma povoação que pretendia levantar na passagem do rio Paraíba. O pretexto de Garcia tinha ares de validade: esses índios eram "exercitados e naturaes daquele sertão" e, por isso, mais aptos do que outros para os serviços de descobrimentos de ouro e terras ([30 de agosto de 1705] *apud* [Comentário crítico de Andrée Mansuy] Antonil, 1968, p. 579-581).

Em 1694, o bandeirista foi almotacel da Câmara de São Paulo e consta que em 1698 já estivesse situado na sua fazenda do rio Paraíba (Taunay, 1948, t. 9, p. 417; Franco, 1940, p. 154).

Quando, nessa época, começaram os descobrimentos de ouro de lavagem no sertão dos Cataguases, Garcia Rodrigues, aproveitando-se da ocasião, investe nas promessas régias sobre os descobrimentos de minas de importância para a Fazenda Real, alegando ter sido o primeiro descobridor das Minas de ouro. Na petição ao rei, em 1700, ao chamar a serra de Sabarabuçu e a serra das esmeraldas do roteiro das suas entradas anteriores de Minas de Cataguás, ele estabeleceu a continuidade histórica e simbólica entre os descobrimentos de esmeraldas e aqueles rendosos descobertos auríferos, e arrematou de modo pretensioso: "podendose dizer que elle, e o dito seu Pay, por descobridores forão a cauza primaria, e total de se achar a fazenda de Vossa Magestade, com a utilidade de tanta quantidade de ouro" ([1700] Cópia de um importante... - *RAPM*, v. 19, 1921, p. 17).

[12] No início da década de 1690, o negócio paulista de apresamento dos índios continuava em pleno vigor. Os paulistas eram acusados de cativar os índios de língua geral (tupi), que já viviam aldeados no sertão das capitanias do norte do Brasil. Cf. [19 de julho de 1693] PROVISÕES, patentes [...] 1692-1712 - *DHBNRJ*, v. 34, 1936, p. 84-86; MAGALHÃES, 1935, p. 112.

[13] Conforme as indicações dos documentos citados em [Comentário crítico de Andrée Mansuy] ANTONIL, 1968, p. 391-392; FRANCO, 1940, p. 156. [31 de agosto de 1689]; CORRESPONDÊNCIA dos Governadores Gerais 1675-1709 - *DHBNRJ*, v. 11, 1929, p. 152-153.

Amparado nesta interpretação, Garcia Rodrigues conseguiu, relacionando os serviços de descobrimentos à abertura de caminhos, atrelar as promessas régias feitas em 1683 a renovados pedidos de mercês em 1700: para o descobridor, o foro de fidalgo da Casa Real e 400 mil réis (pelo aumento do lote da comenda de 100 mil) a título do hábito da Ordem de Cristo; para dois filhos e uma filha, três hábitos de Cristo com comendas de 100 mil réis. Para o sertanista-descobridor, todas as pensões podiam ter efeito com o rendimento das Minas de ouro de Cataguases, visto serem notórios os ganhos da Fazenda Real, que foi a condição contratada pelas partes para as mercês concedidas ao descobridor. Essas mercês atendiam às velhas representações de descobrimentos, e satisfaziam, *em parte*, o serviço da abertura de um caminho novo do Rio de Janeiro para os campos gerais e Minas de Sabarabuçu. Isso explica o novo pedido do descobridor: o privilégio de donatário de uma vila a ser construída junto ao rio Paraíba do Sul, no meio do caminho para as Minas. Exprime-se aqui, mais uma vez, a troca de serviços e prêmios, que se consolida, dando continuidade e estabilidade à relação entre o rei e os bandeiristas de qualidade. Anos depois, talvez preocupado com o afluxo de moradores com o acabamento do caminho, Garcia procurou o reconhecimento régio para a imensa demarcação da vila prometida; pretendeu que os limites fossem, de um lado, a Serra dos Órgãos e vertentes do rio Paraíba, e de outro, a saída dos campos gerais, medindo tudo 10 léguas de testada, cinco léguas para cada lado.[14]

Apesar de pouco convencido das alegações de descobrimento feitas por Garcia Rodrigues, o rei Pedro II mandou o governador da Capitania do Rio de Janeiro provê-lo em algum posto da administração das Minas de esmeraldas ou de ouro, pela "diligência e averiguação" dessas minas de esmeraldas e por ele "insinuar" que foi o primeiro a descobrir ouro de lavagem no sertão de Sabarabuçu (ANRJ, códice 952, v. 8, f. 303, [19 de novembro de 1697]. Taunay, 1948, t. 9, p. 417).

Contudo, mais mercês régias dependiam de novos serviços de descobridor e sertanista. Em 1704, o rei considerou que pela abertura do caminho novo é que foram concedidos ao descobridor o foro de fidalgo

[14] [4 de agosto de 1711] ORDENS reais. – *RAMSP*, v. 7, 1934, p. 77-78. Efetivamente, Garcia Rodrigues conseguiu apropriar-se de quase toda esta demarcação, pois, em 1749, dizia-se que o seu filho e herdeiro da fazenda da Paraíba possuía nove léguas de testada das terras ao longo do caminho novo, na altura das passagens dos rios Paraíba e Paraibuna ([Diário da jornada que fez o ouvidor Caetano da Costa Matoso para as Minas Gerais] – CCM, 1999, p. 882-897).

da Casa Real, um hábito da Ordem de Cristo (cuja mercê ficou sem efeito, devido à sua inabilitação na Mesa da Consciência e Ordens, agravada pela negociação desastrosa na Corte) e o direito de construir vila como donatário ([13 de março de 1704] Garcia Rodrigues Paes – *RIHGB*, t. 84, 1920, p. 34). As mercês dos hábitos de Cristo para os seus filhos não foram atendidas. Mesmo assim, em 1735, após insistir na promessa do hábito, em razão dos encargos de descobrimento da casa paterna, o velho sertanista obteve para o filho mais velho, Pedro Dias Pais Leme, futuro guarda-mor geral das Minas Gerais, a comenda de 100 mil réis a cujo título concedeu-se o hábito da Ordem de Cristo.[15] A mercê só teve, assim, execução neste filho, que se tornou habilitado pela Mesa da Consciência e Ordens.[16]

Mais do que atrativos econômicos nas Minas, na virada do século XVII para o XVIII, o que interessava a Garcia Rodrigues eram as possibilidades lucrativas do trânsito comercial em volta do Rio de Janeiro. Astuciosamente, ele apropriou-se de prerrogativas do suposto descobrimento dos campos gerais, região contígua aos descobertos auríferos, que, pelo menos no princípio destes, atraía tanta atenção dos comerciantes e governantes do Rio de Janeiro quanto as minas de aluvião. Com isso, passou o sertanista-descobridor a deter o capital simbólico necessário ao feito alegado – qualidade, honra, capacidade, crédito –, suplantando qualquer concorrente na pretensão de fazer um novo caminho que atalhasse o antigo caminho geral do sertão das Minas. O capitão Amador Bueno da Veiga, outro experimentado sertanista, foi preterido duas vezes pela Coroa, no seu intento de abrir um caminho dos campos gerais para o Rio de Janeiro. Na primeira vez, quando Amador Bueno propôs a empresa ao governador da Capitania do Rio de Janeiro, Artur de Sá e Menezes, este não ficou convencido da sua capacidade já que o sertanista pediu um ano para abrir um caminho, enquanto Garcia Rodrigues alegou poder fazê-lo em pouco tempo. Além disso, o governador achou excessivas as mercês que Amador Bueno pedia.

[15] [12 de fevereiro de 1735] TAUNAY, 1948, p. 158. Sobre a inabilitação de Garcia Rodrigues, ver capítulo 3º.

[16] Na consulta do Conselho Ultramarino sobre uma petição de Pedro Dias Pais Leme querendo a execução da remuneração de serviços familiares, em 1752, pareceu aos conselheiros, a partir da portaria régia de 1703, que os serviços do avô do suplicante, assim como os do seu pai, feitos até o ano de 1700, tinham sido já remunerados. O suplicante detinha as seguintes mercês: o foro de fidalgo, a comenda (Ordem de Cristo) do lote de 100 mil réis e o ofício de guarda-mor geral (APM, Avulsos Capitania de Minas Gerais/AHU, caixa 59, documento 19).

Em 1704, após a mudança no governo do Rio de Janeiro com a substituição de Artur de Sá e Menezes, beneficente de alguns *partidos*[17] (e parentelas) paulistas, consta que Amador Bueno insistiu no serviço e, ao que parece, reiterou as mesmas mercês indeferidas por Menezes: largas terras de sesmaria no trajeto proposto, o foro de fidalgo e um hábito de Cristo com tença efetiva.[18] Como da outra vez, não houve andamento na negociação.

Eram considerados excessivos os pedidos de Amador Bueno, mas não os de um vassalo como Garcia Rodrigues Pais, cuja folha de serviços e qualidade permitiu que negociasse maiores mercês e lucros do que o seu concorrente. Estreitas ligações do governador do Rio do Janeiro com os seus parentes e aliados (veja-se a reabilitação de Borba Gato no governo de Menezes) e, mais do que isso, o crédito alcançado na capacidade de fabricar o caminho entre o Rio de Janeiro e os campos gerais dos Cataguases

[17] Partido, no sentido q ue se apresenta nos textos coevos, era um segmento de parentes e de amigos unidos por relações de reciprocidade e favor, formando uma rede clientelista específica, e bastante flexível. Assim como no grupo de parentesco, a condução para a chefia do partido, dependeria, como deduziu Marcel MAUSS (1974, p. 174-175) das sociedades do *potlatch*, do prestígio e do poder de retribuição do candidato: "Entre os chefes e vassalos, entre vassalos e subordinados, por essas dádivas é a hierarquia que se estabelece. Dar é manifestar superioridade, ser mais, mais alto, *magister*; aceitar sem retribuir ou sem retribuir mais, é subordinar-se, tornar-se cliente e servidor, apequenar-se, rebaixar-se (*minister*)". Cf. PITT-RIVERS, 1988, p. 44. Quanto à família, no Antigo Regime português, o termo podia assumir o sentido de parentela (ou de linhagem de varões), bem mais abrangente que um grupo doméstico ou nuclear, cujos integrantes mantinham laços genealógicos e a mesma herança simbólica. Mas ainda havia a noção de *casa*, relativa às famílias enobrecidas, e com limites institucionais visíveis. Essa identificava-se com um privilégio, direito, vínculos ou ofício exclusivo concedido pela monarquia e detido pelos seus membros. Cf. MONTEIRO, 1993, p. 43-63.

[18] [23 de setembro de 1704] GARCIA Rodrigues Paes... – *RIHGB*, t. 84, 1920, p. 36-37. Além de Amador Bueno, em 1704, Félix Madeira, seu filho Félix de Gusmão, e o bandeirista Antônio Machado oferecem fazer o descobrimento do caminho mais breve para as Minas. Dizem mais tarde ter descoberto o caminho, e Félix de Gusmão oferece-se para o abrir permanentemente, fazendo uma estrada a sua custa. Mas esse serviço é explicitamente suspenso, em 1705, pelo governador do Rio de Janeiro: "o mandei suspender, por se asentar não convir ao serviço de Vossa Magestade haver dous caminhos, mayormente tendosse por infalivel que o mais util era o de Garcia Rodrigues quando o outro se houvesse de conseguir, o que estava ainda em duvida" ([15 de março de 1705]. *Ibidem*, p. 37-38). Cf. [24 de maio de 1704]. *Ibidem*, p. 35. Da mesma forma que Garcia Rodrigues, Félix de Gusmão pediu, pelo serviço, o foro de fidalgo e uma licença para possuir vila junto ao rio Paraíba, na variante do caminho para as Minas que afirmou ter descoberto. Além disso, quis também o posto militar de mestre-de-campo (CARTA do governador... – ABN, v. 39, 1917, p. 304).

levaram à pronta aceitação pela Coroa da proposta de Garcia Rodrigues, em 1698 (ANRJ, códice 77, v. 6, f. 142v-144v, [24 de maio de 1698]). Em troca por *mais* este serviço para o bem do Estado, ele requereu, e obteve, terras de sesmarias na passagem do rio Paraíba do sul, para construir uma vila na qual fosse o donatário.

Ancorado nas suas fortes ligações com os agentes da Metrópole, Garcia Rodrigues pôs em prática, desde a juventude, a noção legítima, segundo a norma colonial, de que o descobrimento só se efetivava com o povoamento e o beneficiamento dos caminhos, por meio dos pousos e das roças. Lucrou muito com isso, e outros sertanistas-descobridores procuraram fazer o mesmo. Com as primeiras notícias de minas de rendimento no sertão de Cataguases, o bandeirista, fiel às práticas tradicionais, fez abrir somente uma picada que não permitia mais do que gente a pé com sua carga, evidentemente levada às costas dos índios ([Carta régia de 15 de novembro de 1701 e resposta de 7 de setembro de 1702] GARCIA Rodrigues Pais... – *RIHGB*, t. 84, 1920, p. 28-29). Em lugar estratégico do percurso, na passagem do caudaloso rio Paraíba e no meio da jornada entre o Rio de Janeiro e os campos gerais, estabeleceu um arraial e plantou roças ([Carta de 14 de julho de 1703 e papel de 8 de julho de 1703] *ibidem*, p. 32-33). Ali Garcia Rodrigues quis construir a sua vila, garantia de posse do ponto e dos ganhos na passagem dos viajantes.

Àquela altura, os campos gerais, junto com os campos dos Goitacazes, eram vistos pelos comerciantes e fazendeiros do Rio de Janeiro como uma fronteira promissora para a expansão da criação de gado que atendesse àquela praça. Nas propostas dos bandeiristas e nas intenções dos agentes da Coroa assinalam-se os lucros advindos da criação nos campos e o crescimento do contrato de couros, bem como o abastecimento facilitado dos moradores do Rio de Janeiro ([1700] CÓPIA de um importante... – *RAPM*, v. 19, 1921, p. 15; [23 de setembro de 1704] GARCIA Rodrigues Pais... – *RIHGB*, t. 84, 1920, p. 36-37). Na virada do século XVII, os sertanistas afirmavam que os campos gerais eram tão férteis para o gado que poderiam virar uma espécie de Buenos Aires caso se povoassem, porque confinavam com outras regiões pastoris do sul (nova Colônia) e do norte (currais da Bahia). Animados por essa perspectiva, os agentes da Coroa no Rio de Janeiro supunham que o caminho beneficiaria a Fazenda Real e a vida econômica local, por facilitar a cobrança dos quintos, fazer crescer os dízimos e os contratos, e trazer para aquela praça um extenso comércio regional.[19] Querendo, sobretudo, colonizar os campos gerais (o que se tentava há mais de 90 anos, de acordo com Artur de Sá e Menezes em 1699), o governador atendeu à solicitação de Garcia Rodrigues e buscou persuadir os sesmeiros e mercadores do Rio de Janeiro a fornecerem um auxílio de 10 mil cruzados. Esses alegaram, numa primeira investida do governador Menezes, que só contribuiriam com o término da empresa. Então, após ano e meio, penhorando o feito somente com a abertura de uma picada, o bandeirista voltou a insistir na ajuda de custo pedida aos negociantes e pretendentes a sesmeiros no caminho. Todavia, provavelmente cientes das difíceis condições do trajeto, os supostos interessados negaram-se mais uma vez a ajudar. Com mais essa recusa, o sertanista-descobridor obteve do governador do Rio de Janeiro algo mais lucrativo: o direito exclusivo de fazer ou manter *negócio* no caminho novo, que começaria em 1700 e acabaria em 1702 ([2 de outubro de 1699] Provisões, cartas régias... – *RIHGSP*, v. 18, 1914, p. 388-390. Cf. Taunay, 1948, t. 9, p. 421-422.).

É muito provável que do ponto de vista econômico e comercial, em 1700, os coloniais do Rio de Janeiro valorizassem mais o acesso aos campos de criação de gado bovino do que as minas de aluvião, que, supunha-se, eram de parcos rendimentos e há mais de século já se dizia existirem em várias partes do território brasileiro. Antes das primeiras manifestações das Minas de ouro dos Cataguases, como anuncia com exagero Artur de Sá e Menezes, já havia intenção de forjar esse caminho para os campos gerais. Segundo o capitão-mor Pedro Taques de Almeida, pelo menos desde a década de 1680, os moradores do Rio de Janeiro tentavam fazer a obra ([20 de março de 1700] *apud* Derby, 1901b, p. 282-285).

Nesse contexto, Garcia Rodrigues transferiu a sua família para a região do Paraíba e montou uma grande fazenda para abastecimento dos viajantes.

[19] Apesar de o governador do Rio de Janeiro asseverar, em 1698, que os campos dos Goitacazes estavam "quase perdidos", em 1702, o rei ordenou que se repartissem os campos gerais de Goitacazes entre os paulistas e os moradores do Rio de Janeiro. (ANRJ, códice 77, v. 6, f. 142v-144v, [24 de maio de 1698]). Cf. [14 de março de 1702] DOCUMENTOS relativos [...] 1701-1705 – *DIHCSP*, v. 51, 1930, p. 70-71. Em 1701, expressão de um conflito envolvendo interesses comerciais e políticos entre baianos e moradores das capitanias de baixo, o capitão do descobrimento do caminho dos currais da Bahia afirmava que, mesmo nos currais do campo dos Goitacazes e das vilas anexas à cidade do Rio de Janeiro, o gado não era suficiente para os engenhos, as lavouras e, ao mesmo tempo, para suprir outras regiões com envio constante de boiadas ([Cartas de 5 de março de 1701 e de 6 de março de 1701] – *apud* [Comentário crítico de Andrée Mansuy] ANTONIL, 1968, p. 583-585).

Em 1705, o bandeirista já tinha melhorado o caminho, abrindo estrada larga, pelo menos entre o ponto do Paraíba e o Rio de Janeiro, e ainda feito roças ([15 de março de 1705] Garcia Rodrigues Paes... – *RIHGB*, t. 84, 1920, p. 37-38).

Garcia Rodrigues soube explorar bem os trabalhos de fabricação do caminho novo durante a década de 1710. Em 1711, consta que cobrou a execução da promessa régia, feita em 1703, de datas de terras no caminho novo, além das mercês efetuadas. Lembrando o compromisso régio, pediu de prêmio sesmarias para si e para cada um dos 12 filhos no caminho novo do Rio de Janeiro para os campos gerais. O rei anuiu a seu pedido, dando-lhe sesmaria quatro vezes maior que as concedidas costumeiramente,[20] além das sesmarias dos filhos, mas com a condição de que fossem datas separadas e não contíguas à área da vila que o sertanista pretendia fazer. Ao justificar o pedido, Garcia Rodrigues alegara que poderia ter tirado maior proveito empregando os seus escravos nas Minas de ouro, mas, no interesse régio, mantivera-se naquele trabalho de abertura do caminho novo (APM, Sc 04, f. 44, [14 de agosto de 1711]). Não é verdade que não usufruísse de grandes lucros (ou conveniências) nas suas atividades do caminho novo, e mais ainda com a posse de terras cultiváveis para as roças, e estrategicamente localizadas nas passagens obrigatórias dos viandantes.

Ligar os descobrimentos a pedidos de sesmaria era prática tão comum que a Câmara de São Paulo, em 1700, achava-se no direito de reivindicar as sesmarias das terras das Minas de Cataguases somente para os paulistas, por terem sido eles os seus descobridores e conquistadores ([10 de novembro de 1700] Provisões, cartas régias [...] 1688-1700 – *RIHGSP*, v. 18, 1914, p. 431-432.). Mas, significativamente, indicando os rumos da negociação com os paulistas e descobridores de ouro, em 1702 o rei ordenou que se dessem sesmarias a todos *com igualdade*, desde que elas não incluíssem terras com minas ou veeiros de ouro, e que se concedesse mais de uma sesmaria aos coloniais, contanto que a primeira fosse cultivada. Com isso, manteve-se a possibilidade de os descobridores (e os paulistas), com o

[20] O que era um tanto incerto, pois a própria Coroa particularizava as concessões das datas de terras, cujo tamanho dependia das circunstâncias do pedido, do peticionário e do lugar da data. Pouco antes das mercês vantajosas e preferenciais conquistadas por Garcia Rodrigues, o rei mandava que, no caminho novo, para evitar concentração de terra e falta de mantimentos, a sesmaria devia ser de uma légua em quadra, concedendo-se apenas uma para cada requerente (APM, Sc 02, f. 169-169v, [15 de junho de 1711]).

pretexto da mineração e do povoamento, afastarem outros pretendentes a sesmeiros (14 de março de 1702] Documentos relativos [...] 1701-1705 – *DIHCSP*, v. 51, 1930, p. 70-71). Buscando dirigir a ocupação do trajeto para as Minas e manter o virtual monopólio dos negócios, o descobridor do caminho novo conseguiu largas extensões de terra no caminho, e chegou a querer ser o concessor único de sesmarias naquela rota ([28 de agosto de 1706] Cartas enviadas ao rei 1705-1706 – *RIHGSP*, v. 57, 1959, p. 651-658).

Dissimulando os arranjos com parentes e amigos no que alega à Coroa, Garcia Rodrigues manteve muitos interesses nas Minas de ouro, envolvendo-se diretamente, ou por intermédio de parentes, com a mineração. Ele foi nomeado pelo governador Artur de Sá e Menezes escrivão das Minas do rio das Velhas, quando ali era guarda-mor o cunhado, Manuel de Borba Gato. Em 19 de abril de 1702, na mesma data da promulgação do Regimento das Minas, Garcia Rodrigues foi promovido a guarda-mor geral das Minas de São Paulo, respondendo, mesmo que através de guardas-menores, substitutos estabelecidos por ele nas lavras mais distantes (a partir de 1703), pela medição e repartição das datas.[21] Em maio de 1703, com a reforma de alguns artigos do Regimento das Minas de ouro de lavagem, em lugar de receber ordenado da Fazenda Real pela função, ele passou a ter direito de tirar para si uma data nos descobertos de ouro que repartisse, e de lavrar (associado ou não), permissões régias sub-rogadas aos guardas substitutos

[21] Baseando-se nos custosos serviços da abertura do caminho novo e na reputação alcançada pelo sertanista-descobridor, o rei provê Garcia Rodrigues no cargo de guarda-mor geral das Minas de ouro de São Paulo pelo tempo de três anos. Ele veio substituir os guardas-mores nomeados para as Minas Gerais (ou Cataguases) e para as Minas do rio das Velhas (ou Sabarabuçu). Seu ordenado, segundo o Regimento das minas, seria de 2 mil cruzados. Um ano depois o rei resolveu que, em lugar do ordenado, ele teria o direito de tirar para si uma data mineral nos descobertos de ouro que repartisse. Com a permissão régia dada ao guarda-mor de contar com guardas substitutos, estes passaram a usufruir do direito de minerar e tirar datas minerais para si próprios. Pouco depois, Garcia Rodrigues conseguiu que o cargo se tornasse vitalício e, com o tempo, passasse a propriedade familiar. Em 1725, seu filho, Fernando Dias Pais, teve o privilégio de sucedê-lo no cargo de guarda-mor das Minas. Com a morte deste filho, foi provido em seu lugar um outro, Pedro Dias Pais Leme (APM, Sc 02, f. 156v-157, [19 de abril de 1702]; [2 de maio de 1703] GARCIA Rodrigues Paes... – *RIHGB*, t. 84, 1920, p. 31-32; APM, Sc 02, f. 155-156, [27 de setembro de 1725]; APM, Sc 29, f. 131, [8 de agosto de 1730]; APM, Sc 44, f. 103-104v, [18 de julho de 1736]; [23 de fevereiro de 1700] PROVISÕES, cartas régias [...] 1688-1700 – *RIHGSP*, v. 18, 1914, p. 406-407; PATENTES, provisões... – *DIHCSP*, v. 54, 1932, p. 16-18). Cf. LEME, 1980, v. 3, p. 78.

e escrivães das lavras descobertas.[22] Isso sem incluir os salários pagos pelos exploradores aos guardas-mores e escrivães, supostamente para cobrir os gastos de viagem, vistoria e repartição dos descobertos.

Todavia, Garcia Rodrigues buscou, sobretudo, o negócio do caminho novo, e nomeou para seu lugar guarda substituto e escrivão geral das Minas Gerais, enquanto ele estava fora, dizendo cuidar das melhorias do caminho novo.[23] Mesmo depois de concluído o caminho do Rio de Janeiro aos campos gerais das Minas, na década de 1710, tornou-se praxe a provisão de guardas-menores e escrivães substitutos pelo guarda-mor geral, que vivia recolhido na sua fazenda do Paraíba, de onde não arredava porque era lá que tirava o maior proveito.[24]

Ao longo do caminho novo, o sertanista-descobridor apossou-se de largas sesmarias nos lugares favoráveis para o plantio de roças, para o escoamento da produção agropecuária e para o abastecimento de viajantes. Na prática, a família de Garcia buscou monopolizar a venda de gêneros e o acesso das posses no percurso. Em 1716, a Coroa mandou que, sobre as sobras de chãos devolutos ou mesmo sobre sesmarias não cultivadas no caminho, fossem concedidas a Garcia e seus filhos as terras que faltavam para dar inteiro cumprimento às mercês régias de 1703 ([Provisão régia: 26 de dezembro de 1716, resposta do Governador: 4 de março de 1718] Documentos relativos [...] 1711-1720 – *DIHCSP*, v. 49, 1929, p. 209-211). O descobridor denunciou ao governo da Capitania das Minas os posseiros (e sesmeiros) situados à beira do caminho que disputavam o comércio de

[22] Ver os artigos 9º e 10º (e a carta régia de revogação destes), e o artigo 12º (e a carta de sua declaração) do Regimento do superintendente, guarda-mor e mais oficiais das Minas do ouro de São Paulo (*apud* [Comentário crítico de Andrée Mansuy] ANTONIL, 1968, p. 550-560).

[23] Teria, ainda, contribuído para a saída de Garcia Rodrigues das Minas o anúncio de dissenções mais graves entre o superintendente das Minas, José Vaz Pinto, e mineradores poderosos, além do conflito de jurisdição entre o guarda-mor geral e o superintendente ([Cartas: 31 de julho de 1705, 30 de julho de 1705] CARTAS enviadas ao Rei 1705-1706 – *RIHGSP*, v. 57, 1959, p. 635-638; [18 de agosto de 1705] GARCIA Rodrigues Paes... – *RIHGB*, t. 84, 1920, p. 38-39).

[24] Ao governador de São Paulo e Minas, em 1719, parecia um erro Garcia Rodrigues morar no Paraíba, fora das Minas, "por se não desviar da sua utilidade, e que às partes lhes seja preciso recorrer muitas vezes de duzentas, e trezentas léguas a ele, como na verdade o são de Paranapanema e Itacambira a Paraíba, porque parece que este homem havia de residir ao menos no centro das minas, para ter direito a que se lhe não alterasse em nada a sua administração" (APM, Sc 04, f. 226, [8 de junho de 1719]).

gêneros alimentícios, sob a alegação de estarem impedindo o acabamento da obra. Afetando injustiça, Garcia reclamou que detinha somente seis datas (quatro entre os rios Paraíba do Sul e Paraibuna) das que foram prometidas de mercês, pois intrusos tinham tomado as terras doadas.[25] Ele não tinha razões para reclamar de injustiça, pois sabe-se que vendeu muitas dessas terras apropriadas lícita ou ilicitamente (Taunay, 1948, t. 9, p. 440-441). Mesmo assim, quando via uma oportunidade de tomar mais sesmarias, valia-se de seu prestígio e dos antigos serviços, para que a Coroa reconhecesse a sua pretensão. Em 1715, Garcia foi acusado no Conselho Ultramarino de agarrar-se ao cargo de administrador do descobrimento das esmeraldas, herdado das suas antigas entradas, mesmo com os parcos resultados, para no fundo apossar-se com exclusividade das terras do descoberto, afastando descobridores (e cultivadores) concorrentes ([16 de dezembro de 1715] Documentos relativos [...] 1674-1720 – *DIHCSP*, v. 53, 1931, p. 117-118.).

Ao saber das melhorias feitas no caminho novo pelo sargento-mor Bernardo Soares de Proença, que fez um novo percurso evitando a serra do Mar, Garcia Rodrigues requereu ao governador do Rio de Janeiro sesmarias naquele novo caminho, com o pretexto de completar as que ficaram faltando de antigas promessas régias. Ao mesmo tempo, pediu datas ao governador de Minas Gerais (se necessário, de roças que fossem desapropriadas), no percurso entre o Paraibuna e as Minas, caso as datas do atalho novo, na Capitania do Rio de Janeiro, não fossem suficientes. No entanto, tal jogo pesado de interesses acabou esgotando-se. Em 1725, o rei concordou com o governador Aires de Saldanha, que indeferiu o requerimento de datas na parte nova do caminho, pois o sertanista não tinha contribuído para aquela melhoria e já tinha recebido sesmarias correspondentes aos seus serviços.[26]

[25] APM, Sc 04, f. 233-233v, [24 de setembro de 1719]. Cf. TAUNAY, 1948, t. 9, p. 439. Afetar a condição de injustiçado era constante na época entre os coloniais de qualidade, quando a questão era o destino do protagonista virtuoso a serviço do governo ingrato. É interessante perceber que entrou para a tradição da família de Garcia Rodrigues essa história de que o descobridor foi mal atendido nas suas pretensões de merecidas sesmarias, vindo a ser, como no famoso caso de Belchior Dias, engabelado na Corte (*ibidem*, p. 430-431).

[26] [6 de julho de 1725] GARCIA Rodrigues Paes... – *RIHGB*, t. 84, 1920, p 39-40. APM, Sc 04, f. 233-233v, [24 de setembro de 1719]. Taunay faz referência ao relato que Aires de Saldanha fez para Dom João V, em 1724: "Sabedor deste êxito [o serviço de Bernardo

Seu melhor negócio foi o fornecimento de víveres no caminho do Rio de Janeiro para os entrantes nas Minas de ouro e, durante algum tempo, a cobrança de direitos de passagem em canoas nos rios Paraíba do Sul e Paraibuna. Era suposição comum, como ilustra o depoimento do desembargador João Pereira do Vale em 1705, que os agentes das Minas tinham grande interesse nas "grandes roças e lavouras, que fazem de milho, e mandioca, e feijão para vender aos passageiros, sendo este o caminho mais certo de enriquecer, como tem mostrado a experiência".[27] De fato, Garcia Rodrigues foi freqüentemente criticado por só pensar nas conveniências que suas roças traziam nas passagens dos rios Paraíba e Paraibuna. Em 1720, o Conde de Assumar, irritado com a recusa de Garcia em transportar peças de artilharia à sua custa para as Minas, justificou seu desinteresse com ironia: "com elas não pode plantar roças nem fazer colheitas" (APM, Sc 11, f. 259-259v, [30 de agosto de 1720]).

Nas rotas de São Paulo e Rio de Janeiro para as Minas de ouro, havia muitas roças de milho, feijão e abóbora, além de criação de porcos e galinhas. Nas décadas de 1690 e 1700, eram as lavouras específicas dos descobridores de minas e de outros sertanistas paulistas, muito necessárias no momento de se recolherem aos povoados. Com o maior afluxo de entrantes para os descobertos de ouro, os roceiros e sesmeiros, atentos à necessidade das tropas no sertão, especulavam com o preço dos gêneros. Lucros ilícitos, na concepção de Antonil, que viu nesta prática mais um tema para crítica: "E dahi vem o dizerem que todo o que passou a serra de Amantiqueira ahi deixou dependurada ou sepultada a consciencia" (Antonil, 1968, p. 422).

De fato, as roças de Garcia Rodrigues figuram nos dois roteiros das Capitanias do Sul para as Minas de ouro. No caminho de São Paulo, consta que ele possuía roças localizadas entre o rio das Mortes e a serra de Itatiaia, nos campos gerais. Contudo, seu maior negócio em roças ficava na sua fazenda às margens do rio Paraíba, no trajeto do caminho novo do Rio de Janeiro. Isso porque era comumente lucrativo para os descobridores ou

Soares], surgira Garcia Paes, com reclamações sobretudo ao tomar conhecimento da distribuição de sesmarias ao longo da variante. À sua petição indeferira Ayres de Saldanha pois Garcia já estava inteirado com as datas que possuía e outras muitas que vendera." Cf. TAUNAY, 1948, t. 9, p. 440-441.

[27] BA, 51-VII-47, f. 335-352. Numa outra transcrição da carta, a passagem citada termina assim: "sendo este o caminho mais certo e seguro de enriquesser" (*apud* [Comentário crítico de Andrée Mansuy] ANTONIL, 1968, p. 560-566).

sertanistas formar roças nas passagens de rios caudalosos dos sertões do ouro.[28] Ainda mais no caso de Garcia Rodrigues, cuja fazenda se situava no que foi considerado o sítio mais apto para tornar-se "importante chave para as Minas", um posto estratégico a partir do qual se podia fiscalizar as pessoas, escravos e mercadorias que entravam nas Minas Gerais.[29] O fato é que o comércio do caminho novo de Garcia Rodrigues acabou suplantando as transações dos dois outros caminhos oficiais de ligação com as Minas – o de São Paulo e o da Bahia –, o que se mostrou muito vantajoso para o proprietário do Paraíba.

Aproveitando-se da demora para atravessar as cargas e pessoas nas canoas, Garcia vendia gêneros alimentícios aos passageiros comuns que pernoitavam nos ranchos de sua fazenda, preparados para isso. Desde o início do século XVIII, quem chegasse ao porto do Paraíba vindo do Rio de Janeiro encontrava, na margem direita, uma venda de Garcia Rodrigues e "bastante ranchos para os passageiros" e, na margem esquerda, a casa do guarda-mor, com "larguissimas roçarias".[30] Além disso, atento como

[28] Por exemplo, no caminho de São Paulo para as Minas, na década de 1700, fabricaram roças junto às passagens de rios: Bento Rodrigues (descobridor de ribeiro aurífero das cabeceiras do rio Doce) na parte larga do rio Paraíba (Guaipacaré), antes de galgar a Mantiqueira; Manuel de Souza Silva (morador de Taubaté) no rio Verde; José Pompeu Taques (beneficiário dos direitos de passagem) no rio Grande; Tomé Portes del Rei (beneficiário dos direitos de passagem, e descobridor de ouro do lugar) no rio das Mortes. Ver roteiro com estudo crítico de Andrée Mansuy, *ibidem*, p. 418-426. Cf. BA, 54-XIII-4[24], f. 2-3, Descrição do mapa que compreende os limites do governo de São Paulo e Minas, e também os do Rio de Janeiro [década de 1710]. Ao mesmo tempo, consta que o governador Fernando Martins Mascarenhas de Lencastre, em 1705, concedeu terras e direitos de passagem no Paraíba a João dos Reis Cabral, que fez atalho no caminho das Minas, depois de Guaratinguetá, da mesma forma que teriam sido concedidos por Artur de Sá e Menezes nas travessias dos rios Paraíba no Guaipacaré (a João de Castilho Tinoco da vila de Guaratinguetá), Verde (a José Moreira de Castilho da vila de Taubaté), Grande (a José de Góes de Moraes da vila de São Paulo) e das Mortes (a Antônio Gracia da Cunha da vila de São Paulo, e genro de Tomé Portes) (DOCUMENTOS relativos [...] 1701-1705 – *DIHCSP*, v. 51, 1930, p. 112-113, 314-316, 395-400).

[29] APM, Sc 04, f. 203v, [2 de julho de 1717]. Seria o ponto-chave que abria as Minas facilmente a partir do Rio de Janeiro. Os invasores franceses bem perceberam a junção entre a cidade e as Minas Gerais. Durante os preparativos da pilhagem do Rio de Janeiro em 1711, chefiada por René Duguay-Trouin, foi dito que se ia "à la conquête d'un toison d'or sous la conduite d'un noveau Jason" (*apud* BOXER, 1969, p. 116).

[30] ANTONIL, 1968, p. 430. Caetano da Costa Matoso, em 1749, também descreve o lugar: "várias choupanas, também do mesmo nome [Paraíba], com outras mais palhoças e ermida, e entre elas umas casas de madeira e sobrado e telha, com dez janelas de sacada,

outros sertanistas-descobridores às práticas de lucro no caminho das Minas, Garcia assenhoreou-se de uma regalia da Coroa, usufruindo dos rendimentos dos direitos de travessia do rio, fundado no fato de que eram suas as canoas e os escravos que as dirigiam.[31] Durante certo período, Garcia teve domínio completo da travessia, até que houve uma tentativa da Coroa de arrendar os direitos de passagem, mas a idéia não conseguiu atrair propostas rentáveis. Resolveu-se então explorar a passagem por conta da Fazenda Real, com a suposição de que o guarda-mor cobraria esses direitos para repassar a ela. Efetivamente, Garcia compareceu com 770.200 réis, valor aquém do esperado, o que deixou as autoridades régias um tanto desconfiadas em 1714. Não é para menos, já que as propostas de arrendamento, no valor de mil cruzados (480 mil réis) anuais, apesar de decepcionantes, sugeriam que o montante apresentado por Garcia, relativo ao tempo de sua arrecadação (possivelmente mais de um ano), não era grande coisa.[32]

Na verdade, os direitos de passagem do caminho novo deviam render muito mais do que o guarda-mor geral quis deixar transparecer. Em 1718, o governador do Rio de Janeiro calculava que as passagens dos rios Paraíba e Paraibuna podiam render até quatro mil cruzados por ano ([Provisão

e nos lados duas grandes varandas com boas acomodações por dentro" ([Diário da jornada que fez o ouvidor Caetano da Costa Matoso para as Minas Gerais] - CCM, 1999, p. 882-897).

31 Os paulistas eram useiros em colocar canoas nas passagens dos rios do caminho das Minas, e em cobrarem a travessia dos viandantes. O capitão-mor da Capitania de Conceição de Itanhaém e o governador Artur de Sá e Menezes, certamente interessados em favorecer os seus protegidos dos descobertos de ouro, teriam introduzido esta prática, considerada um atentado à jurisdição própria do rei ([8 de fevereiro de 1704] ORDENS reais. - *RAMSP*, v. 4, 1934, p. 68).

32 [7 de dezembro de 1714] DOCUMENTOS relativos [...] 1711-1720 - *DIHCSP*, v. 49, 1929, p. 136-137. Num relato de tom falacioso, o neto de Garcia Rodrigues, o cônego Roque de Macedo Pais Leme da Câmara, declara que o avô cobrava, na época que ele teve a posse das passagens dos rios Paraíba e Paraibuna, 40 réis por pessoa e 60 réis de cada uma das bestas carregadas. Cf. TAUNAY, 1948, t. 9, p. 429. Mas esses valores são verossímeis; não diferem dos 60 réis que se cobrava para atravessar o rio Grande (ANTONIL, 1968, p. 424). E, ainda, não são discrepantes dos 40 réis de cada pessoa e carga que se determina cobrar na passagem do rio Paraíba, no posto chamado Guaipacaré, em 1702 (DOCUMENTOS relativos [...] 1701-1705 - *DIHCSP*, v. 51, 1930, p. 112-113). A arrecadação dos direitos de passagem no Paraíba deve ter subido muito desde que o caminho novo, tornando-se a rota comercial privilegiada, passou a ser freqüentado no final da primeira década do século XVIII (ZEMELLA, 1990, p. 120-123).

régia: 26 de dezembro de 1716, resposta do Governador: 4 de março de 1718] Documentos relativos [...] 1711-1720 – *DIHCSP*, v. 49, 1929, p. 209-211). Com o tempo, ao consolidar-se a rota comercial do caminho novo do Rio de Janeiro, os rendimentos das passagens dos rios foram se elevando: sabe-se que, em 1749, a Coroa recebia 45 mil cruzados pelo arrendamento daquelas passagens ([Diário da jornada que fez o ouvidor Caetano da Costa Matoso para as Minas Gerais] – CCM, 1999, p. 882-897).

Considerando-se a forma que assumiam as relações sociais e econômicas na época de Garcia Rodrigues, pode-se admitir que pouquíssimos arrendatários (como no caso do pregão das datas minerais da Coroa) ousaram contrariar os interesses (e privilégios avaliados como próprios) do prestigiado descobridor e guarda-mor geral, à vista da varanda de sua casa. Com isso, em meio ao desapontamento da Coroa com as propostas de arrendamento da passagem do Paraíba, Garcia voltou à carga, como de costume, lembrando ter custeado o serviço de abertura do caminho novo, para pedir o direito de explorar aquela travessia ([Provisão régia: 26 de dezembro de 1716, resposta do governador: 4 de março de 1718] Documentos relativos [...] 1711-1720 – *DIHCSP*, v. 49, 1929, p. 209-211).

O guarda-mor geral continuou lucrando com a venda dos produtos das suas roças, mas, em 1726, mudou a forma das passagens dos rios Paraíba e Paraibuna, quando o governador do Rio de Janeiro mandou construir duas barcas que transportavam mais passageiros e cargas do que as tradicionais canoas do velho sertanista. Garcia Rodrigues revoltou-se contra a nova forma e não quis mais empregar *gratuitamente* os seus escravos como remeiros, como há anos entendeu ter feito. Tudo porque, segundo o governador do Rio de Janeiro, os seus interesses foram prejudicados pelo uso de barcas, pois no sistema das canoas, “com a vagarosa expedição que davam, todo o mundo lhe pernoitava em casa gastando-lhe os seus frutos em grande utilidade sua” (Taunay, 1948, t. 9, p. 441. [21 de janeiro de 1728] Documentos relativos [...] 1711-1720 – *DIHCSP*, v. 50, 1929, p. 98-100).

Na realidade, seus interesses (ou lucros) não deviam ser meramente econômicos, implicavam também prestígio político. Sabe-se que as autoridades da Coroa (governadores, ouvidores, oficiais da Justiça, da Fazenda e militares), além dos coloniais ricos e poderosos que rumavam para a Capitania de Minas Gerais, usavam da sua *hospitalidade*, que estava longe de ser desinteresseira. Aquele era um momento privilegiado para Garcia estreitar laços, iniciando, com o oferecimento do pouso e do abastecimento da comitiva a título gratuito, a troca de favores ou presentes que dava forma à interdependência entre clientes e amigos. Estrategicamente, o agrado no Paraíba bem podia depois retornar na forma de uma ligação com os agentes do Estado, benéfica para o poder e a riqueza da parentela ou da casa de Garcia Rodrigues.[33]

De todo o modo, ocupar os ofícios das Minas era também muito compensador. Em 1703, o governador do Rio de Janeiro achava que Garcia não tivesse cabedal e escravos suficientes para terminar a parte que faltava no caminho novo ([14 de julho de 1703] GARCIA Rodrigues Paes – *RIHGB*, t. 84, 1920, p. 32). Mas Garcia Rodrigues, ao se recolher novamente das Minas de ouro para o caminho novo em 1704, teria levado, segundo o informante do padre Antonil, "bastante cabedal" das Minas, enquanto seu amigo substituto na Guardamoria das Minas Gerais, capitão Baltazar de Godói Moreira, teria conseguido com os trabalhos de roças e mineração 20 arrobas de ouro.[34]

Na primeira década do século XVIII, em muitos descobertos de ouro, os repartidores e seus escrivães, despachando segundo as petições dos pretendentes às datas, ficavam com todo o lucro dos salários pagos para repartir, medir e passar cartas de datas; muitas vezes, os gastos dos descobridores, seus sócios e aliados na repartição não eram sequer cobertos pelo rendimento das lavras.[35] Em 1731, dizia-se que, nessas vistorias, os guardas-mores e escrivães "levam o que querem". Também é certo que os repartidores das minas praticavam extorsões diversas, concedendo

[33] Favor como o que se viu obrigado a aceitar o recém-nomeado ouvidor de Vila Rica, Caetano da Costa Matoso. A caminho das Minas em 1749, ele hospedou-se na casa da fazenda do Paraíba, herdada pelo filho de Garcia Rodrigues, o guarda-mor geral Pedro Dias Pais Leme, "por ser sítio destinado a ficar e dormir". O guarda-mor não estava em casa, mas, nas palavras do próprio ouvidor, "tinha feito a lisonja de mandar antecipadamente hospedar-me, o que se me fez com toda a boa comodidade a mim e mais família que comigo vinha". Na passagem do rio Paraibuna, mais à frente, acompanhado do feitor da fazenda, a comitiva do ouvidor abrigou-se novamente em outras casas e ranchos de Pedro Dias ([Diário da jornada que fez o ouvidor Caetano da Costa Matoso para as Minas Gerais] – CCM, 1999, p. 882-897).

[34] ANTONIL, 1968, p. 390. Numa carta a Dom Pedro II, Garcia Rodrigues diz que cuidava da obra do caminho novo desde 1º de junho de 1704, dia da sua saída das Minas, até a data que figurava na carta, 30 de agosto de 1705 (*apud* [Comentário crítico de Andrée Mansuy] *ibidem*, p. 579-581).

[35] ANTONIL (1968, 378) conta como ocorria: "E às vezes acontece offerecem-se quinhentas petiçoens, e levarem o repartidor e o escrivão mil oitavas [pagamento de uma oitava de ouro para cada um], e não tirarem todos os mineiros juntos outro tanto de taes datas, por falharem no seu rendimento".

aos exploradores “poderosos”, seus parentes e aliados, mais datas do que podiam lavrar (e do que o Regimento minerário permitia), e decidindo a favor destes no que se referia aos limites das datas e à divisão das águas de lavagem do ouro. Estabelecia-se assim, no descoberto, uma rede que trazia, além dos ganhos econômicos, rendosos dividendos políticos. Garcia Rodrigues, se às vezes não participava diretamente desses conchavos, nem por isso deixava de lucrar ao prover guardas substitutos, pois mantinha-se como figura chave na rede de controle clientelista, na qual se permutavam favores e bens, desde a sua fazenda do Paraíba. Nas três primeiras décadas do século XVIII, tornou-se comum criticar o guarda-mor e os guardas substitutos por beneficiarem amigos e parentes, ganhando ilicitamente, com prêmios e subornos que recebiam desses aliados, para extorquirem dos verdadeiros descobridores ou dos pobres as datas que lhes cabiam. O resultado era a concentração em poucas mãos de grande parte das datas minerais de rendimento, a criação de um *mercado* de datas vedado aos pobres, e maiores ganhos dos ricos e poderosos, por sujeitarem os outros a colocar seus escravos nas lavras alheias em troca de um terço do ouro extraído. Consta, por exemplo, que um clérigo da Comarca do Rio das Mortes, Pedro Moura Portugal, possuía mais de 200 datas minerais, e que a escolha dos guardas-mores e escrivães das lavras dependia do seu favor, acomodando-se o guarda-mor geral aos nomes que ele indicava (APM, Sc 35, f. 231-231v, [20 de agosto de 1733]. APM, Sc 35, f. 166-167, [20 agosto de 1731]).

Garcia Rodrigues foi acusado de prover no cargo de guarda substituto quem ele queria, ou quem mais podia agradá-lo, pagando os emolumentos e as dádivas (em 1731, considerava-se que ele a vendia por meia libra, 60 oitavas ou até mais, dependendo do distrito para o qual fosse passada a provisão); além de fornecer provisões em branco, mas assinadas, para serem preenchidas com os nomes dos preferidos dos seus aliados.[36] Há um certo exagero aqui, porque, na época de descobrimentos novos, durante as três primeiras décadas do século XVIII, observou-se a tendência de seguir

[36] O governador interino da Capitania aliviou o guarda-mor geral das acusações, e denunciou o abuso de jurisdição dos ouvidores de Sabará e do Rio das Mortes em assuntos minerais, assim como as práticas ilícitas dos guardas substitutos, “extorquindo a exemplo dos ouvidores uma oitava de assinatura de cada carta de data multiplicada, e segundo a qualidade da terra que se concedia, sendo que pelo Regimento dos Salários só era permitido levar meia oitava por cada carta” (APM, Sc 44, f. 103-104v, [18 de julho de 1736]; APM, Sc 44, f. 105-105v, [19 julho de 1736]).

o costume de prover os descobridores nos cargos da repartição dos seus descobertos, direito que foi amplamente defendido pela Coroa, através dos governadores, como estímulo aos descobrimentos.

Alegava-se também que Garcia dissimulava o fato de os guardas substitutos, muitos deles seus apaniguados, fornecerem cartas das lavras com datas anteriores à do encaminhamento efetivo das petições, favorecendo determinadas pessoas na concessão de data de boa pinta de ouro, e prejudicando o explorador (ou o descobridor) que tinha requerido antes a data. Era, portanto, como disse o ouvidor da Comarca do Rio das Velhas, um "grande negócio" para o guarda-mor geral e seus substitutos distritais (APM, Sc 35, f. 237, [23 julho de 1733]. APM, Sc 35, f. 166-167, [20 agosto de 1731]).

Ainda, resguardando o poder e a riqueza dos próprios grupos de parentesco, quando havia leilão das datas minerais tiradas para a Coroa, os guardas-mores permitiam que mineiros poderosos (parentes e amigos) constrangessem concorrentes, impusessem determinados valores para a aquisição da data e afastassem gente de outros grupos do pregão. É o que informava, do Rio de Janeiro, o desembargador João Pereira do Vale à rainha, em 1705: "ainda que evidentemente se conheça, que a data da Fazenda Real pode dar mil oitavas, se um Paulista lança nela dez oitavas ninguém se atreve a lançar mais, e estas paga sequer" (BA, 51-VII-47, f. 335-352).

Além das vistorias e das provisões lucrativas, como guarda-mor geral, a partir de 1703, Garcia podia tirar uma data inteira (30 braças em quadra) depois de repartidas as datas do descobridor, da Coroa, e dos sócios no descobrimento (Antonil, 1968, p. 376). O melhor negócio na mineração, então, era ser descobridor e guarda-mor, ou associar-se aos parentes e aos aliados nos descobrimentos, o que fortalecia a família e o partido.[37] Na prática, os paulistas descobridores adaptaram as disposições regimentais para melhor proveito, negociando com as autoridades da Coroa que só manifestariam descobertos se fossem eles próprios, ou seus aliados e parentes, os repartidores. Desde os primeiros descobrimentos de minas

[37] Sabe-se que o superintendente das Minas no período, José Vaz Pinto, e o guarda-mor substituto de Garcia Rodrigues cuidavam de explorações minerais. O primeiro chega a ser acusado por Baltazar de Godoi que "a sua vida hera faiscar". No entanto, esse guarda-mor não estava fora do negócio de minas, e consta que fazia explorações para os lados do ribeirão de Santa Bárbara ([31 de julho de 1705] CARTAS enviadas ao rei 1705-1706 – *RIHGSP*, v. 57, 1959, p. 635-637). Cf. ANTONIL, 1968, p. 573-576.

de ouro, os descobridores requeriam os ofícios da partilha das lavras, e reclamavam do guarda-mor, que dava preferência a seus próprios parentes e amigos.[38]

O guarda-mor geral foi o melhor exemplo da vigência dessa prática, mas pode-se mencionar outros. Bento Rodrigues Caldeira, morador em Guaratinguetá, propôs ao governador do Rio de Janeiro apresentar as amostras de ouro dos descobertos próximos à vila, desde que fosse ele o repartidor (guarda-mor); também Manuel de Góis, da vila de Taubaté, fez ao mesmo governador a proposta de manifestar um ribeiro de ouro, com a condição de que um amigo dele fosse o guarda-mor. Em 1713, Paulo Nunes Félix, morador na Comarca de São Paulo, denunciou a já costumeira parcialidade dos guardas nomeados pelo guarda-mor geral e, procurando salvaguardar os direitos de descobridor e dos sócios, conseguiu que o governador Antônio de Albuquerque, avançando sobre jurisdição alheia, o nomeasse guarda repartidor dos seus descobrimentos no sertão de Ibitipoca (ao sul das Minas Gerais) (ANRJ, códice 77, v. 13, f. 33, [15 de setembro 1702]. ANRJ, códice 77, v. 22, f. 88, [2 de março de 1713]). Na realidade, os descobridores retomavam a prática tradicional dos descobridores e demais bandeiristas de escolherem eles mesmos, nos descobertos dos sertões distantes e pouco acessíveis, o regente do arraial de descobrimento ou o repartidor das datas minerais nos ribeiros, cujos poderes figuravam no guarda-menor.[39]

Garcia Rodrigues foi descobridor de ribeiros auríferos junto à serra dos Órgãos, no Rio de Janeiro, mas não fez uso de apresentar-se como descobridor de lavras de ouro na década de 1700. Pode ser que tenha explorado algumas lavras clandestinamente, pois ele tinha fama de mau pagador dos

[38] "No estado presente se queixam, os descobridores; porque buscando os ribeiros com muito trabalho, em que lhe são companheiros seus parentes, e amigos, lhe não dá o Guarda-mor data àqueles, que no tal descobrimento tiveram uma grande parte pedindo a razão que fossem preferidos no lucro os que ajudaram a descobrir aquelas utilidades, e assim parecia que estes descobridores tivessem a faculdade de repartir estas datas com o encargo de dar conta do que rendesse a de Vossa Majestade" (BA, 51-VII-47, f. 335-352, [7 de dezembro de 1705]).

[39] O Regimento das Minas (artigo 15º) abre espaço para o procedimento, pois foi feito de acordo com os costumes dos sertanistas paulistas, e publicado em São Paulo a mando de Artur de Sá e Menezes (ANRJ, códice 77, v. 7, f. 64-75v, [Regimento que se há de guardar nas minas dos Cataguases, e em outras quaisquer do distrito destas capitanias de ouro de lavagem, por Artur de Sá e Menezes, 3 de março de 1700]; ANRJ, [Francisco Lobo Leite Pereira] AP 5, caixa 8, pacote 01, [8 de abril de 1719]).

quintos reais.[40] Não é sem razão que os paulistas eram acusados de não pagarem quintos, pois é certo que os sertanistas-descobridores ficavam algum tempo explorando antes de manifestar os ribeiros auríferos à Coroa, desde que não fossem tão elevados os rendimentos das lavras, a ponto de, produzindo rumor (e fama), fazerem crescer o número de entrantes no descobrimento e obrigarem à manifestação imediata dos achados para garantir os direitos de descobridor e manter a reputação de bom vassalo.[41]

Provavelmente, Garcia associou-se a descobridores, o que era bom negócio, pois, segundo o Regimento das Minas, os sócios no descobrimento eram recompensados com datas bem menores (5 braças), mas de boas pintas de ouro. Dois dos seus cunhados – Manuel de Borba Gato e Domingos Rodrigues da Fonseca Leme – tiveram reputação de descobridores de ribeiros auríferos de grande rendimento. Garcia foi o escrivão da Guardamoria de Borba Gato nas Minas do rio das Velhas entre 1700 e 1702 e, durante a empresa deste no descobrimento de prata, substituiu-o no cargo de guarda-mor (ANRJ, códice 77, v. 7, f. 112-113v, f. 147v-149, [Provisões: 6 de março de 1700, 3 de janeiro de 1702]). Domingos foi sócio do cunhado na empresa do caminho novo, cedendo-lhe 18 escravos para acabar o serviço.[42]

Mais tarde, na década de 1710, o guarda-mor geral possuiu lavra de beta de ouro no rico morro do Batatal, em Pitangui, aos cuidados do genro Manuel de Sá (Carvalho, 1931, t. 4, p. 659-671). Os privilégios nas terras e madeiras, concedidos pelo conde de Assumar para esta exploração, foram tão vantajosos que a Câmara de Pitangui achou até que eram abusivos,

[40] APM, Sc 11, 76v, [18 de novembro de 1718]. Contudo, o crédito de descobridor de esmeraldas do sertanista experiente continuava intacto, mantendo-se como o preferido da Coroa para o feito. Sabe-se que, em 1714, o sertanista pretendia armar nova expedição de busca de esmeraldas. Antes, encarregou-se de mandar alguém na frente para fazer roças para o sustento do troço principal que seria chefiado por seu filho. Mas outro sertanista, Brás Esteves Leme, matou o seu encarregado, impedindo a execução do feito. Em 1724, ele é novamente consultado para fazer o descobrimento, mas, alegando que estava velho, viúvo e com filhas solteiras para cuidar, denegou o oferecimento. A Coroa tentou, então, ajustar a empresa com Lucas de Freitas, ou outro paulista indicado por Garcia Rodrigues, e seu companheiro de entradas (FRANCO, 1940, p. 156-157; APM, Sc 20, f. 21, [16 de abril de 1722]).

[41] Além de outras práticas que desencaminhavam os quintos reais (BA, 51-VII-47, f. 335-352, [7 de dezembro de 1705]). Sobre a tática de exploração secreta de minas, cf. ANTONIL, 1968, p. 358.

[42] Conforme a patente de Domingos Rodrigues, em 22 de outubro de 1724 (GARCIA Dias Paes... - *RIHGB*, t. 84, 1920, p. 22).

usurpando os direitos de posse de outros mineiros ([28 de julho de 1718] *Apud* Carvalho, 1931, t. 4 p. 602-606).

Principalmente a partir da segunda década do Setecentos, os descobridores paulistas impuseram sua marca no Regimento das Minas, sendo os escolhidos para guardas-menores dos seus descobrimentos. Os governadores da Capitania de São Paulo e Minas do ouro, procurando estimular as empresas de descobrimentos, fazem norma desse anseio dos descobridores. Antônio de Albuquerque mandou publicar que todo aquele que fizesse novos descobrimentos seria o repartidor delas. Em 1714, Brás Baltazar da Silveira anunciava mercês aos descobridores, nas Minas de Pitangui, dos ofícios de guardas-mores e de escrivães dos seus descobrimentos, desde que fossem brancos e que possuíssem no mínimo cinco escravos. E Dom Pedro de Almeida resumia o que se devia (e se fazia) para favorecer os descobrimentos: conceder aos descobridores o privilégio da repartição das datas, pois sem essa condição nenhum paulista queria ir a descobrimentos. Em 1721, o governador de Minas Gerais, atento à falta de descobrimentos novos e tentando evitar uma emigração de sertanistas paulistas para as Minas de Mato Grosso e de Goiás, publicou bando determinando que todo o descobridor receberia logo a provisão de guarda-mor do seu descobrimento (ANRJ, códice 77, v. 22, f. 88, [2 de março de 1713]. APM, Sc 09, f. 34v-35, [10 de agosto de 1714]. APM, Sc 09, f. 20v-22, [9 de abril de 1714]. APM, Sc. 04, f. 206, [22 de novembro de 1717]. APM, Sc 21, f. 5v-6, [11 de outubro de 1721]). A Garcia Rodrigues Pais, restou prover os muitos guardas-menores, que tiveram o beneplácito do governo da Capitania. Mas, como se viu, havia conveniência suficiente no estilo praticado.

Desde as primeiras manifestações oficiais de minas auríferas nos sertões de Sabarabuçu e dos Cataguases, outro sertanista que soube bem utilizar os resultados simbólicos do descobrimento das esmeraldas foi Manuel de Borba Gato, representado, na época, como fiel seguidor do sogro, Fernão Dias, naquele feito. Com a morte do governador da expedição, esteve Borba Gato implicado no assassinato do enviado do rei como administrador das Minas de prata e de ouro, Dom Rodrigo de Castelo Branco, em 1682. Não se sabe bem os motivos do assassinato do fidalgo, mas, ao que parece, envolveram questões de jurisdição sobre os supostos descobrimentos, e de legitimidade do feito descobridor.[43]

[43] Cf. MAGALHÃES, 1935, p.106-107. Juntamente com a entrega das amostras de esmeraldas ao enviado do rei ao sertão de Sabarabuçu, em outubro de 1681, tratou a família

Entrou para a tradição dos paulistas o fato de Manuel de Borba Gato ter ficado foragido durante mais de uma década no sertão do rio Doce, até que obteve o perdão régio do crime pelas mãos do governador Artur de Sá e Menezes, no final da década de 1690. Para os bandeiristas, a fama de Borba Gato como descobridor das Minas de ouro do rio das Velhas permitiu que ele negociasse o perdão e a sua qualificação no Estado português com o governador do Rio de Janeiro. No século XVIII, contava-se que houve um trato entre Borba Gato e a Coroa: se aquele manifestasse as riquezas auríferas de que teve notícia, esta não daria andamento à devassa do assassinato de Dom Rodrigo, que, no final das contas, tentara usurpar bens e direitos dos verdadeiros descobridores. Com esse contrato, Borba Gato conseguiu o descobrimento das Minas de ouro do rio das Velhas, e a Coroa, por sua vez, lhe concedeu o perdão – do qual era justamente merecedor por não estar diretamente envolvido no crime – e outras mercês.[44]

Com efeito, houve algum tipo de acordo entre a parentela de Borba Gato e o governador Artur de Sá e Menezes em nome da Coroa, pois manteve-se um silêncio notável sobre os resultados da investigação acerca da morte do fidalgo e sobre os supostos culpados. Particularmente sobre a culpabilidade de Borba Gato, o governador chegou a recomendar

de Fernão Dias de tirar certidões dos merecimentos do falecido sertanista, buscando com isso fundamentar logo o pleito das mercês pelos serviços prestados à Coroa, principalmente o do descobrimento. Havia o receio, por parte dos parentes do descobridor, de que Dom Rodrigo, na averiguação das minas de prata e de esmeraldas e do rendimento delas, atrapalhasse de alguma forma as pretensões dos herdeiros. Estes talvez suspeitassem de uma intermediação abusiva (e incompetente) do administrador geral, pois Dom Rodrigo, em carta de junho de 1681 a Fernão Dias, escrita no caminho do sertão de Sabarabuçu, menciona que o descobridor não devia enviar as amostras à Corte, sem ele, por seu turno, avaliar a qualidade das pedras, para também "fazer avizo" ao soberano. Em 26 de julho de 1681, no lugar do pai, Garcia Rodrigues levou as amostras para Dom Rodrigo, mas procurando precaver-se de possíveis usurpações do descobrimento, ressaltou que manifestava as pedras naquela administração para que o administrador desse conta ao soberano de como ele as tinha manifestado ([Certidões: 20 de setembro de 1681, 15 de outubro de 1681] FERNÃO Dias Pais... – *RAPM*, v. 20, 1926. p. 159-160, 163-165; CÓPIA de um importante... – *RAPM*, v. 19, 1921, p. 50-51; ELLIS JÚNIOR, 1934, p. 300-302; TAUNAY, 1948, t. 9, p. 142).

[44] Notícias dos primeiros descobridores... – CCM, 1999, p. 185-193. Waldemar BARBOSA (1973/1974, p. 162) afirma que o tal perdão é mera dedução lógica dos historiadores, pois "Ninguém mencionou, até hoje, documento algum que fizesse referência a perdão concedido a Borba Gato". O autor deve referir-se a "documento" que fosse da lavra das autoridades portuguesas.

"que se fizesse silêncio no seu processo, no interesse dos descobrimentos de ouro que desde 1678 vinha tentando no rio das Velhas e na chamada serra de Sabarabuçu".[45]

De todo o modo, o contexto da década de 1690 foi bastante propício para os sertanistas com reputação de descobridores barganharem mercês com os governadores na Colônia. Naqueles anos de crise (e recuperação) do comércio atlântico e de carência de moeda, a Coroa foi especialmente pródiga em promessas de prêmios aos descobridores de minerais preciosos (Schwartz, 1998, p. 86-87; Hanson, 1986, p. 231-284). Tanto o governador do Rio de Janeiro, Antônio Paes de Sande, em 1693, quanto o governador-geral João de Lencastre, em 1694, tinham permissão do rei para prometer aos paulistas que se empregassem nos descobrimentos de Minas de ouro ou de prata a concessão de títulos de fidalguia e de hábitos das três ordens militares, com tenças sobre os rendimentos das Minas descobertas ([16 de janeiro de 1693] Provisões, cartas régias [...] 1688-1700 – *RIHGSP*, v. 18, 1914, p. 293-294. [Cartas: 16 de setembro de 1694, 27 de novembro de 1694] Correspondência dos governadores-gerais 1675-1709 – *DHBNRJ*, v. 11, 1929, p. 193-194, 217-219). Na tentativa de estimular as empresas de descobrimento, para a Coroa, valia a pena prometer quase tudo, sem afetar diretamente os rendimentos da Fazenda Real, normalmente combalida. Como o poder monárquico era o princípio que regia as honrarias e o poder político dos vassalos, os governos coloniais, na virada do século, investiram simbolicamente nos descobrimentos de minerais preciosos, com a prática de concessão de mercês de qualificação social e hierárquica aos homens habilitados para descobridores, pois queriam que tais feitos fossem vistos como demonstrações de virtude política, a qual merecia ser premiada. O governador-geral, ensinando o recém-nomeado governador do Rio de Janeiro em 1696, Artur de Sá e Menezes, a tratar os moradores das Capitanias do Sul que sabiam das minas, propunha esta tática:

> A natureza daquelles homens e aquelle clima influe em todos grandes brios, e principalmente a ambição de honras. Toda a que a prudencia

[45] Cf. FRANCO, 1940, p. 182. Nada impedia que as autoridades coloniais tirassem proveito de supostos criminosos, quando se tratava de objetivos estratégicos para a Coroa portuguesa. O mesmo governador do Rio de Janeiro, em 1698, valeu-se de um espanhol fugido do Paraguai, "por crime da primeira cabeça", e radicado em Itu há mais de 20 anos com mulher e filhos, para ir na expedição do descobrimento de minas de prata no sertão da Vacaria, ao norte da Colônia de Sacramento (ANRJ, códice 77, v. 6, f. 118v-120v, [26 de maio de 1698]).

> de Vossa Senhoria conseguir o fim a que vae [averiguação das minas de ouro e de prata]; debaixo porém sempre daquelle silencio e mercês que Sua Magestade promette a cada um, para que o juízo de Vossa Senhoria faça industria da sagacidade, e elles merecimento da esperança animada com a benevolencia que experimentaram nos favores de Vossa Senhoria.[46]

Claramente vê-se que o estilo comumente praticado pelo governo colonial, nas suas relações com os sertanistas ou descobridores, era prometer muito (caso dos metais de beta), mas cumprir pouco: animá-los indefinidamente, adiando o mais possível, até com renovadas promessas, a concessão efetiva do prêmio. Mesmo porque o que se descobria no final do século XVII – os ribeiros de lavras – não era bem o que a Corte esperava. Contudo, havia uns poucos eleitos, como Borba Gato e Garcia Rodrigues, que, pela fama, qualidade e riqueza de descobridores, conseguiram muito. No trato com esses homens, e nas promessas e concessões que eram feitas, a Coroa guardou silêncio, tentando manter o sigilo público quanto ao que efetivamente foi contratado; assim evitavam-se emulações e dissenções danosas entre os vassalos.[47]

Enquanto esteve à frente das Capitanias do Sul (1697 a 1702), Artur de Sá e Menezes seguiu à risca esse preceito de governo, tornando-se o patrono, junto à Corte, dos mais afamados descobridores e dos sertanistas poderosos (e "mais aparentados") da região de São Paulo.[48] Além

[46] [26 de maio de 1696] *Ibidem*, p. 232-233. Renovou-se a honorificência relacionada aos descobrimentos, seguindo a política geral da Metrópole sobre as ações dos coloniais nos sertões da América portuguesa. Felipe de ALENCASTRO (2000, p. 305) aponta essa virada da perspectiva metropolitana sobre os feitos de guerra coloniais, no último quartel do século XVII: "Doravante [...], o repovoamento colonial da América portuguesa lastreado no tráfico angolano, dá novos foros de dignidade às ações militares contra os índios e os quilombolas. Desse modo, os combates contra os índios do Norte e do Nordeste na "guerra dos bárbaros" e as ações militares em Palmares passam a ser tidas como meritórias, favorecendo certas candidaturas [a cargos e mercês] no Ultramarino".

[47] O segredo era adequado a uma política colonial de defesa do monopólio que, segundo o estudo de Jaime Cortesão, remontava à época dos descobrimentos marítimos portugueses, nos séculos XV e XVI. Cf. CORTESÃO, 1997.

[48] [30 de maio de 1698] PROVISÕES, cartas régias [...] 1688-1700 – *RIHGSP*, v. 18, 1914, p. 351-352. Respondendo a essa carta em 20 de outubro do mesmo ano, o rei assinalou a importância da eleição de alguns e a emulação dos outros; afirma "que lhes devia mandar agradecer [as pessoas de São Paulo aptas para o serviço real e prontas para executá-lo] para com isso os animar a continuarem com melhor vontade no que se

dos prêmios aos descobridores das minas de ouro "de beta" ou de prata, em 1698 o rei autorizou o governador do Rio de Janeiro a prometer aos paulistas descobridores de lavras de cobre, salitre, estanho ou calaim (ou seja, minas rendosas à Fazenda Real) tenças sobre os rendimentos dessas lavras e hábitos das ordens militares de Avis ou de Santiago, reservando para os descobridores de maior qualidade o hábito de Cristo ([Cartas régias: 13 de janeiro de 1690 (sic), 26 de novembro de 1698] *RIHGSP*, v. 18, 1914, p. 283-284, 364). Esses prêmios visavam aos descobrimentos de minas de duração, isto é, de minerais de beta. Mas, na ânsia de exploração das Minas de ouro, no alvorecer do século XVIII, Menezes chegou a lançar edital com promessas aos descobridores de ouro de aluvião de prêmios semelhantes aos que se conferiam pelos serviços de guerra ([17 de dezembro de 1700] *RIHGSP*, v. 18, 1914, p. 435). O rei acabou achando excessivo o prêmio para descobridores já movidos por seus interesses imediatos e particulares ([19 de novembro de 1701] Documentos relativos [...] 1701-1705 – *DIHCSP*, v. 51, 1930, p. 46). Na Metrópole, talvez se achasse que a Coroa não devia comprometer-se muito, pois se supunha, naqueles anos ainda de descrédito sobre a dimensão dos (riquíssimos) veios auríferos nos afloramentos das Minas Gerais, que as lavras renderiam só no início e que o lucro para o tesouro régio seria incerto.[49]

Nessas circunstâncias, não é de estranhar que em 1698 o governador do Rio de Janeiro, procurando apagar o passado criminoso de Borba Gato, e convencido da fama de descobridor do genro de Fernão Dias, o nomeasse para o posto de tenente-general da "jornada de Sabarabuassu", para o descobrimento de minas de prata ([15 de outubro de 1698] *DIHCSP*, v. 51,

lhes encarregar, e os mais com a esperança desta honra quererem ter os mesmos empregos" (*RIHGSP*, v. 18, 1914, p. 358).

[49] A desinformação da Corte e o enquadramento das concepções apegadas à busca de ouro de beta ou de outro Potosi – como indica a intensa procura de mineiros práticos do Peru – chegaram a tal ponto que, enquanto Artur de Sá e Menezes estava nas Minas do rio das Velhas (17 de dezembro) fazendo repartições aos paulistas aliados e juntando para si próprio muito ouro, o rei, em carta de 25 de dezembro de 1700, mandava ainda o governador, a partir das gastas informações do falecido Antônio Pais de Sande, "examinar as minas que há nas Capitanias do Sul, e para esse effeito se vos remette a Copia do papel que o mesmo Antonio Paes de Sande fes sobre estas minas e o que sobre a mesma materia informou o Doutor Sebastião Cardozo de Sampayo"; e usando da tática de anos atrás, favorecesse os descobrimentos prometendo aos descobridores paulistas "honras e mercês", "para que com verdadeira notycia, ou se alcançe o dezengano, ou se confirmem as mercês" (*DIHCSP*, v. 51, 1930, p. 325-327, 436).

1930, p. 556-557). Se, antes desta data, Borba Gato foi visto como criminoso pelos agentes da Coroa, o mesmo não ocorreu com os paulistas do seu partido, pois, desde o ocorrido com Dom Rodrigo em 1682, ele não viveu isolado dos parentes e amigos. Em meados do século XVIII, o sertanista Bento Fernandes Furtado contava que, antes dos descobertos das Minas Gerais, Borba Gato cuidou de descer muitos índios do sertão e situou-se no planalto paulista (Notícias dos primeiros descobridores... – CCM, 1999, p. 188). Contudo, sabe-se que ele continuou sertanejando nesse tempo; há registro de uma das primeiras entradas que descobriram ouro nos ribeiros da rota de Sabarabuçu, recolhendo amostra e fazendo um roteiro para as autoridades portuguesas no Rio de Janeiro, que contou com a sua participação. Foi em 1693 ou 1694, no sertão do rio Sapucaí, quando o padre João de Faria Fialho (vigário de Taubaté que, anos depois, seria um dos descobridores das Minas Gerais) e "parentes", dentre os quais o "Capitão Manuel de Borba", descobriram ribeiros "com pinta muito boa, e geral de ouro de lavagem".[50]

O tenente-general Borba Gato não descobriu, nos serros do sertão de Sabarabuçu, prata alguma para proveito da Fazenda Real, apesar dos alegados esforços seus e do governador do Rio de Janeiro. No entanto, esse serviço à Coroa não foi em vão: foi lembrado no momento de requerer prerrogativas e privilégios na época das primeiras manifestações de ouro de ribeiro nas cabeceiras do rio das Velhas. Borba Gato foi designado por Artur de Sá e Menezes, em 1700, para a função de guarda-mor dos descobertos do rio das Velhas, como se tornou o costume quando se tratava de descobridores famosos. Dois anos depois, passou a superintendente dessa repartição (Patentes, provisões... – *DIHCSP*, v. 54, 1932, p. 16-17). Nessas provisões não há menção de ser Borba o (principal) descobridor de ouro do rio das Velhas; sobre os seus merecimentos, somente são assinalados a experiência no sertão dos descobertos e o empenho no descobrimento de minas de prata do Sabarabuçu (Derby, 1901b, p. 286. Taunay, 1948, t. 9, p. 244. [9 de junho de 1702] Documentos relativos [...] 1701-1705 – *DIHCSP*, v. 51, 1930, p. 103-104).

[50] Mas, no que se refere às pesquisas minerais, os sertanistas atentaram principalmente para os serros que pudessem conter ouro de beta, prata ou pedras preciosas. Ademais, a atenção dada às minas de beta aparece sugerida no roteiro, pois quem o elaborou mencionou que nos rios daqueles Campos Gerais, "não pode faltar ouro de lavagem, que por não ter logar não fiz exame" ([Carta: 29 de julho de 1694 e Roteiro] CORRESPONDÊNCIA dos governadores-gerais 1675-1709 – *DHBNRJ*, v. 11, 1929, p. 204-207). Cf. DERBY, 1901b, p. 268-269.

Mas, na prática, a jornada de Sabarabuçu serviu para Borba Gato acumular o prestígio de descobridor de ouro no rio das Velhas, num sertão que ele estava acostumado a trilhar desde a expedição das esmeraldas. À semelhança do cunhado Garcia Rodrigues (que identificou nas Minas gerais dos Cataguases os postos do descobrimento do pai), Borba Gato e seus parentes paulistas começaram a identificar a região do rio das Velhas com o serro de Sabarabuçu das minas de prata, da trajetória de Fernão Dias, novamente procurado por ele no final da década de 1690. Isso, como já se indicou, estabeleceu uma continuidade entre o descobrimento da prata (e das esmeraldas) e o do ouro, mais recente, permitindo rapidamente investir na primazia dos descobertos dos paulistas protegidos pelo governador do Rio de Janeiro, e afastar a jurisdição baiana pretendida pelo governador-geral Dom João de Lencastre.[51] Assim é que o paulista Pedro Taques de Almeida, em carta ao governador-geral em 1700, ao referir-se ao "serro do Sabarábassú" da prata, afirma:

> Este é o mesmo districto, em quem se tem dado com o ouro, e para essa banda se extendem os descobrimentos como se vê nos ribeirões que tem novamente reconhecido o tenente general Manoel de Borba Gato com pintas de consideração de que trouxe amostras; e por falta de mantimentos não fez diligencia necessária, a qual fará agora com as plantas que tem e por esta mesma causa e falta se desempararam as minas e agora começam a sahir tropas para ella com maior concurso. ([20 de março de 1700] *apud* Derby, 1901b, p. 282)

O missivista preocupa-se em assinalar que aquele distrito do ouro fora descoberto pelos parentes de Borba Gato havia anos, devendo esse conseguir o descobrimento: ele já estava preparado, colhendo amostras, fazendo roças e armando bandeiras. É interessante perceber que a fama de proeminente descobridor de ouro de Borba Gato fundamenta-se numa manobra de expansão do antigo sertão denominado Sabarabuçu, ou, mais propriamente, de deslocamento gradual do território de Sabarabuçu,

[51] Como herdeiros do capital simbólico conquistado pela expedição de Fernão Dias, Borba Gato e Garcia Rodrigues naturalmente herdaram seus supostos interesses (descobrimento de esmeraldas e de prata no Sabarabuçu). Em 1698, enquanto Borba Gato era nomeado tenente-general da jornada de descobrimento de prata no sertão ou serra de Sabarabuçu, o capitão-mor Garcia Rodrigues já tinha sido designado pela Coroa para o descobrimento de esmeraldas na "mesma paraje", devendo, caso se encontrassem, um ajudar o outro ([15 de outubro de 1698] PROVISÕES, cartas [...] 1688-1700 – *RIHGSP*, v. 18, 1914, p. 356-357).

relativo às serras da rota de Fernão Dias e herdeiros, entre os cursos médios do rio Doce e do Jequitinhonha, para os descobertos auríferos do alto rio das Velhas, nos quais o termo Sabarabuçu (e variantes, como Sabará) passou a recobrir um ribeiro e uma serra com explorações de ouro, nas décadas de 1700 e 1710.[52] Desse modo, é como se a realidade precisasse de alguma maneira ser forjada para caber na reputação e nos interesses dos sertanistas e dos seus patronos. Em vez de reformar os termos das patentes ou provisões concedidas para os descobrimentos, que desnudavam fracassos e serviam de desprestígio, os sertanistas e seus benfeitores do governo colonial podiam sempre refazer os planos na prática, e aproveitar as oportunidades que surgiam, incorporando-as à legalidade conferida no mandado da Coroa. Isso aconteceu com o plano de Borba Gato, que passou do descobrimento de prata para o do ouro, de uma serra para um ribeiro, do norte para o sul.

Seguramente, estava em jogo o poder sobre as Minas, no qual saiu vitoriosa a jurisdição do Sul, pois a legitimidade do povoamento paulista no rio das Velhas foi depois reconhecida pelos próprios coloniais da Bahia.[53]

[52] Numa carta ao governador Fernando Martins Mascarenhas de Lencastre, em 1708, Manuel de Borba Gato significativamente refere-se ao seu distrito como "neste Rio das Velhas e saberabusu" (*apud* MELLO, 1929, p. 232-237). Cf. DERBY, 1901b, p. 280-289. Ver, no Apêndice A, o mapa (post. 1704) que designa a serra de "Sarabassu" entre as nascentes do rio São Francisco e as do rio Paraná.

[53] Andrée Mansuy refuta a hipótese de Derby de que o descobrimento de Caeté foi fruto, em primeiro lugar, de uma corrente de exploradores vinda da Bahia. Segundo a historiadora, as Minas de Caeté foram descobertas pelos *paulistas* em 1697, antes das entradas a partir da Bahia sob a orientação dos governadores-gerais, que deviam rumar para as "cabeceiras da Capitania do Espírito Santo", referindo-se ao interior desta Capitania. Contudo, a carta de Artur de Sá e Menezes (12 de junho de 1697), base da crítica de Mansuy, é insuficiente para dar conta das entradas colonizadoras na região de Caeté, servindo mais para exprimir a reivindicação da primazia dos paulistas ligados ao governo do Rio de Janeiro nos *descobrimentos* de ouro, que, além disso, não devem simplesmente ser tomados como fronteira da ocupação territorial. Os conflitos de jurisdição entre os governos da Bahia e do Rio de Janeiro (e entre as respectivas sedes episcopais) nos primeiros anos do século XVIII, favorecidos pela indefinição de limites entre as Minas do ouro e as Capitanias da Bahia, do Espírito Santo (sob a jurisdição do governo baiano) e de Pernambuco, indicam que naquela região houve, desde o início, um cruzamento entre correntes sertanistas vindas de São Paulo e da Bahia, e que a questão do reconhecimento da precedência não estava resolvida. Cf. ANTONIL, 1968, p. 358-359, 549-550; DERBY, 1901b, p. 289-292; Relação de algumas antigüidades das Minas - CCM, 1999, p. 222; APM, Sc 23, f. 148v-149, [8 de agosto de 1724].

Antonil, de certo modo porta-voz da investida baiana na primeira década do século XVIII, dá como certo que foi Borba Gato quem descobriu a principal mina do rio das Velhas, no serro de Sabarabuçu, sendo o primeiro a apoderar-se dela. Relata ainda o jesuíta que o descobridor conseguiu juntar nas Minas quase 50 arrobas de ouro.[54]

Como outros sertanistas, Borba Gato foi favorecido em seus negócios de mineração por ocupar o cargo de repartidor do distrito do rio das Velhas, beneficiando preferencialmente os parentes e amigos do seu partido ([6 de março de 1701] *apud* [Comentário crítico de Andrée Mansuy] Antonil, 1968, p. 583-585.[55] No entanto, sua fortuna não se deveu somente à mineração e nem aos ganhos na repartição de lavras. Borba Gato cuidou de criação de gado bovino, envolvendo-se, ainda, favorecido pelas prerrogativas de guarda-mor (entre 1700 e 1702) e de superintendente das Minas do rio das Velhas, no comércio de gado entre os currais da Bahia e as Minas Gerais.

[54] ANTONIL, 1968, p. 356, 390. Nas Minas Gerais, Borba Gato conquistou a reputação de descobridor ou povoador das Minas do rio das Velhas. Em 1701, quando Artur de Sá e Menezes concedeu ao tenente-general sua primeira sesmaria, no sertão do caminho da Bahia, entre o rio Paraopeba e o rio das Velhas, não se justificou a mercê na alegação de ter sido Borba Gato o descobridor daquelas terras; somente se aduziu "ser o guarda mor daquele districto, onde tem seu cituamento, e [...] necessitar de terras para criar gado para seu passadio" (Documentos relativos [...] 1701-1705 – *DIHCSP*, v. 51, 1930, p. 30-32). Mas, nove anos depois, numa outra carta de sesmaria passada por Antônio de Albuquerque Coelho de Carvalho a Borba Gato, relativa a terras entre o rio Paraopeba e a serra de Itatiaia, justificou-se que o suplicante foi "o primeiro descobridor das dittas terras desde o tempo em que por estas partes começou os seus descobrimentos em serviço de Sua Magestade". Ainda, numa carta passada à Irmandade de Santo Antônio do Bom Retiro da Matriz da Roça Grande, em 1711, mencionou-se que Borba Gato foi o "primeiro povoador" das Minas do rio das Velhas e que, por sua doação, os irmãos possuíam há muito tempo umas terras para benefício da devoção (CARTAS da sesmaria – *RAPM*, v. 2, 1897, p. 258-259, 263-264).

[55] Borba Gato teria favorecido o governador Artur de Sá e Menezes, separando para ele datas minerais que lhe acabaram rendendo "trinta e tantas arrobas de ouro", e teria sido com a ajuda aos seus genros reinóis que estes puderam partir para Portugal com muito cabedal que tiraram nas Minas em poucos anos, "como o fizeram muitos nestes mesmos lugares", diria Bento Fernandes Furtado com velada crítica aos emboabas (forasteiros não oriundos das vilas paulistas), no seu relato de meados do século XVIII (CCM, 1999, p. 190-191). O tenente-general conquistou aliados com dádivas, como o primeiro superintendente nomeado para as Minas de ouro, José Vaz Pinto, dando-lhe "caza e sustento para elle e todos os seus officiaes", a pedido do cunhado Garcia Rodrigues ([30 de agosto de 1705] *apud* [Comentário crítico de Andrée Mansuy] ANTONIL, 1968, p. 579-581).

Há registros de pelo menos duas grandes sesmarias de criação de gado (e de cultivo) que pertenciam ao descobridor, ambas localizadas na rota das Minas de ouro para o sertão do rio São Francisco, nas Capitanias da Bahia e de Pernambuco.[56]

A posse dessas fazendas na rota da Bahia permitiu a participação ativa do superintendente na produção de víveres e no comércio de gado, pois elas funcionavam como pousos e currais agregados ao fluxo de comboios que vinham do sertão. Os ganhos nesse comércio eram elevados: praticava-se abarcar as boiadas que vinham do rio São Francisco em busca do mercado mineiro, o que era bastante lucrativo para quem possuía currais nos limites pouco definidos ainda, nas primeiras décadas do século XVIII, entre as Minas de ouro e o sertão curraleiro da Bahia.[57] Há registro de um desses tratos comerciais dos parentes de Borba Gato, no começo das Minas: um genro e dois cunhados seus vieram ao rio São Francisco atrás de gados, e no arraial do paulista Matias Cardoso, "comprarão o que puderão" ([6 de março de 1701] *Apud* [Comentário crítico de Andrée Mansuy] ANTONIL, 1968, p. 583-585). Um alvitre anônimo relativo aos caminhos das Minas, possivelmente dos primeiros anos do século XVIII, revela que a proibição do caminho da Bahia, ordenada pela Coroa, e a rígida fiscalização dos comboios e boiadas não chegavam a afetar os negócios dos açambarcadores paulistas.[58] Ao contrário, possivelmente mancomunados com os criadores, a quem pagavam satisfatoriamente, os paulistas iam aos currais do rio São Francisco, ajuntavam as boiadas e as traziam para as Minas sem prestar contas à Fazenda Real.[59] Sem dar nomes, o autor do alvitre denuncia a

[56] A primeira sesmaria concedida em 1701 por seu patrono, Artur de Sá e Menezes, mediu duas léguas de largura, e três de comprimento. A outra concessão de terras, na mesma região, em 1710, foi de quatro léguas em quadra (DOCUMENTOS relativos [...] 1701-1705 – *DIHCSP*, v. 51, 1930, p. 30-32; CARTAS de sesmaria – *RAPM*, v. 2, 1897, p. 258-259).

[57] Por exemplo, ANTONIL (1968, p. 392-394) conta que o capitão Tomás Ferreira de Souza, assistente nas Minas do rio das Velhas, "abarcando muitas boyadas de gado que hia dos campos da Bahia para as Minas, e comprando muitas roças e occupando muitos escravos nas catas de varios ribeiros, chegou a ter mais de quarenta arrobas de ouro, parte em ser e parte para se cobrar".

[58] Manteve-se, a partir da primeira década do século XVIII, a proibição do comércio baiano e pernambucano de gêneros, fazendas e escravos com as Minas; houve permissão régia somente para a entrada do gado ([14 de fevereiro de 1709] *apud* MELLO, 1929, p. 248-254).

[59] No artigo 16º do Regimento das Minas, ressalta-se que o morador das Minas que fosse aos currais da Bahia para comprar gado deveria antes quintar o ouro em pó que levasse

corrupção, os conchavos ilícitos e o contrabando praticados por funcionários régios para acumularem poder e riqueza, que, conforme os termos do texto, fazem pensar principalmente no guarda-mor (e superintendente) Manuel de Borba Gato:

> Ultimame nte dentro das mesmas minas se fizeram guardas para impedirem as entradas e saídas por este caminho [da Bahia e do rio São Francisco], nomeando-se para este efeito os Paulistas mais poderosos, e de maior nome que se acham nas ditas minas [...]; porém igualmente se tem experimentado fútil, e de nenhum efeito, por quanto os mesmos guardas por si ou por outrem metem por este caminho nas minas os mais importantes comboios, e boiadas em ordem aos seus lucros; e quando eles não fazem qualquer outro Paulista os manda irem em seu nome que basta para ninguém os impedir, certeza que tem tão infalível os que vão para as minas que o passaporte que buscam é procurarem saber o nome de algum Paulista, e debaixo do título dele levam o comboio ou comboios tão seguros que a muitos sucedeu tomarem-lhes, e depois restituir-lhes com maiores avanços; e já se viu (não poucas vezes) boiadas tomadas pelos tais guardas, marcadas, e largadas ao campo por conta da fazenda Real tornarem-nas a juntar os mesmos que as tomaram, e reporem-nas a seus donos por dizerem as levavam determinadas para tal e tal Paulista. (INFORMAÇÃO sobre as minas... – ABN, v. 57, 1935, p. 172-186)

No final da década de 1700, veio à tona a competição latente nesse rendoso negócio da fronteira das Minas com os currais da Bahia. Em 1708, Manuel Nunes Viana, comerciante, minerador e criador de gado da Bahia, em conflito com Borba Gato, que o queria despejar das Minas alegando ser ele fraudador dos quintos régios, acusou o superintendente de, na verdade, proteger os seus "patrícios" e os interesses deles.[60] Por seu turno, o próprio

consigo; deste pagamento se daria uma guia (Regimento do superintendente, guarda-mor e mais oficiais das Minas do ouro de São Paulo, *apud* [Comentário crítico de Andrée Mansuy] ANTONIL, 1968, p. 555). Segundo alguns depoimentos dos primeiros anos das Minas de ouro, os paulistas usavam não cumprir esse procedimento.

60 [13 de outubro de 1708] *apud* MELLO, 1929, p. 229-231. Outro emboaba (ou forasteiro) proeminente acusou Borba Gato de aliar-se a um sobrinho de Caeté, socorrendo-o com armas para lutar contra os forasteiros ([16 de janeiro de 1709], *apud ibidem*, p. 237-245).

Borba Gato, denunciando ao governador da Capitania do Rio de Janeiro que Viana era contumaz introdutor (e atravessador) de comboios ilegais nas Minas, foi obrigado a confessar, pelo menos, o apoio da sua gente:

> Que isto [motim dos baianos e reinóis contra os paulistas] seja castigo de Deus com evidencia se mostra, porque qual havia de ser o Bahiense por mais poderoso que fosse que entrace cá nestas Minas senão fora o emparo que tinhão nos Paulistas, que eu com o meu pagem o não confiscasse; nem o pobre que chegava aqui para poder estar com socego se não fosse valer do Arrayal de algu Paulista.[61]

Na realidade, os altíssimos lucros conseguidos pelos agentes do comércio ilícito (baianos, paulistas e reinóis) compensavam os riscos ou algum agravo sério. Para o alvitrista citado, enquanto nas praças da Bahia e de Pernambuco um boi era vendido por três a cinco vinténs, nas Minas chegava-se a vendê-lo por 15, 20 ou até 30 oitavas de ouro (Informação sobre as minas... – ABN, v. 57, 1935, p. 179). Era um negócio espetacular, porque o ouro adquirido nas Minas comumente era desencaminhado para onde valia mais, e sem ser quintado, como observou o superintendente-geral das Minas de ouro, José Vaz Pinto: "a muita quantidade de mercadores do Rio, Bahia e mais partes – que excedem no número aos mineiros – estes trazem importantes carregações e levam muito ouro sem quintar a quarta parte, e para a Bahia se diverte muito, por se pagar a 14 e a 15 tostões [1400 e 1500 réis]".[62]

Na primeira década do século XVIII, a posição de Borba Gato era invejável nas Minas do rio das Velhas. Além de ser o oficial militar mais graduado

[61] *Apud ibidem*, p. 235-236. A melhor narrativa sobre o conflito entre paulistas e forasteiros nas Minas de ouro, que ficou conhecido como *Guerra dos Emboabas*, continua sendo a de BOXER, 1969, p. 83-105. Adriana ROMEIRO (1996, p. 220-240) dá relevo aos interesses econômicos e políticos baseados na Superintendência das Minas do rio das Velhas, que deflagraram o conflito. Em 1709, o governador Fernando Martins Mascarenhas de Lencastre foi daqueles que atribuíram à vigilância contra os descaminhos, na rota proibida da Bahia, as hostilidades emboabas (*apud* MELLO, 1929, p. 248-249).

[62] *Apud* ROMEIRO, 1996, p. 225. Nos primeiros anos do Setecentos, o preço do ouro foi bem menor nas Minas. Nos livros de negócios do padre Guilherme Pompeu de Almeida, consta que a oitava "se negociou frequentemente a 900 e 800 réis até, conforme a premência dos mineradores" (TAUNAY, 1948, t. 9, p. 286). Mas se o ouro fosse de qualidade duvidosa, como se pensou a princípio sobre o metal tirado do ribeiro do Ouro Preto, o preço da oitava em São Paulo não ultrapassava os 12 ou 13 vinténs (240 ou 260 réis) (NOTÍCIA – 3ª prática... – *RIHGB*, t. 69, 1908, p. 279). Na Bahia e no Rio de Janeiro, o ouro valia mais do que nas Minas ou na vila de São Paulo. Naqueles lugares, confirma ANTONIL (1968, p. 386-388), o preço corrente do ouro chegava a 15 tostões (1.500 réis).

(tenente-general), ele detinha as mais altas funções da Justiça e da Fazenda ligadas às Minas de ouro (no cargo de superintendente). Aliado a isso, ou devido a sua posição, Borba Gato estabeleceu um arraial num lugar que se tornou a porta de entrada obrigatória (e oficial) para os viajantes do norte que buscavam as Minas de ouro (como ocorreu com o pouso da Paraíba de Garcia Rodrigues, no caminho do Rio de Janeiro), um ponto a partir do qual ele exercia o poder de fiscal e de guarda dos quintos régios. Salomão de Vasconcelos supõe que o primitivo "arraial do Borba" foi substituído por outro – o arraial de Roça Grande, situado a pouca distância (ao norte) da povoação de Sabará, junto ao rio das Velhas –, constituindo-se como sede da jurisdição do superintendente Borba Gato.[63]

É certo, então, que o superintendente vigiava a entrada de pessoas, mercadorias e gado nas Minas do ouro, pelo rio das Velhas, valendo-se das prerrogativas regimentais do cargo para confiscar mercadorias proibidas na rota da Bahia e coibir o comércio ilícito.[64] Além do envolvimento direto e indireto no comércio de gado, os confiscos de mercadorias também mostraram-se vantajosos ao descobridor, e certamente moveram seus interesses. Em 1705, Baltazar de Godói, o guarda-mor das Minas Gerais

[63] Cf. VASCONCELOS, 1945, p. 294-295. Ver o mapa de Andrée Mansuy (ANTONIL, 1968, p. 438-443), que se fez a partir do roteiro do caminho da cidade da Bahia para as Minas do rio das Velhas, na primeira década do século XVIII; e o mapa da Comarca de Sabará de autoria do padre Diogo Soares (Apêndice A). "Deste rio das Velhas se apartam outra vez diversos caminhos para todas as minas descobertas, assim para as chamadas gerais, como para as do Serro frio, e para todas as outras de que se tira ouro por entre aquelas dilatadas Serras" (Informação sobre as minas... – ABN, v. 57, 1935, p. 174).

[64] Para afastar Viana das Minas, Borba Gato buscou fundamento no Regimento minerário de 1702, sancionado pela Coroa. O superintendente procurou, em primeiro lugar, valer-se do artigo 17º (despejar das Minas todos os que servissem para desencaminhar os quintos, ou aqueles provenientes da Bahia que trouxessem pelo caminho do sertão fazendas ou gêneros que não fossem o gado). Como a reação de Viana foi violenta e contrária à expulsão, Borba Gato tentou escudar-se no artigo 1º (ordenava que o superintendente pusesse fim às discórdias entre os moradores das Minas, se necessário prendendo e procedendo contra os promotores de desordens como fosse de direito) ([29 de novembro de 1708] *apud* MELLO, 1929, p. 233-234). Cf. Regimento do superintendente, guarda-mor e mais oficiais das Minas do ouro de São Paulo, *apud* [Comentário crítico de Andrée Mansuy] ANTONIL, 1968, p. 550-560. Numa carta ao rei em 1709, o governador da Capitania do Rio de Janeiro lembrou as ordens régias sobre a comunicação entre a Bahia e as Minas, e confirmou as atribuições do superintendente no distrito do rio das Velhas: "tem a seu cargo a cobrança dos quintos do ouro procedido da venda do gado e o fazer empedir a intrada dos generos e fazendas vedadas" (*apud* MELLO, 1929, p. 248).

ligado ao partido de Borba Gato, afetou constrangimento com as práticas escusas das autoridades e os interesses velados que ligavam os governantes do Rio de Janeiro aos seus prepostos nas Minas; ele conta ao rei que, indo ao distrito das Minas do rio das Velhas recolher o ouro resultante dos quintos, fiscos, tomadias e órfãos e ausentes,[65] foram-lhe entregues pouco mais de cinco arrobas que se achavam com o tesoureiro da Superintendência Francisco de Arruda de Sá, genro de Borba Gato, "e não foy todo o que me constou avia, por me não mandarem asim as hordens, senão receber o que se me entregasse, e não Com poder de tomar contas, que a ser assim fora mayor a cantidade".[66] Em outra carta a Pedro II, de 30 de julho de 1705, Baltazar de Godói apontou os interesses de grupos (com a proteção de funcionários régios gananciosos), na competição acirrada que se configurava nas Minas do rio das Velhas:

> Se chegam a socrestar [sic] alguns que emtrão nas minaz Geraiz e Rio das velhaz, e alnda por estaz duas partez, entrão muitos Sem se saber, e alguns São Secretados maiz pella emveja do que trazem do que pello zello que devem ter, Sendo Comveniencia dos Socrestadores, o que he perda para os Socrestados, e vendo os homens que

[65] O "fundo dos órfãos" acumulava tanto capital que era responsável por 25% dos empréstimos no Rio de Janeiro da segunda metade do século XVII, "Fenômeno que transformava tal fundo no maior credor da época" (FRAGOSO, 1995, p. 57). Portanto, para quem detinha o ofício de resguardar tais fundos para a Coroa ou os para os herdeiros menores, era um meio privilegiado de usar (ou de usurpar) uma riqueza colonial (terras, benfeitorias, escravos, produções, dinheiro) segundo as próprias conveniências. Como fonte usual de crédito, os fundos dos órfãos eram emprestados, em condições privilegiadas, aos partidários do Juiz de Órfãos. O intendente do ouro de Vila Rica, no final do século XVIII, denunciou tal prática na Capitania de Minas Gerais, onde aconteciam acirradas disputas para ascender ao cargo. Também, nos Juízos dos Defuntos e Ausentes (administravam os bens deixados sem herdeiros presumíveis ou de herdeiros não residentes no local da herança), que ficavam na jurisdição dos ouvidores de Minas Gerais, ocorreu o mesmo desvio ou a manipulação de bens e escravos, segundo os interesses dos funcionários. (INSTRUÇÃO para o governo... – *RAPM*, v. 8, 1903, p. 562-564; LEWKOWICZ, 1992, p. 243-255).

[66] O guarda-mor contou o que ocorria, e denunciou a prática de desvio do dinheiro da Coroa nos caminhos proibidos: "os que confiscão [os guardas] se aproveytam de tal sorte que não cabe a Sua Magestade que Deos guarde a sexta parte do que se confiscou, [...] e he impossivel deixarem de vir de Lá carregaçõis porque me Escreve um Barrigudo da Bahia que quer o Governador queyra quer não queyra ham de vir e mandar, hus, movidos da necessidade e outros do enteresse" (CARTAS enviadas ao rei 1705-1706 – *RIHGSP*, v. 57, 1959, p. 637).

huns Livrão, e outros perdem, buscão Outros Caminhos pera a sua emtrada. (*RIHGSP*, v. 57, 1959, p. 638-639)

Os depoimentos de contemporâneos emboabas (primeira década do Setecentos) não isentaram o superintendente Manuel de Borba Gato das usurpações e dos conchavos ilícitos observados no distrito do rio das Velhas. Conforme um desses depoentes, ele "confiscava todos os comboios que vinham da Bahia e dos sertões, boiadas, cavalos e negros, e tudo o mais que se apanhava tudo se confiscava, até ouro que ia para os sertões e Bahia arrematava para el-rei". Mas Borba Gato e a gente encarregada da diligência não levaram a efeito muitas dessas apreensões; eles resguardavam os seus e perseguiam os inimigos, pois "muitos livravam e muitos confiscavam".[67] Outro forasteiro, que chegou às Minas no final do decênio de 1690, conta que, com a proibição dos comboios da Bahia, "aqueles paulistas de mais suposição que tinham esta incumbência para confiscar metiam a uns para dentro livres e outros eram confiscados, e logo ali repartiam as fazendas com os seus soldados".[68]

Nas Minas do ouro, todos os descobridores e sertanistas escravistas mediram as oportunidades de poder e fortuna por meio de seus vínculos pessoais. As práticas econômicas dos habitantes foram reguladas pelos laços de parentesco e de amizade que urdiam entre si e com os que assistiam fora dos descobertos, fazendo os proveitos dependerem essencialmente dessas ligações convenientes. Um dos sertanistas experimentados que soube explorar bem essas relações, conformando-as

[67] [Dou parte do que vi e sei] – CCM, 1999, p. 212.

[68] [Notícias do descobrimento das minas de ouro e dos governos políticos nela havidos] – CCM, 1999, p. 246. Borba Gato ficou no cargo de superintendente (acumulando as funções de Justiça) até 1708, quando foi destituído pelo governo emboaba de Manuel Nunes Viana, assumindo em seu lugar José Correia de Miranda. Em 1711, denotando a proximidade entre Borba Gato e Antônio de Albuquerque, o antigo superintendente foi o informante privilegiado do governador sobre os pretendentes a sesmarias nas Minas, cujos habitantes a Coroa queria sossegar. No entanto, no mesmo ano, Antônio de Albuquerque dividiu as atribuições regimentais do superintendente das Minas do rio das Velhas; Borba Gato ainda deteve as funções de administrador das repartições nos descobertos de ouro, mas os casos de Justiça passaram para os juízes ordinários da recém-criada vila de Sabará, e a arrecadação da Fazenda Real (incluindo os quintos e os confiscos de contrabandos) acabou ficando com José Correia de Miranda (TAUNAY, 1948, t. 9, p. 613-614; [14 de setembro de 1711] REGISTRO de diversas cartas... – *RAPM*, v. 2, 1897, p. 796-797; [7 de agosto de 1711] *apud* MELLO, 1929, p. 264-265; APM, f. 125v-126, Sc 07, [22 de julho de 1711]).

às táticas no sertão para produzir descobrimentos de ouro, foi o coronel Salvador Fernandes Furtado.

Em meados do século XVIII, seu filho Bento Fernandes Furtado, que entrou para o sertanismo sob suas ordens, lembrava que o pai foi um dos primeiros a ter notícias de ribeiros auríferos no sertão dos Cataguases. Isso aconteceu em meados da década de 1690, quando, vindo de Taubaté em bandeira de apresamento de índios, Salvador Fernandes e seus amigos acabaram topando com outros bandeiristas, que tinham tirado ouro no lugar que tomou o nome de Itaverava. Para socorrer um desses "novos mineiros", o pai de Bento Fernandes aceitou permutar uma cravina e uma catana pelo ouro que a comitiva descobridora de Itaverava juntou (12 oitavas). Foi esse ouro conseguido pelo pai e levado para o povoado que, conforme o relato de Bento Fernandes, serviu depois de amostra para manifestar o *descobrimento* das Minas (de Cataguases ou Taubaté) ao governador do Rio de Janeiro, Sebastião de Castro e Caldas.[69]

Na visão da família (e dos partidários), Salvador Fernandes integrou o estreito círculo dos primeiros descobridores das Minas Gerais, no qual figuraram Garcia Rodrigues e Borba Gato. Qualificado como renomado descobridor de ouro, Salvador Fernandes pôde ser representado como merecedor de todas as mercês que lhe foram concedidas pela Coroa. Seus cargos e privilégios encontraram justificativa na reputação de ter sido ele um dos primeiros descobridores de lavras de ouro lucrativas (especialmente para a Fazenda Real). Por isso, como outros sertanistas estreitamente vinculados ao Estado, durante o tempo em que Salvador Fernandes viveu nas Minas, desfrutou de uma posição social que teve a sua razão de ser nos alegados serviços de descobridor e de povoador de qualidade.

De qualquer forma, o coronel Salvador Fernandes foi reconhecido pelos contemporâneos como tendo feito (ou mandado o filho Bento

[69] Notícias dos primeiros descobridores... – CCM, 1999, p. 171-172. Cláudio Manuel da Costa (no *Vila Rica*) e Bento Fernandes Furtado destacam o papel de Salvador Fernandes no descobrimento das Minas de Cataguases, e desqualificam, por seu turno, as iniciativas de Carlos Pedroso da Silveira que, de posse das amostras de ouro em Taubaté, as levou para o governador do Rio de Janeiro, conseguindo puxar para si o prestígio (e os prêmios) de primeiro descobridor (COSTA, 1996, p. 363). Pedro Taques de Almeida Paes Leme, tem opinião divergente sobre Carlos Pedroso da Silveira, considerando-o um bandeirista empenhado que, com o cabo da tropa Bartolomeu Bueno de Siqueira, foi o primeiro a descobrir ouro no sertão dos Cataguases, em 1695 (que se inferiu de carta régia ao governador do Rio de Janeiro de 16 de dezembro deste ano, transcrita pelo autor) (LEME, 1980, v. 2, p. 228-229). Cf. MAGALHÃES, 1935, p. 158-160.

Fernandes, junto com escravos, fazer), em 1701, o descobrimento do ribeiro de Bom Sucesso, abaixo da junção dos córregos do Ouro Preto, Antônio Dias e Padre Faria. O ribeiro foi repartido pelo guarda-mor das Minas Gerais na época, Domingos da Silva Bueno, e isso atraiu muitos exploradores para o descoberto.[70] No Bom Sucesso, num lugar agro e de difícil acesso, o descobridor somente lavrou o ouro mais fácil das datas que lhe couberam, atento aos rendimentos da exploração, e às dificuldades locais que interferiam naqueles rendimentos (Notícias dos primeiros descobridores... – CCM, 1999, p. 181).

É evidente que as vantagens de se continuar explorando as datas de determinado descoberto eram cotidianamente avaliadas pelos sertanistas. Por isso, a mobilidade desse bandeirismo estava longe de um andar anômico – "como os filhos de Israel no deserto", na percepção calculada de Antonil (1968, p. 370) –, mas constituía um recurso eficaz para lidar com as necessidades, opressões e hostilidades (além de fome e doenças) nas Minas do ouro.[71] Entre idas e vindas, os exploradores atinavam com as possibilidades, não com os limites das condições do sertão.

Todos os mineradores, naquela virada de século, praticavam abandonar os lugares lavrados ou enviar bandeiras dos seus arraiais, visando melhores pintas de ouro nos ribeiros do sertão, ou condições menos custosas (e arriscadas) de subsistência. Os bandeiristas procuravam com afinco ribeiros de melhor pinta ou ouro de melhor qualidade, tentando maiores lucros. A princípio, o ouro do ribeiro de Ouro Preto foi considerado de baixa

[70] NOTÍCIA – 3ª prática... – *RIHGB*, t. 69, 1908, p. 279-280. Segundo Bento Fernandes, o pai, no cargo de escrivão-geral da Guardamoria, repartiu alguns descobertos de taubateanos (Miguel Garcia, Antônio Dias), porque o guarda-mor (paulista) quis evitar mais dissenções, que já se anunciavam, entre os de Taubaté e os da vila de São Paulo. (Notícias dos primeiros descobridores... – CCM, 1999, p. 172-179). Em uma certidão passada pelo guarda-mor Domingos da Silva Bueno em 1702, confirma-se que Salvador Fernandes foi o responsável pelo descobrimento do ribeiro do Bom Sucesso em 1701, pois ele armou a bandeira do descobrimento e mandou seu filho como chefe (AHCSM, Registro de Provisões e Patentes, 1726-1754/[Câmara de Mariana], f. 200). É interessante perceber que, no relato do feito, Bento Fernandes chega a utilizar os mesmos esquemas narrativos das certidões passadas pelo guarda-mor.

[71] Aqui, como nos outros usos dos sertanistas paulistas, vê-se a apropriação de táticas indígenas. Sérgio Buarque de HOLANDA (1994a, p. 70), observa: "Para escapar à destruição e ao aniquilamento é que aquelas populações primitivas transferem facilmente sua morada para territórios menos usados. A caça é complemento, não raro substituto, da lavoura".

qualidade – "ouro bravo", duro que se fazia em pedaços quando cunhado –, enquanto o ouro da serra de Itatiaia, esbranquiçado, e supostamente ainda em formação, foi desprezado pelos exploradores ([Notícias do descobrimento das minas de ouro e dos governos políticos nelas havidos] – CCM, 1999, p. 245. Antonil, 1968, p. 354, 362). Também o "ouro preto" foi julgado inútil no início, e as Minas foram abandonadas três vezes, como testemunha José Rebelo Perdigão, o antigo secretário do governador Artur de Sá e Menezes na virada do século XVII para o XVIII (Notícia – 3ª prática... – *RIHGB*, t. 69, 1908, p. 279).

Com efeito, cotejando a informação de Perdigão com relatos reunidos no Códice Costa Matoso (de um reinol anônimo e de Bento Fernandes Furtado), verifica-se que as gentes arranchadas no Ouro Preto, Antônio Dias e no Padre Faria buscaram o ribeirão do Carmo quando este foi entregue à partilha, em 1700, pensando em usufruir de datas de melhor rendimento. Rapidamente, os coloniais do Ouro Preto, em dispersão, ajuntaram-se mais abaixo, no descoberto do Carmo. Ali, em meio à elevação súbita dos preços locais dos gêneros, fizeram roças e buscaram melhor subsistência no sertão (com "víveres silvestres"), ou foram abrigar-se nas povoações do planalto paulista.[72] Em 1701, tais mineiros de primeira hora retornaram ao descoberto, intentando colher os plantios e explorar o ribeirão nas datas já repartidas, mas constataram, desiludidos, que o grande volume de água dos leitos aprofundados e as condições de exploração (competição nas lavras e a carestia local) exigiam serviços minerais de monta e prestígio

[72] Esta era a reação costumeira dos bandeiristas ao perigo da fome, ou da opressão da carestia dos alimentos. Nos descobertos próximos dos recém-formados arraiais do Ouro Preto e de Antônio Dias, entre 1697 e 1700, com a entrada maciça de gente, houve sérias crises de abastecimento, favorecendo a dispersão em bandeiras (inclusive para o ribeirão do Carmo). Bento Fernandes mostrou o que praticou um dos descobridores paulistas: "Deste perigo inevitável se retirou o nosso alcaide-mor Camargo [José de Camargo Pimentel] para São Paulo, no ano de 1700 (verdadeiramente nesta terra a era dourada e para Portugal o de maior felicidade), com sua comitiva e escravatura, como faziam os mais mineiros que tomavam a resolução de se transmontarem pelo sertão dentro e campos gerais a procurar os lugares mais desertos, menos combatidos e mais férteis de víveres silvestres na entrada do ano de 1700. E no princípio do verão [na seca] deste mesmo ano voltaram outra vez os retirados para São Paulo e os refugiados nas montanhas, a tempo que já os mantimentos plantados no de 1699 estavam capazes de socorrer no de 1700. Entre estes veio o nosso alcaide-mor, prevenido para fazer também diligência de descobrimentos" (Notícias dos primeiros descobridores... – CCM, 1999 p. 175).

social, vedados à maioria deles.[73] Por fim, de acordo com um forasteiro anônimo do Códice Costa Matoso, "desistiu a maior parte da gente para Ouro Preto e Antônio Dias e Padre Faria, porque nesse tempo ficou tudo deserto, e só junto donde é hoje a igreja estava um rancho e outros onde é hoje a de Antônio Dias" ([Notícias do descobrimento das minas de ouro e dos governos políticos nelas havidos] – CCM, 1999, p. 243-248.). Com essa outra deserção em 1701, o ribeirão do Carmo, na altura do que seria a vila, despovoou-se, conta o sertanista Bento Fernandes: "foram despejando todos, buscando uns os ribeiros já descobertos e mais fáceis [os da região do Ouro Preto, por exemplo], como os que se têm referido, e outros com empenho de descobrir, ou fazer novos descobertos".[74]

Assim, nos primeiros anos do século XVIII, o descobrimento se configurava após o tempo de espera, nas estações chuvosas, das colheitas das roças e da ocasião propícia para a extração do ouro dos ribeiros. Havia duas alternativas à mão dos bandeiristas: voltar à povoação de origem ou buscar o remédio para as suas necessidades nos sertões contíguos às repartições. Salvador Furtado praticou a segunda alternativa. Certamente com as notícias das riquezas do ribeirão do Carmo, e evitando como outros as condições de carestia e de exploração custosa no Ouro Preto e Antônio Dias, ele e seu filho, Bento Fernandes, fizeram o descobrimento do Bom Sucesso em 1701, no rumo do Carmo. Daí, depois de terem repartido e explorado com lucro o descoberto, acompanharam a massa dos entrantes prevenidos, seguindo a rota do ribeirão do Carmo e as notícias de ricos descobertos, e formaram novo descobrimento no Ribeirão abaixo (talvez numa parte de exploração menos custosa por se dar em itaipavas).[75] Mas, apesar da carestia

[73] Perdigão lembrou que a posição de poder e os laços de partido monopolizavam a riqueza, favorecendo a mobilidade dos bandeiristas; pois "como os que tinhão mais armas, e mais sequito erão sempre nestes descobrimentos os mais bem aquinhoados, determinaram os mal contentes formarem novas Bandeiras" (NOTÍCIA – 3ª prática... – *RIHGB*, t. 69, 1908, p. 279).

[74] Notícias dos primeiros descobridores... – *RIHGB*, t. 69, 1908, p. 180. O ouvidor de Vila Rica, Caetano da Costa Matoso, recolheu a história de que o arraial do Ribeirão do Carmo, na época de sua criação, foi "desamparado" duas vezes; a primeira por correr a notícia de descobertos no Ribeirão abaixo ([Informação das antiguidades da Cidade de Mariana] – *RIHGB*, t. 69, 1908, p. 251).

[75] Como admitiu o próprio Bento Fernandes: "Ficou, enfim, toda a distância referida [do curso do ribeirão do Carmo] quase deserta, só com alguns poucos, que, de estância em estância, acharam no rio alguns poucos, digo, itaipavas, que são aquelas paragens em que os rios correm mais espraiados por cima dos cascalhos, com menos fundo de suas

dos mantimentos no lugar nos anos de 1700 e 1701, Salvador Fernandes persistiu, plantou roças no novo descoberto e veio "aquartelar-se", esperando a ocasião propícia (a estação seca), no Ribeirão acima – no arraial de cima, um dos embriões do que seria a vila de Nossa Senhora do Carmo em 1711. Aqui, ainda segundo o filho, a comitiva de Salvador Fernandes abasteceu-se, comprando o necessário com o ouro que juntou, e esperou o tempo da colheita de suas roças junto às faisqueiras.[76]

Poucos como o coronel Salvador Fernandes puderam dar-se ao luxo de permanecer próximo às lavras na fronteira do domínio colonial, como foram as Minas Gerais da primeira década do século XVIII. Com a carestia dos gêneros alimentícios, e o perigo da fome, a maior parte dos paulistas (seguidos pelos forasteiros) só conseguia remediar-se nos sertões, como conta um contemporâneo,

> Passando a vida de montarias, a saber, todo o gênero de caças: antas, veados, macacos, quatis, onças, capivaras, cervos; e aves: jacus, gaviões, pombas e outros muitos pássaros; e muitas vezes cobras, lagartos, formigas e uns sapinhos que dão pelas árvores, e outrossim mais uns bichos muito alvos, que se criam em taquaras e em paus podres.[77]

Ou, então, rumavam para o povoado, com os ganhos – ouro e índios – ou o fracasso revelados nos caminhos do sertão. A propósito, era exatamente durante o trânsito entre os descobertos e as povoações que a fome podia ser desesperadora, o que ocorreu especialmente entre os anos de 1697 e 1703.[78] O tema dos entrantes famintos, e com as mãos cheias de ouro, relativo às

correntes, e nestas partes acharam faisqueiras" (*RIHGB*, t. 69, 1908, p. 180). Não é sem razão que o arraial do Ribeirão do Carmo, origem da cidade de Mariana, formou-se em um dos pontos onde o Ribeirão se espraiava ([Informação das antigüidades da Cidade de Mariana] – *RIHGB*, t. 69, 1908, p. 250).

[76] Notícias dos primeiros descobridores... – *RIHGB*, t. 69, 1908, p. 181. Um mesmo rio serviu para Salvador Fernandes fabricar mais de um descobrimento, certamente buscando as melhores condições de lavragem daquele curso d'água. A competição por esses lugares excepcionais de exploração entre os sertanistas (e mineradores) foi grande, como indicam os conflitos, ou as associações entre eles.

[77] Junta-se a isso o consumo de mel, frutos e raízes do mato, e peixes ([Notícias do que ouvi sobre o princípio destas Minas] – *RIHGB*, t. 69, 1908, p. 218). Sobre a experiência da alimentação nas entradas paulistas do século XVIII, ver KOK, 1998, p. 50-71.

[78] O governador do Rio de Janeiro, Álvaro da Silveira e Albuquerque, numa carta ao rei em 22 de março de 1703, mencionou que o pretexto de não se produzirem, naquele ano e no anterior, grandes descobrimentos nas Minas foi "a falta de mantimentos que houve pelos caminhos" (ANRJ, códice 77, v. 13, f. 109v).

tópicas da cobiça, deve ser historicamente analisado à luz desse contexto nas fronteiras com lavras minerais. A famosa história do assassinato de um homem faminto que tentou reaver a pipoca de milho que saltou para o borralho de um companheiro parece mais um ensinamento, por meio de exemplo da tradição oral, sobre a necessidade de medir as provisões necessárias nos trajetos sertanistas. No relato que trata da história, ela está associada à viagem de retorno das Minas para São Paulo, e se refere à fome dos que partiam sem provimento.[79] De acordo com outro depoimento sobre o descobrimento das Minas Gerais e das Velhas, que remete ao tema da cobiça patrocinada pelo ouro, no caminho do sertão da Bahia, "morreu muita gente naquele tempo: de doenças e à necessidade, e outros que matavam para os roubar na volta, que levavam o ouro, e ainda os camaradas que iam juntos fazer seu negócio ou de retirada com algum ouro matavam uns aos outros pela ambição de ficarem com ele" (Relação do princípio descoberto destas Minas Gerais... – CCM, 1999, p. 196).

Disso se conclui que o perigo maior da escassez acentuada de víveres ocorria quando se voltava do sertão para os povoados; o retorno exigia o cálculo experimentado que relacionasse, na prática, as provisões que restavam, o tempo da jornada, o roteiro do trajeto (com alguma escolha dos pousos) e o número de bandeiristas. Ao mesmo tempo, a ocasião sempre sinalizava o que se devia fazer ou como proceder. Quando sertanejavam, os paulistas tentavam diferentes maneiras de conseguir alimento, evitando, o mais possível, demasiado trabalho ou um custo excessivo.[80] As roças e criação de porcos e galinhas no lugar da exploração mineral, desde a expedição de Fernão Dias, foi para os descobridores a maneira mais importante de evitar a escassez de gêneros, ou gastos excessivos com o transporte ou o abastecimento de gêneros, no sertão do ouro. Não é sem razão que os paulistas descobridores praticavam retornar às lavras de ouro somente em

[79] Notícias dos primeiros descobridores... – CCM, 1999, p. 174-175. Na historiografia, quando se quis retratar as fomes dos mineiros, tornou-se canônico o uso da passagem de ANTONIL (1968, p. 378-380) sobre os "não poucos mortos com huma espiga de milho na mão, sem terem outro sustento". Na verdade, no texto do jesuíta, este trecho está associado à (suposta) condição da terra das Minas – "esterilissima" –, e à experiência dos seus caminhos.

[80] "Mas a coleta, a caça e a pilhagem não eram as únicas formas que tinham de encontrar alimento. Ao longo dos caminhos percorridos, plantavam roças de subsistência, que iam colher ao voltar ou que deixariam para outros sertanistas usufruírem" (SOUZA, 1997, p. 47-48).

março, no início da estação seca (verão para os contemporâneos), quando o milho e o feijão plantados no ano anterior podiam ser colhidos, e quando os ribeiros se tornavam bem menos caudalosos e permitiam as bateadas do aluvião aurífero.[81]

Outra questão relativa às tais fomes nos primeiros anos das Minas de ouro diz respeito aos testemunhos dos agentes da Coroa, ou dos reinóis. Seus julgamentos sobre o que estava acontecendo mostram desconhecimento (talvez simulado) das práticas dos paulistas no sertão, e são marcados por preconceitos.[82] O relato mais contundente (e o mais citado pela historiografia) sobre a primeira crise de escassez de gêneros nas Minas é o do governador da Repartição Sul, Artur de Sá e Menezes, numa carta ao rei, em maio de 1698. Quando a escreveu, o governador estava há apenas um ano em contato com os sertanistas de São Paulo e tinha feito uma única viagem às Minas de Cataguases.[83] Sobretudo, a carta visou justificar a quantia de quintos régios que havia sido recolhida até aquele momento. Segundo Artur de Sá e Menezes, os quintos teriam sido maiores se os mineiros tivessem minerado no ano,

> o que lhes não foi possível pela grande fome que experimentaram que chegou a necessidade a tal extremo que se aproveitaram dos mais imundos animais, e faltando-lhes estes para poderem alimentar a vida, largaram as minas, e fugiram para os matos com os seus escravos a sustentarem-se com as frutas agrestes que neles achavam; porém este ano há esperanças, pela abundância da novidade presente, de que recuperem o que perderam. (ANRJ, códice 77, v. 6, f. 117-118v, [10 de maio de 1698])

[81] APM, Avulsos Capitania de Minas Gerais/AHU, caixa 01, documento 06, [Carta de José Vaz Pinto, 1703].

[82] Cf. ZEMELLA, 1990, p. 198-199. Sobre o desconhecimento reinol é significativo o que observou, em 1717, o recém-nomeado governador de São Paulo e Minas do ouro, Dom Pedro de Almeida, no Rio de Janeiro, onde desembarcou: "como hoje tem concorrido tanta máquina de gente para as Minas, e muita dela está já estabelecida, isto faz que o comércio corra para lá em tanta abundância, que assim os gêneros comestíveis, como os demais estão mais baratos que no Rio de Janeiro, por cujo motivo o sustento dos soldados não é tão difícil nem tão caro como em Lisboa se supunha" (APM, Sc 04, f. 204v, Carta de Pedro de Almeida ao rei, 9 de Julho de 1717). Sobre o conteúdo sociocultural das noções de abundância ou de escassez de alimentos, ver, por exemplo, SAHLINS, 1978.

[83] Ver [Comentário crítico de Andrée Mansuy] ANTONIL, 1968, p. 388-390. Artur de Sá e Menezes tomou posse em abril de 1697 e ficou no governo até julho de 1702 (CATÁLOGO dos Capitães-mores... – *RIHGB*, v. 2, 1916 [1ª ed. 1840], p. 75-76).

No confronto do relato de Artur de Menezes com o trecho citado acima, sobre as práticas paulistas de recolher-se ao povoado nos momentos oportunos (ou críticos), observa-se que o governador não compreendeu (ou afetava não compreender) a eficácia daquela mobilidade calculada. Quanto à maneira como representou a alimentação dos paulistas no sertão, o seu preconceito é evidente e, por isso, ela foi avaliada em função de uma necessidade desesperada de famintos. A não ser que se tome como "imundícies" as iguarias apreciadas pelos bugres, a opinião do governador não é confiável para descrever o que se passava.[84]

Numa segunda viagem às Minas, em outra ocasião de escassez de alimentos, Artur de Sá e Menezes, talvez mais familiarizado com os costumes dos descobridores paulistas, foi bem mais moderado na interpretação do que testemunhou no Ribeirão do Carmo em 1700; não mencionou a ocorrência de "fome", mas referiu-se à falta de mantimentos e à carestia dos gêneros alimentícios, "cauza por que se retirarão muitos Mineyros para a montaria para haverem de sustentar a sua gente, e outros para suas cazas, deixando plantos para voltarem em Março, e entendo que haverá muitas lavras para o anno pellos muitos mantimentos que se esperão."[85]

De qualquer maneira, as comitivas de Salvador Fernandes e de outros descobridores poderosos seguramente não passaram fome nas Minas Gerais, e fincaram pé nas suas posses à espera da estação de lavragem de ouro. Em plena escassez de víveres e carestia dos gêneros de subsistência nos primeiros anos do século XVIII, Salvador Fernandes conseguiu comprar mantimentos de quatro e cinco oitavas o alqueire, enquanto não pôde contar com suas plantações (Notícias dos primeiros descobridores... – CCM, 1999, p. 181). Significativamente, este preço foi bem abaixo do que se praticou nas aglomerações dos ribeiros auríferos, como se vê no quadro abaixo:

[84] Tais alimentos eram tão valorizados pelos paulistas que eram oferecidos para o repasto até de um governador em viagem, como aconteceu com Dom Pedro de Almeida em 1717, a quem um paulista do caminho das Minas ofereceu para a ceia meio macaco e um pouco de formigas (Diário da jornada que fez o Exmo. Senhor Dom Pedro... – *RSPHAN*, n. 3, 1939, p. 307-308).

[85] [30 de novembro de 1700] *apud* [Comentário crítico de Andrée Mansuy] ANTONIL, 1968, p. 548-549. Não se deve descartar a hipótese de essas carestias e elevações extraordinárias de preços terem sido favorecidas pelo afluxo momentâneo de gente que compunha o grande séquito do governador Artur de Sá e Menezes nas Minas, possibilitando facilmente a especulação do comércio de abastecimento. Foi exatamente durante as visitas de Artur de Sá e Menezes às Minas, e nos lugares percorridos por ele, que a escassez de gêneros se fez notar.

QUADRO 2

Preços de gêneros alimentícios nas Minas (oitavas de ouro), 1697-1708.

Informante – Local – Data	Milho (alqueire)	Feijão (alqueire)	Gado bovino (rês)	Toucinho (libra)	Galinha (unidade)	Aguardente de cana (barril)	Fumo (vara)
J. R. Perdigão – Bento Rodrigues – 1697[1]	64						
B. F. Furtado – Ribeirão do Carmo – 1700[2]	40						
Artur S. e Menezes – Ribeirão do Carmo – 1700[3]	16	30					
"Anônimo" – Minas Gerais – 1700[4]	20	32			12		5
J. Antonil – Minas Gerais – 1703[5]	(c)		80		4	100 (d)	3
Gaspar Ribeiro Pereira – Minas Gerais – 1704[6]						80	
Baltazar G. Moreira – Minas Gerais – 1705[7]	25						
Arrematação em leilão – Minas Gerais –1706[8]				0,45			
Crédito de venda – Ribeirão do Carmo – 1708[9]	3,25						
"Anônimo" – Minas Gerais – (a)[10]			64				
"Anônimo" – Minas Gerais – (b)[11]	24			1,5	3	128	

a) "naqueles princípios"; (b) "Neste tempo"; (c) "Por huma mão de sessenta espigas, trinta oitavas"; (d) "barrilote". (1) RIHGB, t. 49, 1908, p. 279; (2) CCM, 1999, p. 180; (3) *Apud* ANTONIL, 1968, p. 548-549; (4) CCM, 1999, p. 245; (5) ANTONIL, 1968, p. 382-384; (6) *Apud* ANTONIL, 1968, p. 585-586; (7) *Apud* ANTONIL, 1968, p. 571-572; (8) BNRJ, Manuscritos, I-25, 26, 23, *apud* CARRARA, 1997, p. 58; (9) AHCSM, Ação cível de Miguel da Fonseca, 1º Ofício, 478/10660; (10) CCM, 1999, p. 196; (11) CCM, 1999, p. 218.

Entre 1697 e 1708, antes do conflito entre paulistas e emboabas, os preços dos gêneros alcançaram valores considerados abusivos e imorais. No entanto, houve enorme variação dos preços entre os descobertos, e num mesmo lugar, dependendo do movimento alternado de idas e vindas das pessoas que disputavam as datas minerais. Sobretudo as aglomerações momentâneas e abruptas nos descobertos colocaram em cena oportunidades extraordinárias de se lançar mão de monopólios e de especulação com os gêneros de abastecimento, permitindo ganhos fabulosos em pouco tempo, principalmente a atravessadores.[86] É o que indica a lista que Antonil fez das fortunas em ouro mais notáveis obtidas nas Minas da primeira metade do século XVIII: dos ganhos que se tentou quantificar, o maior foi o de Francisco do Amaral Gurgel – mais de 50 arrobas (cerca de 738kg) –, "De varios ribeiros e da negociação com roças, negros e mantimentos".[87] Também não é sem razão que os partidários pobres dos paulistas, censurados por um emboaba, opunham-se às vendas e lojas dos mercadores e tratantes das Minas na época.[88] Reagiu-se à opressão do negócio varejista, visto como português, que atendia às necessidades básicas de consumo. No entanto, o pequeno comércio de abastecimento (vendas e comércio ambulante) – atraente mesmo para os homens de maior cabedal, entre os quais havia muitos paulistas – também permitia lucros fáceis e menos explícitos, com o realce da intermediação de escravos (e mulheres), do que o negócio varejista de maior porte.[89]

[86] No século XVIII, "Em geral, o desabastecimento era menos fruto da carência dos produtos na região do que do movimento dos atravessadores, os quais revendiam os gêneros de primeira necessidade produzidos próximos às vilas" (ANASTASIA, 1998, p. 36).

[87] ANTONIL, 1968, p. 388-392. Consta que Frei Francisco de Menezes, assistindo em Sabará a partir de 1704 ou 1705, enriqueceu-se por meio de práticas monopolistas, e que às vezes associava-se a Francisco do Amaral. Tentou o frade português monopolizar o fornecimento de carne aos açougues, mas encontrou forte oposição nos paulistas (BOXER, 1969, p. 90-91).

[88] História do distrito do Rio das Mortes... — CCM, 1999, p. 230-231. Cláudia CHAVES (1999, p. 49-80) faz distinção, nas Minas da segunda metade do século XVIII, entre o comércio volante (tropeiro, comboieiro, boiadeiro, atravessador, mascate e negra de tabuleiro) e o comércio fixo (vendeiros, lojistas, comissários), e confere o caráter especulativo, monopolista, e não especializado (em relação às práticas mercantis) do comércio colonial mineiro.

[89] Cf. ANTONIL, 1968, p. 394; FIGUEIREDO, 1993, p. 31-71. Todavia o comércio mais lucrativo (baseado na especulação e no monopólio) era o atacadista de grosso trato, cujas transações envolviam maiores distâncias. Havia também a participação dos

Com tudo isso, a questão é saber quem teria fornecido os mantimentos baratos a Salvador Fernandes e seus escravos, estabelecidos no ribeirão do Carmo. Muito provavelmente, o descobridor obteve tais produtos entre os seus parentes, amigos e clientes que negociavam gêneros de roças nas Minas. Bem se vê que os possíveis lucros monetários, e a função econômica desse trato, subordinaram-se aos laços sociais e políticos entre os agentes, pois a relação de troca tomou a forma de dádiva (ou de contradádiva), que urdia a ligação pessoal entre o fornecedor de gêneros e o paulista poderoso.

Se houve fomes avassaladoras nos caminhos das Minas, é certo que os sertanistas de grande séquito não devem ter passado pelo "dano que se experimentava com a falta delles [dos mantimentos], perecendo a mizeria os mineiros", como pintava Artur de Sá e Menezes em 1701 ([15 de novembro de 1701] Documentos relativos [...] 1701-1705 – *DIHCSP*, v. 51, 1930, p. 43). O desencontro dos informantes quanto aos preços dos mantimentos, como se viu no Quadro 2, sugere, além da variação local apontada, que o impacto da carestia foi diferenciado dependendo da pessoa – da sua qualidade e do crédito conquistado. O reconhecimento da posição política e social dos grandes sertanistas, paulistas especialmente, sustentou as suas fortunas em ouro, terras, e escravos, possibilitando ainda novos meios de ganho.

Portanto, a variação acentuada dos preços dos gêneros alimentícios e a possibilidade que tiveram alguns descobridores de comprar a preços bem menores que os praticados *comumente* em cada lugar indicam o caráter desse mercado colonial, regido por forças que não eram estreitamente econômicas, ou melhor, adstritas à economia mercantil.[90] Em Minas Gerais, durante o século XVIII, as relações mercantis continuaram submetidas às condições concretas e pessoais das transações, o que significou que todas

moradores das Minas nesse comércio entre as regiões coloniais, desde o início do século XVIII. Ainda, foram os grandes atacadistas que estabeleceram linhas de crédito significativas que serviam ao pequeno comércio ambulante ou fixo (FURTADO, 1999, p. 123-125). Cf. FRAGOSO, 1992, p. 174-179.

[90] Cf. Karl POLANYI (1977, P. 9-18), para quem não se deve confundir mercado (ou economia de mercado, que foi uma instituição moderna) com *economia*, e nem trato ou comércio — *trade* (instituição muito mais velha que mercados, e independente deles) — com mecanismo de mercado. Para este, "A economia, enquanto subsistema da sociedade, pode ser definida como um contínuo processo de oferta material canalizada através de instituições específicas. O processo é constituído pelo movimento das coisas, e estes movimentos são causados por pessoas que participam das situações criadas por aquelas instituições" (*apud* SANTOS, 1999, p. 57). Cf. GODELIER, [197-], p. 319.

as compras e vendas colocavam em jogo, para os agentes sociais, além dos objetos trocados, questões como o estatuto e o nível de relações dos participantes do trato, as circunstâncias, as motivações, e o momento em que se estabelecia a troca. Tais questões condicionavam os termos da troca e o lucro, compondo o valor de preço.[91]

Tudo servia para distinguir e separar os descobridores notáveis dos entrantes ou forasteiros pobres que aportavam às Minas, cuja alternativa era a de sujeitar-se àqueles senhores poderosos. Os lucros nas lavras, roças e comércio, e o prestígio social serviam a essa estratificação de fundo estamental. Na primeira década do século XVIII, chegou-se a estabelecer uma hierarquia das *minas*, que afetou o prestígio dos seus descobridores, baseada na fama do rendimento aliado à qualidade do ouro dos ribeiros. Descobertos como o do Ouro Preto, ribeirão do Carmo e rio das Velhas tiveram a reputação de conter o ouro de melhor "toque" – 22 a 23 quilates (Antonil, 1968, p. 356, 362. ANRJ, códice 77, v. 6, f. 109-110v, [29 de abril de 1698]). Devido a isso, a qualidade do ouro foi fielmente observada pelos sertanistas, que abandonavam um ribeiro, como o de Itatiaia, que dava *ouro branco*, por outro de qualidade insuspeita.

Além do toque do ouro obtido, entrou nas cogitações dos descobridores e dos outros entrantes, quando batearam nos ribeiros, sobretudo o rendimento das faisqueiras. O rendimento das explorações variou muito, dependendo do lugar e, ao longo do século XVIII, acompanhando o esgotamento geral das jazidas do ouro de aluvião. Antonil conta que "Chamão os Paulistas ribeiro de bom rendimento o que dá em cada bateada duas oitavas de ouro".[92] Mas, com a continuidade da exploração, comumente os mineradores obtiveram rendimentos mais módicos. O ribeirão do Carmo teve a reputação de render até quatro oitavas nas bateadas diárias, e nos ribeiros de Caeté contaram que cada pessoa juntou, em 1697, algo em

[91] Como observa Wanderlei Guilherme dos SANTOS (1999, p. 57), a partir das análises de Polanyi: "O que importa sobretudo é saber como esses traços [como dinheiro, troca, lucro] se integram a outros para a estabilidade e reprodução de certa ordem social. Em conseqüência, a descoberta da existência desses traços não implica necessariamente que toda a organização da produção e da distribuição de bens, nem que toda a organização social se pauta pelos princípios do mercado". Cf. POLANYI, 1992, p. 54-76.

[92] ANTONIL, 1968, p. 360. Isso foi confirmado por outro informante, para quem a "pinta geral", na época do descobrimento das Minas, era de duas e três oitavas (NOTÍCIA – 3ª prática... *RIHGB*, t. 69, 1908, p. 279).

torno de cinco oitavas por dia.[93] Alguns poucos ribeiros renderam até mais, atraindo os mineiros que lavravam nos outros ribeiros de menor rendimento, ou naqueles cujo ouro não tinha bom toque. Sobretudo no início da lavragem dos ribeiros de consideração (com pinta de meia oitava para cima), o ouro extraído por escravo, diariamente, podia ser até muito maior que o lucro usual ([20 de março de 1700] *apud* Derby, 1999, p. 285). No descobrimento do bandeirista Bento Rodrigues, afirmou-se que se chegou a tirar até 300 oitavas de ouro nas bateadas (Notícia – 3ª prática... *RIHGB*, t. 69, 1908, p. 279). Isso não durava muito, principalmente quando se disputavam as melhores lavras após a manifestação do descoberto. Para esses descobridores, a lavragem do "fácil" significou um lucro extraordinário em pouco tempo, aliado a serviços minerais pouco onerosos. No descobrimento das Minas Gerais, às vezes, aconteceu de muitos entrantes acorrerem rapidamente às boas lavras tão logo soubessem delas, para, daí a pouco, abandoná-las, temporariamente ou não, começando pelo paulista descobridor e a gente da sua comitiva.

Tudo isso praticou o taubateano Salvador Fernandes. Atento à ocasião (ou *invenção*) dos descobrimentos de ouro no sertão da vila, ele desceu para as Minas, e conseguiu adquirir mais capital simbólico – experiência de sertanista-descobridor e prestígio social –, que, como se tem mostrado, permitiu não só sustentar os ganhos do descobrimento, mas até ter acesso privilegiado à fortuna e aos lucros da entrada. Diferentemente do que aconteceu com Garcia Rodrigues e Borba Gato, o capital simbólico constituído por Salvador Fernandes não teve origem num feito herdado (a expedição das esmeraldas e da prata), mas proveio das ações de ocasião nos descobrimentos de ouro, a partir da década de 1690. Bento Fernandes não deixou de guardar tal prestígio ao requerer em Lisboa, anos depois, à maneira de outros filhos dos descobridores afamados, os prêmios pelos descobrimentos do pai e pelos seus próprios descobrimentos.[94] Percebia-se o requerimento como legítimo, pois, na realidade, os direitos pessoais ao cabedal acumulado vinculavam-se à lógica de família. Essa lógica tinha

[93] Notícias dos primeiros descobridores... – CCM, 1999, p. 181. [12 de junho de 1697] *Apud* [Comentário crítico de Andrée Mansuy] ANTONIL, 1968, p. 549-550. No rio das Velhas, o informante do jesuíta contou que nas bateadas ordinárias da lavragem tiravam-se "oito e mais oitavas" (*ibidem*, p. 450).

[94] REGISTRO do testamento... – *RAPM*, v. 8, 1903, p. 311. Em meados do século XVIII, o antigo descobridor ainda buscava as mercês régias (AHCSM, Registro de Provisões e Patentes, 1726-1754/[Câmara de Mariana], f. 195).

raiz numa regra bandeirista que funcionou também aqui: os filhos solteiros que moravam com os pais, ou os menores, juntavam os lucros em índios e ouro, adquiridos quando atuavam como cabos ou auxiliares das entradas, na casa paterna (Silva, 1998, p. 36-37).

Salvador Fernandes, até sua morte em 1725, foi recompensado pela Coroa com várias terras de sesmarias nas Minas Gerais e em Pindamonhangaba (há registro de, pelo menos, quatro sesmarias) (Cartas de sesmaria. – *RAPM*, v. 2, 1897, p. 265-266. Registro do testamento... – *RAPM*, v. 8, 1903, p. 310. Catálogo de sesmarias. – *RAPM*, ano 37, 1988, v. 1, p. 285). Em uma dessas concessões, em 1711, o coronel alegou que vivia nas Minas há sete anos (desde 1704), "e em todo este tempo, e nos mais do principio do descobrimento das dittas minas, sempre sercando os mattos, e mandando fazer por seus filhos e escravos a buscar descobrimentos de Lavras de ouro, como consta dos que tem descuberto de grandes lucros" ([Carta de sesmaria de 26 de março de 1711] CARTAS de sesmaria. – *RAPM*, v. 2, 1897, p. 265-266). A fortuna de Salvador Fernandes no ano de sua morte era considerável, sendo avaliada em 27.902 oitavas de ouro. Ele possuía terras de sesmaria, datas minerais, lavras, roças, engenho de cana (com alambique), casa no arraial de São Caetano, e 62 escravos.[95] Consta que além dos cativos africanos e crioulos, o sertanista tinha alguns *carijós* sob a sua administração, o que, na prática, significava escravidão de fato. Quando Salvador Fernandes redigiu o seu testamento, ele chegou a relacionar 8 índios administrados (um deles era considerado filho de Bento Fernandes Furtado).[96]

[95] Inventário e testamento de Salvador Fernandes Furtado (1725) – AHCSM, 2º ofício, códice 128, auto 2800. Riqueza vultosa para as Minas Gerais, caso se compare com os proprietários de escravos de Vila Rica, Carmo, São João del Rei e Pitangui em 1718. Salvador Fernandes fez parte do restritíssimo grupo de proprietários que possuíam mais de vinte escravos — em torno de 6% dos senhores — e que detinham cerca de 27% de todos os escravos arrolados (LUNA, 1983, p. 28-31). Além disso, sua fortuna esteve bem acima da riqueza total média inventariada em Mariana no ano de 1750 (que não chegava a 5 mil oitavas, caso se considere a oitava no valor médio de 1.200 réis). Cf. ALMEIDA, 1995, p. 91 (TABELA 1).

[96] LEWKOWICZ, 1992, p. 301-302. Cf. VASCONCELOS, 1999, p. 191-193. No início da década de 1710, os carijós representavam 16 a 23% dos escravos inventariados na Vila do Carmo. Mas, até o início da década de 1720, a baixa natalidade aliada à mortalidade elevada em comparação com os africanos e crioulos, além das manumissões, fizeram a escravidão indígena tornar-se *residual* no Termo da vila (VENÂNCIO, [199-], p. 4, 12-18). O número de escravos africanos e descendentes era a grande maioria dos

Como outros descobridores qualificados, Salvador Fernandes certamente sustentou essa riqueza através do exercício astucioso de postos civis e militares, além de requerer à Coroa outras funções bem posicionadas no Estado português.[97] Ele foi escolhido para o cobiçado cargo de tesoureiro dos ausentes, com poderes de provedor no distrito do Ribeirão do Carmo, em 1706.[98] O velho sertanista foi também provedor dos quintos na freguesia de São Caetano (no ribeirão abaixo) em 1720, além de ter sido, algumas vezes, eleito juiz ordinário e vereador da Câmara da Vila do Carmo (após 1711).[99]

Na década de 1700, Salvador Fernandes foi guarda-mor, e manteve-se no cargo após o governo emboaba (1708 a 1709). Além disso, continuou no posto de coronel das Ordenanças da vila de Taubaté, com função nas Minas do ouro, quando, em 1711, o governador Antônio de Albuquerque ainda negociava a colocação de paulistas e emboabas nos "oficios repúblicos".[100]

escravos arrolados pelos senhores de Minas Gerais em 1718. Os índios perfaziam, com um número muito pequeno, o total de escravos – cerca de 3% (LUNA, 1983, p. 38). Para explicar a queda do número de índios dentre os escravos no período, devia-se, também, considerar a hipótese de saída dos sertanistas paulistas, com seus *administrados*, para os novos descobertos a oeste das Minas Gerais, como Pitangui e Goiás, que foram manifestados naqueles anos.

[97] Analisando a posse de escravos em Passagem (paróquia do Termo de Mariana), Renato VENÂNCIO (1995, p. 244) observa: "Na listagem de 1723, percebe-se que 50,0% dos proprietários com mais de 20 escravos estavam inseridos no aparelho burocrático colonial. Eles eram licenciados, alferes ou capitães, havendo até mesmo um guarda-mor com setenta e cinco cativos". O certo é que o ofício servia ao negócio e vice-versa.

[98] Devia arrecadar e administrar os bens móveis e de raiz dos falecidos que não tivessem herdeiros nas Minas, ou que morressem sem testamento, ou ainda que não deixassem nomeados procuradores ou administradores, vendendo esses bens em leilão e remetendo o que fosse arrecadado à Provedoria dos Defuntos, Ausentes, Capelas e Resíduos do Rio de Janeiro (AHCSM, Registro de Provisões e Patentes, 1726-1754/[Câmara de Mariana], f. 196v). Cf. SALGADO, 1985, p. 196-201. A delegação da função de provedor em partes remotas aumentou as fraudes, especialmente nas arrematações dos bens, cujos procedimentos viciados atendiam os interesses do partido do provedor comissário. Também os oficiais do Juízo dos Ausentes podiam interessar-se pelos ganhos resultantes da administração fraudulenta dos bens e da utilização particular dos escravos do defunto, e, em vista disso, intimidarem os testamenteiros, pretendendo que deixassem o encargo (se proveitoso) de dispor dos bens do defunto (SILVA, 1998, p. 145-147).

[99] Afirmava-se ainda, em 1720, que ele ocupou "Cargos da Republica" com satisfação na Vila de Taubaté (AHCSM, Registro de Provisões e Patentes, 1726-1754/[Câmara de Mariana], f. 195v, 196v, 197, 197v, 198).

[100] APM, Sc 07, f. 94-94v, [20 de abril de 1711]. ANRJ, códice 77, v. 24, f. 29, [26 de abril de 1712]. Salvador Fernandes exerceu funções prestigiosas, cumprindo obrigações

Descobrimentos: fama, roças, caminhos e lucros

Na *Informação sobre as Minas do Brasil*, o autor anônimo introduziu o assunto com o seguinte comentário: "Como imagino que os interessados nas Minas de São Paulo as avaliam por mais do que são e os outros por menos do que mostram comunicarei a Vossa Majestade o que pude alcançar delas" (Informação sobre as minas do Brasil (ABN, v. 57, 1935, p. 159).

Para o tal informante, havia um conflito de representação entre os agentes coloniais, sendo que a fama (ou a reputação) das minas exercia um papel fundamental no jogo do *valer mais* dos descobrimentos. Entre os dois extremos da verdade, dos interessados e dos não interessados nas Minas, haveria um meio termo de maior verossimilhança.

As suspeitas de avaliar as Minas por mais do que eram recaíram especialmente sobre os paulistas e descobridores. Afinal, um descobrimento sem fama, de que valia? Em 1718, o conde de Assumar, numa carta ao ouvidor de São Paulo, Rafael Pires Pardinho, que pedia notícias sobre as "minas novas" do rio Paranapanema, indagou se elas continuavam, "ou se ficou esta matéria só em Paulistada" (APM, Sc 11, f. 74v).

Já em 1716, houve um confronto entre alguns paulistas pretendentes a descobridores e o guarda-mor substituto de Itaverava, na Comarca do Rio das Mortes, envolvendo a percepção de lavras de ouro separadas em alguns ribeiros. Ao considerar "velhas" as tais lavras, o guarda-mor, talvez temendo perder a sua jurisdição, deixou implícito que não se deviam seguir as práticas regimentais de novos descobrimentos de ouro, que conferiam privilégios de exploração aos descobridores e sócios, nem o costume que fazia do descobridor, como guarda-mor, o natural repartidor das datas. Mas os paulistas não pensaram assim. O resultado foi um conflito de jurisdição entre dois guardas-mores, ambos nomeados pelo guarda-mor geral. Ademais, a reação dos supostos descobridores foi violenta: "convocaram gente e juntaram armas intentando fazer a repartição sem

onerosas para mantê-las. Segundo Diogo de VASCONCELOS (1999, p. 197), ele foi eleito provedor da Irmandade do Santíssimo Sacramento; e, encarregando-se da organização da semana santa em 1725, obrigou-se a contribuir sozinho com 500 oitavas, enquanto os outros oficiais comprometeram-se a dar 1.403 oitavas. Sabe-se, com efeito, que Salvador Fernandes foi membro da restritiva irmandade do Santíssimo Sacramento, na Vila do Carmo e em São Caetano, tendo sido seu provedor várias vezes (AHCSM, Registro de Provisões e Patentes, 1726-1754/[Câmara de Mariana], f. 198, 198v).

autoridade do dito Guarda-mor [de Itaverava] com o pretexto de que nesta forma repartia o povo as datas no princípio destas minas" (APM, Sc 09, f. 45-45v, [12 de janeiro de 1716]).

Anos depois, em 1734, os portugueses divertiam-se com a seguinte história sobre os paulistas: "Um paulista perguntou hum dia a hum Ambuaba ou Reynol, se El-Rey tinha rossa para manter a sua familia, e respondeulhe que não, replicou confuzo, já não admira que lhe seja necessario todo quanto ouro lhe pagamos, se come da venda" (*apud* Boxer, 1969, p. 207).

Ainda, no ano de 1734, numa junta promovida pelo governador de São Paulo, ficou comprovado um "vicio" na carta do ajuste feito entre os descobridores das Minas de Goiás e o governador Rodrigo César de Menezes sobre as passagens dos rios, "na parte em que diz nas ditas Minas haver-se-lhe mudado o N. em P., que muda o sentido *para* as ditas Minas" ([18 de março de 1734] Correspondência do Conde de Sarzeda... - *DIHCSP*, v. 40, 1902, p. 138-141 [grifo meu]).

Seguindo os propósitos do valer mais pessoal e dos lucros no sertão do ouro, todas essas atitudes dos paulistas, fundadas nas práticas de descobrimento, aconteciam num plano político e econômico de colonização do Estado. Não se tratava somente de exploração sertanista e de ganhos com as faisqueiras de ouro ou com o apresamento de índios. No século XVIII, os descobridores de ouro agiam (e reagiam) através de negociação política (e a expressão de poder pessoal fazia parte desse pleito) com outros agentes coloniais, e assim usavam influir na experiência econômica do descobrimento. A fama que proclamava o feito, o modelo regimental utilizado na exploração, as roças que faziam lavras lucrativas, o caminho que servia à colonização instituíram o descobrimento como aquilo que Thompson designou de ambiência - o quadro da experiência vivida que compreende "práticas, expectativas herdadas, regras" que limitam os usos, assim como, ao mesmo tempo, revelam possibilidades, normas e sanções legais e sociais.[101] Os descobridores de minerais preciosos, em Minas Gerais, aprenderam a fazer seus negócios, e a lucrar, com essa ambiência (de valores e direitos) sociopolítica.

As Minas de ouro serviram para o aumento da distinção, poder e fortuna dos descobridores paulistas, nas duas primeiras décadas do século XVIII, mas a maioria dos entrantes permaneceu à margem da *ordem* daquele

[101] Trata-se do costume, interpretado a partir do conceito de *habitus* de Bourdieu (THOMPSON, 1998, p. 90).

butim, devido à ação conjugada dos descobridores poderosos e dos governantes.[102] Quando começa a década de 1710, as grandes jazidas auríferas de aluvião das Minas Gerais, do rio das Velhas, do rio das Mortes e do Serro do Frio já tinham sido repartidas e estavam em exploração, nos termos do Regimento das Minas, há anos. Dessas repartições famosas, enlaçaram-se novos descobertos.

Desde 1711, havia notícias de terem descoberto ribeiros de ouro nos distritos de Pitangui e Paraopeba, nas proximidades das Minas do rio das Velhas ([14 de setembro de 1711] REGISTRO de diversas cartas... – *RAPM*, v. 2, 1897, p. 796-797). Mas, só em 1713, começou-se a entabular um novo descobrimento de ouro, considerado de beta, no descoberto de Pitangui ([1° de setembro de 1713] *apud* Barbosa, 1995, p. 256. APM, Sc 04, f. 27-27v, [15 de novembro de 1714]. APM, Sc 09, f. 1v, [3 de setembro de 1713]). Como de costume, valendo-se da fama daquelas explorações, os paulistas com reputação de descobridores, e já com interesses radicados nas Minas do rio das Velhas – como Bartolomeu Bueno da Silva e seu genro, Domingos Rodrigues do Prado, governantes de Pitangui no início da década de 1710 (Barreto, 1995, p. 91, 124) –, tornaram-se as autoridades locais, partindo de um reconhecimento tácito da Coroa. Esses paulistas certamente buscaram os meios de ganho, tradicionalmente observados, naqueles descobrimentos: lavragem de ouro, negócios com gêneros de roças e com boiadas, e o abastecimento de viandantes, às vezes vinculado às passagens de pessoas e cargas nos rios caudalosos que cortavam as rotas dos descobertos.[103]

[102] Além de essa discriminação ocorrer nas práticas de descobrimento, durante a década de 1700, os governadores constantemente buscaram controlar, e até proibir, a entrada de pessoas (livres ou escravas) sem licença nas Minas, viessem do Rio de Janeiro ou da Bahia ([10 de dezembro de 1711] DOCUMENTOS relativos [...] 1711-1720 – *DIHCSP*, v. 49, 1929, p. 48-50). Enquanto isso, os paulistas, através das reclamações da Câmara de São Paulo, tentaram impedir os emboabas de possuírem sesmarias nas Minas, justificando que estas eram privilégios exclusivos dos paulistas, por serem eles descobridores e povoadores daquele sertão ([Carta: 10 de novembro de 1700, e petição] PROVISÕES, cartas régias [...] 1688-1700 – *RIHGSP*, v. 18, 1914. p. 431-432; ANRJ, códice 77, v. 24, f. 29, [26 de abril de 1712]). Ainda, os descobridores, nos cargos de guarda-mor ou de capitão-mor do descoberto, intentavam expulsar os entrantes considerados indesejáveis (para o governador, as "turbas multas de gente") ([17 de março de 1705] CORRESPONDÊNCIA dos Gov. Gerais... – *DHBNRJ*, v. 40, 1938, p. 352-360).

[103] APM, Sc 04, f. 187v, [24 de Março de 1715]. APM, Sc 09, f. 34v, [10 de agosto de 1714]. O governador concedeu aos exploradores, no sertão de Pitangui, sesmarias maiores, cuja extensão era de até três léguas em quadra, para currais de gado (APM, Sc 04,

Todas essas atividades efetivaram-se nessa ambiência constitutiva do poder político, como foi verificado acima, que se consolidou por meio das relações nos postos e ofícios de governança local. Para os descobridores, o domínio político e a subordinação ao governo da Coroa mostraram-se mais proveitosos, e cheios de possibilidades, do que o contrário. Assim, tão logo as Minas de ouro de Pitangui tiveram a reputação de um novo descobrimento, no início da década de 1710, os supostos descobridores, dirigentes locais, trataram de pedir ao governador de São Paulo e Minas que erigisse o arraial em vila, talvez procurando livrar-se da jurisdição da Câmara de Sabará (APM, Sc 09, f. 39, [6 de fevereiro de 1715]). Também eles foram contrários a qualquer inovação na repartição, o que significou a defesa das práticas costumeiras cabíveis no Regimento das Minas de 1702.[104] Além disso, consta que alguns pretendentes a descobridores, em Pitangui e em outros descobertos, tentaram beneficiar-se do serviço de descobrimento para evitar as punições por seus crimes, ou fugir aos compromissos de dívidas.[105]

f. 198-199, [28 de maio de 1716]). Em Pitangui, o paulista Domingos Rodrigues do Prado foi capitão-mor; Bartolomeu Bueno da Silva foi cobrador dos quintos; Jerônimo Pedroso da Silva (ou de Barros) foi coronel de cavalaria, cobrador da Câmara e dos quintos, e depois provedor dos quintos; Francisco Jorge da Silva foi guarda-mor. Cf. FRANCO, 1940, p. 63-64, 315-318, 372-376, 379-380; VASCONCELOS, 1944, p. 69.

104 APM, Sc 09, f. 29v, [7 de julho de 1714]. O governador Brás Baltazar e seus oficiais enviados a Pitangui interferiram no Regimento minerário em pelo menos um ponto fundamental: os direitos dos exploradores. Além de mandarem fazer nova repartição que, se acomodava os novos entrantes, acabava, por outro lado, afetando as concessões daqueles que já se encontravam minerando, eles quiseram tirar datas, junto com as devidas aos descobridores e à Coroa, para o governador, para a Câmara de São Paulo e para o secretário do governador, antes de fazer a repartição por sorteio aos mineiros. Certamente, os paulistas exploradores do lugar convieram que o governador agia injustamente, e introduzia inovação no Regimento das Minas. No entanto, havia uma carta régia, datada de 1709, dirigida ao antecessor de Brás Baltazar, Antônio de Albuquerque, que afirmava: "tenhaes huma data de terras, em que possaes minerar nas que descobrirem, durante o vosso governo, depois de separada a que Me tóca, e a do descobridor, seguindo-se nas mais o que se dispõe no Regimento das Minas". Ora, além de a carta referir-se a uma graça régia a Albuquerque, a princípio intransferível, e mencionar que a data mineral do governador devia vir depois da data dos descobridores – o que no início não era o que pretendia Brás Baltazar –, não houve nenhum descobrimento portentoso no governo de Albuquerque. Assim, esse privilégio do governador não virou uso, e nem foi confrontado com os interesses dos exploradores, até os descobrimentos de Pitangui serem instituídos. Cf. CARVALHO, 1931, t. 4, p. 570-581.

105 Como de praxe, os governadores abafavam os crimes dos paulistas, quando estavam

Desde o início, os descobrimentos de ouro foram instituídos politicamente como prática, e aos poucos como norma codificada. Por isso, essas práticas codificadas no Regimento das Minas e nas negociações entre a Coroa e os descobridores, que conferiam legitimidade aos descobrimentos de ouro e de diamantes, conformaram a especificidade do lugar das Minas de ouro, ou das Minas Gerais, como se começou a dizer a partir da década de 1720 com a autonomia da Capitania. Desde essa época, observaram-se, nos novos descobertos, notabilizados pela fama de suas supostas riquezas – de diamantes no Serro Frio (nos anos de 1720) e de ouro no ribeiro do Fanado (final da década de 1720) e em Paracatu (início da década de 1740) –, práticas comuns à invenção das Minas de ouro, mesmo com o arrefecimento da participação dos experimentados paulistas entre os descobridores ou entre os agentes coloniais.

Em 1719, o governador conde de Assumar assinalou ao rei que no seu governo, até aquele momento, não tinha havido "nenhum descobrimento considerável" (APM, Sc 04, f. 262-262v, [14 de junho de 1719]). O motivo seria político, pois anos depois alegou-se que os paulistas (ou seja, os descobridores) estavam ressentidos com a usurpação reinol das Minas Gerais e de Pitangui. Por isso, buscaram fazer descobrimentos em Mato Grosso e Goiás, afirmando que, por sua vez, abandonariam esses lugares se forasteiros vindos da Capitania de Minas os fossem novamente perturbar (APM, Sc 23, f. 69v-70, [29 de abril de 1727]). Os governadores das Minas, na primeira metade do século XVIII, preocupados com a falta de grandes descobrimentos, tentaram agradar os descobridores paulistas, reconhecendo-lhes até a preferência dos seus parentes e amigos nas datas minerais e a direção da repartição (APM, Sc 21, f. 5v-6, [11 de outubro de 1721]).

A partir da década de 1710, as empresas de descobrimento partiram das Minas do ouro, ou tiveram nelas o seu modelo de instituição – do governo local às formas de exploração econômica. Em todos os descobrimentos, desde o mais antigos das Minas Gerais e das Minas do rio das Velhas, acorreram gentes para os descobertos. Pessoas de qualidade variada, e muitos

em jogo os descobrimentos. Pelo menos um dos participantes do grupo governante de Pitangui, Francisco Jorge da Silva, tinha fugido de São Paulo por tentativa de homicídio. APM, Sc 09, f. 35v, [28 de outubro de 1714]. Ver artigos 6º e 7º da Instrução do governador Brás Baltazar da Silveira – APM, Sc 09, f. 20v, [9 de abril de 1714]; APM, Sc 09, f. 35, [25 de agosto de 1713].

considerados criminosos, a ponto de se considerar que os arraiais neles formados acoitavam entrantes suspeitosos. Isso acabou marcando todo o discurso da Coroa, e de coloniais interessados, quando se queria fundar uma ordem colonial no sertão das Minas. O governador Dom Pedro de Almeida, em 1717, alertava o rei sobre a necessidade de criar uma Ouvidoria na Vila do Príncipe, no Serro Frio, para onde se dirigiam muitos paulistas, e "criminosos" das vilas de Minas a fazer descobrimentos (APM, Sc 04, f. 208-208v, [10 de dezembro de 1717]).

A fama das riquezas de minerais preciosos nos novos descobrimentos é que atraiu todos os que nas outras Minas buscaram seu lucro. Foi assim com os bandeiristas, ou comerciantes e outros forasteiros do Rio de Janeiro e da Bahia, nas Minas Gerais, e continuou assim nos outros descobrimentos, após a década de 1720. Mas, se antes saíram de São Paulo e do litoral, a partir desta data vieram em grande número das próprias Minas Gerais, que funcionou como um posto avançado, ou entreposto, no sertão do ouro a ser perscrutado. De acordo com a lista de capitação dos escravos de Minas Gerais, iniciada em julho de 1735, muitos senhores ou administradores partiram com seus escravos das antigas Minas de ouro para os novos descobrimentos do Paracatu, que tinham vindo a público logo nos primeiros anos da década de 1740 (GRÁFICO 1).[106] Houve uma entrada significativa de trabalhadores vindos de todas as Comarcas de Minas (que perdem de um ano para outro os seus escravos) para o descoberto, desde pelo menos 1743, antes da instituição do *tributo* em 1744, e num momento vantajoso de exploração ou de negócio, que unia maiores rendimentos na lavragem do ouro (ou diamantes) e menores custos políticos e econômicos. No meio do último ano, já se encontravam em Paracatu quase seis mil escravos, e o descobrimento continuou a atrair pessoas nos meses seguintes (até o primeiro semestre de 1745), quando teve início um movimento descendente, que incluiu o retorno dos coloniais e seus escravos aos povoados de origem, marcadamente entre 1746 e 1748 – o que se verifica de maneira mais nítida com aqueles da Comarca de Sabará e, em certa medida, com

[106] Em 1744, já havia repartição de terras minerais na serra junto ao rio Paracatu, para os lados do caminho de São João del Rei para Goiás (APM, Sc 69, f. 43v-44, [9 de maio de 1744]; APM, Sc 45, f. 153v-154, [7 de novembro de 1745]). Em 1746, o governador asseverou que no descobrimento de Paracatu, "se juntaram de todas as Comarcas das Minas Gerais, Goiás, São Paulo, Bahia, e Rio, mais de dez mil almas" (APM, Sc 45, f. 67-68, [21 de setembro de 1746]; APM, Sc 45, f. 61v, [7 de outubro de 1745]).

os escravos da Comarca do Rio das Mortes, cujos territórios, próximos ao novo descoberto, proporcionavam maior mobilidade aos seus habitantes.[107] Descobridores ou mineradores de ouro, como os irmãos Felisberto e Francisco Caldeira Brant, tiveram um ganho excepcional em Paracatu (teriam tirado 60 arrobas de ouro em "breve tempo"), porque o fisco não teve como quintar efetivamente essa fortuna. Na vigência da capitação, cobravam-se anualmente dos senhores quatro oitavas e três quartos de ouro para cada escravo, mas dado o elevado rendimento das novas lavras de Paracatu em relação às *lavras velhas* das Minas Gerais, a maior parte do ouro extraído dos Caldeira Brant ficava livre da tributação.[108]

Na Capitania de Minas Gerais, a fama ou a reputação de riquezas dos descobertos era gerida por seus descobridores, pois ela favorecia a concessão régia de recompensas como postos militares, cargos no Estado, grandes porções de terra, preferência nas concessões (passagens de rios e contratos), títulos honoríficos como o hábito da Ordem de Cristo, e mesmo isenções de dívidas e de serviços embaraçosos, temporárias ou não, ou a dissimulação dos crimes pela justiça régia.[109] Todavia, ao longo do século

[107] Houve ainda, no princípio da década de 1740, os descobrimentos menos afamados do rio Verde, Sapucaí e Pedra Branca, nos limites da Comarca do Rio das Mortes com a Capitania de São Paulo (APM, Sc 45, f. 8-8v, [12 de maio de 1744]). No Paracatu, em 1746, aconteceu "uma grande epidemia que obrigou a sair muitos mineiros que não estavam estabelecidos, ainda que ao mesmo tempo entravam e continuam a entrar, outros". (APM, Sc 45, f. 66, [15 de setembro de 1746]). Além de doenças, ou de notícias de outros descobertos menos conturbados, a competição pelas águas necessárias às lavras e a carestia dos gêneros motivaram muitos a saírem do descoberto (APM, Sc 76, f. 72v-73, [19 de abril de 1746]; APM, Sc 76, f. 79, [7 de maio de 1746]). No ano de 1747, as Minas de Paracatu não continuaram na "opulência primeira", apesar de prometer duração (APM, Sc 45, f. 77v, [3 de outubro de 1747]).

[108] A cobrança anual da capitação, que substituiu as casas de quintar o ouro, ocorria duas vezes no ano – janeiro e julho –, incidindo sobre o número de escravos matriculados a partir do dia primeiro, nestes meses. Cf. [Papel feito acerca de como se estabeleceu a capitação nas Minas Gerais e em que se mostra ser mais útil o quintar-se o ouro, porque assim só paga o que o deve] – CCM, 1999, p. 492, 503-504.

[109] Valendo-se da tradição de premiação régia em razão de descobrimentos de minerais preciosos, houve, na segunda metade do século XVIII, pretendente a explorador que requereu imunidades de Justiça para si e para quem o acompanhasse na bandeira (sendo "criminoso ou individado") (APM, Avulsos Capitania de Minas Gerais/AHU, caixa 99, documento 14, [14 de novembro de 1770]). Também, alegando estabelecimento de lavras e exploração do sertão, em 1778, o guarda-mor do descoberto de Abre Campo, morador na freguesia de Guarapiranga, pediu ao governador que o dispensasse de servir nas Ordenanças ou de contribuir com os custos de bandeiras

XVIII, associado à fama de achados de jazidas de ouro ou de diamantes com toque e rendimento notáveis, procurou-se o reconhecimento, por parte da Coroa e dos outros entrantes, daquilo que os descobridores paulistas dos dois primeiros decênios obtiveram facilmente: de que aqueles inventos eram novidade. Com isso, o colonial que sertanejava queria defender os privilégios de verdadeiro descobridor, como a posse de duas lavras de 30 braças nos lugares a sua escolha, prevista no artigo 5º do Regimento minerário, e provisão de guarda-mor e da preferência do seu partido nas lavras.

Não era, pois, *só* questão de luzimento sociopolítico dos descobridores afamados. A fama de novo descobrimento influía nos próprios rumos da exploração econômica do descoberto, e nas possibilidades de ganhos do descobridor. Como ocorreu com as Minas Gerais, nos outros descobrimentos notáveis do século XVIII, quando se publicava um descobrimento havia um grande afluxo de entrantes, e isso pressionava os preços dos gêneros de subsistência.[110] Logo, os comerciantes, tropeiros, roceiros e criadores das Minas dirigiam as produções para aqueles descobertos; aproveitavam para especular com os gêneros, ou valiam-se do monopólio de fornecimento, na verdade com o apoio dos dirigentes descobridores quando estes conseguiam o seu quinhão. Manuel Nunes Viana, o governador emboaba que se impôs aos paulistas nas Minas do rio das Velhas em 1708, tentou depois obter o monopólio do abastecimento de carne no arraial de Sabará (Boxer, 1969, p. 98. [Dou parte do que vi e sei] – CCM, 1999, p. 213).

Com o aumento da reputação das Minas do ribeiro do Fanado, na divisa da Comarca do Serro Frio com a Bahia, as Câmaras de Vila Rica e da Vila do Carmo mandaram logo abrir caminhos para o descoberto. Ao

de *redução* (isto é, sujeição ou punição) dos índios (APM, Avulsos Capitania de Minas Gerais/AHU, caixa 112, documento 51, [04 de agosto de 1778]).

110 Sempre houve crise temporária de abastecimento, devido às entradas constantes dos coloniais e à formação recente das roças e caminhos, em todos os novos descobrimentos no Setecentos – Minas do Fanado, descobertos de diamantes no Serro Frio e em Goiás, Minas de Paracatu, entre outros –, mas nunca mais com a exorbitância encontrada nas Minas Gerais da virada do século XVII para o XVIII. Em Paracatu, por exemplo, na época das primeiras explorações, contou-se dos incômodos "aos homens pela carestia de mantimento, de milho, porque já senão acha menos de 3 oitavas para cima, feijão a 4 oitavas e a 5 oitavas e farinha a 3 oitavas e ½ e a 4 oitavas, e seguram aqui que durará esta carestia até março, em que se supõem haver já milho novo, e que será em cômodo por se haver plantado muitas roças, e sem isso nada chega para gastos" (APM, Sc 76, f. 63-64v, [31 de outubro de 1745]).

mesmo tempo, negociantes de gado e de mantimentos começaram a buscar os seus lucros no descoberto, e os roceiros procuraram apossar-se de terras férteis e bem localizadas ao longo do caminho e em pontos de passagem dos viandantes. Mas, segundo o governador da Capitania de Minas Gerais, a maioria desses coloniais voltava para as Minas Gerais com prejuízos, e perdidos de cabedal.[111] Em 1729, o contratador dos Registros reclamou que os comboieiros e os viandantes dos caminhos que levavam gado e gêneros buscavam os novos descobertos do Fanado (ou de Araçuaí) e de São Mateus, junto à Bahia, e que com essa mudança das rotas comerciais deviam-se mudar os registros de lugar (APM, Sc 23, f. 83, [4 de abril de 1729]).

O governador Lourenço de Almeida exagerou os prejuízos. Abastecer lugares longínquos, recentemente descobertos, era tão bom negócio que as Minas Gerais sempre sentiam os efeitos dos descobrimentos publicados como ricos. Muitos mantimentos da Capitania de Minas, ou que se dirigiam às vilas das Minas, iam parar nos novos descobertos. Em 1728, os oficiais das Câmaras de Vila Rica e da Vila do Ribeirão do Carmo avisaram ao governador que se experimentaria uma "geral fome" na Comarca, porque a maior parte dos comboios envolvidos nas carregações de molhados do Rio de Janeiro, haviam deixado esse comércio e passado a levar mantimentos das Minas para os descobrimentos das "minas novas" de Araçuaí (APM, Sc 27, f. 43v-44, [14 de setembro de 1728]). Na vila de Sabará, em 1736, temia-se uma crise no abastecimento local, pois os roceiros transformavam o seu milho em farinha e a vendiam pelos "avantajados preços" oferecidos pelos condutores, que levavam os mantimentos nas tropas e em canoas, descendo o rio das Velhas, para os descobertos de ouro e de diamantes em Goiás e no Tocantins. Os camaristas de Sabará indicam como a produção agropecuária das Minas repercutia, durante o século XVIII, as notícias periódicas, e às vezes de ousada especulação, de novos descobrimentos na fronteira da Capitania: "desta sorte se acha este povo experimentando esterilidade de mantimentos sem haver falta deles, e certa talvez por este modo para o futuro; e como para evadir semelhantes atravessadores é pequeno o remédio da lei pela pouca alçada que as câmaras

[111] APM, Sc 23, f. 176-177, [30 de setembro de 1728]. APM, Sc 23, f. 181v-182, [15 de julho de 1729]. APM, Sc 27, f. 53-53v, [11de dezembro de 1728]. Toda esta concorrência por terras cultiváveis em pontos que auferiam maior proveito para os coloniais fez o rei lembrar ao governador que em lugares com minas de ouro e nos caminhos para elas deviam-se conceder datas de meia légua em quadra, enquanto nos sertões a sesmaria podia ser de três léguas em quadra (APM, Sc 29, f. 146, [15 de março de 1731]).

têm na imposição das penas em semelhante caso" (APM, Sc 54, f. 92, [19 maio de 1736]). Além disso, as movimentações dos coloniais para novos descobrimentos afetavam a base fiscal nas Minas Gerais, diminuindo os quintos e as arrecadações dos contratos dos dízimos e dos registros (direitos das entradas).[112] Por outro lado, a carestia temporária nos descobrimentos de ouro e diamantes, em vista da atração que exercia sobre o comércio de abastecimento, elevava os preços dos gêneros alimentícios nas Gerais, e então fazia os contratos regionais dos dízimos valerem mais. Pessoas oriundas das Minas Gerais e das capitanias adjacentes, atraídas pelo lucro nos descobrimentos, ocasionavam fortes aglomerações populacionais de curta duração que animavam o comércio das vilas, mas embaralhavam jurisdições. Segundo o superintendente das Minas do Fanado, "a gente que entrou nestas Minas Novas, convocada da fama da sua grandeza concorreu de várias partes deste Estado, como da Bahia, Jacobina, Rio das Contas, Tucambira [Itacambira], Rio de São Francisco e mais sertões, e não só das Gerais" (BNRJ, Avulsos [Minas e mineração], 15, 2, 35, [Representação: 12 de dezembro de 1730]).

Outro negócio que saiu favorecido com a fama foi o comércio avultado das datas repartidas nos descobertos, apesar das disposições regimentais contrárias. A reputação de ricas lavras nos novos descobrimentos, com a forte atração que costumava exercer nos coloniais que queriam tomar parte na exploração de minerais preciosos, oferecia aos descobridores e seus partidários a possibilidade de vender as lavras por preços artificialmente elevados. Mesmo quando se vendiam as datas para os parentes ou amigos, podia-se alegar um preço bem acima do efetivamente contratado. Em 1729, por exemplo, com a crescente pressão dos novos entrantes para repartir as lavras de diamantes no Serro Frio, o ouvidor Antônio Ferreira do Vale e Melo, que monopolizava a exploração diamantífera na época, vendeu uma data por 900 oitavas de ouro, mas o comprador "quis que se dissesse era por nove mil cruzados para reputar o sitio e desta quantia se passou credito e ressalva do excesso" (Diamantes. Histórico De Sua Descoberta. – *RIHGB*, V. 63, 1901, P. 312). Entre 1731 e 1734, período de notícias contraditórias desde que a ordem régia de proibição da mineração de diamantes não foi executada pelo governo da Capitania, os exploradores e negociantes aproveitavam a instabilidade reinante, na mira do fisco da

[112] Ver, a esse respeito, a denúncia do ouvidor do Serro do Frio, numa carta a Lourenço de Almeida, em 15 de fevereiro de 1728, sobre o descobrimento do ribeiro do Fanado (APM, Sc 17, f. 171-172).

Coroa e do iminente despejo das lavras, para reputar os valores de datas e de escravos, e especular com os preços dos diamantes. O próprio governador Dom Lourenço, mais bem informado sobre os desígnios da Corte, mandou clientes seus comprarem "todos os diamantes que acharam" no final de 1731 e início de 1732, adquiridos por preços dos dias antecedentes à publicação e execução das ordens régias, que, sabiam, elevariam os preços das pedras. E, apesar desses ganhos de ocasião, o governador, aliado ao ouvidor do Serro Frio, não pôs a ordem régia em execução.[113]

Constata-se, sobretudo, que espalhar façanhas de descobrimentos de depósitos de ouro funcionava, por si só, como fiança valiosa de empréstimos de escravos, mantimentos, instrumentos e roupas, adiantados aos bandeiristas pelos parentes ou comerciantes aliados. Talvez isso tenha contribuído para a suposição comum à época de que nos descobrimentos havia muitos devedores (pois, nas entradas faziam-se dívidas), e fraudadores (que nunca pagavam os adiantamentos, usando a fama para a rolagem dos compromissos).[114] Seguramente, muitos desses meios de produção não seriam aplicados na mineração, ou pelo menos, não só na mineração. Mas isso não importava, porque a fama do descobrimento do ouro e a fama dos descobridores e de seus sócios faziam com que a imagem da exploração do ouro suplantasse todas as outras formas de lucro nos tais descobertos. Em 1749, Tomé Gomes Moreira, no Conselho Ultramarino, apontou o engano de comumente chamar "mineiros" aos homens que, vindos das Minas, iam para o Reino com cabedais; "na realidade o não são nem foram nunca, porque o [seu] exercício somente consistiu na traficância do comércio".[115]

Em razão disso tudo é que a fama – resultante do jogo de afamar/infamar – dos ricos descobrimentos constituía, para os tais descobridores, um capital valioso (simbólico), que produzia altíssimos ganhos em pouco tempo, mas que se tornava um ganho de risco devido aos conflitos e às

[113] *Ibidem*, p. 314-318. BNL, Reservados, códice 746, B, 12, 29, f. 2-3, História cronológica dos Contratos da Mineração dos Diamantes [...] até o ano de 1788.

[114] Nas Minas, vendia-se quase tudo fiado. As relações sociais e a *palavra* dos agentes conduziam ao crédito necessário à execução do negócio ([Papel acerca dos danos da capitação e de proposta de arrecadação do real quinto do ouro por contrato] – CCM, 1999, p. 454, 458). Cf. SILVEIRA, 1994, p. 74-77.

[115] [Papel feito acerca de como se estabeleceu a capitação nas Minas Gerais e em que se mostra ser mais útil o quintar-se o ouro, porque assim só paga o que o deve] – CCM, 1999, p. 483.

perdas envolvidas. Era um jogo de muita especulação e oportunidade. Tornou-se comum, na primeira metade do século XVIII, alegar a invenção de descobrimentos ricos. Os descobridores publicavam o feito e logo iniciavam os pleitos. Depois, com as entradas dos agentes coloniais, acontecia a apropriação efetiva de caminhos, passagens de rios, e terras, como se viu nas Minas Gerais, Cuiabá, Mato Grosso e Goiás.

Com a consolidação das práticas de descobrimento modeladas na experiência das Minas Gerais, e com a autonomia da Capitania, houve problemas de jurisdição com as Capitanias da Bahia, São Paulo, Rio de Janeiro, Goiás e Espírito Santo. Como se observou no descobrimento das Minas do rio das Velhas, isso foi aproveitado pelos descobridores, e seus partidários.[116] No final da década de 1720, houve a denúncia de que tropas vindas da Bahia com carregações de gado, cavalos, negros, fazendas e outras mercadorias, depois de vendê-las nas Minas Gerais, levavam o ouro obtido sem quintar para as Minas novas do Fanado e de São Mateus, apresentando o ouro como se tivesse sido extraído nos ribeiros desses lugares. O desvio compensava, pois no descoberto do Fanado, o quinto era menor do que nas Minas (o regente enviado pelo vice-rei, Pedro Leolino Mariz, que deteve a jurisdição do descoberto, quintava o ouro em quatro oitavas por bateia ao ano, enquanto nas Minas Gerais cobravam-se cinco oitavas). Seguramente, essa vantagem adicional nas novas minas foi fruto da negociação dos descobridores paulistas (os irmãos Sebastião Leme do Prado e Domingos Dias do Prado, e Manuel Lopes Coelho), que se valeram do conflito entre os governos da Bahia e de Minas Gerais, ambos querendo se apropriar dos descobrimentos (APM, Sc 17, f. 169-171, [8 de fevereiro de 1728]. APM, Sc 17, f. 171-172, [15 de fevereiro de 1728]. APM, Sc 17, f. 168v-169, [28 de fevereiro, de 1728]. APM, Sc 17, f. 172-172v, [28 de fevereiro de 1728]. APM, Sc 17, f. 174-175, [20 de setembro de 1728]. APM, Sc 23, f. 181v-182, [15 de julho de 1729]).

Lourenço de Almeida foi tendencioso ao julgar que os quintos da Capitania de Minas foram desencaminhados para o descobrimento do

116 Tentavam obter isenções, ou privilégios adicionais dos governadores das capitanias que disputavam a jurisdição dos descobertos. Nas novas Minas do Rio Verde, descobrimentos feitos na época que se cobrava a capitação nas Minas, o paulista regente enviado pelo governo de São Paulo, prometia, em nome do governador, "dar a todos os mineiros um negro cozinheiro livre de capitação, e aos de grande fábrica dois, e aos roceiros todos livres [do tributo]" (APM, Sc 76, f. 51-52, [11de fevereiro de 1743]).

Fanado, e que isso provocou a diminuição do ouro que entrava nas casas de fundição.[117] Também o governador exagerou na alegação de *paulistada* no descobrimento das Minas. Contudo, é certo que havia mesmo muitas simulações de descobrimentos ricos, especialmente nos sertões de jurisdição duvidosa, que serviam para dissimular a saída de ouro não quintado das Minas Gerais. Nos tais descobrimentos, ainda se podia tirar proveito de uma legalização vantajosa do ouro transportado (com carta de guia e plena saída para os portos), proporcionada pela competição dos governadores.[118] Assim, a manipulação da fama desses descobrimentos dizia respeito, no fundo, a um jogo de interesses políticos, que abria espaço para que minas de pouco rendimento servissem de fachada para trazer a si o ouro que fugia do fisco das Minas Gerais, considerado opressivo. Não eram somente os descobridores e negociantes que se interessavam por isso, em termos de lucro e de prestígio junto à Coroa; oficiais da administração e os governadores das capitanias ficaram com a maior parte desses ganhos.

Isso é muito claro com o descobrimento de diamantes no Serro Frio na

[117] Segundo o governador da Capitania de Minas Gerais, em 1729, um informante que esteve no descoberto lhe contou que em pouco mais de um ano Pedro Leolino, o regente das Minas novas de Araçuaí, teria registrado e passado cartas de guia referentes a 873 arrobas e "tantos arratéis de ouro", que se remeteram em pó para a Bahia. Também constou a ele "que nas tais Minas não se tira ouro que baste para se comprar com ele o mantimento", porque nunca se tirou ouro em abundância daquelas "faisqueiras", e assim estariam "perdidos os homens todos, que a elas o levam porque lhe não pagam" (APM, Sc 32, f. 85-86, [29 de julho de 1729]). Um ano depois, este governador observou que o pouco ouro que entrou na casa de fundição nos meses precedentes era devido à seca, "nos anos passados", mas que vindo as chuvas, haveria de entrar na fundição ouro em grande quantidade (APM, Sc 32, f. 97-99, [30 de outubro de 1730]).

[118] Querendo, no fundo, culpabilizar o vice-rei, Dom Lourenço contou ao rei, em 1728, que ouro em pó desencaminhado das Minas Gerais, levado em grande quantidade através dos descobrimentos nos sertões da Bahia, tinha sido quase publicamente vendido, na ocasião da vinda das frotas do Rio de Janeiro e da Bahia naquele ano, aos soldados das frotas, sem que nenhum ministro daqueles portos interferisse (APM, Avulsos Capitania de Minas Gerais/AHU, caixa 13, documento 40). Em 1730, o governador continuou a denunciar o descaminho do ouro das Minas, que conseguia carta de guia fraudulenta nas Minas novas de Araçuaí (APM, Avulsos Capitania de Minas Gerais/AHU, caixa 16, documento 16). Em 1734, dizia-se que, contrapondo-se às "poucas vantagens do Cuyabá" devido aos direitos reais estabelecidos pelo governo de São Paulo, se quis fazer diferente nos descobertos de diamantes no Serro Frio, permitindo a lavragem dos exploradores sem nenhuma preferência dos direitos reais ou de descobridores (DIAMANTES. Histórico de sua descoberta. – *RIHGB*, v. 63, 1901, p. 313).

década de 1720. Consta que o governador da Capitania de Minas, Lourenço de Almeida, fez algum tipo de trato com os ouvidores e superintendentes das Minas da Comarca do Serro Frio, evitando que viessem a público os achados de diamantes, e assim conseguissem juntar as pedras com lucros, e enviá-las secretamente para a Europa. O governador só manifestou os descobertos à Coroa em 1729, quando a notícia se espalhara nas Minas, e as frotas, pelo menos desde 1728, já levavam "várias pedras" para a Corte.[119] Os desafetos do governador supunham que ele participasse, desde 1725, do contrabando de diamantes do Serro Frio para a Europa.[120] Ao mesmo tempo, tudo indica que um desses ouvidores, Antônio Ferreira, coagiu Bernardo da Fonseca Lobo, um dos primeiros mineradores que encontrou diamantes nas suas explorações de ouro, a vender-lhe as lavras onde comumente eram encontradas as pedras preciosas (Lima Júnior, 1945, p. 23-24). Tornou-se notório, e era motivo de fortes murmúrios, o enriquecimento espantoso do governador Dom Lourenço e do ouvidor Antônio Ferreira do Vale e Melo, no início da década de 1730. Dizia-se que, ao deixar ao cargo, o governador da Capitania de Minas Gerais levou 5 milhões de cruzados, conseguidos com fraudes e descaminhos de ouro e de diamantes, além do que seus

[119] APM, Sc 29, f. 106-106v, [8 fevereiro de 1730]. Muitos contemporâneos suspeitaram dos interesses do governador no ocultamento dos diamantes ([Carta do conde de Sabugosa a Martinho de Mendonça] *Apud* LIMA JÚNIOR, 1945, p. 21). Em 1733, o superintendente das Minas novas de Araçuaí sugeriu que o descobrimento dos diamantes foi manipulado pelas autoridades das Minas: "se passarão para aquela mina [dos diamantes do Serro Frio] todos os que tinhão vindo a estas [de Araçuaí] e tendose aquele descobrimento concervado oculto por algum tempo parece que so se quis fazer [ilegível] para despovoar esta terra" (APM, Avulsos Capitania de Minas Gerais/AHU, caixa 25, documento 03). Martinho de Mendonça de Pina e de Proença, comissário responsável pela demarcação das terras diamantíferas em 1734, teve opinião semelhante a de Pedro Leolino (DIAMANTES. Histórico de sua descoberta. – *RIHGB*, v. 63, 1901, p. 313).

[120] BNL, Reservados, códice 672, f. 146, Translado de uma carta que o capitão-mor Nicolau Carvalho de Azevedo mandou ao Rio de Janeiro a Dom Lourenço de Almeida, governador que foi nestas Minas, que por grande seu amigo lhe dá parte de algumas sátiras que se lhe tem feito... . O governador deu a notícia ao rei em 1729 (APM, Sc 32, f. 80v-81v, [22 de julho de 1729]). No início dos anos de 1730, o suposto descobridor pretendeu que, desde 1723 ou 1724, foram encontradas as pedras na sua lavra, e que logo se percebeu serem diamantes. Estas notícias, junto com as amostras chegaram ao governador, mas ele demorou para transmiti-las ao rei ([Petição de Bernardo da Fonseca Lobo] DESCOBERTA de diamantes em Minas. – *RAPM*, v. 2, 1897, p. 271-273).

aliados e clientes tomaram, "e que isto senão podia ajuntar sem hum gravissimo prejuizo deste povo, e que o [Governador] [...] do seu tem já muita parte nos bancos de Flandres".[121]

Mesmo tendo manifestado os descobertos, o governador da Capitania afirmava não haver um descobridor de diamantes. Assim, na Corte, devia-se duvidar daqueles que ali chegassem como pretendentes a descobridor. E candidatos não faltaram: um vigário do Serro Frio, o próprio ouvidor Antônio Ferreira, e até um lapidário, que disse ter reconhecido os diamantes nas tais pedras do Serro Frio apresentadas por Dom Lourenço e por passageiros de uma nau que ia para Lisboa.[122] De qualquer forma, Bernardo da Fonseca – o minerador que tinha sido coagido pelo ouvidor, partidário de Dom Lourenço, a vender-lhe as lavras – foi para Lisboa, "com as cartas do Governador" e amostras de diamantes, buscando a reputação de descobridor e foi bem recompensado. Se houve amparo dos governadores (principalmente do sucessor de Dom Lourenço, o conde de Galveias) para esses pleitos, é possível que procurassem dar um início legítimo, e agora formalmente estabelecido pelas autoridades régias nas Minas Gerais, a uma exploração obscura, inclusive para o rei, que já tinha estranhado o fato de não o terem informado sobre os diamantes.[123] Para o governo

[121] Comentava-se, na época, que Dom Lourenço, mesmo fazendo estanque e especulação no mercado das pedras devido ao seu poder político — comprava diamantes a preços "mais baratos" e vendia-os na ocasião de preços "muy subidos" —, ainda guardou as melhores gemas, acumulando 2.500 oitavas de diamantes, fora muitos outros que enviou para Portugal (BNL, Reservados, códice 672, f. 146-147).

[122] No entanto, em 1730, Dom Lourenço avisava à Corte, sobre o descobrimento de diamantes, que não se soube da pessoa que o fez, "porque estas pedras que já apareciam em tempo do Ouvidor-Geral Antônio Rodrigues Banha não tinham estimação nenhuma, por que ninguém conhecia o que eram, e só o dito Ministro foi o que as conheceu, por cuja causa ajuntou as que pode, conservando em si o segredo do que eram, sem dar conta, nem a min, nem a Vossa Majestade como era obrigado, nem ainda ao seu sucessor, porque lhe disse, que eram uma pedras que examinadas em Lisboa por sua ordem não tinham valor nenhum, e assim posso dizer a Vossa Majestade com toda a verdade, que não pode ninguém chamar-se descobridor dos diamantes" (APM, Sc 32, f. 69v-72, [11 de junho de 1730]; Diamantes, histórico de sua descoberta. – *RIHGB*, v. 63, 1901, p. 316; Descoberta de diamantes em Minas. – *RAPM*, v. 2, 1897, p. 274-277).

[123] O conde de Galveias restituiu ao descobridor de diamantes o seu direito regimental: o da preferência na escolha da data de uma repartição. Nesse mesmo ano, o governador determinou que quem fizesse descobrimentos de pedras preciosas (esmeraldas, diamantes), trouxesse amostras e declarasse o lugar das minas seria considerado o

de Minas Gerais, na década de 1730, entre ficar no desconhecimento do descobridor – e arriscar-se a ser acusado de negligente e interessado nas datas de descobridores – ou aventar algum, a segunda alternativa acabou imperando, pois alguns descobridores começaram a buscar apoio em outros governantes coloniais.[124] Na Corte, apontado como o descobridor oficial dos diamantes, Bernardo da Fonseca Lobo recebeu, por mercê régia, a propriedade hereditária do cargo de tabelião da Vila do Príncipe, sede da Comarca do Serro Frio, o posto de capitão-mor vitalício e três hábitos da Ordem de Cristo.[125]

Na realidade, mercês que aparentemente eram *meras honrarias*, e não propriamente remuneradoras, como patentes de oficiais de Ordenanças e de Milícias, títulos de cavaleiros fidalgos, ou de ordens militares (notadamente da Ordem de Cristo), traduziam-se em lucros significativos para os coloniais com reputação de serviços à Coroa. Com o poder social conferido ao homenageado e o crédito que advinha disso, havia maiores chances nas candidaturas aos cargos da administração estatal (com seus salários e propinas), e o acesso às premiações de maior significado econômico nas Minas (posse das melhores terras, lavras de rendimentos, contratos e arrematações privilegiadas).[126] Mais do que isso, tais honrarias, na medida

descobridor, ao qual se prometiam "mercês" régias. (APM, Sc 37, f. 7, [20 de outubro de 1732]; APM, Sc 37, f. 10v-11, [14 de novembro 1732]). Com isso, o novo governador revogou as disposições dos bandos do antecessor, Dom Lourenço, que proibiam as repartições de lavras (e que mantinham somente a separação da data que tocava à Fazenda Real) ([Cartas: 30 de maio de 1733, 26 de julho de 1733] DOCUMENTOS relativos ao descobrimento... – *RAPM*, v. 7, 1902, p. 341-344, 355).

124 De acordo com Dom Lourenço, disseram-lhe que o tal vigário do Serro Frio foi aconselhado pelo vice-rei da Bahia a se apresentar como descobridor de diamantes (APM, Sc 32, f. 69v-72, [11 de junho de 1730]).

125 BNL, Reservados, códice 746, B, 12, 29, f. 2. LIMA JÚNIOR, 1945, p. 30. [26 de fevereiro de 1734] DESCOBERTA de diamantes em Minas... – *RAPM*, v. 2, 1897, p. 273. De fato, o cargo, a patente e o hábito foram conseguidos pelo requerente, que possuía, três anos depois do seu casamento, 43 escravos, lavras e terras de sesmarias. Ver o testamento de Bernardo da Fonseca Lobo, datado de 1743: BERNARDO da Fonseca... – *RAPM*, v. 8, 1903, p. 354-362.

126 Apropriando-se somente dos direitos de passagens de rios, os descobridores e sertanistas paulistas não arremataram os contratos de cobrança das rendas reais instituídas nas Minas Gerais nos dois primeiros decênios do século XVIII (os dízimos da produção agropecuária, e os direitos de entradas de gêneros e escravos). Mas houve sertanistas reinóis que se interessaram por esses contratos. Por exemplo, Matias Barbosa da Silva, sertanista prestigiado que devassou o sertão da picada de Minas para Goiás e

em que qualificavam o agraciado, reforçavam os laços políticos que lhe permitiam costumeiramente articular práticas de ganho, ou abonadoras, no trato com parentes, amigos e clientes.

Gráfico 1
Capitação de escravos na Capitania de Minas Gerais, 1735-1749

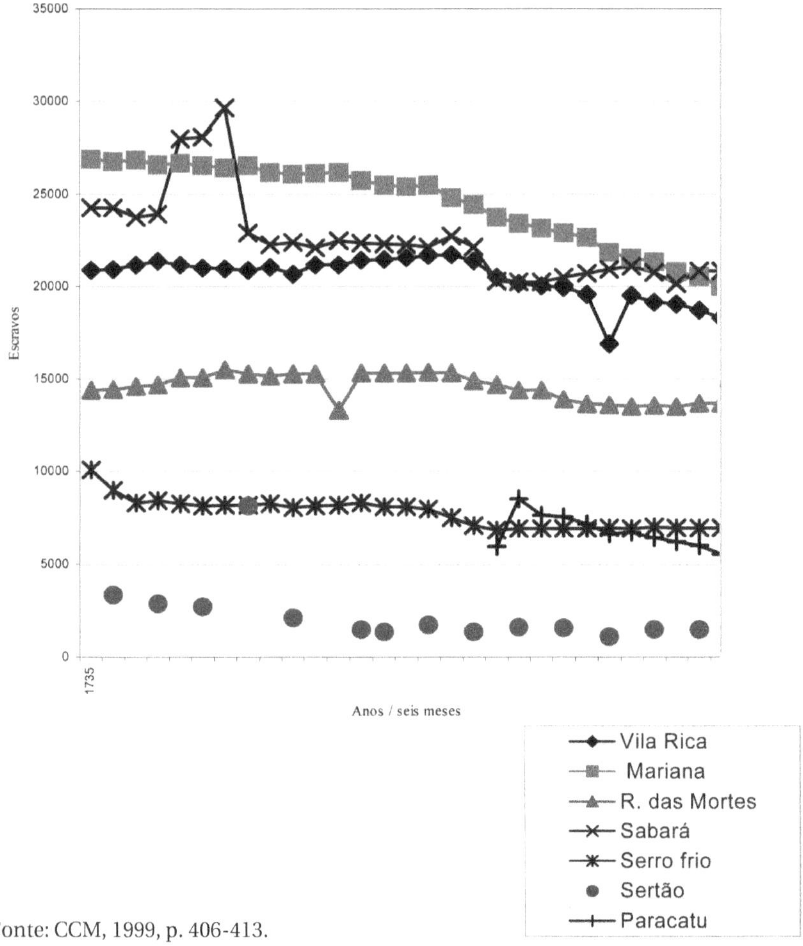

Fonte: CCM, 1999, p. 406-413.

o vale do rio Doce nos anos de 1730, e os sócios arremataram, no final da década de 1720, os contratos das entradas dos "caminhos novo do Rio de Janeiro, Velho, de São Paulo, e do sertão da Bahia, e Pernambuco" pelo preço de quarenta e cinco arrobas e meia de ouro. Este emboaba tornou-se ativo arrematante de contratos da Coroa nas Minas (APM, Sc 27, f. 39-39v, [Petição, e despacho de 30 de maio de 1728]; APM, Sc 49, f. 55-56v, [27 de novembro de 1735]).

Capítulo 6

Artes do descobridor

Nada mais distante da transmissão dos relatos de descobrimentos de metais ou de pedras preciosas na América portuguesa do que a imagem de um explorador agonizante, entregando a um amigo, nos seus últimos suspiros, um roteiro ou um mapa da mina descoberta.[1] Os itinerários para os supostos tesouros eram, ao contrário, bem utilizados durante a vida ativa do explorador ou sertanista, que, aliado a seus parentes e amigos, queria conseguir benefícios da Coroa portuguesa, e fundar ou reforçar o prestígio junto a outros grupos.

Houve, certamente, casos de sertanistas-descobridores que, retornando ao arraial bandeirista no sertão ou ao povoado de origem da expedição, deixaram para os companheiros ou parentes, pouco antes de morrer, os roteiros orais ou escritos de suas jornadas. O caso mais famoso lembrado pela historiografia (por se referir ao que alguns admitem como o primeiro descobridor de ouro no sertão de Cataguases) foi o do taubateano Antônio Rodrigues Arzão, que, vindo do sertão da Casa da Casca (imediações do rio Doce), acabou doente e faleceu quando chegou a São Paulo, deixando para o concunhado Bartolomeu Bueno de Siqueira e outros parentes o roteiro que fizera do descoberto.[2] Mas essas histórias, além de incomuns, são

[1] Um exemplo dessa representação ficcional muito comum, e que também trata de portugueses descobridores de minerais preciosos na África, encontra-se no romance de aventuras *As minas de Salomão*, traduzido por Eça de Queiroz – HAGGARD, 2000, p. 37-47. No século XIX, José de ALENCAR (1977) escreveu *As minas de prata*, uma saga cujas reviravoltas e estratagemas ardilosos envolvem a posse (e o segredo) de um mapa das minas de prata descobertas no sertão baiano. Ecoa aqui a tradição do infeliz Belchior Dias.

[2] COSTA, 1996, p. 361-362. Sobre as diferentes versões referentes ao primeiro descobrimento de ouro no sertão que teria depois a reputação das Minas Gerais, ver RAMOS, 1972, p. 1-14.

compostas de imagens literárias e de tópicas constituídas para abrilhantar, ou criar o feito, sendo, assim, insuficientes para servir de parâmetro das práticas reais dos sertanistas.[3]

A imagem do herói – agente individual da providência divina, que tomba quando finalmente cumpre a sua elevada função de denunciar as minas apresentando os minerais colhidos e o roteiro – não se aplicava aos (supostos) descobridores de ouro, prata, diamantes e esmeraldas. Mesmo a figura do herói trágico que representou Fernão Dias Pais, cujo desprendimento e provação constante tiveram como único prêmio a glória, construída logo depois do desfecho da expedição das esmeraldas, não correspondeu aos elementos históricos determinantes do feito. Na realidade, como se nota no capítulo 5º, os descobrimentos não dependeram somente do cabo maior da expedição, mas envolviam a parentela e aliados e, entre os últimos decênios do século XVII e a primeira metade do século XVIII, foram serviços prestigiosos de atenta regulação régia. O chefe sertanista de família poderosa praticava, por exemplo, armar bandeira e enviar o filho solteiro como cabo para incursões no sertão, ficando todos os lucros (com o cativeiro dos índios e as notícias de ouro) para a parentela associada na bandeira, mas era o pai quem geralmente assumia a reputação de descobridor.

Assim, a confecção e a transmissão dos registros das entradas, indicativos dos lugares das minas, como roteiros e imagens cartográficas, foram determinadas por essas práticas sociais de descobrimento, que sempre conferiram aos registros a necessária dose de publicidade. Pode-se dizer que o descobrimento de minerais preciosos era um programa sociopolítico, no qual se previa que divulgar o que se viu e o que se achou trazia mais benefícios e prestígio ao sertanista do que o contrário. Isso não significa que não houvesse os canais corretos de transmissão e divulgação das notícias de minas, com as comprovações costumeiras. Relatar aos governadores ou aos oficiais da Coroa sobre minas encontradas no sertão, enviando-lhes um roteiro, e conseguir a legitimidade do Estado, era uma forma de se precaver contra outros sertanistas que quisessem tirar proveito da empresa e de

[3] O destino de Antônio Rodrigues Arzão, divulgado por Bento Fernandes Furtado e Cláudio Manuel da Costa, foi refutado por Francisco de Assis Carvalho FRANCO (1989, p. 42-44), mostrando, por meio de correspondências e registros em inventário e na ata da Câmara de São Paulo, que o suposto descobridor morreu muitos anos depois do ano (1693) que os dois primeiros deram como sendo de sua morte, e que ele nunca chefiou bandeira naqueles sertões.

tentar obter o apoio para expulsar entrantes pobres que viessem "inficionar" (como se dizia) o descoberto. Uma das primeiras notícias de minas de ouro no sertão de Taubaté (depois, sul das Minas Gerais) foi levada ao governo do Rio de Janeiro em 1693 ou 1694 pelo vigário da vila, João de Faria Fialho, e outros moradores, junto com um roteiro e amostras do ouro ([29 de julho de 1694], *apud* Derby, 1901a, p. 266-267). Nessa década, apareceram várias notícias de descobertos de ouro, prata e cobre ocorridos nas Capitanias do Sul, todas enviadas ao governador-geral Dom João de Lencastre por meio de cartas e relações dos "sítios e ribeiros em que havia ouro" ([26 de maio de 1696] Correspondência dos governadores-gerais... *DHBNRJ*, v. 11, 1929, p. 232-233.).

Mas, na época dos descobrimentos de ouro e de diamantes, acontecia algum sigilo no trânsito das notícias de descobertos, especialmente por parte dos agentes do governo quando, tentando evitar que os ditos descobridores coagissem outros a confirmar seus relatos, mandavam averiguar, nas regiões onde surgiam as tais denúncias, junto às pessoas de confiança ou funcionários da Coroa, se havia veracidade no que se reputava.

A própria averiguação dos descobertos entre os habitantes da região onde existiam as minas indica que, se houve a intenção de sigilo entre eles, isso não vingou, sendo geralmente pressuposto que se espalhassem as notícias. Por seu turno, os sertanistas-descobridores, tanto os paulistas como os emboabas, tomavam seus cuidados no trato com os agentes régios. A tradição da história de Belchior Dias Moreia devia estar viva na memória dos exploradores, e todos queriam evitar que algum inimigo ou um representante da Coroa inescrupuloso usurpasse os legítimos direitos de descobridor. Praticava-se, por isso, noticiar as minas apresentando somente aos amigos ou aos procuradores de confiança os itinerários para aqueles tesouros. Em 1694, Bento Correia de Souza Coutinho contou ao governador-geral que o padre Faria deu parte no Rio de Janeiro de "novas minas de ouro" descobertas por ele e seus parentes, "e por sermos contemporâneos e amigos de muitos anos me revelou alguns particulares de mais, e me deu um roteiro, que o estimei para o mandar a Vossa Senhoria que o veja" ([29 de julho de 1694], *apud* Derby, 1901a, p. 266).

Desde que a Coroa confiasse na ação de descobrimento, fundando-se no crédito do sertanista, o tal descobridor furtava-se a encaminhar o roteiro da jornada que tinha feito, ou que pretendia fazer. Os sertanistas de qualidade e afamados não precisaram provar aos representantes do rei na Colônia as suas pretensões de descobrimento de ouro, mandando roteiros ou mapas do descoberto e amostras do metal. Principalmente os potentados paulistas, entre 1695 e a terceira década do século XVIII, foram quase sempre reconhecidos pela Coroa como supostos descobridores de ouro sem que tivessem apresentado, com a notícia da façanha, um escrito circunstanciado do descobrimento. A palavra desses homens de grande prestígio já valia a reputação de terem feito os descobrimentos alegados, como se verificou com Garcia Rodrigues Pais e Manuel de Borba Gato. Pode-se lembrar aqui a frase de Fernão Dias, em carta a Bernardo Vieira Ravasco no ano de 1674, quando, avaliando terem descoberto prata em Paranaguá e em Iguape, adiantou que se descobriu "o que for soar" (*apud* Barreiros, 1979, p. 24).

Não era tão simples assim. Chegou a ocorrer uma situação confusa de fundar-se a alegação de descobrimento – com roteiro e os minerais coletados, ou simplesmente a palavra do sertanista de crédito – numa ação sem efeito, ou ainda somente no *plano* de pôr em prática o descobrimento. Como se viu no 5º capítulo, a fama de um descobrimento não significou a realidade da exploração, e o *descobridor* muitas vezes não foi quem chegou primeiro à mina. De fato, a representação foi deixando de corresponder à coisa retratada. Cerca de sessenta anos depois da suposição (ingênua ou afetada?) de um Fernão Dias que ia ao descobrimento "muyto animado", o governador da Capitania do Rio de Janeiro desabafou ao vice-rei do Brasil:

> e confesso a Vossa Excelência ingenuamente, que já não tenho paciencia, para ouvir falar em descobrimentos novos, porque elles tem sido a origem da Ruinna do Comercio, e tambem dos interesses da fazenda Real, não bastando para o desengano o conhecimento certo de que em toda a parte do Brazil há pinta de ouro, e se acazo em alguma hé mais fecunda, hé de mantas [superficial], que espiram a cada passo, e em toda a parte que se minerar se encontrarão as mesmas furtunas cazuaes, mas ainda assim se premeão os que dão noticias de ouro. ([27 de novembro de 1730] Documentos relativos [...] 1721-1740 – *DIHCSP*, v. 50, 1929, p. 205)

A maioria dos pretendentes a descobridores de ouro, prata ou esmeraldas, cujos recursos da própria família e dos sócios não eram suficientes para armar a expedição de descobrimento, davam notícias de minas antes de efetuar a entrada e assim justificavam o pedido de ajuda de custo à Coroa, que considerava a possibilidade de fornecer gente (índios, escravos, prisioneiros ou soldados) ou munição (armas, pólvora, e balas) para a bandeira.

No final do século XVIII, consolidou-se o costume entre muitos bandeiristas de esperar que a Fazenda Real os assistisse com homens recrutados nos presídios, e com "o armamento, pólvora, chumbo, pedras de espingarda e sal".[4] Quando, nesses casos, não se ajuntava o itinerário ou o roteiro do descoberto, criando-se dúvidas sobre o plano de descobrimento, ficava mais difícil negociar o auxílio com a Coroa. Em 1674, enquanto a expedição de Fernão Dias iniciava sua jornada na busca do serro das esmeraldas, um João Ferreira de Armando, morador no Rio de Janeiro, escreveu ao monarca para contar que inquirira em segredo o gentio sobre notícias antigas de esmeraldas no sertão "daquela parte", "se também sabia de um haver de ouro e esmeraldas, de que não tinha dado conta, nem parte até agora por recear a ambição e calúnia dos ministros superiores". Pediu, então, uma provisão para empreender a entrada, livrando-o das interferências dos governadores ou ministros, ficando estes obrigados a dar-lhe índios para a empresa. Diante da envergadura do pedido, sem apresentação de comprovações à altura, a resposta da consulta ao Conselho Ultramarino não poderia vir diferente: admitiu-se a provisão, mas deixou-se vaga a concordância da ajuda pedida, afirmando-se somente que o governador e ministros da Capitania deviam prestar "tôda ajuda e favor" ao requerente. Mas a este e aos seus associados proibia-se qualquer tentativa de descer algum gentio. Como conselheiro, Salvador Correia de Sá expressou a desconfiança que ia pela mente de todos: "porque pela muita experiência que tem do Brasil todos êstes homens que se oferecem a semelhantes meios [de descobrir] levam a mira fazer guerra ao gentio e cativá-los". O príncipe regente acatou o parecer do Conselho (Consultas do Conselho [...] 1756-1807 – *DHBNRJ*, v. 92, 1951, p. 210-211).

Todavia, muitas vezes a negociação das petições (com pedidos de licença e ajuda para a expedição), analisada no 3º capítulo, acabava em formalidade, pois o requerimento da entrada podia vir depois que os bandeiristas tinham explorado o sertão da suposta mina, e até mesmo já haviam lavrado a parte mais rica do que vieram manifestar. Outras vezes, através de informações orais, os governadores sabiam das entradas de bandeiras, e mandavam que os bandeiristas as formalizassem dirigindo requerimentos à Coroa. Para os sertanistas-descobridores, tudo isso não tirava a força da negociação com os representantes da Coroa, porque,

[4] BNRJ, Avulsos, 22, 1, 7, Memória a respeito do descobrimento dos Martírios pelo Reverendo padre José Manuel de Siqueira [s.d.]. Tudo indica que a memória data do final do século XVIII, ou dos primeiros anos da centúria seguinte.

como foi notado acima, era um meio de sustentar a pretensão, justificá-la posteriormente e conquistar benefícios do Estado.

Mais do que nos arranjos com os funcionários do governo régio na Colônia, os registros dos roteiros interessavam aos próprios sertanistas-descobridores no programa de suas ações, e no trato com os outros coloniais. Afinal, eram estes que poderiam fornecer informações fidedignas sobre qualquer pleito de descobrimento, e era entre os moradores da Colônia que se conferia a verossimilhança dos relatos – orais ou escritos – sobre um descoberto. Por isso, também, o conhecimento de itinerário não era um assunto particular, ou de uns poucos membros de uma família.

À luz das práticas e concepções sertanistas no meio colonial, convém examinar como os tais roteiros (e mapas) eram criados e com quais elementos, esclarecendo ainda quais seriam os mecanismos de transmissão e circulação, e as funções dessas *memórias* de descobertos. Observa-se que os roteiros surgiam entre o oral e o escrito, entre a memória, a experiência e a tradição, ou ainda entre o percurso e a localização. Não se procura aqui perceber esses papéis e relatos como fontes, ou registros acabados de fatos, mas como expressão móvel de práticas, encontro delas.

Todo registro de roteiro para descobertos de minas na América portuguesa, seja na forma de relato oral, num escrito ou num desenho, foi, na realidade, expressão que conjugou, na mesma tradição, a memória oral e a escrita. Qualquer distinção que desse primazia a uma ou outra forma forneceria um enfoque enganoso das práticas reais de composição dos roteiros bandeiristas. Mas é certo que, no século XVIII, os roteiros e relatos de descobrimentos de ouro e pedras preciosas foram cada vez mais valorizados na forma escrita, até para formalizar os espaços de negociação com a Coroa e com outros coloniais concorrentes nos feitos. No entanto, a influência da forma oral manteve-se, inclusive traduzindo-se no manuscrito, pois somente por meio das narrativas orais é que se conseguia matizar plenamente os elementos do percurso de uma entrada descobridora. Câmara Cascudo assinala o uso entre iletrados dos "recursos da entonação, pronúncia, prolongando as vogais para dar a impressão de tamanho, altura, velocidade ou os saltos de terças, quintas e oitavas para os efeitos desejados e previstos no enredo. [E ainda] As mãos visualizam, com os gestos que têm significação e forma convencionais" (Cascudo, 1952, p. 247; Barthes, 1987).

Entre os séculos XVI e XVIII, *notícias* de tesouros minerais no interior da América portuguesa criavam-se nos povoados através dos índios capturados ou aliados e dos exploradores que voltavam das expedições ao sertão. Isso significa que, nas vilas e cidades coloniais, qualquer informação dos haveres de metais preciosos e pedrarias escondidas no sertão não foi simplesmente assimilada e repassada, mas construída, ou, pelo menos, convertida em notícia.[5] Na verdade, os exploradores não recebiam as notícias: eles as buscavam, descobriam-nas. É o que revela o padre Manuel da Nóbrega, em carta de 15 de junho de 1553, escrita de São Vicente: "chegaram uns homens, que tinham ido à terra firme dentro, a descobrir a notícia de oiro, onde andaram passante de dois anos e nos contaram grandes novas da gentilidade que acharam e do que deles souberam" (Nóbrega, 2000, p. 167).

Entre os coloniais, a memória oral do que se contava constantemente, urdida ainda numa representação letrada, isto é, referida aos textos das tradições clássica e medieval[6], constituía-se em relatos orais e escritos com feições de descobrimento. Esses apresentavam as indicações dos obstáculos e dos desafios a serem enfrentados, vincados pelo pressentimento da descoberta, e a riqueza que puderam vislumbrar nas disposições da terra, como montanhas resplandecentes, lagoas douradas, sumidouros de águas, cavas nas serras, ou suntuosas povoações perdidas.[7] Portanto, foi sendo composto, desde o século XVI, um repertório tradicional de informações fidedignas lembradas por todos os exploradores, e que ajustavam os significados da experiência nas entradas.[8]

[5] Processo análogo à leitura, que é sempre apropriação e invenção de significados. Cf. CHARTIER, 1998, p. 77-95.

[6] Assim, "No es exagerado afirmar que em América el mito de la Edad de Oro no puede ser disociado del de El Dorado. Uno y outro no hacen sino reflejar las diferentes actitudes com que el hombre occidental enfrenta la realidad del Nuevo Mundo. Cada uno ve o cree ver lo que quiere ver" (AINSA, 1992, p. 106).

[7] Cf. Descobrimento e devassamento... – *RAPM*, v. 7, 1902, p. 549-594; GÂNDAVO, 1995, p. 33-36, 125-128. Há antigos relatos de sumidouro no rio São Francisco (o *Grande* rio, no século XVI) que apareceram associados a nativos possuidores de peças de ouro e a tesouros minerais (SALVADOR, 1982, p. 113, 181-182). No livro de Simão de VASCONCELOS (1663, t. 1, p. 29-34), foram mantidos esses elementos na descrição do rio São Francisco, que nascia de uma lagoa interior. O nome *Grande* foi também aplicado ao Jequitinhonha, retomando, ao mesmo tempo, a geografia mítica do sumidouro e dos tesouros minerais. No século XVIII, um relato de exploração de prata e de ouro no sertão da Bahia juntou quase todos os elementos maravilhosos da tradição (RELAÇÃO histórica... – *RIHGB*, t. 1, 1908, p. 150-155).

[8] Contudo, para HOLANDA (1994b, p. 11), "Mesmo se sucedia [os lusos] capitularem momentaneamente ao pendor para o fabuloso, é quase sempre na experiência 'madre

Nos séculos XVII e XVIII, quando se faziam os roteiros de descobrimentos, o repertório (da memória) oral e textual de imagens e significações vinha suposto na apropriação do que se via, experimentava e ia ser contado. Na memória oral, todo relato sucumbe às imagens que, necessariamente, guardam o significado simbólico do visto e percebido. As palavras da narrativa recordada somente ordenam e ligam tais imagens (Fentress; Wickham, 1992, p. 65-70). Ora, os próprios registros textuais dos roteiros ou relatos de descobrimentos dos sertanistas aparecem com esses sinais. Denunciam na forma e no conteúdo uma marcante oralidade, um modo de representação que dependia das práticas comuns da condição de sertanejar. Assim como Guillermo Giucci bem julgou, "Oralidade, matéria e imagem se conjugam de modo inextrincável na representação letrada da procura das riquezas minerais" (Giucci, 1993, p. 178).

Pedro Taques, no final do século XVIII, retomando a tradição sobre um haver de esmeraldas no sertão do Brasil que remontava ao século XVI, afirmou que Fernão Dias socavou e tirou amostras de pedras na serra que tinha sido descoberta por Marcos de Azeredo. O genealogista indica que Fernão Dias se valeu da tradição sobre a localização da serra, pois Azeredo havia deixado "uma pequena relação da figura da serra e a lagoa de Uvupabuçú, e os graus de altura em que tudo isto ficava" (Leme, 1980, v. 3, p. 69). De fato, desde o início do século XVII, os sertanistas sabiam, *grosso modo*, onde ficava a tal serra, e consideravam Marcos de Azeredo, morador na Capitania do Espírito Santo, o seu descobridor. Depois da descoberta de Azeredo, a serra tomou forma e vinculou-se a um lugar específico no sertão, sustentando a memória da jornada. Nos anos que se passaram entre as descobertas (supõe-se efetuadas entre 1592 e 1614[9]) e a expedição de Fernão Dias (1674), que seguiria os passos da tradição, cronistas e historiadores coloniais situaram a serra na altura da Capitania do Espírito Santo, no rumo do rio Doce (Leme, 1980, v. 3, p. 74; Salvador, 1982, p. 63; Vasconcelos, 1663, t. 1, p. 36-37). Num mapa da década de 1610, que compõe o manuscrito intitulado *Razão do Estado do Brasil no governo do Norte somente assim como o teve Dom Diogo de Meneses até o ano de 1612*, já aparecia, compondo a representação da Capitania do Espírito Santo, uma "Serra das esmeraldas". A tal serra era mostrada no

das coisas' que vemos fiarem-se os marinheiros e exploradores portugueses da época: os olhos que enxergam, as mãos que tateiam, hão de mostrar-lhes constantemente a primeira e a última palavra do saber".

[9] Conforme as referências documentais coligidas por Rodolfo Garcia (BRANDÃO, 1943, p. 79).

interior, junto às cabeceiras do rio Doce. Na legenda do mapa, Marcos de Azeredo foi explicitamente mencionado como tendo demarcado a serra das esmeraldas, e seu roteiro foi indicado:

> De mostração da Capitania do Spirito Santo athe aponta da barra, do Rio doce, no qual parte cõ porto Seguro mostrace, a Aldea dos Reys maguos q admenistrão, os padres da cõpanhia, e do dito Rio doce para o norte corre a costa como se vee ate o Rio das caravellas tudo despovoado cõ bõns portos per navios, da costa e cõ muitas matas de pao brasil. Mostraçe pello dito Rio doce, o caminho q se faz p.a a serra das esmeraldas, passando o Rio Guasisí e mais avante das cachoeiras o Rio guasisi miri e mais avante como se entra no Rio una, e delle caminhando pouca terra se entra na lagoa do ponto, E daqual desembarcão, e sopbem, a serra das esmeraldas, tudo, cõforme ha jornada q fez Marcos dazevedo. (Estampa 441 [B]: Anônimo-João Teixeira Albernaz I, c. 1616, ver Cortesão, 1960, v. 4)

Percebe-se, no roteiro aduzido, que não há detalhamento; os registros são como quadros definidos do percurso, marcos retidos por uma memória articulada oralmente. Dessa maneira, a jornada de Azeredo entrou para a tradição dos sertanistas-descobridores; esta manteve, nos relatos orais ou em escritos, imagens significativas do descoberto: o sertão do Espírito Santo, o curso do rio Doce, a lagoa, a serra de esmeraldas. São esses elementos tradicionais do percurso, conjugados, que definiram os sinais mais abstratos e difíceis de se guardar, isto é, "os graus de altura em que tudo isto ficava".[10]

[10] Em outras passagens, Pedro Taques, ligando imagens de tradições diferentes – a das esmeraldas e a da prata – num viés de memória de linhagem, que remontava a Garcia Rodrigues, e a seu filho, Pedro Dias Pais Leme, juntou na história de Marcos de Azeredo os acontecimentos comumente relacionados a Fernão Dias e a Belchior Dias. Assim, o genealogista, na *Nobiliarquia paulistana,* asseverou que o sítio da serra permanecera desconhecido porque Azeredo, cioso dos seus direitos, não declarara o lugar da serra, preferindo morrer na cadeia no Rio de Janeiro e ter os seus bens seqüestrados. Em outra passagem, agora da *Informação sobre as minas de São Paulo,* Pedro Taques considerou que Azeredo morrera no sertão "com todos os mais da sua Trópa, ao rigor da peste da dilatada alagoa Vápábuçu no Reino do Mapáxo", e os poucos companheiros que escaparam fizeram um roteiro da serra das esmeraldas. No entanto, outras fontes levantam dúvidas sobre essas versões de Pedro Taques a respeito da história de Azeredo. Depois das notícias certas sobre a serra das esmeraldas, trazidas do sertão, Marcos de Azeredo, em 1614, esteve insistindo na ajuda de custo prometida para o descobrimento, e como se tem mostrado, dificilmente a Coroa fornecia auxílio, especialmente em dinheiro, sem que o pretendente a descobridor apresentasse as amostras e o roteiro, e, por isso, Azeredo deve ter tratado do itinerário com os agentes da Coroa. Provavelmente, a

Fernão Dias Pais amealhou a tradição (oral-escrita) sobre as notícias da serra das esmeraldas de Azeredo, e das minas de prata do sertão de Sabarabuçu, preparando um roteiro de descobrimento desses minerais, como ele mesmo disse na reunião da Câmara da vila de São Paulo em 1672, dois anos antes de partir em expedição: "hia aventurar pellas informaçoins dos antigos, e que se reportava ao que tinha escripto ao governador deste estado sobre as minas de prata e esmeraldas, com hua relação pera que o dito guovernador geral do estado affonso furtado de castro do Rio de mendonça enviasse a sua alteza e que ficava aviando-se pera março proximo que vem" (*Apud* Taunay, 1977, p. 101). É certo que os "antigos" paulistas deviam se lembrar de pormenores valiosos da expedição de Azeredo, já que alguns sertanistas do Espírito Santo, contemporâneos de Marcos de Azeredo ou de seus filhos, participaram de bandeiras paulistas de apresamento dos índios (como a de Manuel Preto e a de Antônio Raposo Tavares), e se estabeleceram no planalto (Holanda, 1994b, p. 52-53).

Como observa Sérgio Buarque de Holanda, o modelo peruano de tesouros minerais, que reunia a prata e as esmeraldas, tornou-se muito forte para os coloniais da América portuguesa, nos séculos XVI e XVII. Com isso, houve efetiva projeção de um Potosi sobre a porção oriental da América do Sul (e supostamente de maior nobreza) – o Brasil –, onde se dizia haver uma serra de esmeraldas, na altura das Capitanias do Espírito Santo e Porto Seguro, reguladas geograficamente com aquele serro rico das Índias de Castela. Se, a princípio, parece estranha a proposta de Dom Francisco de Souza, superintendente das Minas da Repartição Sul no início do século XVII, de trazer lhamas, além de gente prática de Potosi, para São Paulo, por outro lado, é compreensível, na medida em que correspondia à representação de que as riquezas minerais do Peru, segundo lei natural, se estendiam ao Brasil.[11] E, para os agentes coloniais dos séculos XVI e

negociação com a Coroa, a lembrança comum da serra das esmeraldas entre os coloniais (desde as primeiras notícias compostas em meados do século XVI), e ainda os relatos da gente da jornada transmitidos a amigos e parentes, alguns deles patrocinadores do plano, fizeram com que, no início do século XVII, o roteiro (de Azeredo ou supostamente dele) já fosse relativamente conhecido. Cf. PEREIRA, 1897, p. 519-521; INFORMAÇÃO sobre as minas... –*RIHGB*, v. 103, 1901, p. 4-5; BRANDÃO, 1943, p. 79; FRANCO, 1940, p. 49.

[11] HOLANDA, 1993, t. 1, v. 2, p. 236-237. Em 1677, ainda parecia ao Conselho Ultramarino (mas, com o qual não concordava inteiramente o conselheiro Salvador Correia de Sá) que, sendo as terras do Brasil as mesmas terras das Índias de Castela, seria conveniente, para o descobrimento das minas de prata, trazer índios do Peru, os próprios para tais descobrimentos (CONSULTAS do Conselho [...] 1673-1683 – *DHBNRJ*, v. 88, 1950, p. 120-121).

XVII, ambos os espaços geográficos revelavam aspectos maravilhosos do Oriente mítico (as *Índias*) das especiarias, dos metais preciosos e das pedrarias, assim como da natureza edênica e da eterna juventude.[12] Como num jogo de espelhos, o Brasil passava a refletir a *experiência* da colonização portuguesa alhures, ao mesmo tempo em que a Colônia brasileira passava a ocupar um lugar estratégico no Império lusitano (Holanda, 1993, t. 1, v. 2, p. 67-107; Gil, 1994, p. 284). Desse modo, formaram-se imagens sobrepostas e volantes, indicando as práticas orais de transmissão da memória e da tradição.

Ancorados, então, no modelo das Índias de Castela, mantinha-se viva entre os paulistas, no final do século XVII – uma "tradição vulgar entre nos", como disseram os camaristas da vila de Santana do Parnaíba em 1681 (Fernão Dias Pais... - *RAPM*, v. 20, 1926, p. 175) –, a memória de minas de prata numa serra ou nos sertões das vilas de serra acima. A noção, que vinha desde meados do século XVI, de que a Capitania de São Vicente era a boca do sertão contíguo a Potosi fez do espaço interior da Capitania, gradualmente apropriado pelos habitantes da serra acima, um lugar cheio de possibilidades de descobertas. Mas a imagem da serra de prata não tomou forma somente em São Vicente ou em São Paulo, assumiu contornos nítidos em outros lugares. Na primeira metade do século XVII, corriam notícias de minas de prata no sertão da Bahia, em Pernambuco e no Maranhão (Estampa 443 [B]: Anônimo – João Teixeira Albernaz, c. 1616, ver Cortesão, 1960, v. 4; Relação sumária das Coisas do Maranhão... 1911, p. 20-21 [texto datado de 1624]).

Na primeira metade do século XVIII, ainda se falava na serra de prata, e papéis antigos apresentavam conjecturas sobre a possível localização dessa serra. Também esta tradição, como a das esmeraldas, esteve envolta numa história de descobrimento que teve como personagem principal Belchior Dias Moreia, cuja alcunha – *Caramuru* (ou *Caramaru*) – recorda a fama da ascendência mestiça do descobridor ultrajado. Em 1725, o coronel Pedro Barbosa Leal, sertanista dos mais prestigiados da Bahia, recordou o roteiro de descobrimento de Belchior Dias, recompondo-o com tradições orais e alguns documentos da família do descobridor da prata. No final do

[12] Na época moderna, certo maravilhamento era um modo de apropriação legítima do que se reputava novo, surgindo como expressão natural da experiência da descoberta. Portanto, justifica a necessidade política da posse pretendida, e assume a forma de artifício retórico. Cf. GREENBLATT, 1996, p. 100-101.

século XVII, Leal pôde conversar com antigos sertanistas e velhos índios daquelas terras e serras, onde uma memória fluida teimava em apontar que havia prata, ouro e pedrarias. O roteiro de Belchior Dias foi tomando forma quando se soube, por tradição oral, que Gabriel Soares de Souza tinha entrado no sertão, construído algumas feitorias e descoberto "algum haver", e que o Moreia, seu parente, tinha vindo ao seu encalço quando soube de sua morte. Leal perguntou pelas ruínas das tais feitorias a alguns sertanistas de crédito que as tinham visto, e eles confirmaram tudo. Também se sabia que Moreia tinha descoberto alguns tesouros minerais, mas que não os tinha manifestado, depois de ter provado as desatenções da Corte e de ser destratado pelos governadores de Pernambuco e da Bahia. Dizia-se que os descendentes de Moreia, temerosos ou desinteressados, não quiseram saber dos descobertos, e deixaram deliberadamente perder memórias e roteiros daquele feito. Quando obrigados pelos representantes régios a mostrar o roteiro do descobridor, preferiram enganá-los, como fez o bisneto de Moreia, o coronel Belchior da Fonseca, apelidado de o *Moribeca*, que juntou a inúteis pedras de uma serra próxima ao rio Real, onde morava o bisavô, algumas amostras de prata verdadeiras do tempo deste.

Mas nem tudo se perdeu, porque Belchior Dias teria presenteado um sobrinho, Francisco Dias Dávila, com o roteiro da sua jornada, e deste tiveram notícia os encarregados da averiguação de algumas daquelas minas, seguindo ordens de Dom Rodrigo Castelo Branco, que passou a São Paulo. Pedro Barbosa Leal teve acesso a um relato escrito, deixado por um desses encarregados. O relato continha uma suposta cópia do roteiro de Moreia, com instruções de um parente de Francisco Dias, o padre Antônio Pereira (ou Ferreira), passadas a um João Calhelha e a seus irmãos, em 1655, para descobrimento das minas na serra chamada Jacobina. Trazia também um assento, do ano de 1675, sobre o que os encarregados de Dom Rodrigo souberam de um velho índio, que teria acompanhado Belchior Dias no seu descobrimento. Como Leal faria, anos depois, na sua inquirição do roteiro do descoberto das minas, os encarregados régios cruzaram as informações escritas, por sua vez envoltas na tradição oral guardada pela parentela de Moreia, com os relatos de memória oral de um informante que participara do acontecimento. Pedro Barbosa Leal recorda, em 1725, que, procurando refazer o roteiro de Belchior Dias na virada do século XVII para o XVIII, acabou obtendo do bisneto de Moreia um copiador das cartas do descobridor sobre aqueles fatos, e as referências textuais confirmaram o que João de Calhelha e um velho índio lhe haviam dito, bem como os sinais da serra registrados no roteiro do parente de Belchior Dias. E, "assim que por todas as razões se prova" a tradição dos haveres, descobertos por Moreia, de prata, ouro, pedrarias (inclusive esmeraldas) e salitre.

Os índios, contemporâneos ou não da jornada de Belchior Dias, tiveram um papel fundamental na reconstituição do roteiro. No sertão, foram eles os principais guias de Leal para encontrar os indícios artificiais ou naturais que mostravam a passagem de Belchior Dias, que, por lembrança pessoal ou por tradição daqueles povos, se comprovava. Letras feitas de pedras, cruz, padrões de pedra (um com anúncio e data da descoberta), cavas de minas, ruínas de feitorias, instrumentos de fundição, restos de armas, ligados aos sinais naturais do roteiro, como "uma grande árvore de sucupira, um brejo de canas bravas, e três morros sobre outras serras", foram conferidos pelos índios.

Na prática sertanista, os relatos indígenas eram as verdadeiras fontes de reconhecimento dos itinerários.[13] Os índios, os guias no sertão, tinham aguda memória geográfica, pois os elementos geográficos e os aspectos naturais eram os mapas que ordenavam a sua memória dos acontecimentos; os nomes de serras, rios, montanhas, lagoas, ao serem recordados, funcionavam para eles como imagens significativas das coisas. O coronel Pedro Barbosa Leal só atinou com a serra assinalada na versão do roteiro de Moreia, quando seguiu a recordação indígena de que a serra das alentadas riquezas ficaria num lugar distante daquele que se vinha experimentando, e conferiu, junto a paulistas, que o nome da serra inscrito no roteiro – *hitacupeburâ* – queria dizer "água da pedra furada". De fato, de acordo com o coronel, a serra apontada pelos índios era a do roteiro: tinha sinais das riquezas registradas ("Na ponta do Sul lhe achei os cristais, indo do Sul para o Norte as outras pedras", mostras de veios de ouro e de prata), os indícios da passagem dos primeiros exploradores (Gabriel Soares de Souza e Belchior Dias Moreia) e a pedra escavada de onde nascia um ribeiro ([22 de novembro de 1725] Documentos relativos [...] 1548-1734 – *DIHCSP*, v. 48, 1929, p. 59-104).

Para os índios, a percepção cuidadosa da natureza não era só uma "arte vital", mas uma arte do vivido. Daí, eles apresentarem, segundo Jaime Cortesão, "grande sentido topográfico e a possibilidade de reproduzir

[13] Por outro lado, quando os índios informantes passavam de aliados a inimigos dos bandeiristas, eles podiam reagir à invasão queimando as matas e os campos, numa tentativa de mudar a paisagem que serviria ao reconhecimento do roteiro da bandeira descobridora de ouro. Houve um caso dessa natureza no Maranhão, envolvendo sertanistas paulistas (APM, Sc 09, f. 36-36v, [8 de novembro de 1714]).

graficamente os caracteres mais salientes do meio geográfico em que vivem" (Cortesão, 1964, v. 1, p. 105-106). Por seu turno, Sérgio Buarque de Holanda observa que "Entre os povos que ignoravam a palavra escrita, esses meios de comunicação [desenhos e imagens do espaço] assumem um significado comparável ao dos roteiros e aranzéis, tão abundantemente empregados durante a colonização pelos brancos" (Holanda, 1994a, p. 24). Pode-se dizer que aqueles meios se cruzam com estes, ou melhor, que os roteiros, e mesmo os textos narrativos de sertanistas recuperam sistematicamente as imagens de práticas orais.

A tradição de serra de prata para os lados do rio São Francisco, ou nas suas cabeceiras, indicada na trajetória de Moreia, encarna-se também nas histórias da gente de Piratininga que prognosticava haver naquele sertão do rio *grande* – o de Sabarabuçu – minas de prata como as do Peru. Tais relatos vinham do tempo do vicentino Brás Cubas, na segunda metade do século XVI, e de outras entradas como a de André de Leão (1601), que buscou notícias de tesouros minerais naquele sertão, cujo nome *Sabaroason* apareceu num roteiro da época (Derby, 1898/1899, p. 329-350; Magalhães, 1935, p. 86-88). Na segunda metade do século XVII, no tempo da empresa de Fernão Dias, o termo empregado para nomear a serra (ou sertão) da prata pouco variou, assumindo a forma de *Sabarabussú*, que, segundo Teodoro Sampaio, seria uma corruptela do aumentativo (*Itaberaba-bussú*) de uma expressão da língua tupi, *Itaberaba*, designação de serra resplandecente (Derby, 1898/1899, p. 248; Holanda, 1994a, p. 38).

Torna-se muito comum entre os sertanistas-descobridores paulistas, nas últimas décadas do século XVII e nas primeiras décadas do século seguinte, referir-se, nos seus itinerários, ao sertão das serras resplandecentes, juntando as esmeraldas e a prata, aproximando os sertões dos rios grandes e caudalosos, onde os tesouros de metais e pedrarias estariam escondidos. É muito provável que as superposições dos sertões tenham sido feitas originalmente pelos brancos ao seguirem as tradições indígenas, dependentes estas de vivências específicas do espaço. A distinção *grande* atribuída tanto ao rio Jequitinhonha (*rio Grande*) como ao rio São Francisco (*grande rio*, ou *rio Pará*), nos séculos XVI e XVII, oriunda da tradução colonial (pela mediação luso-brasileira) das narrativas indígenas, fazia transitar entre um e outro os atributos geográficos maravilhosos, corrompendo a singularidade dos nomes nativos (Descobrimento e devassamento... – *RAPM*, v. 7, 1902, p. 568-570). Até os mapas e escritos lusos curvavam-se à oralidade dessas traduções sertanistas, que conferiam os significados geográficos e simbólicos àqueles cursos de água (Cortesão, 1964, v. 1, p. 196-197). Por essa razão, o sertão de Sabarabuçu (das serras resplandecentes e da lagoa dourada – *Paraupava, Vupabuçu*), expandiu-se e passou a conter desde as nascentes do rio São Francisco até o vale do rio Jequitinhonha, ou mesmo partes do rio Doce, na virada do século XVII para o XVIII. Não é sem razão que a comitiva de Fernão Dias trilhou esse imenso território, planejando encontrar no roteiro da serra das esmeraldas as minas de prata de Sabarabuçu. O governador-geral estava tão certo disso que avisou a Fernão Dias que, quando descobrisse as minas de prata, desmentisse o feito enviando cartas à gente de São Vicente, porque era necessário sigilo "em semelhantes descobrimentos" (Taunay, 1977, p. 102-103). É certo que a Coroa se preocupava com as pretensões castelhanas, ou de outras potências européias, de tomar um novo Potosi revelado na Capitania do Sul.

A tradição da serra resplandecente associava-se ainda às riquezas de ouro, como faz notar a suposição de Felipe Guillém sobre uma serra chamada *o Sol da terra*, para o mesmo lado das serranias das pedras verdes ([20 de junho de 1550] Descobrimento e devassamento... – *RAPM*, v. 7, 1902, p. 582-583). Tratava-se de procurar metal de beta, evidentemente, e o ouro de aluvião era somente visto como indício de uma riqueza maior, a mina. Gândavo, no final do século XVI, refere a atitude de exploradores quando acharam esses indícios: "passaram adiante determinando à vinda tornar por ali apercebidos de mantimentos para buscarem a serra mais devagar donde aquele ouro descia ao ribeiro" (Gândavo, 1995, p. 34).

Com efeito, entre as décadas de 1680 e 1700, quando já se divulgavam nas Capitanias do Sul várias notícias de ouro e de prata, os roteiros mencionavam as pintas de ouro dos ribeiros, mas perscrutavam sobretudo as serranias, à procura de minas. Os serros, figurados com seus picos, não eram apenas os marcos de orientação sertanista, mas a *miragem* da perspectiva tradicional do tesouro mineral encoberto. No roteiro que o padre Faria levou ao Rio de Janeiro para apresentar ao governo no início dos anos de 1690, montes e serras escalvadas foram os lugares preferenciais das experiências alegadas pelos sertanistas, apostando-se que haveria neles pedras preciosas, ouro e prata ([Carta: 29 de julho de 1694 e roteiro] Correspondência dos governadores-gerais... – *DHBNRJ*, v. 11, 1929, p. 204-207. Cf. Derby, 1898/1899, p. 268-269.). É certo que, enquanto isso, na prática das entradas, o ouro de lavagem foi obtido, às vezes em grande quantidade, sem se pagar os quintos, mas, para os descobridores e para a Coroa, aquele metal ainda era um mero anúncio das riquezas subterrâneas e mais duradouras, uma aparência dos tesouros reais. Na segunda metade do século XVIII, com o esgotamento das antigas jazidas de ouro, essa imagem seria retomada com toda a força para criticar o falso e aparente tesouro aurífero das Minas Gerais.

Durante o século XVIII, o ouro de beta presumido nos roteiros e nos relatos de descobridores, representado como tesouro verdadeiro, conferia fama e legitimidade aos descobrimentos de ouro recolhidos nos leitos ou nas margens dos ribeiros. No relato sobre o descobrimento das Minas Gerais atribuído ao sertanista Bento Fernandes Furtado, conta-se que o primeiro ouro de que se teve notícia destas Minas veio de um célebre sertão habitado por um gentio feroz, o da Casa da Casca, que se localizava no rio Doce abaixo, no rumo da Capitania do Espírito Santo, mas "que até hoje está por descobrir". Bento Fernandes observa, contudo, que a Casa da Casca faria parte das serranias do Cuieté, de onde emanavam as águas que carregavam o ouro. Segundo essa tradição, bandeiristas paulistas saíram à procura da Casa da Casca e, guiados pelas informações indígenas (que conferiam o roteiro), chegaram a um sertão, que se não era o da Casa da Casca, era próximo, pois encontraram as primeiras mostras de ouro num ribeiro, e o local era conhecido pelo gentio com o significativo nome de *Itaverava*, que significava "pedra luzente". Em outra memória, um dos primeiros habitantes das Minas de ouro dos Cataguases mencionou que os paulistas vieram com um roteiro em busca da Casa da Casca, no rumo do rio Guarapiranga, e numa capoeira de gentio, junto ao rio e num ribeiro que nele faz barra, descobriram ouro.[14] Ainda, o antigo secretário do governador Artur de Sá e Menezes nas Minas de ouro, José Rebelo Perdigão, lembrou que, no verão (período de estiagem) de 1694, alguns bandeiristas saíram dos povoados de serra acima (Comarca de São Paulo), "com o intento de buscarem e descobrirem a paragem, ou certão da dezejada casa da casca, onde disião era muito e precioso o ouro". Não conseguiram alcançar aquelas riquezas, mas, no caminho, junto à serra de *Itaberaba* (ou *Itaverava*), fazendo as suas primeiras experiências, "descobrirão nella o primeiro ouro [das Minas Gerais]".[15] É interessante notar que, nas três notícias, o descobrimento das

[14] CCM, 1999, p. 169-171, 178, 257. No início da década de 1710, o governador Brás Baltazar da Silveira passou patentes de oficiais milicianos (mestre-de-campo e oito capitães de companhia) a um grupo de moradores das Minas que serviram (ou serviam) na governança de Vila Rica, e que pretendiam sair em descobrimento da Casa da Casca (APM, Sc 09, f. 152-154, 158-160).

[15] NOTÍCIA – 3ª Prática... — *RIHGB*, t. 69, 1908, p. 278. No final da década de 1720, o próprio José Rebelo Perdigão, mestre-de-campo na Vila do Carmo, mandou uma tropa investigar notícias de ouro numa paragem que ficava "em distancia das Minas gerais

Minas de ouro teve o seu início na busca do sertão ou serranias da Casa da Casca. O desejo de descobrir uma montanha de ouro (um *sol da terra*, como foi noticiado por Guillém), apesar de amortecido durante boa parte do século XVII, ressurgiu para abrilhantar as notícias de descobertos dos ribeiros com ouro. Os roteiros dos bandeiristas paulistas descobriram ouro de lavagem, mas emolduravam tudo com o pressentimento de grandes tesouros de ouro no sertão penhascoso da Casa da Casca. É possível que esse renovado desejo, no final do século XVII, tenha se entroncado com a serra das esmeraldas, e o Sabarabuçu da prata, perfilando-se como mais uma montanha maravilhosa ("ou topos da vontade"),[16] cujos indícios, mais certos do que aqueles outros tesouros, foram os rendimentos colossais das bateadas. Com a fama das Minas Gerais recém-descobertas, ressurgiram, na Europa e na América, notícias que evocavam as antigas tradições e mitos de minas de ouro na junção entre o Prata e o Amazonas, fronteira do Brasil com as Índias de Castela (ANRJ, Caixa Topográfica 02631, documento 07, Pacote 01, [Cópia, carta: 10 de junho de 1714]). Dizia-se, em 1725, que a experiência confirmou em parte, no descobrimento do melhor das Minas Gerais, o que disse o padre Simão de Vasconcelos, primeiro provincial no Brasil, "no livro da sua história capítulo cincoenta e um", que os naturais da parte oriental do Brasil "davam a entender" que a terra dos sertões "era uma Índia oriental em metais, e pedraria" (BNRJ, Avulsos [Minas e Mineração], 15, 2, 35, Informação (anônima) da Bahia, suas minas de ouro, esmeraldas, turquesas... [11 de julho de 1725]).

O escrito do padre Simão de Vasconcelos – *Notícias antecedentes, curiosas e necessárias das coisas do Brasil* –, introdução do tomo primeiro da *Crônica da Companhia de Jesus do Estado do Brasil*, publicado em 1663, foi a fonte erudita privilegiada, no século XVIII, quando se tratava de conferir e denunciar as riquezas minerais da parte oriental do Brasil, entre as Capitanias de Porto Seguro e do Espírito Santo, e especialmente do sertão do rio Doce.[17] Na segunda metade do século XVIII, o contexto

quarenta dias de viagem para a parte da Casa da Casca para onde tem já entrado bastante gente" (APM, Sc 23, f. 81v-82). Nessa época, esperava-se que na Casa da Casca haveria minas "melhores" que todas as outras do passado das Minas (APM, Sc 23, f. 174v-175, [23 de julho de 1728]).

[16] Nos termos de Dom Duarte, no *Leal Conselheiro, apud* HOLANDA, 1994a, p. 11.

[17] Ver, por exemplo, um roteiro do rio Doce, escrito em 1746, onde os sertanistas-descobridores Manuel Monteiro Chassim e Sebastião Preto Cabral reportam-se ao livro do padre Simão de Vasconcelos que teria notícias de jazidas de ouro, esmeraldas e rubis

político de suspeição da Companhia de Jesus promoveu (re)leituras dos textos jesuítas que mostrassem os indícios de tesouros minerais escondidos no interior do Brasil. Até o sermão vieiriano da Primeira Oitava da Páscoa (1656), que procurou destruir qualquer ilusão de descobrimentos no Pará e estimular, em contrapartida, o trabalho missionário, serviria à suposta estratégia inaciana de exploração exclusiva no sertão amazônico, segundo o padre José Manuel de Siqueira, fomentador do sertanismo na Capitania do Mato Grosso. Para Siqueira, o texto propunha a realidade das minas, e não o seu desmentido; a sua intenção foi confundir os moradores coloniais, desviando-os das minas de ouro, que permaneceram assim sob controle da Companhia (BNRJ, Avulsos, 22, 1, 7 [Minas e Minerais], Memória a respeito do descobrimento dos Martírios...).

Nas proposições de descobrimentos de ouro, no princípio do século XVIII, alegava-se possuir notícias de montanhas auríferas, e não se deixava, contudo, de repetir o imaginário tradicional das serras de prata e de outras pedrarias.[18] Num papel de descobrimento de minas encaminhado

naqueles sertões (RAPM, v. 3, 1898, p. 770-772). Cf. VASCONCELOS, 1663, t. 1, livro 1, parágrafos 50 a 55. No livro 2, parágrafos 48 a 58, o padre Simão de Vasconcelos argumentou no sentido de favorecer a hipótese do paraíso terreal na América portuguesa. Tal lustre geográfico, ligado às empresas dos conquistadores lusos e luso-brasileiros dos séculos XVI e XVII na parte oriental do Brasil, referidas por Vasconcelos, serviriam para prestigiar, por sua vez, os feitos dos paulistas nos sertões das Minas, que muitos supunham no rastro daquela tradição de conquista. Se é assim, não foi sem razão que os principais historiadores paulistas do século XVIII, Pedro Taques de Almeida Paes Leme e frei Gaspar da Madre de Deus, que trataram dos feitos bandeiristas numa versão heróica, recorreram ao escrito do padre Simão de Vasconcelos (RODRIGUES, 1979, p. 134-136, 147-149). Sobre o enquadramento mental e social desses dois historiadores paulistas, cf. ABUD, 1985, p. 61-108.

[18] No século XVIII, não se deixou de acreditar, também entre a gente letrada, que o ouro de aluvião podia ser o ponto de partida para a revelação de outras (e maiores) riquezas minerais. Ainda em 1802, numa "Memória sobre a decadência das três capitanias [Goiás, Mato Grosso e Minas Gerais], e os meios de as reparar", o padre José Manuel de Siqueira, interrogava-se: "Demos de caso que se não acha ouro, não se descobrirão prata, cobre, estanho, chumbo, e ferro. Não se acharão diamantes, rubis, safiras, topázios, crisólitas e esmeraldas, e outros muitos minerais, que assas podem servir para o uso de muitas fabricas e da farmácia? Podem dizer-me que não há quem fomente este artigo tão importante e menos quem conheça esses metais mineralizados. Ao que eu tomo que a falta de um mecenas é o principal; porque havendo este, ele procurará e mandará naturalistas ou sujeitos hábeis, que tenham além do conhecimento da natureza, inclinação, e propensão aos descobrimentos, e não aqueles que para encobrirem a sua ignorância se ocupam em escrever coisas bem inúteis, e talvez por informações.

ao Conselho Ultramarino em 1716, propunha-se descobrir sem nenhum dispêndio da Fazenda Real, "nos montes de ouro das minas, depósito sumo de um inestimável Tesouro não só de ouro que se ... [ilegível] prata, cobre, ferro, chumbo, e azougue, antimônio, e caparrosa, pedra de cevar, mármor, e cristais que compreendem nas de outras pedras preciosas" ([3 de abril de 1716] Documentos relativos [...] 1711-1720 – *DIHCSP*, v. 49, 1929, p. 193-195). Tal visão de que o ouro de lavagem não passava de forte indício de uma verdadeira riqueza escondida (de prata, inclusive), que servisse à Coroa e aos vassalos, era a tônica dos discursos sobre o assunto; o governador do Rio de Janeiro, Artur de Sá e Menezes, talvez induzido pelas manifestações rendosas do ouro de lavagem nos sertões de Cataguases e de Caeté (ou nos "Ribeiros que correm para a Serra de Sabarabuçu"[19]), curvou-se às notícias de prata em Sabarabuçu, e enviou Manuel de Borba Gato a descobrimento nos morros e nas serras daquela paragem ([15 de outubro de 1698], *RIHGSP*, v. 18, 1914, p. 356-357). Também para os paulistas, as primeiras amostras que Borba Gato trouxe daquele suposto Sabarabuçu pareciam confirmar a junção do ouro e da prata, nos veios das montanhas. Confere o capitão-mor Pedro Taques de Almeida, em 1700:

> O tenente-general Manoel de Borba Gato trouxe agóra ao general Arthur de Sá e Menezes umas folhetas limitadas que parece foram douradas, que me certificou o dito general, era prata achada entre ouro das quebradas, em que alguns dos serros daquelle territorio afocinham, porque raspando o dourado mostra prata, e neste mesmo sitio se descobriu ouro que os mineiros lhe puseram o nome de prateado, porque é mais prata que ouro; razão porque o não lavraram por não ter valor; e sem mineiro será difficil descobrir-se prata. (*Apud* Derby, 1898/1899, p. 285)

Na segunda metade do século XVIII, o imaginário dos tesouros de ouro dos montes, cujo metal aflorava nas "quebradas", ou nos ribeiros e lagoas que banhavam as terras montanhosas, foi revitalizado com a busca de novos descobrimentos para sanar a decadência dos antigos povoados, e tirar os mineradores da crônica insolvência em que viviam. Nas Minas

A prata, o estanho, e o cobre serão privativos das Minas d'Espanha, d'Inglaterra, e da Suécia?" (AIHGB, lata 763, pasta 16).

19 Segundo a indicação de Garcia Rodrigues para ser reconhecido como descobridor do ouro ([19 de novembro de 1697] PROVISÕES, cartas régias [...] 1688-1700 – *RIHGSP*, v. 18, 1914, p. 318).

Gerais, ao sertão da Casa da Casca, registrado nos velhos roteiros e nas narrativas orais dos bandeiristas paulistas, sobrepôs-se o "tesouro" do Cuieté, projetado, como as tradições orais e os livros de história recomendavam, no espaço que ficava entre a parte oriental da Capitania e a costa (especialmente da Capitania do Espírito Santo).[20] Como se tornou comum nesses casos, os resultados nunca corresponderam às expectativas, mas não findavam simplesmente, porque supunha-se que o desejado tesouro podia estar mais além. Enquanto houvesse espaço desconhecido e uma forte tradição oral das significações dos descobertos, haveria quem, como disse Rodrigo de Menezes, governador da Capitania de Minas, a respeito do regente de Cuieté, fizesse "pinturas mais pomposas da riqueza de lugares que devia conhecer, e não conhecia", e enganosas de quem não era "testemunha ocular da abundância, ou pobreza que se achasse" (APM, Sc 224, 80v-86, [31 de dezembro de 1781]). Mesmo assim, isso teve conseqüências evidentes sobre a expansão da fronteira a partir das povoações coloniais, e deve ter sido um componente fundamental da *arte vital* (de sobrevivência e adaptação) dos sertanistas-descobridores, ajudando-os a suportar as condições extremamente adversas – fomes, doenças, conflitos – experimentadas nos sertões. Uma história contada por um dos companheiros de Bartolomeu Bueno da Silva na expedição a Goiás revela a tática de apelo à vontade: recorda o sertanista que, vendo a morte dos companheiros e a fome desesperadora em que iam os sobreviventes, tendo já comido todos os cães e alguns cavalos, ele procurou persuadi-los a continuarem no percurso, e tinha feito 35 sermões "sem mudar de tema, animando a todos que não esmorecessem, certificando-lhes para diante rios de muito peixe, campos de muitos veados, matas de muita caça, mel e gabirobas. Perguntavam os miseráveis: quando? Respondia-lhes então: nestes dias" (*apud* Franco, 1940, p. 375). É interessante perceber que o

[20] APM, Sc 211, f. 100-102, [Cartas de 18 de outubro 1779]. Em 1786, Manuel José Rosa, companheiro de Manuel Pires Farinho, o chefe de uma entrada que se dirigia ao sertão do rio Pomba, pediu ao governador o cargo de guarda-mor para o cabo da expedição, e o posto de escrivão da Guardamoria para si. Ele justificou o pedido alegando os pretendidos serviços de redução dos naturais, e de manifestação de novas faisqueiras e, notadamente, das "suspiradas grandezas da memorável, e antiga Casa da Casca", de cuja verdadeira localização somente Farinho teria "ciência". A referência afetada à velha tradição denota o tom convencional que ela assumiu nesse período (APM, Avulsos Casa dos Contos, rolo 515, planilha 30316).

sertanista evocou certas imagens tópicas do paraíso terreal, induzindo os ouvintes à representação persuasiva do *locus amoenus*.[21]

Também no lado ocidental das Minas de ouro, (res)surgiram histórias de descobrimento de tesouros de ouro e pedras preciosas, referidas nas jornadas daqueles sertões. O mais famoso desses tesouros de ouro e pedrarias supostamente descobertos nos sertões centrais da América portuguesa (nos *Guayzes*)[22] ficaria conhecido pelo nome de serra dos Martírios. Segundo uma tradição dos paulistas, o nome lhe teria vindo da figura da serra, cuja disposição natural apresentava os instrumentos da paixão (ou do martírio) de Cristo: a coroa, lança e os cravos (Franco, 1940, p. 372). Numa outra versão, ouvida pelo padre José Manuel de Siqueira de seu pai, "amigo íntimo" de um dos primeiros bandeiristas que estiveram no descoberto, a origem do nome foi a seguinte: "observaram que da parte do rio estava uma colina na qual se viam algumas pedras soltas e elevadas, umas configurando colunas, outras, escadas e outras, coroas" (BNRJ, Avulsos, 22, 1, 7 [Minas e Minerais], Memória a respeito do descobrimento dos Martírios...). Consta que junto da serra passava um ribeiro, cujos barrancos traziam muito ouro que se "apanhavam às mãos", conhecido pelo nome de Paraupava, significando mar cortado (na estiagem as águas diminuíam e formavam poças) (BNRJ, Avulsos, 22, 1, 7 [Minas e Minerais], [14 de novembro de 1774, anexo]. Luís, 1903, p. 49).

Essa tradição registra mais uma imagem topográfica significativa, segundo o costume sertanista de composição dos roteiros, que se observaria na serra das esmeraldas de Azeredo e Fernão Dias, na serra de prata e pedrarias de Gabriel Soares e Belchior Dias, e nas serranias de supostos tesouros auríferos das Minas Gerais. Mas Martírios diferencia-se num ponto: tinha a fisionomia que talvez atendesse melhor à necessidade de memorização (e à qualificação), dentre todos os tesouros supostamente descobertos. Como não reconhecer a ordem dos signos da paixão de Jesus Cristo, que se dava a ver continuamente nos cruzeiros dos caminhos e nas igrejas coloniais?

Os "topos da vontade" de descobrir tesouros de ouro, prata e pedrarias surgiam no meio das propostas ou dos roteiros de descobrimentos do

[21] "No caso, podia-se mesmo falar de uma leitura feita pela audição, ou seja, do reconhecimento das tópicas letradas imitadas no discurso independente de o destinatário saber ler" (HANSEN, 1999, p. 179). Cf. HOLANDA, 1994a, p. 293-294.

[22] ORDENS régias 1721-1730 – *RAMSP*, v. 22, 1936, p. 375-376. Afirma-se que a fama dos Martírios ajudou a promover o descobrimento de ouro em Cuiabá e em Goiás. Cf. FRANCO, 1940, p. 372.

século XVIII. Efetivamente, descobriam-se ribeiros com pintas de ouro, ou com diamantes, mas registrava-se às vezes algum presságio de um haver maior, nas serras misteriosas das quais nasciam as águas. Alguns exploradores revelaram aspectos fantásticos das montanhas com reputação de conter ouro e pedrarias, como estrondos e vulcões de fogo, "quais outros encantamentos nos tempos passados", que até faziam a comitiva da entrada retroceder. Chegou-se a acreditar que, na serra do Sambê, norte da Capitania do Rio de Janeiro, havia diamantes, esmeraldas e ouro, porque ela apresentava uma formação geográfica análoga à do Serro Frio diamantífero, além de "efeitos sobrenaturais". "No maior sossego da noite quando o tempo está mais claro, e sereno, é tanta a desinquietação das pedras umas com outras, que se forão lançadas com o impulso vigoroso de uma forçosa mão, não se poderão mal tratar tanto, nem fazer maior estrondo". Na paragem, ouviam-se estrondos maiores que tiros de artilharia, e havia dificuldade de manusear arma de fogo, porque seu funcionamento não obedecia ao comando. Quando a arma era disparada, o tempo podia mudar repentinamente, vindo uma tormenta de chuva, vento, trovões e relâmpagos.[23]

Os roteiros manuscritos da lavra dos sertanistas-descobridores eram simples descrições do percurso, concisos e cingidos por jornadas diárias, cuja marcha, segundo o costume paulista, durava até o meio-dia ou, no máximo, até uma ou duas horas da tarde, quando então a gente da entrada arranchava e procurava o sustento (Antonil, 1968, p. 418). Mostravam uma atenção estreita aos sinais geográficos de orientação e de memória, e não entravam em pormenores das dificuldades e dos contratempos específicos da entrada. O espaço era medido pelo tempo, e sujeito ao modo de sertanejar. O regime de marcar o percurso por léguas só era tentado quando havia um rio, lagoa ou serra, seguidos à distância, orientando o rumo. Tratava-se, assim, de contar o número de dias que se gastava de um ponto a outro da rota que pudesse singularizar o terreno, atentando-se para a disposição visual do espaço que sugerisse nomes, figuras, formas e cores

[23] AIEB, Coleção Lamego, Códice 67.2, A8, [20 de outubro de 1732]. AIEB, Coleção Lamego, Códice 67.3, Extrato feito sobre a povoação dos Campos novos, e suas utilidades, e dos descobrimentos de ouro, e pedras verdes da serra do Sambê. Há outras referências, no período, a rumores ou fogos em serras minerais, que, segundo se dizia, amedrontavam os índios ([22 de novembro de 1725] DOCUMENTOS relativos [...] 1548-1734 – *DIHCSP*, v. 48, 1929, p. 93; [3 de abril de 1716] DOCUMENTOS relativos [...] 1711-1720 –*DIHCSP*, v. 49, 1929, p. 194-195.

do quadro geográfico. Por exemplo, o roteiro de um Manuel de Assunção começava nestes termos:

> Buscarão a passagem do rio real do Abaeté na estrada que vem de Paracatu, e seguirão por ele acima levando o dito rio à mão direita buscando sempre os altos para mais facilidade da viagem: e depois de dois dias de viagem, marchas comuns, irão botando sentido que dos altos avistarão dividir-se o dito rio em dois braços, formando na forquilha um bom alto: como também se avistará à parte esquerda vários serrotes e morros cujos [sic] vertem para o mesmo braço do rio Abaeté. (AIHGB, lata 68, documento 25, Roteiro de Manuel da Assunção [s.d.])

Um outro texto relativo a descobertos de ouro também para os lados do rio Abaeté, noroeste das Minas Gerais, iniciava-se chamando a atenção para três morros, um deles "vermelho", enquanto uma descrição sobre os haveres minerais do sertão do rio Doce fazia notar que, a partir de certo ponto, o rio ficava "negro e azul" até a cachoeira da Escada (AIHGB, lata 68, documento 25, Roteiro de um sertanejo que faleceu [s.d.]. Descrição do rio Doce, e Cuieté e Manhuaçu; Expedição na zona do rio Doce... – *RAPM*, v. 3, 1898, p. 771). Ainda, em 1807, dirigindo-se às nascentes de certo ribeirão da Moribeca, um guarda-mor velho exibiu o roteiro que o pai lhe dera. O texto, como foi transcrito, era extremamente econômico em explicações. O relato concentrava-se na visão da singularidade topográfica (bela, manifestando a suposta riqueza): "Sobre o morro mais alto das cabeceiras do rio Casca [...] olha para o E [leste] – e avistará uma serra em que figurão lençóes estendidos, e de facto são torrentes d'agua cristalina: chega a esta serra, cava e acharás remédio para tuas necessidades" (Adenda às efemérides minerais. – *RAPM*, v. 9, 1904, p. 122).

Mais do que tudo, nos roteiros dos descobertos, era fundamental esclarecer o ponto a partir do qual a comitiva entraria; uma vinda de outro lado, ou um pequeno desvio podiam mudar o relance, o golpe de vista de orientação. Esse dependia de um modo de fazer e da posição do olhar no reconhecimento das notícias dos índios naturais e dos velhos práticos (bandeiristas e quilombolas) do sertão, ou de uma experiência pessoal. Dizia-se, no final do século XVIII, que o velho Bartolomeu Bueno da Silva, ao querer reencontrar a serra dos Martírios, onde esteve aos 14 anos em bandeira chefiada por seu pai, acabou errando o rumo porque, temendo a deserção dos companheiros para as novas Minas de Cuiabá, buscou a serra pelo lado oposto, isto é, através do sertão de Goiás (BNRJ, Avulsos, 22, 1, 7

[Minas e Minerais], [14 de novembro de 1774, anexo]). Os roteiros faziam menção às posturas corporais necessárias para o explorador vislumbrar a imagem prevista e acertar o rumo. Subir a serra dobrando para trás, caminhar com a cara ao sul, levar o rio à mão esquerda, tudo isso denota as maneiras do fazer sertanista que determinavam a orientação eficiente nos descobrimentos. Além disso, a estação do ano e o momento do dia, na medida em que influíam na percepção dos signos geográficos e mudavam as condições do percurso, afetavam a recordação do que se via ou sentia. No citado roteiro de Manuel da Assunção, ele avisou: "O dito riacho [em que encontrou pintas ricas de ouro] corre para o ribeirão e tem as cabeceiras para o poente, e nelas há uns morrinhos que os quais encobre a maior parte do dia a lebrina [neblina]". Outros sentidos, como o tato, também servem de auxílio conveniente na localização de um descoberto, como se vê de outro roteiro: "Hiram para diente, pendendo para o Sul alguma couza, subindo e dessendo algumas Sêrras, não muy alcantiladas [escarpadas], darão com um Vargedo grande que atôlla, tem quatro ou sinco palmos de Lodo, abaixo tem bom Cascâlho, e tem grandioza pinta".[24]

Até mesmo os *mapas* sertanistas de localização dos descobertos indicam a memória visual praticada pelos guias índios ou quilombolas, e pelos experientes da vida em bandeiras. Um desses mapas foi composto como expressão sucinta do trajeto, desenho simples que podia ser facilmente imaginado, lembrado ou transposto para a areia.[25] Nesse desenho, o rio São Francisco e a estrada de Paracatu, o nascente e o poente, Minas Gerais e Goiás eram só os vetores da passagem para o descoberto, não merecendo nenhum cuidado cartográfico adicional (Apêndice A).[26] É nitidamente uma

[24] AIHGB, lata 68, documento 25, Roteiro de Manuel da Assunção [s.d.]. Aranzel ou rotel de haver Ouro e Pedras preciosas dos Campos de Apreetuba entre o Sul e o Leste [s.d.]. IVUTUCAVARÚ... — *DIHCSP*, v. 3, 1913, p. 57. Cópia do roteiro para se procurar a lagoa dourada [s.d.]. EXPLORAÇÃO do Jequitinhonha — *RAPM*, v. 2, 1897, p. 34.

[25] Como os índios (e certamente muitos práticos) faziam nas suas narrativas (HOLANDA, 1994a, p. 24).

[26] O mapa acompanha o *Roteiro de um sertanejo que faleceu* (AIHGB, lata 68, documento 25). Foram seguramente mapas como esse que serviram à cartografia portuguesa durante o período colonial. O padre da Companhia de Jesus, Diogo Soares, encarregado pelo rei Dom João V, junto com o padre Domingos Capaci, para fazer mapas dos seus domínios no Brasil, escrevendo da Capitania do Rio de Janeiro em 1730, afirmou que "tinha já junto uma grande cópia de notícias, vários roteiros, e mapas dos melhores sertanistas de São Paulo, Cuiabá, Rio Grande e da Prata, e iam procurando outras a fim de dar princípio a alguma carta; porque os estrangeiros andam erradíssimos não só no

imagem estilizada para quem é um prático daqueles sertões, e que não se revela a qualquer olhar perscrutador. O mais correto seria chamá-lo de itinerário-mapa, isto é, uma descrição (técnica) do percurso sertanista que permite *ver*, distinguindo o lugar daqueles ribeiros de ouro (Certeau, 1994, p. 204-205).

Ao mesmo tempo, havia suficiente tradição oral e transmissão de notícias entre os coloniais para que, mesmo quem nunca tivesse entrado em algum dos sertões ou descoberto haveres, fizesse um roteiro ou mapa desses lugares. Esse foi o caso do capitão-mor, provido superintendente de Minas no sertão da Bahia, Manuel Francisco dos Santos Soledade, um falso descobridor e de mau procedimento, segundo o vice-rei do Brasil, o conde de Sabugosa ([12 de setembro de 1730] Consultas do Conselho [...] 1724-1732 – *DHBNRJ*, v. 90, 1950, p. 221. [27 de novembro de 1730] Documentos relativos [...] 1721-1740 – *DIHCSP*, v. 50, 1929, p. 205). O mapa composto por Soledade em 1729, seguindo o modo de representação sertanista do espaço, é imagem de fácil memorização e é regido pelas condições concretas da jornada no sertão, mas o autor recuperou, sobretudo, notícias de riquezas que obteve de outros e histórias que lhe contaram. O desenho enfocou os sertões situados entre a costa oriental do Brasil (do Cabo de Santo Agostinho, na altura de Sergipe, a Cabo Frio, no Rio de Janeiro), e o rio São Francisco e as suas cabeceiras. Nesse espaço delineado, e definido pela designação característica de "saco de ouro", o sertanista pretendeu ajuntar todos os metais preciosos de que se tinha alguma notícia. Na verdade, ao registrar tesouros de ouro e de prata nas mesmas alturas (latitudes), serranias e vertentes de rios, das quais se contavam maravilhas desde o século XVI, Soledade não fez mais do que um mapeamento de tradições e de memórias. Ele não adiantou nenhuma informação sobre descobertos minerais que, naquela época (primeiros decênios do século XVIII), os moradores coloniais, notadamente os sertanistas, não conhecessem ou presumissem (Apêndice A).[27] Os outros sertanistas-descobridores agiam da mesma maneira que ele, juntando antigas tradições à memória pessoal

que toca ao sertão, mais ainda nas alturas [latitudes] e longitudes de tôda aquela costa, se não falham as suas observações" ([26 de janeiro de 1731] CONSULTAS do Conselho [...] 1726-1756 – *DHBNRJ*, v. 94, 1951, p. 74). Ver mapas no Apêndice A.

[27] AIEB, Coleção Lamego, Códice 67.4, A8, Roteiro fiel das terras minerais que tem trilhado em 30 anos o capitão-mor Manuel Francisco dos Santos Soledade... Alberto Lamego resume os conflitos entre Soledade e os vice-reis da Bahia e ainda reproduz o seu roteiro (LAMEGO, 1920, v. 2, p. 304-305).

e à experiência, na confecção de seus roteiros. Mas talvez Soledade tenha exagerado nisso, o que deve ter contribuído para a sua fama de embusteiro alimentada pelos vice-reis da Bahia.

As cópias manuscritas de roteiros (acompanhados ou não de mapas) dos descobridores de riquezas minerais circulavam por toda a Colônia portuguesa. Tomavam a forma, às vezes, de diferentes versões de percurso para um mesmo descoberto, o que era compreensível, pois esses papéis sempre se passavam junto com informações orais e explicações de experiência. Foi assim, por exemplo, que Bernardo Correia de Souza Coutinho conseguiu o roteiro da entrada do padre Faria no sertão aurífero do rio Sapucaí. Quando lhe deu o roteiro, o padre chegou a revelar "alguns particulares de mais" ([29 de julho de 1694] *apud* Derby, 1988/1989, p. 266).

Na verdade, qualquer informação adicional obtida com os mais práticos, ou a experiência na entrada reformava o roteiro original. O sertanista Pedro Bueno Cacunda, em suas explorações do vale do rio Doce nas três primeiras décadas do século XVIII, ouviu dos "Paulistas velhos, e verdadeiros" certas informações sobre minas de ouro, mas, à medida que explorava aquelas paragens, percebeu alguns enganos do roteiro que o orientava; então, ele inquiriu os sertanistas práticos sobre as novas notícias daqueles sertões, julgando assim poder descobrir as tais minas ou algum ribeiro do ouro ([08 de setembro de 1734] Espírito Santo... 1978, v. 1, p. 39-42).

A circulação de diferentes versões de roteiros manuscritos e a dificuldade de manter sigilo num meio tão marcado por comunicações orais não tiravam o valor (simbólico e com função econômica) dos roteiros para os agentes coloniais (e os sertanistas). A transmissão dos roteiros, assim, podia ocorrer na forma de presente, de herança ou de troca, e eles podiam ser usados até como garantia de pagamento de dívida. O barão Eschewege, no início do século XIX, ainda verificou o caráter simbólico dos roteiros manuscritos, que, transformados em signos de família, conferiam preeminência aos descendentes:

> Roteiros ou cartas com sinais misteriosos legaram muitos sertanistas aos seus descendentes, que deviam decifrá-los, em parte. Tais documentos passavam de família para família, e como fossem o maior tesouro e o fundamento da felicidade da família, eram guardados com solicitude. Mesmo hoje ainda, um ou outro, com tais roteiros em punho, arrisca-se a partir à aventura, voltando, porém, geralmente, sem nada obter, porque os Três Irmãos ou Três Irmãs [nome de um descoberto procurado na época], de que se fazia menção nesses

documentos, eram interpretados logo como sendo serras ou rios [...]. Se tais papéis não os levavam ao objetivo visado, devem-se a eles, porém, muitas outras descobertas, principalmente a dos diamantes nos Rios Indaiá, Abaeté, Santo Antônio, etc., quando procuravam, nesse sertão, o célebre lugar da Gameleira ou dos Três Irmãos. (Eschwege, 1979, v. 1, p. 212, nota 93)

A percepção comum era a de que o roteiro de riquezas minerais fosse algum tipo de bem familiar que se deixava de herança. Acreditava-se que o filho, o bisneto e um sobrinho de Belchior Moreia, o descobridor da serra de prata, possuíram manuscritos ou um roteiro relativos à entrada do parente famoso. Desse modo, quando o sertanista Pedro Barbosa Leal teve ordens do governador-geral Dom João de Lencastre para tratar daquele antigo descobrimento, ele foi à antiga casa de Moreia, herdada pelo bisneto, onde se supunham guardadas as melhores informações. Com efeito, ali o sertanista obteve informações, e um copiador de cartas maltratado, com seis ou sete folhas cortadas pelo próprio Moréia, que as havia transferido para o seu livro de razão (livro contábil), o qual, segundo o bisneto, se perdera ([22 de novembro de 1725] Documentos relativos [...] 1548-1734 – *DIHCSP*, v. 48, 1929, p. 67-75). Também no caso dos tesouros de Sabarabuçu, talvez a primazia no descobrimento de esmeraldas e de prata, conferida pela Coroa a Garcia Rodrigues Pais e a Manuel de Borba Gato depois de vários anos desde a expedição de Fernão Dias, se devesse, em parte, ao fato de ambos possuírem registros fidedignos (ou a reputação de tê-los) da jornada famosa ([7 de dezembro de 1700] Provisões, cartas régias [...] 1688-1700 – *RIHGSP*, v. 18, 1914, p. 434-435. ANRJ, códice 77, v. 7, f. 147v-149, [3 de janeiro de 1702]. ANRJ, códice 77, v. 7, f. 166-167, [9 de junho de 1702]).

Certo Antônio Mendes (possivelmente morador de São Paulo, numa época anterior a 1712), com certeza de pouco cabedal, chegou a fazer, no papel do roteiro, disposições que eram específicas da terça a que os testadores tinham direito. Após descrever, como de praxe, o trajeto para os seus supostos descobertos de ouro e de pedras preciosas, concluiu: "Por estar para morrer eja não ter esperanças de vida, fasso este aranzel deixando para os viventes: muitos annos quiz declarar estes haveres; e quem achar com este meu Roteiro Os haveres dittos, pesso me mande dizer quarenta missas outras quarenta pellas mais necessitadas almas".[28]

[28] Aranzel ou rotel de haver Ouro e Pedras preciosas dos Campos de Apreetuba... IVU-TUCARAVÚ – *DIHCSP*, v. 3, 1913, p. 57-58.

Houve mesmo quem negociasse o roteiro, trocando-o ou dando-o para algum amigo ou aliado, mas seguramente esperando tirar algum proveito disso. Bartolomeu Bueno da Silva, apelidado de Anhangüera, certamente quando precisou adquirir os apetrechos necessários à armação de bandeiras para os sertões de Goiás, deu a João de Almeida e Sá, que foi vigário em Cuiabá, um roteiro "em recompensa de ter ele Almeida patrocinado uma canoa sua na cidade de São Paulo". Outras duas versões do roteiro do Anhangüera circulavam em Mato Grosso e em Goiás, no final do século XVIII, e foram presenteadas a dois conhecidos locais pelos herdeiros de Bartolomeu Bueno (BNRJ, Avulsos [Minas e Mineração], 22, 1, 7, Memória a respeito do descobrimento dos Martírios...).

De fato, no século XVIII, os roteiros ajudaram na obtenção de crédito para a armação de bandeiras descobridoras, tanto para persuadir os agentes da Coroa a conceder algum auxílio à jornada, quanto para garantir aos comerciantes, roceiros ou donos de escravos (fornecedores de mantimentos, munição, armas, escravos) que haveria boas chances de um descobrimento lucrativo. No ano de 1770, Antônio Cardoso da Silveira, depois de requerer ao governador da Capitania de Minas Gerais, conde de Valadares, licença para descobrir minas de esmeraldas no termo de Minas Novas, Comarca do Serro Frio, noticiou que tinha achado as tais minas. Tudo fez o governador para auxiliar o plano de Silveira numa segunda entrada, animado pela perspectiva não só de esmeraldas, mas de ouro e pedrarias em sítios indicados pelos roteiros possuídos pelo descobridor. Escreveu a certo Carlos Vieira da Fonseca, dono de fazenda, e aos mais senhores abastados recomendando que assistissem Silveira com mantimentos. Além disso, quis promover um acordo para os credores do descobridor, que aviaram as entradas, esperarem os resultados da empresa de descobrimento. Na época, em tempo de fazer a entrada para descobrir o ouro e as pedrarias, Silveira pediu três mil cruzados de ajuda de custo. Ao que parece, isso lhe foi negado, mas em compensação teve ajuda na composição com os seus credores, pondo à venda uma fazenda que possuía. O governador ainda mandou que se recrutassem todos os práticos, e aqueles que não tivessem "obrigações e vadios" (a arraia-miúda local, pouco qualificada e não proprietária de escravos) dos distritos do termo de Minas Novas para fazerem parte da comitiva ([Cartas: 1º de setembro de 1770, 26 de fevereiro de 1771 (três cartas), 10 de junho de 1771, 2 de julho de 1771 (duas cartas)] – APM, Sc 176, f. 68-68v, 106-106v, 125v, 129v-130).

Pode-se concluir que os relatos criados justificavam e divulgavam a fama dos descobridores de ouro de ribeiros (nomeadamente paulistas), como o de Bento Fernandes Furtado. Assim também os roteiros de descobrimentos (planejados ou efetuados), inscritos nos requerimentos à Coroa ou guardados pela família do sertanista, reapropriaram as imagens tradicionais das notícias de descobrimento de minas de prata, de ouro e pedrarias no sertão. Se, para os descobridores do sertão do ouro de lavagem, os índios naturais e os escravos fugidos dos espaços percorridos foram guias, além de peças, é muito provável que as suas narrativas, à maneira das narrativas dos exploradores dos séculos XVI e XVII, fossem convertidas costumeiramente em notícias inscritas na tradição dos descobertos de tesouros minerais. Por outro lado, na época de descobrimentos de ouro, as notícias de riquezas minerais, em geral, continham um forte ingrediente luso-brasileiro, pois recuperavam as histórias de moradores da terra e a experiência colonial que antes, ao que parece, não eram verbalizadas. Afinal, a colonização portuguesa já durava pelo menos um século e meio, tendo acontecido várias entradas de exploração dos sertões, quando, na década de 1690, teve início a época dos descobrimentos prestigiosos de ouro.

Se, na América portuguesa, as práticas de aventura não foram as marcas dos descobrimentos de metais e de pedras preciosas, houve, no entanto, quem pretendesse ter achado, em 1827, numa gruta da serra da Piedade, em Caeté, uma garrafa tampada com rolha de pau e besuntada de cera da terra, que continha um manuscrito sobre uma mina de ouro escondida. O papel apresentava-se ao mesmo tempo como uma confissão e um roteiro de um dos primeiros descobertos de Minas Gerais e exibia, no fim, o ano do feito: 1699. O suposto descobridor, Martinho Dias, um dos homens do séquito de Manuel de Borba Gato, assumia-se como o assassino de D. Rodrigo de Castelo Branco e contava que não pôde desfrutar do descobrimento porque fugiu da Justiça régia, e de Borba Gato, que lhe queria usurpar o rico descoberto. Por fim, depois de peregrinar no sertão, ele resolveu ir à Corte tentar obter o perdão do rei para o seu crime e assim poder continuar com sua mina. O suposto Dias termina dizendo que, se não fosse feliz na sua viagem, pedia a Deus que os pósteros desfrutassem daquele tesouro e, por isso, tinha feito aquela cópia, escondendo-a.

Tal relato está no melhor estilo de reforço de uma "tradição inventada" para propósitos políticos, reproduzindo certos elementos da perspectiva pró-emboaba do século XVIII: a de que D. Rodrigo Castelo Branco, o enviado régio para averiguar as minas de Fernão Dias, teria sido morto por um pajem de Manuel de Borba Gato, e que este e os paulistas teriam usurpado os justos direitos alheios, oprimindo outros vassalos do rei.[29] Além do latente anacronismo da narrativa alinhada à tradição dos emboabas (que só tomou forma vários anos depois da data do relato), o feito do tal Martinho Dias não corresponde às práticas reais de descobrimento de minerais preciosos: os roteiros escondidos e nunca revelados, o descoberto sob o signo do crime (ou o ato criminoso sobrepondo-se ao descobrimento), o ocultamento dos descobertos ricos, a demora do descobridor em defender os seus privilégios-direitos exclusivos, o descoberto como fruto de uma atividade solitária e individual.[30] Por tudo isso, pode-se interpretar o tal relato, seguramente apócrifo, como o negativo das Minas do século XVIII, indício do começo da reinvenção empreendida pelos brasileiros do século XIX.

[29] Não foi incomum, na época da instituição de valores nacionais — fins do século XVIII e início do século XIX —, forjar documentos do passado no sentido de construir, formalizar e ritualizar práticas sociais com pretensões de legitimidade (fazer novas tradições) (HOBSBAWN, 1997, p. 9-23).

[30] O original do manuscrito, com data de 12 de janeiro de 1699, teria se perdido, segundo o missivista que enviou a cópia para publicação no *Diário Fluminense* em 1827. Ele assegurou que obteve a garrafa com os papéis do seu escravo. Este homem não assinou, mas subscreveu a carta, enviada junto com a cópia do documento, com uma frase enigmática: "O Amigo dos bens do País M" (*apud* VIANA, 1962, p. 84-88).

Capítulo 7

Mineração de fronteira: do discurso às táticas

Poderosos *versus* pobres

Em 1773, um grupo de moradores do arraial do Tijuco, e outros do Serro Frio, dirigindo-se como "povo" ao ouvidor e superintendente das Minas da Comarca, denunciaram um conluio entre uns poucos senhores "poderosos" locais para explorarem clandestinamente, e de modo exclusivo, um "novo descoberto" de ouro na serra da Boa Vista. O povo alegou que os serviços das lavras haviam começado há dois anos e que nenhum dos descobridores viera manifestar o descobrimento ao superintendente, nem lançar editais na Vila do Príncipe para fazer o sorteio regimental das lavras a todos os mineiros, e separar-se a data da Coroa. Em vez disso, os descobridores, agindo às pressas para fazer a repartição, convidaram seus amigos e fizeram um guarda-mor "intruso", Antônio Soares Pais Leme, que era de um distrito distante do descoberto e nem havia sido ainda provido no cargo pelo governador.

Tentando desqualificar a denúncia, o tal guarda-mor negou a falta de jurisdição sobre o descoberto e retrucou que as lavras eram de pouco rendimento para acomodar muita gente, e que, não sendo um descoberto novo, não havia razão para se colocar os editais como mandava a lei. Antônio Soares alegava que não poderia ser novo um descoberto lavrado por escravos há algum tempo, e cercado de povoações, roças e engenhos. Também, manipulando os termos da lei feita para o ouro de aluvião, ele justificou que não tirou a data para o rei, na repartição da serra, porque, além do descoberto não ser novo,

> em todo o corpo do regimento [Regimento mineral de 1702] senão se tratar de data de El Rey em serras com vieyros pois nestas senão

achão mais do que lageados[,] marmores e impossiveis e inuteis o que so se pratica em varges, corgos, e chapadas e gupiaras, que só nestas paragens se achão cascalhos a onde se possão tirar as ditas datas e não vieyros que a cada passo falhão.

Por fim, Soares atacou a qualidade dos denunciantes, chamando-os de malévolos e amotinadores, e alegando que participavam do grupo todos os taverneiros, mascates e caixeiros do Tijuco. Entre esses, acusava o guarda-mor, havia quem não pedisse lavras para minerar, mas somente para vendê-las. Ele lembrou ainda que a maioria daquelas pessoas não tinha escravos suficientes para colocar nas lavras; juntando-se todos os seus escravos, não se chegava a suplantar a soma dos escravos de três ou quatro mineradores que haviam recebido datas.

Não ficou sem resposta a justificativa do guarda-mor Antônio Soares. O grupo do Tijuco replicou que, para ser novo, bastaria que o descoberto fosse numa serra onde nunca se tivesse lavrado antes, ou onde não se soubesse até então, especialmente nas vizinhanças, que existia ouro. Por acusar os descobridores de ocultação do descobrimento, os denunciantes foram castigados e excluídos da nova repartição que requeriam, de acordo com o Regimento mineral de 1702. Ao fazerem passar por lavras velhas aquele descoberto, e mancomunados naquele engano do povo e dos ministros da Coroa, os poderosos teriam conseguido um despacho do superintendente favorável à repartição exclusiva que pretendiam e subornado o guarda-mor escolhido para fazer a partilha. Com a formação de um grupo de pessoas poderosas, juntaram-se a eles alguns "prezados de valentoens que se achão publicamente que hão de defender a serra com bacamartes para que senão torne a repartir, [...] convidados todos, porque nenhum outro lá se achou que não fosse convidado", incluindo-se pessoas de lugares distantes da serra. Desse conluio, segundo os denunciantes do Tijuco, fez-se a partilha de mais de 500 datas a uns poucos mineradores, contrariando os artigos 5º, 7º e 20º do Regimento. Ademais, o guarda-mor Antônio Soares não seguiu, na repartição, "o estilo praticado de morros, que não deve ser por datas". Ao final, aquele povo ateve-se à imagem social de uns e outros, e revidou os ataques do guarda-mor à gente do comércio e aos pobres, respondendo

> que não mostrará qual seja o taverneiro, ou ratoneiro que he o mesmo, e talvez de si fale o poeta que tambem he ratoneiro, e já guardou caxassas na despensa do contrato para venderem e os assignados [da petição para nova repartição] são pessoas de fabricas numerosas

> muitas delas, outras de menos negros, e outros negociantes que é o que basta para poderem ter ação de requererem terras para minerar, e ainda que taverneiros fossem alguns, tinhão tanto jus, como qualquer poderoso nobre, pois sua magestade não os excluem ao mais pobre.

O conflito se arrastou, e não se resolveu a favor do povo. Conseguiu-se que as lavras fossem embargadas e vistoriadas por mineradores experientes que, socavando o local, avaliaram o descoberto como sendo novo e com pinta de ouro que prometia. Cerca de um ano depois, o povo recorreu ao governador da Capitania, acusando os poderosos de "delinqüentes" e denunciando que qualquer embargo das lavras ocorreria somente na aparência; na prática, a extração continuaria, e com maiores chances de extravio do ouro. Nessa denúncia, também se acusaram os louvados (homens práticos encarregados da avaliação) escolhidos para socavar as minas de terem sido subornados, como aconteceu com o guarda-mor, e ainda sugeriu-se a participação do superintendente (e ouvidor) do Serro Frio no conluio. Os requerimentos encaminhados à Superintendência não tiveram a solução sumária pretendida pelos requerentes: argumentou-se que o rei não tinha data em morros, e que o caso havia de ser posto em via judicial ordinária para se disputar. Em meio à disputa, e com a intimidação real para que ninguém alheio ao partido dos poderosos entrasse para o novo descoberto, os denunciantes não conseguiam encontrar letrados ou solicitadores que cuidassem da demanda, "por se acharem todos sobornados dos poderosos respeitos" (APM, Casa dos Contos, rolo 515, planilha 30311, [Representação: 1774]).

Esse conflito de pequenas dimensões assenta-se nas representações e práticas costumeiras que animaram as Minas desde os seus primórdios, e ainda repercute as questões dos primeiros tempos: quando e como se configura um descobrimento de mineral precioso? Quais são os protagonistas sociais da empresa mineradora? Qual é o jogo sociopolítico envolvido?

Os grupos – os *poderosos* e o *povo* (designações forjadas pelos denunciantes do Tijuco) – supunham que as minas resultavam de descobertos, e que nem todos estes eram verdadeiros e novos descobrimentos. Estavam de acordo em que um *descobrimento* se iniciava com as disposições do Regimento mineral de 1702, e os preceitos complementares da lei, mas discordavam quanto ao significado do descobrimento de minerais preciosos, e ao estilo praticado quando as *explorações*[1] envolviam os filões

[1] Sabe-se que o termo técnico para se referir à lavra de extração mineral é *explotação*, no entanto, na historiografia, não é usual esse substantivo, ou o verbo *explotar*. Por

auríferos do subsolo, nas encostas ou nos morros. Para os poderosos, entre estes os presumíveis descobridores, o Regimento mineral de 1702 não servia aos descobrimentos feitos em terras habitadas, e apropriados há anos (referidos como "lavras velhas"), ou aos veios auríferos de serras ou dos morros. Além disso, os poderosos, talvez manobrando o Aditamento ao Regimento mineral de 1702, promulgado em 1736 para atender os descobrimentos dos morros, alegaram que as lavras apresentavam lucros diminutos e não podiam sustentar muitos mineiros, devendo os requerentes ser enquadrados como meros perturbadores das concessões. O povo, por outro lado, considerava o descobrimento como sendo novo (desconhecido até então), e verdadeiro descobrimento, por suas pintas de rendimento, para se empregar os escravos e pagar os quintos régios. Dessa forma, não havia razão para abandonar o estilo praticado, que remontava ao Regimento mineral, de sortear terras a todos os lavradores, separando a data da Coroa.

Basicamente, esses dois partidos, manipulando as noções sobre um descobrimento nos termos de uso ou não do Regimento, discutiam a legitimidade da repartição das lavras de ouro. Mas é certo que, no fundo, os descobridores da serra da Boa Vista, seguindo o estilo corrente nas Minas desde o final do século XVII, achavam-se no direito de ter prioridade na repartição, escolhendo o guarda-mor entre a sua gente, e de subordinar qualquer entrante do descoberto aos laços de amizade e clientelismo que uniam as pessoas do partido que controlava o descobrimento. De fato, em todos os grandes descobertos das Minas, no século XVIII, para entrar naqueles lugares era necessária a anuência dos descobridores poderosos, senhores de grossa escravaria. Para os representantes da Coroa, em geral, isso era considerado justo, na medida em que deviam ser favorecidos os descobridores de minas, verdadeiros agentes de conquista. Isso vinha escudado na visão social, comum à época, de que uns poucos teriam crédito que permitisse a reputação de descobridores, ou de grandes conquistadores do Império.

Portanto, não foi sem razão que o partido dos poderosos, quando percebeu que a partilha de datas minerais entre os seus apaniguados carecia de amparo legal, insurgiu contra a condição social daqueles que

isso, manteve-se o termo *exploração* (e o verbo *explorar*), que os historiadores utilizam indistintamente para designar tanto o trabalho de pesquisa mineral quanto a atividade de extração.

reclamavam por ficarem excluídos da repartição. Questionou o crédito deles como mineradores, alegando que a maioria vivia do comércio varejista, em ofícios vis, e, na verdade, só pretendia negociar as datas minerais; e, sobretudo, que não tinham trabalhadores em número considerável por tratar-se de gente pobre, com pequenas posses de escravos ou sem recursos – os que possuíam tais trabalhadores em número considerável não os tinham desobrigados, por os trazerem alugados.

Inegavelmente, nesse conflito de representações, o uso que a gente do comércio do Tijuco fez das leis demonstra maior habilidade. De saída, esse partido teve em mente o Regimento mineral de 1702 para operar a situação de conflito que se configurou. O Regimento foi usado para conferir os limites e lugares sociais de cada um dos envolvidos. O partido dos comerciantes assumiu as clivagens representadas na retórica da lei e no Regimento: posicionou-se como povo, categoria que supostamente englobava vários grupos sociais e os pobres, sujeitos à proteção dos governantes comprometidos com o bem comum e público. Ao nomear os descobridores e senhores da serra de poderosos, o povo estabeleceu o campo político no qual a demanda acontecia: poderosos (com valentões), ricos e particulares em confronto com os pobres, o povo, e defensores do bem comum. Daí, o povo insistir tanto na aplicação imediata das leis regimentais, pois isso conferia legitimidade a sua causa. A ênfase nos artigos 5º, 7º, e 20º do Regimento mineral de 1702 foi feita nesse sentido. Eles dispunham que os *poderosos/ricos* e *pobres* fossem atendidos com eqüidade, sorteando-se os lugares das lavras de cada um, obrigando-se os mineiros à lavragem das datas repartidas, dividindo-se as datas de lavra de acordo com o número de pessoas interessadas, e determinando-se o tamanho da data de acordo com o número de escravos.[2] Mas, sobretudo, nesses artigos configuram-se os agentes e o campo político e simbólico do conflito nos descobrimentos de ouro e de pedras preciosas.

Com efeito, logo após os grandes descobrimentos das Minas de ouro, na década de 1700, e após a promulgação do Regimento mineral de 19 de abril de 1702, um campo de luta política logo se formaria. Numa posição

[2] Cf. [Comentário crítico de Andrée Mansuy] ANTONIL, 1968, p. 551-553, 556. Uma data inteira media 30 braças em quadra, e cada braça equivalia a 2,2 m. Às vezes era necessário, pelo número de mineiros interessados na repartição das lavras, fazer-se a medição por meio de palmos. De acordo com Eschwege, num escrito de 1833, um palmo equivalia a oito polegadas, e dez palmos perfaziam uma braça (ESCHWEGE, 1979, v. 1, p. 214-215).

semelhante à do povo do Tijuco, em carta de 1705 ao rei Pedro II, na qual ressoam queixas emboabas, os paulistas (os descobridores das Minas Gerais e do rio das Velhas) foram acusados de "delinqüentes", de não demonstrar temor a Deus nem respeito às leis, de não pagar os quintos, de oprimir os "pequenos" e de agir segundo sua própria autoridade, fazendo-se livres (*apud* [Comentário crítico de Andrée Mansuy] Antonil, 1968, p. 563). Com certeza os paulistas não viram muitos daqueles entrantes das Minas de ouro como pobres ou pequenos; no início daquele mesmo ano, significativamente, a Câmara de São Paulo referiu-se à necessidade de proibir a circulação de mercadores forasteiros (ou atravessadores), "vadios" e soldados desertores na vila, que, naquele tempo, era ponto de partida de entradas descobridoras e praça de comércio com as Minas (Taunay, 1931b, t. 5, p. 84-85. Cf. Blaj, 1995, p. 200-214).

Essas intricadas distinções e cruzamentos entre as categorias políticas e as sociais, referidas aos agentes que partilhariam (e disputariam) os descobrimentos, enraízam-se nos Regimentos que legitimaram as demarcações das Minas de ouro (originalmente, oscilou de Minas de Taubaté a Minas de São Paulo, ou, ainda, Minas de Cataguases). O primeiro destes – *Regimento que se há de guardar nas minas dos Cataguases, e em outras quaisquer do distrito destas capitanias de ouro de lavagem* – foi fruto do acordo entre Artur de Sá e Menezes e os paulistas principais e descobridores, sendo promulgado em três de março de 1700, na Vila de São Paulo (ANRJ, Códice 77, v. 7, f. 64-75v). Aliás, na segunda visita do governador da Repartição Sul a São Paulo, o Regimento mineral ficaria pronto para ser usado pelos guardas-mores paulistas (e taubateanos) nas lavragens de ouro que recomeçariam no final da estação das águas, na altura daquele mês de março (Informação sobre as minas... – *RIHGB*, t. 64, v. 103, 1901, p. 68-69).

Segundo o Regimento de 1700, as relações antagônicas entre lavradores de ouro, poderosos e pobres configuravam o campo político do descobrimento. A figura do descobridor não se definia por nenhum partido, sugerindo talvez uma suposta imparcialidade que o tornasse apto a servir no cargo de guarda-mor, o oficial de Justiça e da Fazenda na repartição das datas. O poder dos mineradores baseava-se na posição social de senhores, conferida pela riqueza e pela posse de escravos, cujas dimensões eram indeterminadas. Mas, segundo o anônimo da *Relação* do Códice Costa Matoso, o epíteto de poderoso era para quem tivesse "bastantes escravos, e naquele tempo [primeira década do século XVIII] quem tinha vinte ou trinta era respeitado entre os mais" (Relação do princípio descoberto destas Minas Gerais... – CCM, 1999, p. 197). Em termos regimentais, parece que os poderosos deviam possuir 12 escravos (número que dava direito a uma data inteira, ou seja, de 30 braças em quadra) ou mais, pois somente estes pleiteavam diversas datas minerais ao mesmo tempo (artigos 6° e 9°). Por outro lado, no Regimento mineral, há um significado de pobreza inequívoco ao referir-se a "alguns [mineiros] tão pobres que não levam negro nenhum para minerarem"; esses, quando "brancos", teriam direito a cinco braças de terra sorteada na repartição (artigo 25°).

Em 19 de abril de 1702, a Coroa portuguesa promulgou outro Código de Minas, o *Regimento do superintendente, guarda-mor e mais oficiais das Minas do ouro de São Paulo* (*Apud* [Comentário crítico de Andrée Mansuy] ANTONIL, 1968, p. 550-560. Cf. APM, Sc 02, f. 76v-82. CCM, 1999, p. 311-330). Esse vigorou com algumas alterações durante todo o século XVIII, e teve como modelo o Regimento de Artur de Sá e Menezes e dos paulistas. Ele manteve o mesmo campo de conflito jurídico-político expresso pelo Regimento de 1700 – antagonismo entre mineradores poderosos/ricos e pobres –, mas, na verdade, estreitou o campo social dos que legitimamente podiam participar dos descobrimentos de ouro. O Regimento mineral de 1702 excluiu os não-proprietários de escravos da partilha do descoberto (o artigo 25° do Regimento anterior desapareceu); ordenou a expulsão de "todas as pessoas que nellas não forem necessarias" (nesta categoria deviam estar incluídos os *vadios*, os padres regulares, os desertores e os estrangeiros) e de mercadores vindos da Bahia que não comerciassem gado (artigo 17°); e manteve a proibição do Regimento anterior de permanência de ourives nas Minas (artigo 21°). Portanto, nos termos do Regimento de 1702, a lavragem de datas minerais ficou reduzida ao segmento dos senhores de escravos. Disso se conclui que, com esse estreitamento real, as pessoas não pertencentes ao círculo dos senhores que quisessem compartilhar daqueles tesouros deviam submeter-se a algum partido de poderosos. De todo o modo, a rivalidade entre ricos/poderosos e pobres/pequenos resolvia-se sempre com a sujeição dos pobres ao governo dos poderosos, embora tais governantes não devessem nunca exorbitar do próprio poder.[3]

Tais relações ambivalentes entre os partidos convencionais – os poderosos e os pequenos – mobilizaram a percepção dos contemporâneos, ajustando a composição social complexa, embora correspondessem a

[3] Sobre a experiência da riqueza (ou do poder) e da pobreza entre os paulistas dos séculos XVII e XVIII, cf. MONTEIRO, 1994, p. 188-208; METCALF, 1992, p. 87-152. A respeito do dinamismo que as Minas conferiram à economia do planalto paulista, favorecendo o enriquecimento das famílias principais, cf. BLAJ, 1995, p. 233-246, 253-265.

outras oposições sociopolíticas formadoras de tensões, nos descobrimentos de ouro: sertanista-descobridor e entrante-lavrador de ouro, sesmeiro e posseiro, minerador e comerciante, paulista e reinol, negros da terra e negros de origem africana. De fato, todo o conflito nos descobrimentos de ouro e diamantes parecia resumir-se à questão política do poder, avaliada em termos "de homem por homem e poder por poder", ressalvando os direitos do soberano, como sugere a réplica do reinol (e emboaba) Manuel Nunes Viana ao bando de expulsão publicado pelo superintendente das Minas do rio das Velhas, Manuel de Borba Gato, em 1708 ([13 de outubro de 1708] *apud* MELLO, 1929, p. 229-231). Mas, além disso, tal incidente, adensado pelas tensões sociais, indica o rompimento do equilíbrio tradicional entre os partidos (ou entre facções de um partido), quando em lugar de se constituir uma aliança, aguçam-se os antagonismos. O confronto entre os descobridores paulistas e os denominados emboabas, entre 1706 e 1709, revelaria, pela primeira vez, que os antagonismos sociais transpunham o quadro legítimo de rivalidade (e de sujeição) nas Minas, sem deixar, ao mesmo tempo, de inscrever-se nele.[4]

No Regimento mineral de 1700, como se viu, não estavam alijados da repartição do descoberto os entrantes considerados brancos, mesmo quando muito pobres. Esse Regimento é interessante porque revelou os anseios dos descobridores paulistas naquela época dos primeiros descobrimentos, e mostrou o estilo praticado na repartição das lavras de ouro de aluvião, o qual se manteve, adaptando-se, mesmo com as alterações de 1702 patrocinadas pela Coroa. Assim, fica nítido que os paulistas, escudados na proteção do governador Artur de Sá e Menezes e no reconhecimento régio, estavam bem à vontade para não preterir nenhum homem livre (do planalto de Piratininga ou forasteiro) de seus descobrimentos. Parece que eles não tinham motivos de preocupação nos primeiros anos do fato das Minas: sertanistas (e seus associados) proeminentes de Piratininga foram premiados com patentes militares, cargos de oficiais da Coroa e terras nas Minas do ouro, enquanto se mantinham as promessas de títulos honoríficos para quem fizesse descobrimentos de metais e pedras preciosas de rendimento para a Fazenda Real. As Minas do ouro de aluvião eram representadas como pertencendo aos sertanistas-descobridores paulistas e taubateanos. Os forasteiros ficavam obrigados a passar por essa verdadeira

[4] Para a crítica da historiografia convencional sobre a *Guerra dos emboabas*, ver BOXER, 1969, p. 83-105; RAMOS, 1972, p. 82-128. O tema foi revisto por ROMEIRO, 1996, p. 220-266; RUSSEL-WOOD, 1999, p. 110-118.

rede de contenção dos que armavam as bandeiras que partiam do planalto paulista rumo ao sertão das Minas. As armações, bem como o posto de cabo maior da tropa, ficavam a cargo dos poderosos, com riqueza e poder suficientes para sustentar as munições de guerra e de boca, e reunir o número de "negros" (da terra e de origem africana) necessários às entradas. Com isso, ser originário de São Paulo ou da região circunvizinha da vila (serra acima), ser *paulista*, passou a recobrir a função de poderoso e de sertanista-descobridor de minerais preciosos. Em 30 de maio de 1698, Artur de Sá e Menezes, costurando a negociação entre os vassalos do planalto paulista e a Coroa, enviou ao rei uma lista das "pessoas [que] são as principais daquelas Vilas, e os mais aparentados, e poderosos, e como para o fim dos descobrimentos, e tudo o mais pertencente ao serviço de Vossa Majestade e precisamente me hei de valer deles" (Provisões, cartas régias [...] 1688-1700 – *RIHGSP*, v. 18, 1914, p. 351-352). A homologia entre as três acepções – paulista, poderoso, descobridor – também surgiu no relato do sertanista Bento Fernandes Furtado. Todavia, ele lembrou que houve descobrimentos, como o do padre João de Faria Fialho (nos limites da futura Vila Rica), onde as "tropas taubateanas" não partilharam as datas com os moradores de São Paulo, por serem esses de

> vila maior e composta de homens ricaços e de elevados pundonores e aqueles [taubateanos] de vila mais pequena e menos poderosos, dotados porém de alentados e superabundantes brios, razão por que, não querendo utilizar-se dos descobrimentos dos paulistas, se arrojaram com todo o empenho a fazer este, e não gostarem de que aqueles lograssem dos seus. (Notícias dos primeiros descobridores... – CCM, p. 173)

Mas essa clivagem primitiva no seio dos descobridores desapareceu no início do século XVIII, amainada pelos laços sociais (e de parentesco) e políticos entre os moradores principais das vilas do planalto, e por se configurar um conflito político bem mais significativo com outros agentes sociais do partido emboaba. Em 1752, o padre Manuel da Fonseca asseverou que as tropas paulistas, quando partiram da vila de São Paulo a fim de restaurar o seu predomínio nas Minas, abalado pelo poder dos forasteiros, permaneceram em Taubaté "largo tempo, esperando que se unisse a gente [de outras partes da Comarca], que pouco a pouco ia concorrendo" (Levantamento em Minas Gerais no ano de 1708 – *RIHGB*, v. 3, 1841, p. 268).

Ao longo da década de 1700, devido à contínua entrada de pessoas nas Minas, aumentou a competição pelas fontes de riqueza e de poder.

Com isso, certamente, os paulistas ficaram mais seletivos a respeito dos pobres (como lavradores de ouro, roceiros ou comerciantes ambulantes) nos descobertos, que prometeram mais lucro do que se pensou no princípio. Os sertanistas-descobridores do planalto começaram a dar sinais inequívocos do seu desagrado, pois a defesa de seus direitos adquiridos na conquista e descobrimento do sertão dos Cataguases revelou-se mais excludente em relação aos milhares de entrantes das Minas. Situa-se nesse contexto a reclamação da Câmara de São Paulo endereçada ao rei em abril de 1700, comumente citada pela historiografia. Segundo os oficiais da Câmara, havia notícias de que os moradores do Rio de Janeiro "pedem ou querem pedir datas" nos campos e matos das Minas dos Cataguases, o que se não devia conceder, mas somente aos paulistas, pois "foram conquistadores e descobridores das ditas minas a custa de suas vidas e gasto de sua fazenda sem dispêndio da fazenda real" (Provisões, cartas régias [...] 1688-1700 – *RIHGSP*, v. 18, 1914, p. 431-432. Cf. Taunay, 1948, t. 9, p. 473-474). No entanto, seria exagero considerar tal queixa simplesmente como um anúncio do futuro choque com os emboabas, ou um estrito exclusivismo paulista nas Minas, sendo bastante provável que ela tivesse raízes na prevenção dos senhores do planalto em relação aos fazendeiros (criadores de gado e senhores de engenho) e negociantes da praça do Rio de Janeiro que pretendessem terras nos campos gerais das Minas ou no percurso do caminho novo, a cujo *descobrimento* (isto é, fabricação) Garcia Rodrigues Pais dera início, promovendo a ligação entre a cidade e os campos.[5]

Evidentemente, entre 1697 e 1708, anos de virtual domínio dos grandes senhores do planalto, os paulistas não quiseram impedir o comércio das praças litorâneas com as Minas, ou a entrada dos mais pobres (e dos não proprietários de escravos). Contudo, eles procuravam subordinar o

[5] O rei decidiu a questão em 1702; ordenou ao governador do Rio de Janeiro, Artur de Sá e Menezes, "que para se povoarem e cultivarem estes campos, os deis de sesmarias, repartindoos por todos com igualdade", desde que tais datas não fossem junto às Minas, ou entre elas, devido à necessidade de formação de áreas baldias (DOCUMENTOS relativos [...] 1701-1705 – *DIHCSP*, v. 51, 1930, p. 70-71). É significativo dos interesses paulistas que, na negociação que se seguiu ao conflito com os emboabas (após 1709), a Câmara de São Paulo requeresse, entre outros privilégios, o trancamento do caminho novo (TAUNAY, 1948, t. 9, p. 607-608, 622-623). Aproveitando-se da situação, os paulistas também não desistiram de requerer a preferência nas concessões de sesmarias, alegando que as terras foram usurpadas pelos forasteiros ([26 de abril de 1712] DOCUMENTOS relativos à criação... – *DIHCSP*, v. 47, 1929, p. 80-82).

intercâmbio comercial e a participação dos entrantes aos seus próprios interesses comerciais e da mineração. No Regimento mineral de 1700, permitiu-se que da Bahia mandassem gado e escravos, desde que manifestassem ao guarda-mor das Minas a quantidade que traziam, obrigando-se a pagar o quinto do ouro procedido da venda ao mesmo guarda-mor ou, com fiança, nas oficinas de Taubaté ou de São Paulo. Nos seus negócios, os mercadores ou comboieiros não podiam retornar ao sertão da Bahia com ouro em pó, devendo trocá-lo por dinheiro, que também era obtido nas oficinas régias. Caso alguns comerciantes vindos da Bahia quisessem trazer fazendas para vender nas Minas, eles deviam navegar através da barra do Rio de Janeiro, passando por Taubaté ou por São Paulo. É claro que todas essas disposições eram feitas em nome da Fazenda Real, pretendendo conter os descaminhos dos quintos régios, mas, na prática, serviam mais para trazer à órbita do planalto o fluxo lucrativo do ouro.

Com efeito, a estratégia paulista nas Minas levava os forasteiros lusos e luso-brasileiros a uma inserção subordinada nos negócios dos chefes familiares do planalto – como pobres ou pequenos –, embora ainda bastante proveitosa para os forasteiros. Uma forma de aliança ocorria por conta da participação dos forasteiros nas bandeiras dos cabos paulistas, procurando partilhar dos lucros da empresa descobridora, ou contando com a necessária acomodação nos seus arraiais das lavras do ouro.[6] Aconteceu assim com um homem que relatou ao ouvidor de Vila Rica como foi o descobrimento das Minas Gerais; ele disse que sabia por ouvir "conversar o paulista com quem assistia" e por "andar em [sua] companhia".[7] Comumente, os

[6] Arraial, no contexto dos descobrimentos minerais, tinha um caráter móvel, e significava o pouso da expedição descobridora com funções militar e política. Armava-se usualmente nas veredas de origem indígena, em pontos propícios ao cultivo de roças, à caça, à pesca e à coleta de víveres, e ainda nos trechos mais acessíveis às lavras. Na situação instável dos descobertos, o arraial compunha-se de ranchos (construções toscas: "de capim e beira no chão") e roças, mas não havia capelas, muito embora, às vezes, houvesse referência a elas. Na verdade, a capela podia ser o rancho no qual se guardava o altar portátil. Os ofícios litúrgicos, de responsabilidade do capelão, aconteciam junto dos altares portáteis. Cf. [Dou parte do que vi e sei] – CCM, 1999, p. 210-216; [Notícias do que ouvi sobre o princípio destas Minas] – CCM, 1999, p. 216-219; APM, Sc 20, f. 152-153, [Petição de Manuel Grade e Abreu ao rei].

[7] [Notícias do que ouvi sobre o princípio destas Minas] – CCM, 1999, p. 217-218. [Relação do princípio descoberto destas Minas Gerais...] – CCM, 1999, p. 196. Principalmente os entrantes e os mercadores originários do Rio de Janeiro devem ter se acostumado a manter estreitas relações com os principais de São Paulo. Talvez isso tenha facilitado a

viandantes das praças litorâneas que levavam carregações para vender, ou os oficiais mecânicos emigrados do Reino que ofereciam seus serviços nas Minas aproveitavam para conseguir lavras nos descobertos dos paulistas.[8] Em 1708, ressentido com a revolta do partido emboaba de Manuel Nunes Viana, Borba Gato desabafou: não tinha "Bahience por mais poderoso que fosse" que não buscasse o amparo nos paulistas, fugindo aos confiscos dos oficiais régios, e também não havia pobre entrante nas Minas "que para poder estar com socego se não fose valer do Arrayal de algu Paulista" (*apud* Mello, 1929, p. 235-236). Tal como Borba Gato, o sertanista Bento Fernandes, décadas depois, imaginou que os forasteiros eram tratados como "filhos" pelos paulistas; Fernandes dá como exemplo de senhor justo, liberal e piedoso do planalto o descobridor do inficionado (Termo de Mariana) Salvador de Faria Albernaz, "que na sua companhia, com grande despesa da sua fazenda, sustentava a muitos reinóis que, desamparados, pereciam entregues à miséria e necessidades daquele tempo, tratando, curando deles com o maior desvelo em mais bem ordenada caridade em suas enfermidades" (Notícias dos primeiros descobridores... – CCM, *op. cit.*, p. 177).

Mas havia ainda outra ocasião na qual se configurava uma sólida aliança entre os mercadores forasteiros de maior qualidade e os descobridores paulistas das Minas, no final do século XVII e inícios do XVIII. Acontecia quando os lusos e lusos-brasileiros de outras *pátrias*, através de uniões conjugais com mulheres do planalto, tornavam-se parentes dos chefes familiares.[9] Tais uniões, com o costume dos senhores paulistas de favorecer as filhas noivas concedendo-lhes parte substancial do patrimônio familiar

aliança proposta pelo governador dom Fernando Martins Mascarenhas de Lencastre, em 1709, entre os paulistas e os cariocas nas Minas do rio das Mortes abaladas pela revolta emboaba ([Relação do princípio descoberto destas Minas Gerais... – *ibidem*, p. 199). Um contemporâneo observou, sobre a viagem do governador do Rio de Janeiro às Minas, que talvez se "despovoasse meio Rio" porque muitos iam acompanhá-lo na expectativa de fazer bons negócios e cobrar dívidas ([23 de janeiro de 1709] *apud* MELLO, 1929, p. 258).

[8] [Notícias do descobrimento das minas de ouro e dos governos políticos nelas havidos] – CCM, 1999, p. 245-246. Um desses portugueses com ofício que estreitaram relações com os paulistas foi o cirurgião, e mineiro, natural da vila de São Pedro de Rates, Luís Gomes Ferreira, que escreveu o livro *Erário Mineral dividido em doze tratados.* Cf. FERREIRA, 1735, p. 345, 373.

[9] Ademais, as relações de amizade ou de aliança entre os paulistas e os forasteiros, nas Minas, eram consolidadas pelos laços de compadrio. Antes da oposição aberta aos

(escravos, enxovais, bens, terra, gado), por meio de dotes e legados em testamentos[10], granjeavam para os genros o crédito ou o poder necessários à participação no jogo de conluios e de privilégios dos descobrimentos paulistas.[11] Por outro lado, aliar-se a comerciantes enriquecidos interessava muito aos principais paulistas, na medida em que abriam o caminho para as relações políticas e comerciais com os negociantes ou monopolistas das praças litorâneas.[12] Frei Gaspar da Madre de Deus descreveu esse processo no final do século XVIII, quando nota sobre os paulistas que "desprezavam eles noutro tempo a mercancia; mas depois de se dar execução às Leis que proíbem o cativeiro e administração dos índios, a muitos dos principais obrigou a necessidade a casarem suas filhas com homens ricos, que as sustentassem" (Madre de Deus, 1975, p. 84). Com efeito, no final do século XVII e na primeira metade do XVIII, houve várias uniões de filhas de paulistas poderosos, ligados à *agromineração*, com reinóis (Leme, 1903, *passim)*. Descobridores de grande reputação, como Manuel de Borba Gato e Salvador Fernandes Furtado, tiveram filhas casadas com naturais de Portugal. O mesmo Borba Gato, que desafiou o chefe emboaba Viana em Caeté, chegou a casar suas três filhas com reinóis. Esses ficaram ricos, aproveitando-se das lavras de ouro

paulistas (1708), os emboabas batizavam seus filhos chamando paulistas poderosos para padrinhos (RAMOS, 1972, p. 128, 242-252).

[10] Tais legados compunham a terça parte das posses que cabiam ao testador, podendo este dispô-la livremente no testamento.

[11] Sobre o papel dos filhos, genros e filhas dotadas nas famílias dos paulistas poderosos nesta época, ver METCALF, 1986, p. 455-484 e p. 113- 117; NAZZARI, 1988/1989, p. 87-100; *idem*, 1990, p. 639-665; *idem*, 2001, p. 45-148 *passim*; MONTEIRO, 1994, p. 195-202. Nas Minas Gerais, Ida LEWKOWICZ (1993, p. 22-26) também assinalou a prática familiar de qualificação das mulheres para o casamento, através do dote e da preservação da honra. Cf. RAMOS, 1975, p. 214-215. Ao mesmo tempo, LEWKOWICZ (1992, p. 223-326) insistiu no "extremo igualitarismo na repartição dos bens" familiares entre as filhas e os filhos, na Capitania de Minas. No entanto, pode-se ver nesta interpretação certo exagero, pois a própria historiadora mostra situações de desigualdade e dá exemplos de pais que tenderam a favorecer alguns dos herdeiros, notadamente as filhas legítimas.

[12] No século XVIII, 30% dos testadores casados na vila de Santana de Parnaíba que possuíam mais de 10 escravos eram naturais do Reino (METCALF, 1986, p. 475). Muriel NAZZARI (1988/1989, p. 661) verifica que, em São Paulo do século XVIII, novas oportunidades para a acumulação de capital comercial fortaleceram a posição dos mercadores como futuros noivos, mudando o quadro dos pretendentes às filhas dos senhores paulistas, e levando a um padrão familiar em que os maridos ricos contribuíram mais do que as suas esposas para a propriedade do casal. Cf. MONTEIRO, 1994, p. 221.

e do arraial do sogro nas Minas. Sob a proteção do sogro superintendente, os genros de Borba Gato e seus familiares paulistas comerciavam gado e gêneros entre as Minas do rio das Velhas e o sertão da Bahia (Notícias dos primeiros descobridores... – CCM, 1999, p. 191. Franco, 1989, p. 411. [6 de março de 1701] *apud* [Comentário crítico de Andrée Mansuy] Antonil, 1968, p. 584). Na época, para os reinóis, foi mesmo digno de nota encontrar um chefe de família morador do planalto paulista que se conservou no partido revoltoso, "porque os mais, dos casados como este, eram de serra acima, e pela enxertia degeneravam de serem emboabas" (História do distrito do rio das Mortes... – CCM, 1999, p. 283).

O poder e o prestígio alcançados pelos descobridores não impediu que os privilégios paulistas nas Minas de ouro fossem disputados, e gradualmente solapados. Em 7 de fevereiro de 1701, a Coroa proibiu o comércio de qualquer gênero ou de negros dos sertões da Bahia e de Pernambuco com as Minas de ouro de São Paulo (Minas Gerais, rio das Velhas e rio das Mortes). Essa medida não teve nenhum efeito. Os próprios governadores do Rio de Janeiro, entre 1701 e 1702, defendendo os interesses políticos e comerciais das Capitanias do Sul tentavam segui-la, embora ressalvassem a negociação de gado pelo caminho dos currais da Bahia para atender o abastecimento das Minas (Documentos relativos [...] 1701-1705 – *DIHCSP*, v. 51, 1930, p. 109-110, 134-135, 142-145, 348-357). Em 1702, no Regimento mineral então promulgado, a Coroa manteve a restrição ao comércio de gêneros e de escravos pelo caminho da Bahia, liberando somente o de gado.

Tal medida, a princípio, veio ao encontro da primazia das Capitanias do Sul no negócio das Minas, mas acabou se revelando desastrosa para os paulistas, e até para os pequenos comerciantes da praça do Rio de Janeiro.[13] O foco da lei de proibição do comércio de gêneros e escravos pelos sertões da Bahia devia ser, como de costume, evitar o contrabando, e atender a açucarocracia do litoral nordestino (e também do Rio de Janeiro), preocupada com a saída vertiginosa de escravos para os descobertos de ouro. No entanto, esses objetivos específicos, embora concorressem com os interesses políticos e econômicos proporcionados pela extração aurífera, não podiam suplantá-los. Na realidade, a Coroa tentava conjugar os

[13] Embora qualquer diferenciação entre agentes comerciais da época colonial se mostre complexa, neste estudo, o termo *negociante* aplica-se ao "homem de negócios", que era absorvido pelo comércio atacadista e pela atividade financista, e cuja riqueza e qualidade social eram superiores às do *mercador*, intermediário no trato e afeito ao comércio retalhista regional ou local. Cf. RUSSEL-WOOD, 1981, p. 96; BOXER, 1969, p. 132.

diversos interesses regionais da Colônia sob uma política mais ampla do Estado imperial português.

Tudo indica que a Coroa tentou conciliar as necessidades escravistas dos plantadores com a crescente importação de africanos por parte dos mineradores paulistas e dos negociantes interessados nas Minas. Por isso, junto com a proibição do tráfico de escravos pelos sertões da Bahia em 1701, regulou o número de negros a serem vendidos para as Minas, a partir do porto do Rio de Janeiro: o alvará régio de 20 de janeiro de 1701 estabeleceu o limite anual de 200 negros trazidos de Angola, ou daqueles que houvesse no Rio de Janeiro e seu recôncavo, para "os Paulistas e Minas".[14]

Em princípio, supondo-se a lógica governamental, essa lei nem chegaria a afetar os maiores interesses dos paulistas poderosos, que vinham demonstrando apego e dependência em relação aos negros da terra, empregando-os, preferencialmente, nas bandeiras, plantações e lavras de ouro. De outro lado, a lei restritiva de acesso à mão-de-obra escrava poderia ser entendida como uma medida adicional, favorável aos proprietários, para controlar (e coibir) a participação dos pobres ou dos vadios nos tesouros minerais, já que a posse de escravos determinava a dimensão da fábrica mineral no Regimento de 1700 e, a partir do Regimento de 1702, significava a diferença entre ser mineiro ou mero faiscador.

Naquela altura dos acontecimentos, os administradores acreditavam que os rendimentos elevados das lavras de aluvião eram passageiros, e que a produção aurífera não manteria aquele ritmo pretendido pelo otimismo conveniente de alguns, como o governador Artur de Sá e Menezes. A cota dos escravos devia transparecer como a conservação do privilégio da exclusividade paulista (sendo senhores de negros da terra e virtuais compradores dos africanos), que permitia a extração lucrativa do ouro, atendendo tanto aos propósitos dos descobridores quanto à vigilância do fisco.

Assim, não se deve considerar a lei de restrição de importação dos escravos para as Minas sob um único prisma, o mais explícito – o de defesa

[14] [11 de maio de 1703] ABN, v. 39, 1917, p. 285. Ilana BLAJ (1995, p. 201) observa que a cota anual de 200 negros para São Paulo teve a função de reservar para os paulistas um número de escravos cujos preços não fossem sujeitos à ação dos especuladores e atravessadores, embora ocorresse o oposto dessa proteção. De fato, os termos do alvará régio, citado pela historiadora, indicam isso: "Hey por bem que todos os negros que de Angolla forem a Capitania do Rio de Janeiro, se tirem nella cada anno duzentos negros para os Paulistas, os quais se lhes haõ de vender pelo mesmo preço, por que venderem os da terra, fazendosse a venda por corretor que os officiaes da Camara nomeassem com livro de Registo e arecadação".

dos interesses políticos e econômicos da açucarocracia –, mas nuançar o seu significado e a perspectiva régia. A Coroa ateve-se ao contexto colonial e considerou o jogo político dos agentes das Minas.

No entanto, na prática, configurou-se uma situação injusta para os paulistas poderosos, como asseverou ao rei o governador do Rio de Janeiro, Álvaro da Silveira de Albuquerque, em 1703, porque "sendo-lhes necessarios negros, e tendo com que os pagar lhe impeção o compral-os, e que quando isto continue não farão novos descobrimentos, pois os não hão de poder lavrar". Os paulistas queixaram-se, sobretudo, dos mercadores forasteiros, e por dois motivos: primeiro, porque estes, atravessando o comércio de negros no porto do Rio de Janeiro, vinham depois às vilas de serra acima vender os escravos a preços considerados exorbitantes aos moradores; segundo, porque os forasteiros concorriam com os comerciantes ou comboieiros de São Paulo, impedindo os seus ganhos no comércio de gêneros ou de negros, e sempre esgotando o limite dos 200 escravos determinados pelo alvará régio.[15]

Ao mesmo tempo, os negociantes de grosso trato das praças litorâneas (Rio de Janeiro, Salvador e Recife), comprometidos com o tráfico atlântico de escravos e protegidos pelas autoridades proeminentes da Coroa, continuavam auferindo grandes lucros, enviando ilicitamente negros para as Minas, ou especulando com os preços dos escravos e dos gêneros. Entre 1695 e 1700, o preço de um escravo adulto, que era 45.000 réis em São Paulo, saltou para 180.000 réis e, em 1710, chegou a 250.000 réis. No mesmo período, em Salvador – destino tradicional do tráfico negreiro, que florescia à sombra do contrabando no caminho da Bahia para as Minas –, os escravos vendidos por 60.000 réis, em 1692, passaram a ser negociados por 75.000 réis em 1700, e, na primeira década do século XVIII, custaram entre 95.000 (1708) e 70.000 réis (1710).[16]

[15] As atas da Câmara de São Paulo, entre 1700 e 1705, registram as queixas (TAUNAY, 1931, t. 5, p. 84; BLAJ, 1995, p. 202).

[16] MONTEIRO, 1994, p. 221. Ainda, em Salvador, nas décadas de 1720 e 1730, os escravos eram vendidos por quase 3,3 vezes mais do que o valor negociado na década de 1690 (ALDEN, 1990, p. 342-343, Tabela 11.2). Em 1706, Dom Rodrigo da Costa, após deixar o cargo de governador-geral do Brasil, tratando dos escravos, observou que "não hé possível os queirão [os envolvidos no tráfico] vender aos lavradores [de cana, tabaco, mandioca] a fim de os rezervarem para o trabalho das minas, maiormente tendo certo por elles 2 ou 3 partes mais do preço a que podem chegar os lavradores de todas aquellas capitanias" (CARTA do governador... – ABN, v. 39, 1917, p. 302-304). Na famosa lista copiada por Antonil, um "negro bem feito, valente, e ladino" podia custar, em 1703, 360 mil réis (300 oitavas), se a oitava do ouro não quintado valesse 1.200 réis, mas é

Estabelecendo contatos em São Paulo e nas Minas, esses negociantes, reinóis ou forasteiros (não aparentados aos paulistas), construíam uma ampla rede comercial cujos pontos principais de ligação eram agentes lusos, ou luso-brasileiros das praças marítimas.[17] O mais provável é que, enquanto os paulistas se batiam pelos seus privilégios como descobridores – entre eles a reserva de 200 escravos, ou o uso de índios das aldeias reais –, eles deixavam aos forasteiros mais espaço para tirar proveito do comércio ilegal de africanos. No final das contas, tal ilegalidade caracterizava toda entrada de negros nas Minas de São Paulo que excedesse as parcíssimas 200 peças estimadas em lei, entre 1701 e 1709. As restrições da lei ao comércio de escravos e gêneros só contribuíram para elevar ainda mais os preços das mercadorias, estimulando comerciantes e proprietários de escravos do litoral a fazer carregações para São Paulo e Minas.[18]

De qualquer modo, para adquirir os escravos negros no contexto da exploração das Minas, os paulistas foram obrigados a recorrer aos negociantes de grosso trato do litoral, e à rede de tratos negreiros dos dois lados do oceano.[19] O tráfico atlântico de escravos era um lucrativo monopólio sustentado por grupos associados de negociantes metropolitanos, fluminenses,

certo que o valor da oitava oscilou muito; nas Minas dos primeiros anos, reputava-se a oitava até por 800 réis (então, o tal escravo da lista podia ser negociado por 240 mil réis) (ANTONIL, 1968, p. 386; TAUNAY, 1946/1948, t. 9, p. 286).

[17] Estudando as pessoas envolvidas no comércio fixo e volante nas Minas Gerais da primeira metade do século XVIII, Júnia FURTADO (1999, p. 267-268) conclui, a respeito dos condutores, comboieiros e comerciantes de escravos e gado: "eram, em sua maioria, portugueses, brancos, de poucas posses, e cinco (50%) possuíam escravos. Os plantéis verificados entre os comboieiros eram bem maiores do que entre outros comerciantes volantes, variando entre catorze e dezessete, pois comerciar negros era o seu viver". Um exemplo de negociante de grosso trato reinol, cujo âmbito comercial atlântico, constituído pelas relações clientelistas e de parentesco, cobria as Minas Gerais foi Francisco Pinheiro. (*ibidem*, p. 232-233, 246, 252-254). Eram homens como este que, na realidade, juntavam o grande comércio atacadista, o negócio negreiro, as atividades varejistas, o fornecimento de crédito, afretamento ou fabricação de embarcações, arrendamento de impostos (MELLO, 1997, p. 157, Além disso, nas Minas, investiram em lavras minerais e em roças.

[18] Cópia do papel que o Sr Dom João de Lencastre fez sobre a arrecadação dos quintos do ouro das Minas que se descobriram neste Brasil, na era de 1701 (*apud* [Comentário crítico de Andrée Mansuy] ANTONIL, 1968, p. 586-590; [19 de junho de 1706] CARTA do governador... - ABN, v. 39, 1917, p. 302-304).

[19] Para uma análise da inflexão na natureza e no significado do tráfico de escravos entre a América portuguesa e a África central - "processo de brasilianização" —, ocorrida no século XVII, ver ALENCASTRO, 2000.

baianos, pernambucanos, e de agentes comerciais na África, fechando aos paulistas qualquer inserção mais direta no negócio negreiro, que, aliás, mantinha-se distante dos gêneros tropicais que vicejavam no planalto.[20] Além da pura e simples atividade ilícita, como o envio de comboios de negros pelos sertões da Bahia (proibido a partir de 1701),[21] ou da corrupção de funcionários do Estado, os traficantes e os mercadores forasteiros buscaram formas que burlavam a reserva de escravos dos paulistas no Rio de Janeiro, sem, contudo, opor-se a ela abertamente. Assim, ao "executar-se com menos aperto" a lei, fundando-se na interpretação estrita de que ela somente dizia respeito aos escravos oriundos do tráfico direto entre Angola e a Capitania do Rio de Janeiro, houve a transferência de navios negreiros de outras rotas do comércio atlântico, e o reenvio de africanos de outras praças do litoral brasileiro. Além disso, os negociantes das praças comerciais, apoiando-se nos governadores, costumavam mandar escravos para São Paulo e as Minas sob a roupagem de carregações de gêneros.[22]

[20] Na segunda metade do século XVII, os paulistas reagem procurando apropriar-se de terras em regiões econômicas (da cana e da pecuária) cobertas pela rede do trato negreiro e do comércio atlântico, ou, com o descobrimento das Minas, inserindo-se diretamente nas linhas de contrabando negreiro (*ibidem*, p. 241-242, 337; BOXER, 1969, p. 68). No entanto, não seria admissível conjugar a autonomia política tradicional de São Paulo com os imperativos comerciais. Segundo John MONTEIRO (1994, p. 265), em 1700, "os traficantes demonstraram certo entusiasmo com a perspectiva de suprir o mercado mineiro através de São Paulo, sobretudo quando a Câmara Municipal da vila solicitou ao Conselho Ultramarino permissão para manter comércio direto entre Santos e Angola. Contudo, os capitães das embarcações mostraram-se contra semelhante empreendimento, alegando a falta de mercadorias a serem embarcadas em Santos". Ademais, certamente o comércio negreiro paulista contrariava os interesses dos negociantes das praças mercantis da Bahia e do Rio de Janeiro; assim, em 1703, o governador-geral lembrou ao governador do Rio de Janeiro que se devia impedir qualquer negócio negreiro a partir de Santos, alegando os descaminhos de ouro em pó e a lei régia de fornecimento de 200 escravos aos paulistas (CORRESPONDÊNCIA dos governadores-gerais 1675-1709 — *DHBNRJ*, v. 11, 1929, p. 307-310).

[21] Embora proibido, o caminho do sertão da Bahia foi sempre freqüentado por comboios de escravos no século XVIII. Apenas para exemplificar com um caso destes primeiros tempos, soube-se que, em 1703, três homens foram para as Minas, através do sertão da Bahia, "com comboyos consideraveis de negros, far.as secas, e outros generos comestiveis" (13 de março de 1703] DOCUMENTOS relativos [...] 1701-1705 — *DIHCSP*, v. 51, 1930, p. 157-159).

[22] Conforme as cartas de governadores do Rio de Janeiro que estavam, aliás, muito preocupados em rever a lei ([9 de dezembro de 1701] DOCUMENTOS relativos [...] 1701-1705 — *DIHCSP*, v. 51, 1930, p. 51-52; [10 de março de 1703] DOCUMENTOS

Em um contexto tão favorável à apropriação *invisível* de lucros comerciais ilícitos nos flancos das Minas – principalmente, Bahia e Rio de Janeiro –, não é de espantar que dois dos chefes principais do partido emboaba fossem os reinóis Manuel Nunes Viana e Pascoal da Silva Guimarães, com estreitas ligações naquelas praças. Inicialmente, o primeiro atuou no comércio (e contrabando) de gado dos currais da Bahia, e o segundo foi caixeiro de negociantes do Rio de Janeiro.[23] Eram homens pobres quando aportaram nas Minas de ouro, mas, em poucos anos, acumularam poder e riqueza (escravos e terras) suficientes para competir com os paulistas ciosos de privilégios na mineração e no comércio regional.[24] Escrevendo em 1752, o Padre Manuel da Fonseca explica a mudança da imagem e da condição social dos senhores forasteiros, nos descobrimentos governados pelos paulistas: quando viram que "se tinham por grandes e de respeito os que tinham quem os fizesse respeitados, começaram d'alli por diante a entrar armados [ele e seu séquito de escravos], e a fazer-se poderosos, adquirindo com os cabedaes o respeito, de que tanto necessitavam" (Levantamento em Minas Gerais... – *RIHGB*, v. 3, 1841, p. 263).

Enquanto isso, os paulistas estavam, de certa forma, reféns do Regimento mineral que tinham ajudado a elaborar, e da lei restritiva de entrada de africanos. Eles não conseguiam participar ativamente do negócio negreiro, especialmente o da rota da Bahia. Sem conseguir competir com os reinóis, que monopolizavam o comércio de africanos e especulavam com os preços, os descobridores e mineradores paulistas perceberam rapidamente o efeito da falta de trabalhadores escravos. O superintendente das Minas do rio das Velhas, Manuel de Borba Gato, em 1705, queixou-se ao governador-geral da falta de braços nas Minas para "obrar o que Sua Majestade lhe tem encarregado". Atribuiu essa situação à fuga de índios e de

relativos [...] 1701-1705 – *DIHCSP*, v. 51, 1930, p. 154-157; [11 de maio de 1703] ABN, v. 39, 1917, p. 285; [2 de agosto de 1703] DOCUMENTOS relativos [...] 1701-1705 – *DIHCSP*, v. 51, 1930, p. 194-195.

[23] RAMOS, 1975, p. 87. BOXER, 1969, p. 87. [Notícia de Manuel Nunes Viana] CCM, 1999, p. 294-295. Diogo de VASCONCELOS (1999, p. 200-202) conta que Pascoal da Silva Guimarães envolveu-se, antes da revolta emboaba (antes de 1708), em conflitos com os paulistas (os irmãos Camargo) pela posse de uma lavra nas encostas da serra de Ouro Preto. Mas, como o autor não fornece a fonte de onde recolheu o caso, pode-se duvidar da consistência da informação (TAUNAY, 1946/1948, t. 9, p. 480, 571, 616; FRANCO, 1989, p. 195-196, 433-437).

[24] Sabe-se que Pascoal da Silva Guimarães, morador em Vila Rica, possuía 300 escravos em 1711 (CARTAS de sesmaria – *RAPM*, v. 2, 1897, p. 268).

negros para o sertão do rio São Francisco, e à inexistência de aldeamentos nos descobertos. Por isso, ele pediu ao governador-geral licença para trazer da Bahia "os escravos de que necessita". A resposta de Dom Rodrigo da Costa foi evasiva: alegou que o comércio negreiro pelo sertão da Bahia era proibido pelo rei, mas, ao mesmo tempo, aconselhou o superintendente a buscar africanos no Rio de Janeiro. Ora, sabia-se que nesta praça vigorava, também por ordem régia, o regime de restrição de importação de escravos para as Minas de São Paulo ([17 de março de 1705] Correspondência dos governadores-gerais 1705-1711 – *DHBNRJ*, v. 41, 1938, p. 16-17). Outro paulista poderoso, Garcia Rodrigues Pais, também alegou não possuir trabalhadores suficientes para os descobrimentos e outros serviços. Ainda em 1705, ele justificou que lhe faltavam carijós para terminar o caminho entre as Minas e a praça do Rio de Janeiro ou para devassar os ribeiros; pediu ao rei, então, que lhe concedesse a administração de índios fugidos para as aldeias dos jesuítas e dos que pudesse reduzir no sertão, aldeando-os na sua propriedade.[25]

De fato, inicialmente, visando aumentar os seus trabalhadores nos descobrimentos, os paulistas e mineradores procuraram valer-se dos índios já aldeados e daqueles naturais dos sertões explorados pelas bandeiras, ou, ainda, de negros capturados nos quilombos.[26] No entanto, medidas tendentes à restrição da administração familiar dos índios[27] e, talvez, a resistência ao aldeamento (e cativeiro) do gentio nativo nos descobertos, ou a fuga constante dos índios para os seus aldeamentos criaram mais

[25] [30 de agosto de 1705] *apud* [Comentário crítico de Andrée Mansuy] ANTONIL, 1968, p. 581.

[26] Como aconteceu nos descobrimentos de Minas Gerais, rio das Velhas, rio das Mortes, Serro Frio, Pitangui, Cuiabá, Mato Grosso, Goiás e rio das Contas ([23 de novembro de 1698] PROVISÕES, cartas régias [...] 1688-1700 — *RIHGSP*, v. 18, 1914, p. 362; [26 de novembro de 1701] DOCUMENTOS relativos [...] 1701-1705 — *DIHCSP*, v. 51, 1930, p. 50; [9 de dezembro de 1701] *ibidem*, p. 51; APM, Sc 09, f. 25, [28 de maio de 1714]; APM, Sc 11, f. 262, [9 de setembro de 1720]; [28 de outubro de 1725] ORDENS régias 1721-1730 — *RAMSP*, v. 21, 1936, p. 112; APM, Sc 59, f. 33-33v, [9 de maio de 1739]). Cf. PUNTONI, 1998, p. 223.

[27] A *administração* era a expressão jurídica de uma prática comum aos moradores do planalto paulista na segunda metade do século XVII. O índio administrado figurava como um tutelado do agente colonial (o "colono"), que o devia sustentar e instruir na doutrina cristã; em troca, o índio trabalhava para o seu administrador. Deu-se a regulamentação régia da administração particular dos índios a partir das cartas régias de 1696. Cf. PETRONE, 1995, p. 83-95.

problemas aos paulistas, contribuindo para a utilização mais intensa de cativos da África nas Minas.[28] Mas, foi, sobretudo, o trato dos paulistas mineradores com os negociantes do litoral, cujos agentes facilitavam a aquisição de africanos, de ferro e de manufaturados, através de créditos e prazos de pagamentos, que impôs o circuito mercantil de trocar o ouro extraído (e os gêneros tropicais) por escravos negros e outras mercadorias do comércio atlântico.[29] De qualquer maneira, viver do negócio dos descobrimentos de ouro e pedras preciosas foi percebido pelos contemporâneos como sendo mais rendoso do que o apresamento de índios, o que levou os paulistas a substituir os trabalhadores indígenas pelos cativos africanos. Tal mudança, notada por sertanistas e memorialistas das Minas, tornou-se mesmo um lugar-comum no século XVIII, como o que se apresentou numa proposta de descobrimento: os paulistas "acharão o primeiro ouro em que se manifestou na serra de Guáripirángua em tanta copia que lhe teve mais conta comprar com o que tiravão Negros que devertiremse a

[28] Sobre as dificuldades do agente colonial em aldear e explorar o trabalho do gentio nativo do sertão fronteiriço do descoberto, ver, por exemplo: [Carta de Pedro Bueno Cacunda ao rei, 8 de setembro de 1734] ESPÍRITO SANTO: documentos coloniais, 1978, p. 42-43; APM, Sc 10, f. 85-85v, [Petição dos moradores da freguesia de Guarapiranga ao rei, sobre se fazerem bandeiras para cativar índios hostis e descobrir ouro]. O intercâmbio entre os *quilombolas* e os vendeiros e roceiros na Capitania de Minas Gerais dificultou o apresamento dos negros e a destruição dos quilombos intentados pelos sertanistas. Sobre estas relações, ver GUIMARÃES, 1996, p. 153-154; RAMOS, 1996, p. 186-187.

[29] Mesmo para os paulistas com maiores posses de índios, a nova situação proporcionada pelas Minas exigia outro arranjo da atividade econômica. "Para transformar o excedente extorquido aos indígenas em mercadoria [o ouro], o colono devia se enfiar no circuito atlântico de trocas. Desde logo, ele caía na imposição comercial – e não apenas demográfica (a eventual inexistência de mão-de-obra indígena) – de adquirir africanos e se vinculava mais ainda à metrópole traficante" (ALENCASTRO, 2000, p. 126-127, 242, 245). O crédito tornou-se a força motriz destes circuitos. Nas Minas Gerais, os descobrimentos e as lavras, representando as estimativas de extração dos minerais preciosos, serviram de caução ao "sistema de negócio" praticado, como alguns homens de qualidade explicaram aos oficiais da Câmara de Vila Rica, em 1751: "porque de quantos gêneros que nele [no país das Minas] encontram nenhum se vende com ouro de contado, mas fiado por anos, de tal sorte que do que entra em uma frota se não consegue líquido em quatro e cinco anos, de que procede estar devendo ao negócio do Rio, Bahia e Pernambuco tanto cabedal que parece impossível o pagar-se, o qual os moradores deste país têm empregado em escravos, materiais para as fábricas, vestuário e sustento" ([Informação de homens bons acerca da Lei Novíssima das Casas de Fundição] – CCM, 1999, p. 514).

cativar Indios". ([3 de abril de 1716] Documentos relativos [...] 1711-1720 – *DIHCSP*, v. 49, 1929, p. 195. Relação do princípio descoberto destas Minas Gerais... – CCM, 1999, p. 195) Mesmo assim, essa mudança não foi brusca nem generalizada; pelo menos os sertanistas-descobridores continuaram descendo o gentio e empregando os seus carijós como guias e soldados nas entradas, como evidencia o projeto da Câmara de São Paulo, em 1725, que seria enviado à Corte, propondo manter sob a administração dos paulistas os índios bárbaros apresados nos descobrimentos dos sertões.[30]

Além dos comerciantes forasteiros de toda espécie, os descobridores paulistas defrontaram-se com os entrantes de baixa qualidade: homens e mulheres pobres de cor ou brancos, sem ofício definido, com reputação suspeitosa ou em situação irregular. Nesse rol estavam os "vadios" designados pela Câmara de São Paulo em 1705, os desertores das milícias, os marinheiros, os padres regulares desocupados, os estrangeiros, os foragidos da Justiça, e os forros.[31] É certo que geralmente essas pessoas não possuíam nenhum escravo, submetendo-se aos chefes bandeiristas nas entradas do sertão. Elas vinham trabalhar nos arraiais dos descobrimentos, e defendê-los de índios hostis, quilombolas e de coloniais de partidos contrários. Desde o princípio, até os não proprietários de escravos participaram do negócio das Minas sob a proteção interesseira dos descobridores, mas ocupando-se daquilo que era visto como próprio da condição desses entrantes, naqueles descobrimentos de ouro, diamantes e esmeraldas – o plantio de roças, a criação de porcos, a fabricação artesanal e o pequeno

[30] ORDENS régias 1721-1730 – *RAMSP*, v. 21, 1936, p. 112. Registro de uma petição que os oficiais da Câmara fizeram ao E^xmo^ Sr. G^al^ sobre o requerimento do gentio pardo o qual se remete para a corte a S. M^agde^ que Deus g^de.^ ORDENS régias – *RAMSP*, v. 20, 1936, p. 61-63.

[31] Esses deviam compor "as turbas multas de gentes", que, segundo os representantes da Coroa, perturbavam as Minas ([17 de março de 1705] CORRESPONDÊNCIA dos governadores-gerais 1704-1714 – *DHBNRJ*, v. 40, 1938, p. 358-360; [10 de janeiro de 1702] DOCUMENTOS relativos [...] 1701-1705 – *DIHCSP*, v. 51, 1930, p. 61-64; [5 de junho de 1706] DOCUMENTOS relativos [...] 1706-1710 – *DIHCSP*, v. 52, 1930, p. 19-20; [10 de dezembro de 1711] DOCUMENTOS relativos [...] 1711-1720 – *DIHCSP*, v. 49, 1929, p. 48-50). Nas Minas de Cuiabá, após a dura experiência das Minas Gerais e o perigo castelhano próximo, o governo da Capitania de São Paulo e os descobridores procuraram acautelar-se de religiosos, estrangeiros, mercadores vindos de outros lugares, pessoas "desocupadas" (BANDOS e portarias... Registro do Regimento que levou para as novas minas do Cuiabá o mestre-de-campo Regente João Leme da Silva – *DIHCSP*, v. 12, 1895, p. 105-109).

comércio das vendas, além da faiscagem nas datas dos mineradores de lavras ricas. Principalmente, plantar gêneros alimentícios em pequenas posses de terras parecia o trabalho mais típico dos pobres livres e forros nos arraiais dos descobertos (Ferreira, 1735, p. 262. APM, Sc 09, f. 49v-50, [29 de maio de 1717]).

Nas Minas de ouro, o governo dos paulistas (ou descobridores) poderosos revelou-se injusto para muitos pobres e posseiros. Por isso, não é estranho que os memorialistas do conflito emboaba, até os de vertente pró-paulista no século XVIII, acusassem os primeiros fundadores das Minas de vaidade e soberba desmedidas.[32] De fato, costumava haver forte reação dos senhores paulistas na defesa dos seus apaniguados e dependentes em demandas com outros entrantes, o que causou muito ressentimento dos que se sentiam prejudicados nos seus direitos. O próprio conflito armado entre os emboabas e os paulistas no arraial de Caeté em 1708 teria surgido, segundo uma das versões mais famosas, de uma disputa entre dois homens pobres a respeito de uma espingarda desaparecida, os quais, não tendo chegado a um acordo, recorreram cada qual aos poderosos de partidos diferentes.[33]

Na realidade, os pobres do partido emboaba que vinha se formando acusaram os paulistas de abusar do poder e da jurisdição civil e criminal que exerciam nas Minas. Dois exemplos bastam para se avaliar esse conflito político latente nas relações entre os pobres (roceiros, vendeiros, ambulantes, artesãos, faiscadores) e os senhores paulistas nos descobertos de ouro. Um desses conflitos foi relatado por um contemporâneo:

> comprou um pobre um capado por cem oitavas de ouro para seu negócio, e antes de o matar andaram mais ligeiros os escravos de um paulista por nome Pedro de Morais. E queixando-se o dono do capado ao dito paulista, lhe respondeu que se ele, senhor do capado, justificasse em como os seus escravos o tinham morto, o pagaria.

32 Como observou o padre Manuel da Fonseca, no relato sobre a vida do padre Belchior de Pontes (LEVANTAMENTO em Minas... — *RIHGB*, v. 3, 1841, p. 262). Bento Fernandes Furtado chegou a admitir o mesmo defeito em alguns paulistas, como os irmãos Pedroso, que, aliás, significativamente, tiveram o sobrenome mudado para *Poderoso* numa tradição pró-emboaba (CCM, 1999, p. 193, 197).

33 CCM, 1999, p. 197. Anos antes desse incidente em Caeté, no arraial novo das Minas do Rio das Mortes (depois vila de São João del Rei), houve, conforme relatou um emboaba, dura oposição dos "bastardos, carijós e tapanhunos" das tropas dos paulistas "às lojas e vendas dos mercadores e tratantes" (CCM, 1999, p. 230-231).

> Fez o pobre do homem sua justificação perante o guarda-mor [verbalmente?], o qual mandou se pagasse o dito furto. E indo o pobre a pedir-lhe as ditas cem oitavas de ouro, lhe respondeu que quando disse que justificasse fora só por ter uma demanda com ele. Assim ficaram até hoje.[34]

Pode-se reparar, nesse relato, a ênfase do narrador na condição do queixoso – um pobre que querela em condições muito desiguais de poder (posse de escravos) com um paulista arrogante –, o que só acentuou a injustiça desse poderoso e a inoperância da Justiça régia representada pelos descobridores de maior reputação.

Outra demanda que exemplifica o uso do poder e da autoridade política para aproveitar-se dos pobres ocorreu no arraial do Ouro Preto, em fins da década de 1700. Certo capitão Antônio Correia Sardinha ajustou os serviços de um "pobre", Manuel Lourenço, possuidor de três escravos, para fazer e beneficiar roças, enquanto saía para o povoado (na época, referia-se aos núcleos urbanos do planalto e litorâneos). Durante dois anos, Lourenço cuidou das roças do capitão, que ainda quis mantê-lo no serviço por mais um ano, oferecendo em troca uma libra de ouro, o sustento dos escravos, de porcos e de galinhas, a terra para fazer a sua própria roça, além de ceder negros para a plantação. Parece que quando o tempo do ajuste ia chegando ao fim, eles acabaram se desentendendo. O pobre foi expulso das roças, e o senhor, por "potência", assenhoreou-se da roça e das criações de Lourenço, obrigando-o ainda, sob as ameaças de Bento do Amaral Coutinho (o famoso sargento-mor emboaba de Ouro Preto), a passar-lhe um crédito das despesas alegadas. Para Manuel Lourenço, o verdadeiro devedor era o dono das roças, pois tomou seus mantimentos e criações. A dívida foi-lhe imposta sem que visse a conta dos seus gastos, "por temer a morte" (ACCOP, coleção Arquivo Judiciário do Fórum de Ouro Preto (microfilme): v. 2423, rolo 2202. Ver, também, o manuscrito: AHMI, auto 2423). Esse desfecho lembra muito a descrição condenatória do padre Manuel da Fonseca, sobre os primeiros tempos das Minas:

> A mesma pena [de morte] se impunha muitas vezes aos devedores, para que pagassem: e se acaso entre o juiz e o réo havia contas, esquecia-se o juiz da de diminuir, querendo receber por encheio o que lhe pertencia, reservando para a occasião de melhor commodo

[34] [Notícias do descobrimento das minas de ouro e dos governos políticos nelas havidos] – CCM, 1999, p. 246. O guarda-mor era, segundo o narrador, o paulista Domingos da Silva Bueno.

a satisfação do que lhe pediam de desconto. (Levantamento em Minas... - *RIHGB*, v. 3, 1841, p. 262)

Essa história, mesmo que não se referisse aos paulistas, denota as relações conflituosas entre os governantes poderosos e os entrantes pobres, bem como os abusos sofridos por estes. Devido a situações de conflito social entre os agentes nas Minas de ouro, como os descritos, foi sendo forjado o quadro político de injustiça e tirania necessário à pretensão de legitimidade do partido emboaba. O partido assumia duas faces. De um lado, havia os comerciantes e senhores lusos e luso-brasileiros que fugiam à tutela dos paulistas maiorais. Gradualmente, eles apresentavam-se como senhores poderosos – donos de terras, lavras e muitos escravos – e, assim, aptos para também ocupar os postos de governo nos arraiais. De outro, persistiam os propriamente pobres e *pequenos*, como se dizia. Alijados dos postos de comando e autoridade, nem por isso eram força política que se pudesse subestimar. Ao contrário, no (bom) governo dos pobres e nas relações justas com os fracos é que residia a legalidade (seu fundo moral) do poder e da condição de poderoso. O Regimento mineral de 1702, embora nem chegue a considerar os não proprietários de escravos entre os pobres lavradores, procurou estabelecer qual era o tratamento justo a ser conferido aos pobres. Os privilégios dos descobridores não podiam ferir tal noção de justiça, sob pena de pôr a perder os mesmos privilégios. Se os paulistas poderosos, ciumentos do poder, tomavam a fazenda de mercadores ricos ou exploravam os pobres dependentes, acabavam ameaçando a própria posição de mando.

Todavia, foi isso que acabou acontecendo na trama do confronto de paulistas com os pequenos politicamente, quando, entre estes, os ricos com os negócios das Minas passaram da situação de pequenos (submetidos ao governo paulista) para a de "poder por poder" (competição e representação política), e, depois, alcançando a condição de poderosos (novos governantes), angariaram "respeito" (isto é, autoridade).[35] Isso significou a passagem de um grupo de entrantes forasteiros interessados nas Minas para a de emboabas revoltosos atuando numa contenda política vista como legítima; assim, estes alegaram a opressão e a injustiça dos paulistas para com os pobres; confrontaram o poderio paulista, procurando forjar uma qualidade equivalente, ou superior; compuseram com o partido dos pobres,

[35] Ver, por exemplo, a trajetória política de Pascoal da Silva Guimarães, desde o descobrimento das Minas de ouro, no DISCURSO histórico... 1994, p. 69-74.

vistos como desamparados; e, então, escudaram-se numa representação popular. Em janeiro de 1709, o sargento-mor Bento do Amaral Coutinho resumiu as manobras que forjaram a legalidade política das novas autoridades emboabas, baseada na necessidade imperiosa dos vassalos pequenos e pobres, então constituídos no "Povo" a ser governado.

> Para reparar o clamor deste Povo e rebater a justa indignação destes vaçalos [...] foi neseçario e precizo (em prezença do cappitão Mayor Manoel Nunes Vianna como primeiro reparador da liberdade) faserce hu adjunto de alguas peçoas de mais concideração e maduresa, e a vozes do mesmo Povo foi aclamado por todos o cappitão mayor Manoel Nunes Vianna por seu Governador Geral de todas as Minas [...] e a requerimento do mesmo povo se elegerão Cappitaes e Infantarias da ordenança com seos sargentos mayores e Mestres de Campo. (*Apud* MELLO, 1997, p. 241-242)

Mineração nos descobrimentos de ouro e de diamantes

De parte dos principais descobridores ameaçados nos seus postos e das autoridades régias que lhes concederam tais prerrogativas, as lutas emboabas não serviram para abrandar a pretensão ou a concessão de privilégios. Ao contrário, os conflitos sociopolíticos obrigaram os paulistas a justificar claramente, a partir de então, junto à Coroa e aos coloniais forasteiros, a base de sua autoridade nos novos descobertos de ouro e pedras preciosas (Pitangui, Cuiabá, Mato Grosso, Goiás, Minas Novas de Araçuaí), e a precaver-se da destituição dos privilégios julgados de merecimento. Assim, houve um reforço da noção de direito de conquistadores e descobridores das riquezas minerais. Isso fica evidente, em diversas ocasiões entre as décadas de 1710 e 1730, nas alegações da Câmara da cidade de São Paulo – e nas dos paulistas – para angariar ou manter privilégios, tais como datas nos descobrimentos novos, honrarias (hábitos e foros de cavaleiros), isenções de obrigações fiscais e militares, preferência na exploração dos caminhos e das conquistas, direito de administração do gentio (Ordens régias – *RAMSP*, v. 21, 1936, p. 111-115. APM, Sc 09, 29v-30, [7 de julho de 1714]. Ordens régias – *RAMSP*, v. 50, 1938, p. 157-158, 160. Consultas de Conselho [...] 1680-1718 – *RIHGB*, v. 1, 1956 (t. especial), p. 124-127. Correspondência interna [...] 1721-1728 – *DIHCSP*, v. 20, 1896, p. 19-25. APM, Sc 23, f. 69v-70, [29 de abril de 1727] Ordens régias – *RAMSP*, v. 20, 1936, p. 61-63). Nas petições de privilégios à Coroa, foi costume da Câmara lembrar os serviços dos moradores do planalto de Piratininga. Em

1728, querendo isentar os filhos dos cidadãos paulistas do serviço militar em Santos, os oficiais da Câmara destacaram estes serviços: conquistaram o gentio, destruíram Palmares, descobriram tesouros minerais desde São Paulo até Cuiabá e Bahia, "só a vista do trabalho, e dispendio que sempre tiveram", para o aumento do Império português (Treze documentos... – *RIHGB*, v. 230, 1956, p. 420-421). Ao mesmo tempo, nos regimentos dos novos descobrimentos pós-luta emboaba nas Minas Gerais, tentou-se precaver dos supostos erros passados. Com os descobrimentos novos de Pitangui, os governadores Brás Baltazar da Silveira e conde de Assumar, na década de 1710, embora interessados em proteger os ganhos da Fazenda Real e os próprios, também quiseram favorecer os supostos descobridores ou os poderosos paulistas. Brás Baltazar da Silveira, quando enviou o sargento-mor Pedro Gomes Chaves a Pitangui para abreviar os conflitos entre os lavradores de ouro e regular a repartição das datas, orientou-o a nomear os descobridores (brancos) como guardas-mores dos seus descobrimentos, promover a posse estável das terras ocupadas através de sesmarias, e evitar apoiar as cobranças de dívidas que os "homens de negocio" de Minas Gerais podiam fazer aos moradores de Pitangui (APM, Sc 09, f. 20v-22, [9 de abril de 1714]. Carvalho, 1931, t. 4, p. 570-573). Ademais, o governador preferiu os paulistas na governança do descoberto (como regente, superintendente, guarda-mor e oficiais militares), acoitou os "delinqüentes" do planalto em Pitangui (como o próprio guarda-mor e regente Francisco Jorge da Silva), quis controlar a entrada de outros coloniais e, ainda, proibiu a abertura de novos caminhos, a não ser aqueles que interessavam aos governantes paulistas locais, como o que ligava Pitangui aos currais da Bahia, muito embora a proibição pudesse contrariar os interesses imediatos de outros senhores paulistas (Carvalho, 1931, t. 4, p. 580-581, 588-589. APM, Sc 04, f. 171v-172, [18 de setembro de 1713]. APM, Sc 09, f. 143, [24 de agosto de 1714]. APM, Sc 09, f. 35v-36, [28 de outubro de 1714]. Franco, 1989, p. 379-380. APM, Sc 09, f. 1-1v, [3 de setembro de 1713]. APM, Sc 09, f. 34v-35, [10 de agosto de 1714].). É certo que restringir as vias de acesso significou o virtual monopólio das entradas para os descobertos, permitindo aos paulistas governantes (ou sertanistas-descobridores) a gestão lucrativa dos caminhos através da sujeição dos entrantes e dos ganhos nas passagens dos rios ou no abastecimento de mineradores e viandantes. Não é sem razão, portanto, que o rico paulista Amador Bueno da Veiga, que tinha se oferecido para fazer um caminho novo para as Minas Gerais melhor do que o de Garcia Rodrigues, atento às oportunidades de maior proveito nos caminhos dos descobertos, logo quis abrir um caminho para as Minas de Pitangui.[36]

Da mesma forma, em 1718, o conde de Assumar, governador da Capitania de São Paulo e Minas do ouro, procurou animar a extração aurífera na recém-criada Vila de Pitangui, concedendo o perdão aos moradores paulistas culpados de crimes (inclusive de sublevação), o alívio da carga dos quintos para senhores que possuíssem 10 (ou mais) negros ou carijós, terras de sesmaria a todos que se estabelecessem com famílias, o privilégio de cavaleiro aos moradores que servissem de juiz, vereadores e procurador da Câmara, semelhante ao que gozavam os senadores da Câmara de São Paulo.[37] Mas o governador não quis somente prometer prêmios aos serviços de descobrimentos novos dos paulistas, pois isso tinha sido feito pelo seu antecessor sem resultar num crescimento contínuo da produção de ouro. Ele pretendeu, sobretudo, que

> os Paulistas façam trabalhos minerais na forma em que se fazem nestas Minas [Minas Gerais] com serviços de água, porque este será o caminho de estarem mais permanentes, e de não andarem sempre divagando pelos matos para o que será bom ver se se podem associar com outros, e uní-los com os Reinóis para desfazer a oposição que há entre uns, e outros. (APM, Sc 11, f. 40v-41v, [28 de julho de 1718])

Ou seja, desde que a experiência do conflito entre paulistas e emboabas nas Minas do ouro tornou manifestas as diferenças políticas e econômicas entre esses partidos, as autoridades régias procuraram fazer dos grandes descobridores, que eram os paulistas, mineradores de grande fábrica, que reuniam escravos, construções e ferramentas. Este seria um modo adequado de promover a união entre os paulistas interessados em trabalhos minerais estáveis e os forasteiros, que, pensava-se, eram mais afeitos à vida sedentária e ao trato civil. Todavia, o relativo fracasso dos governantes em fazer do descoberto de Pitangui, na década de 1710, um núcleo dinâmico das Minas, caracterizado por uma economia agromineradora estável,

[36] APM, Sc 09, f. 3, 10 de setembro de 1713. A transformação do arraial de Pitangui em vila foi um pedido dos paulistas a que o governador Brás Baltazar anuiu em 1715.

[37] APM, Sc 11, f. 272-273, [30 de maio de 1718]. O Conselho Ultramarino foi contrário às mercês do perdão aos criminosos e do privilégio de cavaleiro aos oficiais da Câmara, e avaliou que o governador exorbitou de sua função, usando de um direito privativo do rei. Este concordou com o parecer do Conselho (CONSULTAS do Conselho [...] 1680-1718 — *RIHGB*, v. 1, 1956 (t. especial), p. 124-126).

indicou que os privilégios e o monopólio concedidos aos descobridores paulistas não garantiam a manutenção da faina exploradora local, sendo que o reforço da posição dos descobridores era até desastroso à implementação da mineração. Portanto, sempre seria preciso contar com os forasteiros (e reinóis) poderosos, dispostos a trabalhos duradouros e com negros suficientes para sustentar uma fábrica mineral, juntando-os, se possível, aos paulistas estabelecidos.

Na época, havia uma explicação costumeira para o perfil diferenciado dos dois partidos nas lavras minerais, como se observa numa carta do governador-geral a Brás Baltazar da Silveira, em 1715: "os paulistas são os próprios para descobridores, e tanto que a algumas pessoas ouvi, serem precisos para êste fim, e os forasteiros melhores para trabalhar nas catas e lavrarem as terras" (Cartas de ofício 1704-1717 – *DHBNRJ*, v. 70, 1945, p. 218). Difícil era acomodar uns e outros, sem afetar os lucros e a posição social dos envolvidos. Normalmente, os agentes do governo viram duas alternativas que proviam a mineração de investimentos: ou o grupo de lavradores tomava o lugar dos descobridores nas lavras desocupadas, ou os descobridores persistiam na mineração também, disputando outros depósitos minerais com os lavradores de grossa fábrica. Talvez os maiores conflitos na extração do ouro tenham surgido neste último caso.

Com efeito, desde que os depósitos auríferos de aluvião dos ribeiros descobertos começaram a escassear, ainda na década de 1700, e os forasteiros enriquecidos passaram a contar com grandes posses de negros contrabandeados para trabalharem nas lavras[38], os descobridores (paulistas e alguns seguidores de outras pátrias), atentos aos negócios de descobrimentos, foram perdendo, gradualmente, o lugar de destaque na mineração propriamente dita. Em 1705, além do ouro extraído dos leitos de rios ou de ribeiros, lavrados preferencialmente nos *caldeirões* e *itaipavas*,[39] ou construindo diques e canais de desvio das águas, tirava-se o metal das

[38] A lei de proibição relativa ao comércio de escravos africanos para as Minas dos paulistas só foi revogada em 24 de março de 1709, no âmbito do começo de apaziguamento, promovido pela Coroa, das partes em conflito na luta emboaba (DOCUMENTOS relativos [...] 1706-1710 — *DIHCSP*, v. 52, 1930, p. 147-149).

[39] Referia-se às cavidades, e às depressões dos cursos de rios e de ribeiros nas quais o cascalho aurífero, mais pesado, concentrou-se naturalmente (FERRAND, 1998, p. 96). Por exemplo, o ribeirão do Carmo, a princípio, só foi explorado nas partes de itaipavas ("em que os rios correm mais espraiados por cima dos cascalhos"), certamente apossadas pelos descobridores poderosos. (Notícias dos primeiros descobridores... . CCM, 1999, p. 180).

catas, "que se abre junto dos dittos rios e ribeiros pella comveniencia das agoas donde se lava e aparta a terra do preciozo" ([7 de dezembro de 1705] *Apud* [Comentário crítico de Andrée Mansuy] ANTONIL, 1968, p. 566-567). Essas catas das margens talvez fossem as lavras que mais se aproximavam, nos primeiros anos do século XVIII, da idéia de *mina* (exploração subterrânea), pois eram escavações em forma de funil, e exigiam uma inversão maior de trabalho que os serviços nos remansos de ribeiros e cabeceiras de rios, incluindo-se trabalhos constantes de escavação e de esgotamento de águas.[40] De todo o modo, se as disposições naturais fossem favoráveis como nas Minas Gerais, com pequenos cursos de água seguindo os declives dos morros, os serviços minerais no *cascalho* (depósito de seixos, areia e ouro) dos ribeiros e dos vales não obrigavam a lavragens custosas, relativamente ao ouro extraído, desde que ocorressem, como era o costume, na estação seca (de abril a setembro).[41] Por isso, tais serviços podiam ser os mais convenientes aos descobridores atentos às oportunidades de maior rendimento dos aluviões, e às suas atividades intermitentes entre o sertão e o povoado. Uma história de descobrimento do ouro no vale do rio das Contas, na Bahia, protagonizado pelo paulista Sebastião Pinheiro Raposo, embora bastante exagerada, é reveladora da lavragem praticada pelos descobridores na fronteira. Contava-se, no século XVIII, que a bandeira arribou num ribeiro e que começou a fazer catas, nas quais, com quatro a cinco palmos de profundidade, achou-se cascalho com pinta rica e grãos do ouro. Tal foi a riqueza da lavra que o descobridor fez mulheres e crianças indígenas trabalharem, chegando a empregar 130 bateias. Segundo um contemporâneo, ele mandou desprezar o "ouro miudo por lhe gastar tempo nas lavagens e assim mandava despejar as bateias e só buscava pedaços, folhetos e grãos maiores". Em uma mancha aurífera trabalhou-se desde a madrugada até às 10 horas da noite, extraindo-se nove arrobas do metal

[40] As águas dos ribeiros canalizadas através das baixadas contíguas das margens (os tabuleiros), com o intuito de atingir o cascalho dos leitos, acabaram mostrando aos lavradores o cascalho rico escondido naqueles locais. Daí, foi um passo para se desenvolver o método de lavagem das terras dos tabuleiros, por meio de canais paralelos (ESCHWEGE, 1979, p. 168).

[41] Para toda a descrição das técnicas de mineração do ouro (de aluviões ou de filões rochosos) e dos diamantes em Minas Gerais, durante o período colonial, ver FERRAND, 1998, p. 91-131; ESCHWEGE, 1979, p. 167-179. Os serviços minerais dos descobridores e exploradores das Minas de ouro foram descritos por um informante que esteve nas Minas com o governador Artur de Sá e Menezes, entre 1697 e 1702 (ANTONIL, 1968, p. 444-451).

precioso. Mesmo assim, Raposo e os seus talvez não tenham demorado nesse serviço mais do que um ou dois anos (Taunay, 1946, t. 8, p. 302-311; Calógeras, 1904, v. 1, p. 77-78).

De certa forma, o serviço dos descobridores nas suas lavras assemelhava-se ao praticado, anos depois, pelos faiscadores, os pobres e os forros que lavravam nos remansos naturais de ribeiros já lavrados, ou faziam pequenos diques que iam das margens ao meio da água corrente.

Nas Minas de ouro de São Paulo, quando esses depósitos dos vales deixaram de ser proveitosos, os mineradores, por meio de serviços hidráulicos, começaram a explorar a terra (e os cascalhos) com formações de ouro das encostas (as *grupiaras*). Exigiam-se a captação e a canalização de águas por longas distâncias, elevando-as nas serras para serem precipitadas sobre os depósitos auríferos nos flancos dos morros. Embaixo, havia o canal que recolhia a terra desmontada pela água, e servia ao trabalho de separação da lama com ouro. Depois, essa mistura rica (como também ocorria com os cascalhos dos ribeiros e dos vales) era levada pelos negros aos tanques de lavagem para a concentração do material, e finalmente apurava-se o ouro nas bateias. Embora as lavras das encostas significassem um aprimoramento técnico no uso dos recursos, eram fábricas minerais vultosas, em termos de inversão de capital e de trabalho, que requeriam construções duráveis, grande número de escravos (empregados como escavadores, carregadores, lavadores, apuradores, artesãos), ferramentas, e espaço para a lavagem e o escoamento do solo estéril. Contudo, diferentemente dos serviços minerais próprios de ribeiros e de tabuleiros, a lavragem nas encostas e nas serras não ficava tão dependente da época de estiagem, podendo prolongar-se na estação das chuvas (de outubro a março). Por tudo isso, é compreensível o fato de o conde de Assumar reivindicar, para as lavras com serviços hidráulicos, o caráter de permanência que a mineração dos ribeiros não possuía.

A mudança das lavras dos ribeiros, feita através de bateias, para as lavragens de montanhas (ou "a talho aberto") significou uma nova fase nas Minas de ouro e afetou a composição do grupo de mineradores. Para os contemporâneos, isso representou a duração das explorações minerais, e foi tão marcante que o paulista Bento Fernandes Furtado lembrou a época em que as lavras nas montanhas começaram:

> E assim continuou na mesma forma o modo de lavrar, à bateia e de mergulho nos maiores ribeiros, como no ribeirão do Carmo, rio das Mortes e rio das Velhas, e à força de braço nos ribeiros mais pequenos,

> por espaço de bastantes anos, até que pelos de 1707, pouco mais ou menos, inventou o artifício dos mineiros lavrar e desmontar as terras com água superior aos tabuleiros altos, aprendido do natural efeito que fazem as águas no tempo das invernadas das chuvas.[42]

O sertanista observou ainda que as formações das encostas não eram gerais, ocorrendo o ouro somente em alguns lugares, e "para o descobrir e achar é necessário grande desvelo, despesa e trabalho, com fábrica de escravos que trabalhem" (Notícias dos primeiros descobridores... - CCM, 1999, p. 192).

Parece que desde 1703 já se experimentavam serviços nas grupiaras, e remontavam a 1705 as primeiras lavragens dos morros no arraial Novo (núcleo da futura Vila de São João del Rei) (Mansuy, 1965, p. 36-37. História do distrito do Rio das Mortes... - CCM, 1999, p. 276-277). Na primeira década do século XVIII, o reinol Pascoal da Silva Guimarães já devia possuir lavras de grupiaras na serra contígua aos arraiais de Antônio Dias e do Ouro Preto, mais conhecida como *Tapanhoacanga*. Nas suas vertentes, em 1711, Guimarães requereu uma légua de sesmaria de testada, sob pretexto de fazer roças e pastos para os seus gados.[43] Mas é certo que havia também a intenção de se apossar das nascentes e cursos de água, fundamentais aos serviços minerais nas montanhas, pois essas concessões podiam sustentar novos direitos não previstos no Regimento mineral de 1702, como a apropriação de águas e a compra de datas minerais, afastando os concorrentes. Também nos descobertos do padre Faria, nas mesmas Minas, alguns requerentes de sesmaria, em meados da década de 1700, pediam terras que incluíam todas as nascentes e águas vertentes.[44]

[42] Notícias dos primeiros descobridores... - CCM, 1999, p. 191. Nas lavragens dos rios ou ribeiros caudalosos e largos, nessa época, chegou-se a usar um escravo mergulhador, que desprendia, por meio do almocafre (pá curva e pontuda), o cascalho do fundo, e o trazia para a superfície. Na década de 1710, passou-se a *pescar* o cascalho aurífero; postado numa canoa, o trabalhador manuseava uma vara com um saco atado a uma espécie de pá que servia para raspar o fundo do rio e extrair o cascalho que seria recolhido no saco (BA, 54-XIII-4[24], Descrição do mapa que compreende os limites do governo de São Paulo e Minas, e também os do Rio de Janeiro). Cf. FERRAND, 1998, p. 104.

[43] [16 de abril de 1711] CARTAS de sesmaria — *RAPM*, v. 4, 1899, p. 166. DISCURSO histórico... 1994, p. 70-71. Notícias dos primeiros descobridores... - CCM, 1999, p. 176. Cf. VASCONCELOS, 1999, p. 200-202, 235. Para uma crítica aos argumentos de Vasconcelos, ver TAUNAY, 1948, t. 9, p. 479-482.

[44] DOCUMENTOS relativos [...] 1706-1710 — *DIHCSP*, v. 52, 1930, p. 18-19, 50-51. Em 1709, a partir do governo de Antônio de Albuquerque, as cartas de sesmaria, nas Minas

De acordo com Sebastião da Rocha Pita, que terminou de escrever a sua *História da América Portuguesa* no início da década de 1720, foram os reinóis os responsáveis pelo *novo* método de lavragem das encostas dos morros (Pita, 1976, p. 222-223). A visão antipaulista de Rocha Pita faz duvidar dessa informação, mas mesmo o sertanista Bento Fernandes Furtado admitiu que os descobridores, seus parentes e aliados do planalto só extraíam o ouro "mais fácil" dos ribeiros naqueles primeiros anos das Minas, deixando o mais custoso para os "vindouros" (do reino, da Bahia, de Pernambuco, do Rio de Janeiro e, ainda, de São Paulo) (CCM, 1999, p. 175, 181). Tendo em vista o enriquecimento de alguns forasteiros, dados ao comércio e à *agromineração*, e o seu poder em número de escravos, é certo que os serviços minerais dos "vindouros", nas serras, logo viriam suplantar os dos descobridores paulistas. É indicativo disso, por exemplo, o fato de as propriedades médias de escravos, na Vila Rica de 1721, serem maiores em núcleos de mineração dos morros, como Ouro Podre e Ouro Fino – 9,54 e 8,66, respectivamente –, que nos antigos arraiais do vale (Antônio Dias, Ouro Preto e Padre Faria) (Ramos, 1975, p. 191. Vasconcelos, 1977, p. 47). Em 1729, o governador das Minas Gerais, Lourenço de Almeida, chegou a sugerir ao rei que, tendo em vista os "vários descobrimentos de ouro" nos morros, aquelas Minas, "as verdadeiras", prescindiam dos descobrimentos paulistas (APM, Sc 23, f. 180, [20 de julho de 1729]).

Na segunda década do século XVIII, generalizando as explorações de ouro nas montanhas, a água passou a representar a possibilidade mais certa de mineração lucrativa na Comarca de Minas Gerais, a ponto de um entrante ter observado, sobre a serra de Tapanhoacanga (ou de Vila Rica): "é um Potosí de ouro, mas por falta de água no verão [estação seca] não enriquece a todos que nela mineram, suposto que os remedeia". Enquanto isso, na Vila de São João del Rei (Minas do rio das Mortes), esse mesmo entrante viu que "no tempo seco padece o comum [ou os pobres]", e somente lucravam "alguns particulares com força de escravos", fazendo catas nos filões de ouro das encostas do morro.[45] Com isso, os conflitos

de ouro, trouxeram como condição das concessões da Coroa o fato de que estas não incluíam as "Minas, paos reaes e especiarias" que se encontrassem nas terras – por exemplo, ver *ibidem*, p. 171-172, 175-176, 178-179.

[45] Itinerário geográfico com a verdadeira descrição dos caminhos, estradas, roças, sítios, povoações, lugares, vilas, rios, montes e serras que há da cidade de São Sebastião do Rio de Janeiro até as Minas do Ouro... – CCM, 1999, p. 908-909. O visitante anônimo soube também dos serviços de água nas lavras do morro da Conceição, nas Minas do

entre os mineradores pelas fontes e cursos de água se disseminaram, já que o Regimento mineral de 1702 – do superintendente e guardas-mores das Minas de ouro –, elaborado segundo o padrão paulista de exploração dos ribeiros e vales, não regulou a apropriação ou o uso das águas para a lavragem de montanhas. Além disso, houve certa confusão na percepção das lavras dos depósitos auríferos das serras, contribuindo para isso o desprestígio dos forasteiros (e reinóis) como descobridores, na medida em que se passou a colocar em questão a natureza jurídica daqueles descobertos: seriam novos, atendendo ao rito regimental, ou deles já sabiam os povoadores e os descobridores dos lugares?

As disputas pelas águas entre os lavradores de minerais preciosos assumiram grandes proporções naquela ambiência de tensões sociais e políticas, como deve ter ocorrido na mineração do morro de Tapanhoacanga, no Ouro Preto, durante o embate entre os emboabas e os paulistas. Talvez tenha sido para evitar esses conflitos que o novo governador de São Paulo e Minas do ouro, Antônio de Albuquerque Coelho de Carvalho, quando entrou nas Minas e quis conciliar os partidos, junto com a criação de Vila Rica em 1711, conveio, à instância dos pretendentes de lavras, que as serras do lugar eram patrimônio da Coroa (realengos), para uso público e para o bem comum dos moradores da nova vila. Assim, na conformidade do Regimento de 1702, nos morros não se deviam conceder datas minerais, que comumente eram apropriadas pelos poderosos, nem terras de sesmaria, mas que cada cidadão "que quisesse trabalhar neles adquirisse seu domínio por posse, e desta seria senhor para a lavrar e vender" (Relação de algumas antigüidades das Minas – CCM, 1999, p. 225. Cf. Porto, s.d., p. 134).

A prática de se considerar realengos os morros das Minas, a princípio abertos a todos os moradores, tornou-se um costume comum, cujo sentido democrático, que atendesse a um anseio popular, revelou-se enganoso. Poucos mineradores tiveram o poder econômico e político necessário para manter as fábricas dispendiosas, com extensos canais de águas e escravaria, próprios dos serviços de lavras estabelecidos nas montanhas. Em 1713, no "Arraial de Cima", Vila do Ribeirão do Carmo, os associados num "serviço de águas com que lavravam mais de uma légua" (mais de 6,6km) desentenderam-se na partilha das águas; um dos envolvidos chamou o superintendente das Minas da Comarca de Vila Rica, que, alegando a

Serro Frio. Cf. BA, 54-XIII-4[24], 10v. Descrição do mapa que compreende os limites do governo de São Paulo e Minas, e também os do Rio de Janeiro.

obrigação de tirar a data mineral que cabia à Coroa (artigo 5º do Regimento de 1702), quis fazer nova repartição das lavras embargadas, e acabou favorecendo os seus aliados poderosos na apropriação das águas (APM, Sc 04, f. 439-442, [28 de maio de 1716]. [28 de setembro de 1714] Documentos relativos [...] 1674-1720 – *DIHCSP*, v. 53, 1931, p. 102-104. Atas da Câmara Municipal de Vila Rica [Termo de vereança, 22 de junho de 1713]. Atas da Câmara Municipal... – ABN, v. 49, 1927, p. 273-274. [Relação de um morador de Mariana e de algumas coisas mais memoráveis sucedidas] – CCM, 1999, p. 204-205). No arraial de Catas Altas do Mato Dentro, demandas sobre as águas de serviços minerais trouxeram de volta às Minas o antigo governador emboaba, Manuel Nunes Viana. Este e seus parentes, querendo apropriar-se de terras e águas do lugar, coagiram tanto alguns moradores a abandonarem suas propriedades que o governador, conde de Assumar, viu-se na necessidade de proibir as *vendas* de engenhos, lavras, águas, matos, capoeiras e roças, ou seja, de todos os recursos das atividades produtivas (APM, Sc 11, f. 94-99v, [8 de janeiro de 1719]. APM, Sc 11, f. 278, [16 de novembro de 1718]. Cf. Anastasia, 1998, p. 100-104). Também no morro do Batatal, na Vila de Pitangui, e no morro do descobridor paulista Antônio Soares Ferreira, no arraial da Conceição do Mato Dentro, ocorreram embates semelhantes, a partir da década de 1710: nos morros reputados como realengos, especialmente nas circunvizinhanças das vilas, as lavras ou as águas apropriadas pelos moradores ficavam vulneráveis às disputas e às questões de legitimidade, pois as posses, ou as relações entre os lavradores das formações auríferas das serras, não estavam sustentadas pelo Regimento mineral (APM, Sc 11, f. 227-227v, [4 de maio de 1720]. APM, Sc 11, f. 227v-228, [4 de maio de 1720]. APM, Sc 11, f. 228, [4 de maio de 1720]. APM, Sc 11, f. 251v-252, [6 de agosto de 1720] Cf. Instrução para o governo... – *RAPM*, v. 8, 1903, p. 504-505). Nas décadas seguintes, os agentes coloniais conformaram-se ao estilo praticado "em todas estas Vilas [de] serem os morros junto a elas faisqueiras públicas para todos os moradores" (APM, Sc 27, f. 50-50v, [24 de novembro de 1728]).

Assim, para regular as novas práticas de mineração dos morros, que não se organizavam a partir do tradicional descobrimento de ouro de ribeiros, e nem da posição proeminente do suposto descobridor, tornou-se imperativo aos agentes das atividades minerais requererem da Coroa certos aditamentos legais ao Regimento do superintendente, e guarda-mor. Devido às denúncias e informações do guarda-mor geral, do governador e dos ouvidores-superintendentes, o rei finalmente assentiu na reforma do Regimento, no final da década de 1710 ([14 de outubro de 1718], Terras minerais. Mudanças no regimento mineral... – *RAPM*, v. 1, 1896, p. 689-690. APM, Sc 04, f. 204-204v, [Carta de Dom Pedro de Almeida ao rei, junho de 1719]). Na representação que fez ao rei, o guarda-mor geral, Garcia Rodrigues Pais, denunciou que "não havia até agora forma conveniente" na repartição das águas para os serviços minerais, o que era causa das maiores disputas e pleitos entre os lavradores de ouro. Segundo Garcia Rodrigues, que sugeria a má conduta dos superintendentes na conciliação das partes e o envolvimento deles em conluios, os poderosos apossavam-se das águas, mesmo sem terras para lavrar, e as vendiam aos outros lavradores por "preços exorbitantes". Em 24 de junho de 1720, o rei confirmou que os guardas-mores (substitutos), responsáveis pela divisão e repartição das águas, deviam concedê-las dependendo das posses de terras minerais e de escravos de cada minerador, e proibiu a apropriação da água dos córregos, quando não houvesse licença específica por escrito desses oficiais. Caso o minerador não tivesse condições para lavrar, as águas deveriam ser tomadas pelos guardas-mores para serem novamente repartidas, pagando-se pelo serviço já feito de condução da água. Além disso, os pleitos deveriam ser julgados sumariamente, na alçada da Superintendência das Minas (APM, Sc 01, f. 42v-43).

Isso não bastou para dar-se "forma conveniente" à exploração das encostas e serras, muitas destas consideradas realengas, onde a "multidão de negros" possuídos pelos senhores, forros e livres pobres lavravam.[46] A intensificação da mineração do ouro no final da segunda década do século XVIII, quando já se buscavam os depósitos auríferos das camadas rochosas, como na Vila de Pitangui, promoveu o acirramento do conflito de jurisdição entre os guardas-mores, os superintendentes-ouvidores das Comarcas, e os governadores da Capitania, e a firme intromissão destes últimos nas atividades minerais.[47] Na prática, sem derrogação formal do Regimento

[46] Ver, por exemplo, APM, Sc 11, f. 127, [22 de abril de 1719]. Esses trabalhadores eram faiscadores que não faziam trabalhos de lavras (de grupiara ou a talho aberto), e partilhavam as catas (os "buracos") no alto dos morros, aonde não chegavam as águas dos serviços dos mineradores (APM, Sc 04, f. 245-245v, [10 de maio de 1720]).

[47] Entrando nas Minas, o governador Dom Pedro de Almeida, futuro conde de Assumar, alertou o rei sobre a necessidade de alterar o Regimento mineral para se conceder ao descobridor o direito de repartição do descoberto, pois, seguindo os termos regimentais, o guarda-mor pretendia medir as datas, e o superintendente reparti-las entre os lavradores. Na verdade, como uma adaptação do Regimento ao costume, já se reconhecia este direito do descobridor na prática (APM, Sc 04, f. 206-206v, [22 de novembro de 1717]; APM, Sc 04, f. 41v, [8 de outubro de 1718]; APM, Sc 04, f. 226, [8 de junho de 1719]).

relativo à exploração do ouro de lavagem depositado nos ribeiros e vales, a mineração de ouro (e de diamantes) nas Minas foi-se refazendo, conforme a experiência conflituosa dos mineradores e dos outros coloniais.

Ainda continuou pendente da regulação legal de mineração nos morros a definição dos direitos específicos dos faiscadores e dos mineradores com serviços de águas. Embora todos explorassem os morros como se fossem terras comuns desde o início da década de 1710, faltava determinar o papel e o lugar de uns e outros no novo espaço de exploração mineral. Dessa maneira, em 26 de setembro de 1721, em um bando do governador da Capitania de Minas Gerais, Lourenço de Almeida, sobre a forma como se havia de minerar no morro de Matacavalos, do arraial de Passagem, oficializou-se o direito dos faiscadores de abrir catas nas terras altas dos morros, acima do rego de água, conferindo-se legitimidade à prática dos pobres (ou *povo*) de partilhar as formações auríferas dos morros com os grandes mineradores. Estes vinham ocupando as repartições abaixo das catas, conforme o número de negros e o serviço de água feito.[48] A apropriação e o tamanho das datas passaram a depender desses custosos serviços de águas dos morros (ou "a proporção do tal serviço", como se requeria na época), que vingavam quando os mineradores se associavam na fábrica mineral.[49]

Também nos ribeiros dos descobrimentos de diamantes da Comarca do Serro Frio, no final da década de 1720, Lourenço de Almeida não permitiu que os guardas-mores medissem e repartissem no estilo previsto pelo Regimento mineral de 1702 (com a reforma de alguns artigos em 1703), que determinava separar datas de 30 braças em quadra – 66m de lado – para os supostos descobridores, para a Fazenda Real e (uma) para o guarda-mor,

[48] APM, Sc 21, f. 4v, [Ordem]. APM, Sc 21, f. 4v-5v [Bando]. Cf. RENGER, 1999, p. 160. O governador Lourenço de Almeida, tentando abreviar os conflitos não previstos no já esgarçado Regimento minerário de 1702, e específicos de cada situação, sempre interferiu na repartição e exploração das terras minerais. Foi o que ele fez, na década de 1720, e início da seguinte, quando considerou como de uso comum as serras ou morros de Passagem e de Catas Altas (Termo da Vila do Carmo), de São Vicente Ferreira, do padre Faria (na Água Limpa), de São João del Rei, e da Soledade (Congonhas), além dos tabuleiros no rio das Pedras (Termo de Vila Rica) (APM, Sc 21, f. 22v-23, [14 de junho de 1722]; APM, Sc 27, f. 37v-38, 22 de Março de 1728; APM, Sc 27, f. 41v-42, [6 de junho de 1728]; APM, Sc 27, f. 45v-46, [2 de outubro de 1728]; APM, Sc 27, f. 50-50v, [24 de novembro de 1728]; APM, Sc 27, f. 101, [23 de junho de 1732]). Cf. ESCHWEGE, 1979, v. 1, p. 104, 108-109.

[49] Ver, sobre o descoberto de Paracatu, APM, Sc 59, f. 66-66v, [2 de novembro de 1745].

além de medir as datas dos pretendentes de terras minerais conforme o número de escravos possuídos.[50] O governador alegou que as cartas de datas, nos termos do Regimento, serviam somente para a mineração do ouro e, portanto, não tinham validade nos descobrimentos de diamantes (APM, Sc 27, f. 60-60v, [2 de dezembro de 1729]).

Nas décadas de 1720 e 1730, além das disputas entre os lavradores de minerais preciosos, o uso intenso das águas e a necessidade de madeiras para os canais, as construções, e a fabricação de bateias conduziram a constantes atritos dos mineradores com os roceiros e com os donos de engenhos ou de moinhos. Estes últimos atravessavam as águas pretendidas pelos mineradores, sob a alegação de que possuíam os títulos das terras banhadas pelos cursos de água, e os roceiros apossavam-se das matas, onde abriam as suas roças, e não permitiam que os mineradores cortassem as árvores.[51] Além disso, os agricultores costumavam roçar nas cabeceiras dos pequenos cursos de água usados na lavragem do ouro, o que levava à diminuição da água e ao fim das nascentes.[52] Às vezes, para impedir essas perturbações entre os donos de lavras e os donos da terra, estes sendo sesmeiros, os governadores da Capitania chegavam a invalidar os títulos das terras (APM, Sc 59, f. 157-157v, [Petição e despacho de 13 de julho de 1765]. APM, Sc 59, f. 158-159v, [Petição e despacho de 31 de julho de 1765]).

Diante desses conflitos e de demandas jurídicas constantes nas Minas, a Coroa e o governo da Capitania, no final da década de 1720, mas, decididamente, na década seguinte, acataram uma revisão ampla do Regimento

[50] Os artigos do Regimento de 1702 reformados em 1703 são os seguintes: 6º, 9º, 10º, 12º e 22º. Ainda, cf. ANTONIL, 1968, p. 376-378.

[51] APM, Sc 20, f. 152-153, [Petição de Manuel Grade e Abreu, morador no Rio das Velhas]. APM, Sc 05, f. 125, [25 de fevereiro de 1727]. APM, Sc 59, f. 107, [Petição e despacho de 28 de fevereiro de 1765]. APM, Sc 59, f. 159v-160, [Petição e despacho de 31 de julho de 1765]. A Coroa reagiu, no século XVIII, às mudanças sociais e econômicas, adaptando o Regimento às novas formas de exploração das serras, ou atuando em outras frentes, como no regime legal de concessão de sesmarias nas Minas. O direito do sesmeiro à terra não abrangia os depósitos de minerais preciosos, as madeiras de lei e os ribeiros caudalosos (ou rios) que se encontrassem na terra da concessão, e nem esta devia medir mais do que meia légua em quadra (pouco mais do que 3.000 m de lado). Ver, por exemplo, APM, Sc 20, f. 148, [20 de novembro de 1725].

[52] No bando (Aditamento) de 13 de maio de 1736, Gomes Freire de Andrada procurou esclarecer as regras para o uso das águas pelos mineradores, e prevenir os conflitos costumeiros dos mineradores com os donos de engenhos e os roceiros (BNRJ, Avulsos, 2, 1, 3, n.5, Regimentos para as minas de ouro do Brasil).

dos superintendentes e guardas-mores, promulgado em 1702. Tais reformas (como o *Aditamento*, publicado em 13 de maio de 1736, ao antigo código) vieram atender ao que era o estilo praticado nas montanhas das Minas há anos. Especialmente se quis regular os serviços de extração subterrânea, que se praticavam por meio de buracos (poços) ou minas (galerias de direção), bem como garantir os usos e repartições de águas das vertentes. Além disso, procurou-se dar novo ânimo aos descobrimentos, recompondo, naquele contexto de exploração de serras, o significado de um descobrimento, e tentando restabelecer o prestígio do descobridor. Como previa o artigo 5º de uma das leis de reforma:

> Tendo a experiência demonstrado a existência de ouro nos veios e camadas das montanhas e associado às rochas ouro que ainda não era propriedade de pessoa alguma, deveria obedecer-se, nesse caso, ao disposto no art. 5º do Regimento citado [de 1702], dando em primeiro lugar uma data ao descobridor, uma à Fazenda e novamente outra ao descobridor. Se este fizesse novas descobertas, mais terras lhe seriam dadas, mesmo que pequeno fosse o número de seus escravos, por convir que os mineiros empreendedores fossem em tudo favorecidos.[53]

Todavia, considerando-se o estilo praticado nas lavras e catas situadas em morros das vilas, há muito ocupados por "multidões de negros" e pessoas livres pobres, a imagem dos descobridores *típicos* – sertanista poderoso (e paulista), interessado em terras e atividades agropecuárias – tornou-se irremediavelmente tênue.[54] Desde o final da década de 1710, os agentes da mineração começaram a ver com suspeitas a manifestação de novos descobrimentos em terras trilhadas por faiscadores, ou possuídas por algum título. Em casos como estes, o Regimento mineral de 1702, planejado para conformar um novo e autêntico descobrimento de riqueza aurífera nos ribeiros do sertão (espaço de índios hostis, quilombolas e foragidos), costumava não ter aplicação. É o que se depreende, por exemplo, da alegação dos mineradores do descobrimento da serra da Boa Vista, no

[53] ESCHWEGE, 1979, p. 105. Para conferir o Aditamento, ver TERRAS minerais... – *RAPM*, v. 1, 1896, p. 707-711.

[54] Corrobora isso, mostrando ainda uma realidade de pobreza para a maioria dos coloniais, a observação de ESCHWEGE (1979, p. 214) sobre as elevadas penas pecuniárias impostas a quem não manifestasse os descobrimentos de ouro, na década de 1710: "É provável que também essa lei, de modo geral, não fosse executada, pois a maior parte das pessoas que iam às descobertas não possuíam sequer seis oitavas".

Serro Frio, aludida no início deste capítulo. De qualquer forma, os relatos de novos descobrimentos mereceriam, nas décadas seguintes, pouco crédito, e considerar-se-iam os supostos feitos de descobridores como mera *paulistada*, expressão forjada pelo conde de Assumar para se referir à dissimulação e à imaginação fantasiosa demonstrada pelos senhores do planalto de São Paulo a respeito de tesouros auríferos.

No cenário socioeconômico proporcionado pela mineração das décadas de 1740 e 1750, os mineradores poderosos – lusos ou luso-brasileiros das praças coloniais, para quem a extração de ouro e de diamantes era mais um ativo ramo dos seus negócios –, haviam plenamente substituído os antigos descobridores de qualidade.

Capítulo 8

A farsa descobridora: o embuste

Trazei convosco bastante companhia,
que a todos que quiser(d)es serviremos
para mais lustrar vossa bizarria
que para vossos criados lugar temos
tereis vós sempre a primazia
e nós povoados nos veremos
só para desengano destas feras
que deixam de ser gentes, são quimeras.[1]

Sou proscripto e criminoso
por ter querido gosar dos benefícios
concedidos pela Providencia.[2]

Nos últimos decênios do século XVIII, com a consolidação da esfera de ação política do Estado, este, através da Administração régia na Colônia, buscou conduzir ativamente os assuntos sociais e econômicos, como os descobrimentos e a extração de minerais preciosos. É certo que a força do governo político da sociedade (como razão de Estado), encarnado na

[1] Essa é a 5ª estância do poema oferecido por um dos amigos do mestre-de-campo, regente e guarda-mor Inácio Correia Pamplona, que ia "às conquistas do Sertão" ([1769] NOTÍCIA diária... - ABN, v. 108, 1988, p. 55).

[2] Carta de um explorador "despejado" do distrito diamantino, escrita de São João Del Rei, em 1796, ao irmão que morava no Tijuco (*apud* SANTOS, 1976, p. 169. 1. ed. 1868).

figura do rei, não era nova, remontando ao século XVII, e um rei da primeira metade do século do ouro, como Dom João V, recebeu invariavelmente o título de "muito poderoso", que representava a sua inequívoca soberania (Barros, 1753). Mas o contexto social e econômico da segunda metade do século XVIII, notadamente na Capitania de Minas Gerais, era outro. Pelo menos desde a década de 1730, não ocorriam novos descobrimentos de ouro, entendendo-se estes, em termos legais e legítimos, os descobrimentos de ribeiros com ricos depósitos. Em compensação, outras atividades – as plantações de gêneros de abastecimento, a pecuária, o artesanato, o comércio –, dinamizadas pelo negócio da mineração de ouro e de diamantes, desenvolviam-se, ampliando o quadro das relações mercantis nas Minas.[3] A população, que vinha crescendo desde a época dos primeiros descobrimentos, continuou prosperando, incorporando terras do sertão, e estendendo o espaço econômico e produtivo, cujo movimento histórico, na verdade, incorporou-se ao vai-e-vem de descobertos e crises minerárias que caracterizaram as fronteiras das Minas no Setecentos.[4]

Se, desde os primeiros descobrimentos, os administradores régios intervieram sistematicamente nos assuntos minerais, foi ao longo do século XVIII que, procurando responder às complexas forças econômicas e de mercado que influíam nas relações sociopolíticas nas Minas, constituiu-se a tônica reformista, especialmente sob o impacto da crise dos últimos decênios.[5] Com isso, o Estado, por seu governo político, passou a assumir o papel de único e verdadeiro protagonista nos descobrimentos e na mineração, requerendo para si direitos ou atributos específicos, privativos de um poder público, e derrogatórios de outros, dos particulares, que podiam dificultar as suas ações. Pode-se admitir que tais fundamentos políticos, em aperfeiçoamento, estivessem, por exemplo, na raiz da criação e da instalação da Real Extração de diamantes em 1772, no período pombalino (Furtado, 1996, p. 73-112).

No entanto, o governo português, para poder avançar e consolidar-se nas Minas, nunca conseguiu prescindir dos senhores *poderosos do sertão*.

[3] O processo de diversificação socioeconômica das Minas Gerais, no século XVIII e início do XIX, vem sendo comprovado pela historiografia. Ver, a respeito, LIBBY, 1988, p. 13-26; TERMO de Mariana... 1998.

[4] Em Minas Gerais, a população saltou de 319.769 habitantes (livres e escravos) em 1776 para 563.671 habitantes em 1823 (POPULAÇÃO da Província de Minas Gerais – *RAPM*, v. 4, 1899, p. 294-296; ROCHA, 1995, p. 182).

[5] Sobre as concepções e práticas do governo português no final do Antigo Regime, ver SUBTIL, 1998, p. 141-173.

Nisso residia a sua fraqueza, ao mesmo tempo em que convinha ao seu decidido ordenamento do território colonial. Tais poderosos se mantinham nas funções de agentes do Estado, embora confrontassem um ou outro representante da Coroa, validando os interesses estatais como grandes sertanistas-descobridores, ou assumindo os postos do governo político – militares, judiciais e da Fazenda da administração local. Na medida em que se forjavam as linhas do poder governamental, tornava-se cada vez mais nítido o papel (a ser) desempenhado por aqueles de maior proveito para o enquadramento social.

Assim, na segunda metade do século XVIII, com o domínio da Coroa plenamente instituído e com a administração ativa do poder público em voga, era, sobretudo, como homens do governo que os "magnatas" de Minas promoviam as *conquistas*. Mas isso ainda tinha estreita relação com o processo histórico de fabricação das Minas do ouro e com a mudança da visão política dos achados minerais: numa época de descrédito geral em relação aos novos descobrimentos – por suporem findados os descobertos de ribeiros –, e de ocupação exploratória das serras por uma "multidão" de escravos e faiscadores, os descobrimentos tradicionais de minerais preciosos (num sertão indômito supostamente *deserto*, a cargo dos descobridores poderosos) perderam muito da sua legitimidade e credibilidade. Cada vez mais, a legitimidade do feito passou a residir no governo, não só no seu reconhecimento, mas através da sua ação direta. Cioso desse (novo) papel, o governador conde de Valadares, em 1768, afetava bastante empenho numa nova empresa: "o quanto me será agradável o descobrir este descobrimento" (APM, Sc 143, f. 121).

Nesse sentido, os descobrimentos de minerais preciosos continuariam sendo o resultado imediato de conquistas que se faziam – apesar dos índios, dos quilombolas e dos posseiros no sertão –, não mais à custa da fazenda e do sangue dos vassalos qualificados, como a Câmara de São Paulo costumava lembrar à Coroa, mas por conta e risco da própria Coroa, que se fazia representar por seus agentes diretos, ou, conforme a tradição, por poderosos do sertão comissionados. Principalmente nos últimos decênios do século XVIII, governadores da Capitania de Minas Gerais, ouvidores-superintendentes das Minas e intendentes das casas de fundição do ouro entravam para os sertões com notícias de descobertos de minerais preciosos, requerendo-os como conquista da Coroa, e para a administração legal e fiscal dos seus representantes.[6] Nos distritos minerais,

[6] Governadores dessa época costumaram visitar os sertões das Minas Gerais: Luís Diogo Lobo da Silva entrou para os sertões da Comarca do Rio das Mortes, acompanhado

a autoridade política do Estado também se fez mais notável; os guardas-menores substitutos, encarregados da repartição e da administração local dos descobertos de ouro, passaram a ser providos pelos governadores da Capitania, ficando cada vez mais dependentes das ordens destes. Desde a década de 1730, o candidato só tomava posse do cargo de guarda-menor, quando, após ser nomeado pelo guarda-mor geral, ele era aceito e admitido formalmente pelo governador, que também detinha o poder exclusivo de destituição do cargo.[7]

O corolário dessa política sistemática de intervenção da Coroa portuguesa nas suas Minas da América, cuja reforma se mostrava imperativa segundo os críticos da decadência da mineração, foi a depreciação ou a negação, conforme disposições às vezes muito abusivas, dos privilégios, dos usos legítimos e do estilo concebidos pelos mineradores e pelos demais habitantes das Minas. Combatendo os freqüentes embargos de lavras, o governador Luís da Cunha Menezes, em 1787, chegou a proibir a entrada de qualquer oficial de Justiça num descoberto em Furquim, feito no morro vizinho à igreja matriz do povoado, querendo impedir a instauração de processos judiciais, ou as execuções do Juízo relativas aos litígios entre o

do provedor da Fazenda Real e do intendente do ouro da Comarca, para estabelecer descobrimentos e impedir o contrabando de ouro e de diamantes; Dom Antônio de Noronha foi pessoalmente conferir o programa de colonização do sertão do Cuieté em 1779; Dom Rodrigo José de Menezes, acompanhado do ouvidor da Comarca de Sabará foi repartir terras e datas minerais no rio do Peixe, supervisionou *in loco* os planos dos descobrimentos de Cuieté e do sertão de Arrepiados, e, junto com o intendente da Real Extração de diamantes comandou uma repressão aos "garimpeiros" da Serra de Santo Antônio de Itacambiraçu, na Comarca do Serro Frio. (INSTRUÇÃO para o governo... – *RAPM*, v. 8, 1903, p. 476, 487-488; ROCHA, 1995, p. 158-159, nota 26, 190-194; APM, Avulsos Capitania de Minas Gerais/AHU, caixa 117, documento 86; APM, Avulsos Capitania de Minas Gerais/AHU, caixa 118, documento 13; APM, Capitania de Minas Gerais/AHU, caixa 158, documento 22, [28 de julho de 1801]). Aliás, o suposto descobrimento de Cuieté, segundo os agentes do Estado, resultava diretamente desta política de conquista e de controle social no sertão oriental das Minas Gerais, empreendida pelos governadores da Capitania desde Luís Diogo Lobo da Silva, em meados da década de 1760. Cf. LANGFUR, 1999, p. 19-20, 72-119.

[7] APM, Sc 103, f. 131v-132, [10 de maio de 1769]. Sinal do reforço da soberania do Estado, numa dessas destituições de guarda-menor em Baependi, o governador alegou que este não seguia o Regimento minerário de 1702 e cometia "abusos". Ao prover um substituto, o governador determinou que este seguisse o Regimento, repartindo as datas da Coroa e as dos descobridores, mas que separasse em primeiro lugar, no melhor do ribeiro descoberto, a data do rei, o que, na verdade, contrariava o mesmo Regimento, que dava a primazia na demarcação ao descobridor (APM, Sc 167, f. 66v, [18 de abril de 1769]).

pároco e os lavradores de ouro, que pudessem afetar a continuidade da extração do ouro (APM, Sc 241, f. 136-137, 137-139v).

Na medida em que o governo procurava regular as relações socioeconômicas, consistentemente a partir de meados do século XVIII, codificando as normas e os padrões de conduta sociais, ele criminalizava, ou tornava suspeita, a grande maioria de habitantes das Minas que, naquela economia mercantil e *agromineradora*, desviava-se dos papéis sociais da representação hierárquica tradicional.[8] Assim, em 1770, o governador de Minas, conde de Valadares, num alerta típico da época aos oficiais militares, revelou essa profunda desconfiança em relação aos habitantes das Minas, salientando que as fidelidades sociais tradicionais não podiam sobrepor-se à sujeição devida ao governo político:

> igualmente obrará vossa mercê em casos semelhantes, que sempre deve andar pesquisando esta casta de gente, que costumam recolher-se em casas de pessoas que parecem, ou se fingem de respeito, como sucedeu aos primeiros dois [ourives que foram presos]. Esta circunstância em caso nenhum deve obstar a vossa mercê para prendê-los, ou sejam ourives, extraviadores, contrabandistas, vadios, facinorosos, e criminosos. Há de ter vossa mercê sempre na memória, que a maior parte desses moradores ainda pessoas de qualidades, graduação e estado, são extraviadores de ouros, e diamantes, que freqüentando vossa mercê as buscas nas casas da vila, e arraiais, e fazendas, há de encontrar diamantes nos rios, e córregos, há de talvez achar serviços, ou trabalhadores.[9]

Na realidade, durante o século XVIII e, mais explicitamente, em suas últimas décadas, quando se considerou a ação política e administrativa

[8] José Joaquim da ROCHA (1995, 154), no final da década de 1770, refere-se à boa política conservadora do governador Antônio Carlos Furtado de Mendonça: "porque os que eram mineiros queria que trabalhasse[m] pelo exercício de minerar; e os que eram roceiros, na cultura de suas roças, e igualmente os que tinham ofícios, cada um na laboração deles". É certo que as oportunidades mercantis nas Minas Gerais fatalmente complicaram esse esquema.

[9] APM, Sc 176, f. 81-81v, [10 de outubro de 1770]. Para o governador Luís Diogo Lobo da Silva, mesmo os primeiros descobridores viveram sob o signo da ilegalidade, ou do crime; os paulistas, com o intento de "reduzirem à tirana e injusta escravidão os índios silvestres", somente manifestaram os ricos descobertos de ouro por recearem que os "Europeus criminosos" o fizessem (APM, Sc 143, f. 62v-65, [15 de dezembro de 1765]).

como da natureza do Estado, a Coroa portuguesa sustentou uma política paradoxal: quis promover a atividade econômica e comercial nas Minas, que expandiam a base fiscal, sem colocar em risco o seu poder de comando e a ordem colonial.[10] O discurso da *civilização dos costumes* foi mais um argumento, além do bem público e particular, utilizado no final do século pelos agentes coloniais, para justificar a necessidade dessa ordem gerida pelo governo.[11]

Ora, quem não cabia na representação da ordem sociopolítica patrocinada pelos governantes e pelos poderosos locais com funções políticas estava sujeito à condição de desqualificação social. Portanto, não é de estranhar que, nas últimas décadas do século XVIII, sob o impacto da crise da exploração mineradora, condicionando o imaginário das transformações sociais, tenham proliferado os discursos oficiais, ou oficiosos, a respeito de *vadios, quilombolas, garimpeiros, criminosos, extraviadores, selvagens*, que teriam infestado a boa e útil sociedade civil. Todas essas categorias, caracteristicamente de *fronteira* do espaço social, foram criadas, e revitalizadas, pelos agentes do governo para uma ação política conseqüente. Como se viu no capítulo 4º, para eles, a crise econômica das Minas, identificada com a problemática da decadência, foi uma questão que exigiria, fundamentalmente, uma solução política.

Esse discurso, restritivo e disciplinador, recobriu realidades sociais e processos históricos bem mais complexos nos descobrimentos de ouro e de diamantes. Marcados pela ambigüidade simbólica própria da fronteira entre os povoados das Minas e o alegado deserto (despovoado) dos sertões, os entrantes pobres livres – na qualidade de *mestiços* como bastardos, carijós, mulatos[12] –, os negros forros e os escravos eram comumente associados,

[10] Por conta disso, criticam-se os habitantes das Minas, que se desviaram de sua pressuposta vocação econômica: a mineração (APM, Sc 212, f. 34-37, [2 de novembro de 1776]).

[11] Civilizar, polir, policiar são proposições cujas nuanças semânticas, sobrepostas, traduzem a história da noção de civilização, na Europa do Antigo Regime: do processo de abrandamento do trato social e de refinamento "à idéia de ordem coletiva, de leis, de instituições que assegurem a brandura do comércio humano", e incutem os valores morais ou religiosos (STAROBINSKI, 2001, p. 18-37).

[12] Ver Ordem de 24 de fevereiro de 1731 e Ordem de 31 de dezembro de 1735 em COLEÇÃO sumária... – *RAPM*, v. 16, 1911, p. 449-450. No século XVIII, o termo "carijó" designava o índio "administrado" pelo morador colonial, independente da etnia, e "bastardo" referia-se ao mestiço descendente de índios (MONTEIRO, 1994, p. 166-167). Pode-se sugerir, com Sérgio Buarque de HOLANDA (1992, p. 34-35), que a mestiçagem era

nos novos descobertos, aos vadios, criminosos e extraviadores (APM, Sc 240, f. 62v, [29 de julho de 1786]. APM, Sc 260, f. 51-52v, [despacho: 2 de setembro de 1794]). Sem legitimidade social e política para protagonizar descobrimentos de ouro e de pedras preciosas, e inaptos para estabelecerem fábricas minerais, no contexto dos custosos serviços das serras, eles eram sistematicamente alijados das maiores explorações de metais e de pedras preciosas. Assim, é certo que representá-los como párias sociais serviu de pretexto aos poderosos e aos governantes para ordenar o espaço social em transformação, segundo os interesses do grupo dominante.

Na segunda metade do século XVIII, os presumidos vadios podiam ser faiscadores, roceiros, oficiais mecânicos e vendedores ambulantes (ou *volantes*).[13] Portanto, o termo vadio designava pessoas com as mais diversas ocupações que perambulavam nas Minas, tentando aproveitar as oportunidades novas de trabalho, e conseguir outros meios de vida. Os governadores da Capitania, os ouvidores das Comarcas, e os oficiais das Câmaras e militares empregavam o termo abusando do seu significado fluido e inconsistente: a acepção neutra, proveniente do verbo *vadear*, que significava passar de uma margem a outra dos rios, sondar e examinar, vinculou-se a uma acepção claramente negativa, inscrita na lei, de pessoa sem "amo", sem ofício ou negócio próprio ou alheio e, ainda, sinônimo de vagabundo, errante.[14] Em novembro de 1769, após ter recebido denúncia de que mais de 200 pessoas faiscavam ouro e diamantes nos rios Itacambiraçu

uma experiência sociocultural de confronto inter-racial que o próprio dominador viu-se obrigado a sustentar para sobreviver: "[O colono português] Americanizava-se ou africanizava-se, conforme fosse preciso. *Tornava-se negro*, segundo expressão consagrada da costa da África". Para a análise da eficácia da mestiçagem na América portuguesa, com a invenção da figura padrão do mulato (filho de homem branco e de mulher negra), ver ALENCASTRO, 2000, p. 345-353. Sobre a mestiçagem como fenômeno social e político amplo, cf. GRUZINSKI, 2001.

13 APM, Sc 240, f. 44, [23 de julho de 1785]. APM, Sc 241, f. 72-72v, [23 de julho de 1785]. APM, Sc 315, f. 128v, [3 de junho de 1809]. Discriminando os agentes sociais úteis à mineração, que havia decaído, os oficiais da Câmara de Mariana chegaram a propor ao governador visconde de Barbacena, em 1789, que os ferreiros, carpinteiros e pedreiros, trabalhadores necessários aos serviços minerais, fossem obrigados, sob pena de perder os bens para os seus herdeiros, a ensinar a um filho o seu ofício, enquanto "representando-se como vadios, e como tais castigando-se os excessivos Alfaiates, Sapateiros, e Barbeiros"(CAUSAS determinantes... - *RAPM*, v. 6, 1901, p. 149).

14 "Segundo a Ordenação liv. 5, Tít. 68, [vadio] he o que chega a um lugar, e deixa passar vinte dias sem tomar amo, ou aquelle que não vive com amo, nem tem officio, nem outro mister, nem ganha sua vida, nem anda negociando algum negocio seu, nem

e Jequitinhonha, na Comarca do Serro Frio, o conde de Valadares ordenou ao cabo de Esquadra Francisco David, que patrulhava a região, a prisão de algumas pessoas envolvidas no alegado contrabando. Cerca de um mês depois, o cabo respondeu ao governador relatando as diligências para prender os "vadios, e salteadores dos rios", e as buscas para achar ouro em pó ou diamantes, na casa de duas mulheres, e de um preto forro, "aos quais sempre achara mais ou menos [...], e eleição que fez desse homem [coagindo-o à delação], para haver a si os ouros que se extraírem das faisqueiras desse continente" (APM, Sc 163, f. 131v-132, [3 de janeiro de 1770]. APM, Sc 163, f. 104-104v, [Ordens: 1° de novembro de 1769]). Ou seja, na prática, todas as suspeitas que levavam à efetiva punição dos culpados, com provas de extravio dos quintos do ouro e dos diamantes, recaíam sobre as pessoas pobres e os forros – os "vadios" –, que representavam somente o começo da cadeia de contrabando. Os maiores contrabandistas do ouro e dos diamantes – senhores brancos poderosos – atuavam em conluio com os comandantes militares e os soldados e mantinham seus negócios encobertos.

Na verdade, a repressão da Coroa aos vadios das Minas não se baseava somente nas supostas faltas de ocupações úteis – quase todos podiam alegar alguma atividade própria –, mas na itinerância deles, no estilo de vida resguardado de vigilância, e na condição de forasteiros nos arraiais e nos descobertos (Souza, 1992, p. 358-360). Para o governo, era preciso fazer dessa qualidade de gente sem crédito (ou infames) pessoas úteis para o povoamento e as conquistas territoriais nos sertões a leste e a oeste de Minas Gerais, que fundavam os descobrimentos de riquezas minerais.[15] A repressão era, pois, uma política eficiente de subordinação dos pobres aos governantes e aos mais poderosos, naquele contexto de exploração competitiva nas serras com depósitos de ouro e de diamantes, ou nos ribeiros lavrados. Mas, sobretudo, tal política vinha atender às novas necessidades

alheyo, ou o que tomou amo, e o deixou, e não continuou a servir." (BLUTEAU, 1721, v. 8, p. 345-346).

[15] APM, Sc 167, f. 132, [7 de agosto de 1769]. APM, Sc 179, f. 128v, [17 de outubro de 1772]. APM, Sc 224, f. 4-16v, [4 de agosto de 1780]. Os "Negros e Mulatos forros, ociosos, e vadios", identificados uns aos outros pelo governo colonial, ainda foram recrutados para o serviço militar nas guerras dos portugueses contra os espanhóis pelas possessões do sul. Mas, os homens livres pobres resistiram decididamente ao recrutamento forçado, e nem as autoridades régias da Capitania, que promoviam as conquistas do Estado no sertão, apoiaram ativamente tal política. Ver Ordem de 24 de novembro de 1734 em: COLEÇÃO sumária... – *RAPM*, v. 16, 1911, p. 450; LANGFUR, 1999, p. 134-150.

da *ruralização* em curso, quando os trabalhadores das antigas povoações mineradoras buscavam proveito nas fronteiras, ou iam empregar-se nas fazendas e nos pequenos arraiais sustentados pela agropecuária de abastecimento.[16] Atenta ao modo de vida dos pobres das Minas, e às atividades úteis ao Estado, a política régia acautelava-se. Numa Carta régia de 22 de julho de 1766, que obrigava o pleno estabelecimento dos vadios em vilas ("Povoaçoens Civis") com mais de 50 casas, sob a ameaça de virem a ser tratados como criminosos se a isso não se sujeitassem, procurou-se abreviar possíveis injustiças com os coloniais do campo e do sertão – roceiros, rancheiros e bandeiristas –, que fatalmente aconteceriam, tendo em vista as atividades diversificadas desses coloniais, e a costumeira migração de muitos para os novos descobrimentos (Coleção sumária... – *RAPM*, v. 16, 1911, p. 451-452). De fato, a mobilidade, incentivada pelas diferentes oportunidades econômicas e políticas dos lugares, fazia parte da estratégia familiar, notadamente nas fronteiras; em 1771, os moradores do arraial de Piuí, na Comarca do Rio das Mortes, reclamaram da "deserção" de famílias inteiras e de mineradores com posses de escravos, ao trocarem o descobrimento recente de Jacuí e Cabo Verde (no sul), e as Minas Gerais, pela Capitania de Goiás e pela "paragem do rio das Velhas" (no sertão oriental das Minas) (APM, Sc 178, f. 210v-211, [27 de outubro de 1771]. É certo também que muitos moradores das Minas Gerais queriam, na realidade, fugir à elevada carga fiscal da Capitania).

Nas instruções passadas pelo governador conde de Valadares aos comandantes militares dos distritos das Minas, procurou-se definir claramente os passos do processo de formação de culpa e de prisão dos suspeitos de serem vagabundos ou criminosos. Mesmo assim, houve denúncias de que os comandantes usavam de sua autoridade para oprimir "inocentes". Na realidade, e as instruções do governador esclarecem isto, tudo era uma questão da reputação social e moral do suspeito, que o obrigava, quando fosse livre pobre ou liberto, a se fazer dependente da proteção de algum senhor poderoso, e estabelecer contatos pessoais e relações de trabalho com a gente do distrito (APM, Sc 167, f. 78v-81, [24 de abril de 1769]). Desse ponto de vista, as medidas de repressão à pretendida ociosidade dos vadios,

[16] Os senhores mineradores, roceiros e criadores das Comarcas das Minas entraram, por exemplo, no sertão das rotas de Goiás e Mato Grosso, a partir da década de 1730, buscando tirar proveito dos descobertos do ouro e das atividades comerciais nos caminhos. Cf. BARBOSA, 1971.

ou vagabundos, significou uma regulação valiosa na formação disciplinada do mercado de trabalho nas Minas Gerais.

Nos descobrimentos de ouro e de diamante das conquistas do Estado, tal reputação suspeitosa, inscrita nas leis, fez, ainda, os forros, os escravos e os mestiços pobres serem confundidos, pelos agentes do Estado, deliberadamente ou não, com escravos fugidos, quilombolas ou com garimpeiros extraviadores dos diamantes.

Isso acontecia com os forros, muitas vezes, porque eram eles que entravam à procura de faisqueiras descobertas, cujas notícias rapidamente se espalhavam nas vilas e povoações. Eles seguiam o antigo costume de buscar partilhar com os mineradores as terras realengas ou lavradas dos distritos mineradores. Assim, quando se acusa, como ocorreu nas vertentes da serra da Boa Esperança, sertão sudoeste das Minas, que um lugar ficou infestado de "negros fugidos de todas as Comarcas", vivendo em quilombos, após terem saído (ou morrido) dois poderosos descobridores, trata-se, na verdade, da *multidão* de pobres e de libertos que acometiam às explorações dos mineradores (APM, Sc 103, f. 8v-10v, [13 de novembro de 1760]. APM, Sc 103, f. 11-12v, [2 de outubro de 1760]). A mobilidade dessa gente atenta às oportunidades de proveito, como já se ressaltou anteriormente, era muito comum na Capitania de Minas Gerais, durante o século XVIII. Não é mera coincidência que, nos últimos decênios desse século, as propostas dos senhores, encaminhadas ao governo, para fazer *novo* descobrimento de ouro fossem associadas à permissão para destruição dos tais quilombos.[17] Serviam tais petições de meios extraordinários, e rápidos, para garantir os privilégios na concessão de datas, empregados pelos lavradores de ouro qualificados, que assim evitavam o processo ordinário das Superintendências das Minas de ouro, instância judicial dos

[17] Ver pedido de licença de Antônio da Costa Ferreira, morador na freguesia de São Bento do Tamanduá, para descobrimento nos sertões da Serra da Marcela e da Canastra – APM, Sc 103, f. 18-19, [13 de agosto de 1767]. No mesmo sertão, o poderoso sesmeiro e criador Inácio Correia Pamplona e outros bandeiristas, preparando-se para entrar, tentaram precaver-se das apropriações de terras por meio de posses, requerendo ao governador que elas fossem consideradas sem efeito, e que os tais posseiros fossem presos. O governador despachou favoravelmente, justificando que os posseiros queriam se aproveitar sem despesa do "trabalho, desembolço, e risco" a que os suplicantes "se sacrificaram". Depois de pouco mais de um mês, em 1º de dezembro de 1767, foram passadas cartas de sesmaria para Pamplona, suas filhas e seus aliados (APM, Sc 103, f. 22-23v, [despacho: 22 de outubro de 1767]; BARBOSA, 1971, p. 37-38).

recursos, vistorias, embargos e das demoradas demandas relativas às terras minerais.[18] Também, conforme a política dos governadores em relação às minas dos morros, os pobres e os faiscadores eram virtualmente indesejáveis, ou presumidos desordeiros, pois concorriam com os lavradores que poderiam arcar com serviços mais consideráveis.[19]

Os faiscadores, foragidos ou não, resistiam a essas entradas descobridoras e punitivas, que certamente viam como uma espoliação injusta de um direito de exploração comum,[20] ou, então, mais freqüentemente, ligavam-se a alguns senhores respeitáveis, aliados, por suborno ou por respeito, aos comandantes militares e aos bandeiristas empenhados na repressão, e estes acabavam isentando os protegidos dos poderosos de suas supostas culpas. No rio do Peixe, o encarregado da vigilância do descoberto encontrou doze forros minerando nos ribeiros, mas alegou: "os não expulsei porque os donos das terras em que trabalhavam, consentiram em que trabalhassem, para melhor exploração e crédito das terras, e tirassem o ouro seja como for; porque se as faisqueiras alargarem pelos tabuleiros, e grupiaras, tem muito que lavrar além de muitos ribeiros, que se hão de descobrir, e vão descobrindo" (APM, Sc 224, f. 72-74, [24 de outubro de 1781]). Isto é, o trabalho dos libertos servia para experimentar a riqueza aurífera, aumentando a reputação do descoberto; se as extrações do metal mostrassem ser duradouras, subindo pelas encostas, então era o caso de repartição de datas aos lavradores poderosos, aos quais, de qualquer modo, os libertos exploradores teriam que se submeter para continuar fazendo suas catas.

Os senhores das Minas costumavam mandar os seus escravos (ou deixar que fossem) lançar posses com roças e, também, faiscar ouro e

[18] Conforme um mineralogista europeu do início do século XIX, a administração da Justiça era bastante ineficiente, e muito danosa para os exploradores das lavras: "O pequeno minerador não podia recorrer à Justiça em virtude das custas excessivas. Assim, ou abriam mão de seus direitos, ou caíam na miséria, quando reclamavam em Juízo. Os ricos iam até a última instância [tribunais superiores], sacrificando tudo para conservar o seu direito. Acabavam por arruinar toda a família" (ESCHWEGE, 1979, v. 1, p. 215, nota 124).

[19] Quando se instaurava o pleito judicial, e os pobres conseguiam sentenças favoráveis, os ricos mineradores costumavam recorrer ao governador ou à Corte (APM, Sc 186, f. 174v-175v, [despacho: 19 de agosto de 1772]; APM, Sc 186, f. 175v-176v, [1º de outubro de 1772]).

[20] Foi o que ocorreu na paragem das cabeceiras dos rios Andaiá e Abaeté, e das serras vizinhas (APM, Sc 143, f. 121-122, [despacho: 8 de agosto de 1768]).

socavar nos morros e rios dos sertões. Habitando onde exerciam tais atividades, os jornaleiros faziam ranchos toscos junto às suas catas ou roças. Por sua movimentação e sua autonomia, os negros ficavam mais vulneráveis a serem acusados, pelos agentes do Estado, de vagabundos e de quilombolas. Em 1765, um senhor de escravos dirigiu queixa ao governador sobre os capitães-do-mato que haviam feito "a tomadia de um casal de escravos seus que lhe haviam fugido", com a suposição de viverem em quilombo, quando eles, na verdade, se reputavam por "ribeirinhos". Estes eram os negros, provavelmente figurados como faiscadores dos ribeiros, que faziam uma "fuga pequena" e não se congregavam na forma de um quilombo.[21] O governador Luís Diogo despachou favoravelmente ao senhor, justificando que não havia evidência daqueles escravos serem quilombolas, pois as circunstâncias determinantes da condição de viver em quilombo não haviam sido esclarecidas pelos capitães-do-mato, e, principalmente, "não havendo informação do comandante do distrito que com a constância necessária persuada o contrário".[22]

Em semelhantes casos, ainda é possível que o senhor procurasse minimizar as fugas de seus escravos de maneira que estes não fossem considerados quilombolas, e assim não se justificassem os pagamentos aos capitães-do-mato – as tomadias – em razão dos custos da repressão e do apresamento. Mas é provável também, por outro lado, que o senhor alegasse caso de fuga, corroborando a suposição dos oficiais do mato, quando os escravos faiscadores ou posseiros fossem apreendidos, pois era delicada a situação legal, junto às autoridades da Coroa, de um senhor que permitisse aos seus escravos perambularem ou entrarem nos sertões, como sugere a atitude do implicado, aparentemente contraditória, de defender os seus escravos fugidos. Houve mesmo contínuas restrições legais, nas Minas

[21] Antônio Pires da Silva Pontes conferiu os valores da apreensão dos escravos ribeirinhos, no final do século XVIII: "as tomadias do escravo fugido se está em Quilombo [...] ou rancho de mais de sinco he já contada por 25$000 r.s, e a fuga pequena do Ribeirinho ou Eremita he de 4$800 r.s pelas Posturas das correiçoens" (LEME, v.1, 1896, p. 423).

[22] O governador parece admitir a malícia dos oficiais do mato: "Como no artigo 4º do Regimento dos capitães do mato se determina, que para se constituir ou se reputarem negros quilombados seja preciso não só se acharem em rancho para cima de quatro, mas haver nele pilões, e modos que indiquem conservarem-se no mesmo rancho o que tanto não asseveram os ditos capitães de mato, que só simplesmente dizem se lhes representa estarem sete, e parecer-lhes quilombo, sem declararem as circunstâncias sobreditas com que o deviam corroborar" (APM, Sc 59, f. 102-102v, [21 de fevereiro de 1765]).

do século XVIII, todas comumente negligenciadas, ao fato de os escravos morarem sós, portarem armas na ausência dos senhores e andarem sem permissão escrita deles.[23]

De qualquer modo, até a simples passagem de estranhos mestiços ou negros por uma povoação era motivo de suspeição e de autuação de supostos quilombolas. Em 1770, dois negros que passavam à noite pelo arraial de Brumadinho, freguesia do Sumidouro, foram perseguidos por dois soldados crioulos que os viram, "na fé de que eram fugidos". Acabaram não sendo apreendidos, mas, segundo o comandante do distrito, deviam ser negros "que iam mudando para alguma parte", não sendo perigosos para os homens brancos.[24]

Com o descobrimento de diamantes e as oscilações dos preços das pedras no mercado internacional, devido, supunha-se, à produção excessiva, houve a restrição da Coroa quanto aos direitos exploratórios dos lavradores, que teria influência na legislação referente ao ouro, a partir da década de 1730. Do curto período de exploração livre para os mineradores passou-se à demarcação do distrito diamantino e ao sistema de extração por contrato, para culminar, em termos de ingerência administrativa da Coroa, na extração exclusiva de diamantes a cargo da Fazenda Real a partir de 1772.[25] O reverso disso foi a transformação, condicionada pela lei, dos exploradores persistentes de diamantes em gente criminosa, necessariamente extraviadora ou contrabandista, pois trabalhava na clandestinidade. As pessoas sobre as quais haveriam de recair toda a repressão e desqualificação social seriam, especialmente, os mestiços e os negros (ou supostos vadios) que palmilhavam os rios e as serras diamantíferas: os garimpeiros.[26]

Devido ao estilo de vida itinerante desses pobres e dos escravos jornaleiros, formado no costume de exploração comum de riquezas auríferas, eles

[23] Sobre a condição política ambivalente do quilombo (povoações de escravos fugidos), apresentando-se como núcleo de rebeldia e de acomodação, na sociedade escravista, cf. RAMOS, 1996, p. 164-192.

[24] *Apud* SOUZA, 1992, p. 357. Ver a representação do secretário do governo, Manuel de Afonseca de Azevedo ao rei [20 de fevereiro de 1732], conforme a transcrição de BARBOSA, 1972, p. 120-123.

[25] APM, Sc 01, f. 89-92, [26 de junho de 1730]. DIAMANTES. Histórico de sua descoberta – *RIHGB*, v. 63, 1901, p. 307-319. Cf. LIMA JÚNIOR, 1945.

[26] Sob um ponto de vista mais estrito, garimpeiro, ou *grimpeiro* significava o explorador de diamantes clandestino que se escondia nas grimpas das serras, as partes altas e escarpadas (BARBOSA, 1985, p. 100-101).

seriam inevitavelmente designados de garimpeiros, que, clandestinamente, extraíam diamantes e os vendiam, sabia-se na época, aos contrabandistas bem posicionados. Conta-se que no Tijuco, em 1780, alguns soldados que faziam ronda, por volta de meia noite, ouviram um batuque na casa do capitão-mor José Batista Rolim, "e supondo seria algum ajuntamento de salteadores de córregos diamantinos, os quais vulgarmente chamam grimpeiros", invadiram o local e atacaram brutalmente a gente reunida. Quando se viu espancado, um crioulo forro, alcunhado o Garrafa, fugiu, mas encontrou pela frente um outro soldado de guarda, que atirou, matando o crioulo na hora. Na investigação a que se procedeu, o soldado alegou, auxiliado por alguns de seus companheiros, que o crioulo tinha resistido à apreensão, mas o auto do corpo de delito mostrou "que o falecido recebeu o tiro da espádua esquerda até o pescoço, e em ação mais natural de quem foge do que quem acomete, e resiste" (APM, Sc 223, f. 37-37v, [27 de setembro de 1780]).

Nessas Minas Gerais da segunda metade do século XVIII (até o fim do período colonial), já decadente desde que se desviou da sua verdadeira vocação – a mineração –, e produzindo tantos "opressores da natureza, e gente inutil" de baixa reputação, precisava-se (re)fundar a vida socioeconômica, segundo os agentes do Estado e poderosos que percebiam a mudança social como tradução da decadência (Causas determinantes... – *RAPM*, v. 6, 1901, p. 145-146). Por isso, muitos contemporâneos defendiam a necessidade de retomar as formas tradicionais de descobrimento (a sua novidade), e ainda o antigo prestígio do descobridor, a partir do patrocínio imediato do Estado. Na *Memória sobre a decadência das três capitanias* [Goiás, Mato Grosso e Minas Gerais] *e os meios de as reparar*, datada de 1802, o padre José Manuel de Siqueira fazia as perguntas que, em geral, convinham aos presumidos reformadores: "E por que senão poderá fazer esta diligência do descobrimento do ouro à custa do público, e não do particular? Não é verdade que todos participam mais e menos dos descobrimentos?" (AIHGB, Lata 763, pasta 16).

Com efeito, as ações políticas do Estado, promovidas pelo governo, partiam do princípio de que somente este poderia dirigir os descobrimentos, pois (era a suposição) os particulares (os senhores), sozinhos, não tinham condições de empreender tais feitos custosos, ou não se interessavam mais por tais negócios porque os antigos mineradores, endividados, viraram roceiros ou senhores de engenho (*ibidem*, Exposição do Governador D. Rodrigo José de Menezes... – *RAPM*, v. 2, 1897, p. 312-315). Além disso, como asseverou Antônio da Silva Pontes, na época: "A Experiência sempre tem provado que são infelizes estas expedições [de descobrimentos], e se tornam delas para os lugares deixados, que são ou da serra geral [da matriz do ouro, estendendo-se desde Parati e a Mantiqueira até Mato Grosso], ou das suas abas, carpidos de fome, e quintados pelas armas do Gentio" (*RAPM*, v. 1, 1896, p. 422). Se se admitia um amplo esgotamento das ações dos particulares (senhores poderosos), verificava-se, por outro lado, um desmerecimento sistemático das ações de descobrimento e de ocupação efetiva daqueles que, pela própria política do Estado, eram representados com pouca qualidade. Houve quem recomendasse, já no início do século XIX, a criação do cargo de intendente-geral de Polícia na Capitania de Minas, que, junto com um engenheiro mineralógico, regeria, disciplinando os costumes dos índios, mulatos e negros, para estabelecer a melhor forma de povoamento, e de descobrimento de ouro ou de pedras preciosas nos sertões.[27]

Na verdade, essa política reformista contribuiu para abalar a confiança dos moradores das Minas nos descobrimentos novos, num período em que havia disseminado a gente suspeitosa acostumada a disputar as terras e os morros, nas fronteiras ou nas antigas povoações, e em que vicejou a idéia do fim dos descobrimentos de ribeiros ricos nos sertões. Com isso, o Regimento minerário (e suas interpretações do início do século), fundado no papel prestigioso do descobridor de formações de ouro de aluvião, deixou de atender à fabricação de um descobrimento de ouro, ou mesmo de diamantes. O mero uso desse Regimento para legitimar um descobrimento, quando acontecia, parecia freqüentemente uma farsa que a nova realidade mal suportava. O descobridor que alegava o feito, por sua vez, era visto como um embusteiro contumaz. Não é sem razão que muitos conflitos entre os mineradores, notadamente na segunda metade do século XVIII, originavam-se das diferenças de significação do descobrimento, e da sua legitimidade. Se não cabia mais o estilo do Regimento costumeiro, seria ainda um descobrimento? Como definir os descobrimentos que se faziam nas serras, ou nos filões auríferos que se espraiavam em todas as direções, dificultando a determinação do primeiro descobridor?

Durante todo o século XVIII, o crédito e a fama de um descobrimento de minerais preciosos dependiam da reputação do seu proponente,

[27] Segundo Basílio Teixeira de Saavedra [1805] (INFORMAÇÃO da Capitania de Minas Gerais... – *RAPM*, v. 2, 1897, p. 676-677).

reconhecido como descobridor. Como se procurou mostrar no capítulo 3º, até mesmo os senhores brancos que manifestassem descobrimentos sem demonstrarem sua experiência e o cabedal necessários ao feito e, sobretudo, que não contassem com a proteção interesseira de autoridades da Coroa, tinham as suas reivindicações mal atendidas. Um exemplo notável disso foi o de Manuel Francisco dos Santos Soledade, o suposto descobridor de ouro do sertão da Bahia que, segundo o vice-rei, conde de Sabugosa, propusera ao rei "uma quimera e falsidade, porque não foi nada do que disse nem tinha capacidade para estes projetos, nem ainda para nenhum emprego, por não ter nada de seu e ser mal procedido" ([12 de setembro de 1730] Consultas do Conselho [...] 1724-1732 – *DHBNRJ*, v. 90, 1950, p. 221). O governador da Capitania do Rio de Janeiro, por sua vez, ao saber das intenções de Soledade pelo próprio vice-rei, concordava com este: os descobrimentos eram "embustes de Manoel Francisco dos Sanctos [...], e só lhe está bem o nome de Soledade, porque athe o ouro ficará só, que hé no que vem parar semelhantes alquimistas, deixando sempre a fazenda Real condemnada nas custas" ([27 de novembro de 1730] Documentos relativos [...] 1721-1740 – *DIHCSP*, v. 50, 1929, p. 205).

Os agentes do Estado, na medida em que procuravam promover as expedições descobridoras e dirigir o estabelecimento dos descobrimentos, passaram a ficar desconfiados das reais intenções dos sertanistas e senhores que alegavam falta de possibilidades. Nas últimas décadas do século XVIII, numa época em que os grupos dominantes viam por toda a parte decadência e senhores arruinados, tendia-se a supor que as propostas de descobrimento somente recobriam a intenção verdadeira destes: requerer prêmios e privilégios, tudo à custa da Fazenda Real, das Câmaras e dos fazendeiros das fronteiras que arcariam com os homens, as ferramentas, as munições de guerra e os mantimentos necessários ao empreendimento.[28]

Os moradores do Termo de Mariana e dos distritos da Tapera, do Turvo e do Calambau, sabendo que o capitão José Leme da Silva, comandante

[28] A Câmara da Vila do Príncipe, por exemplo, em 1757, se comprometeu a arcar com as seguintes despesas para o descobrimento de ouro, pretendido por João Batista de Brito, num lugar cujas notícias e roteiros referiam como Três Morros, no sertão da Comarca do Serro Frio: "Sincoenta alqueyres de farinha – Dezaseis alqueyres de feyjam – Duas Bruacas de sal do reyno – seis arobas de toisinho – Duas arobas de xunbo – huma aroba de polvera – hum Barril de agoardente do reyno – hum baril de asucar – vinte [e] sinco varas de Linhagem, mais para deyxar a sua Molher [do cabo da expedição João Batista] qorenta oitavas de ouro" (OS TRÊS MORROS... – *RAPM*, v. 8, 1903, p. 321-323).

da Tapera, e seus irmãos queriam fazer uma "numerosa Bandeira" para um lugar do sertão onde haveria riquezas de ouro, criticaram duramente o plano, apoiado pelo governador. Salientaram o despreparo dos interessados, a quem acusaram de imprudentes, crédulos, e "nada sensíveis aos maus sucessos das suas empresas". Denunciaram as manipulações daquela família, afirmando que os Leme costumavam alegar "serviços fantásticos", mas suas entradas sempre haviam fracassado. Acusaram, ainda, o capitão José Leme de ter-se apresentado ao governador da Capitania, fazendo-se acompanhar de alguns índios aldeados do Presídio do Pomba, para criar uma imagem de conquistador, e ter requerido o apoio da Fazenda Real, e arremataram: "este descoberto em que eles [os Leme] muito crêem, sempre o reputaram por uma novela, ou empresa fabulosa". Segundo os moradores do Termo de Mariana, o capitão José Leme e seus irmãos possuíam um roteiro do descoberto que não era novo, tendo sido examinado há muitos anos por pessoas antigas, que procuraram o descoberto sem nunca o acharem. Como essas pessoas viveram em épocas mais próximas daquela em que se fez o roteiro, "deviam as notícias ser mais verídicas, e as balizas notadas no roteiro existente; como o poderão eles [os Leme] descobrir depois de tão grande lapso de tempo, e achando-se hoje o mesmo roteiro por onde seguirão os Leme viciado com tantas glórias, e inteligências, que eles têm feito?" (APM, SG caixa 20, documento 29, [Representação: s.d.]).

Esses moradores "pobres" dos distritos vizinhos ao sertão de Arrepiados temiam que fossem obrigados a arcar com parte substancial dos custos da bandeira, cujos beneficiados seriam os Leme e alguns ricos sesmeiros da fronteira; criticaram, portanto, a reputação de descobridor do capitão José Leme, duvidando de sua qualidade – vicioso, chefe de bandeira ou conquistador incompetente, farsante – e da verossimilhança do pretendido descobrimento, baseado em um roteiro viciado e enganoso. Aliás, tais roteiros de descobertos, acrescentados aos relatos manuscritos de feitos fantásticos, deviam ser comuns no século XVIII e inícios do XIX, entre os descendentes dos supostos descobridores das Minas, conferindo prestígio familiar e servindo de justificativa para pretensões de privilégios. Daí, o desdém do desembargador José João Teixeira Coelho, em 1780: "porque nenhum interesse resulta ao Estado de similhantes averiguaçoens, que unicamente podem servir de gloria aos descendentes dos mesmos descobridores" (Instrução para o governo... – *RAPM*, v. 8, 1903, p. 455). De fato, esse Estado-governo, representado como o único benfeitor verdadeiro da sociedade e sujeito da história, conduzia, forçosamente, ao esvaziamento da presunção dos particulares de figurarem como agentes confiáveis do bem comum e público.

Nos primeiros anos do Oitocentos, certo Francisco José de Abreu, ao encaminhar sua proposta de descobrimento ao governo da Capitania, alegou que, tendo notícia de um certo campo a que dava o nome de "rico", nos sertões próximos à Capitania do Espírito Santo, fez explorações para encontrar o descoberto. Chegou, então, a uma planície de onde "pôde divisar ao longe huma grande Pedra, que pelos brilhantes raios, que de si lançava, lhe pareceu a Pedra Carbunculo, da qual ouvira sempre dizer, que valia um Reino". No entanto, a petição de Francisco José não encontrou nenhum apoio por parte do governo. Ao contrário, pouco relacionado em Vila Rica e em Mariana, onde, a princípio, disse que morava, a sua proposta e a sua experiência no sertão foram claramente ridicularizadas pelos agentes do Estado. Chegou-se a dizer que o tal Abreu era um "aventureiro" e que se achava "enfatuado, bem como os sebastianistas". No próprio registro do pedido de Abreu, que pretendia o auxílio do governo em armas de fogo para a expedição, após a narrativa do vislumbre da grande pedra de ouro, foi acrescentado, em tom de pilhéria: "Com este engraçado conto rematou o bom do velho toda a novella" (APM, SG, caixa 60, documento 25, [1804].). Vir a ser ridicularizado pelos poderosos das Minas, perdendo a credibilidade com alegações de descobertos fabulosos que nunca aconteciam, é o que muitos temiam na época. Francisco de Paula Vieira, oficial da administração diamantina e bacharel formado em Ciências Naturais, anunciando a descoberta de duas espécies de quina (planta terapêutica) no distrito do arraial do Tijuco, pediu que não se divulgasse o feito até a concretização da notícia (mostrando ser a quina de boa qualidade e proveitosa), pois não queria "ver o seu nome coberto de rediculo, com que a inveja costuma atacar as empresas mal sucedidas" (APM, Casa dos Contos, rolo 546, planilha 21520, [27 de janeiro de 1803]).

Numa atitude muito inábil para quem parecia um embusteiro, o próprio Francisco José de Abreu ainda alertou o governo sobre a possibilidade de seu descobrimento se degenerar. Requerendo para si o poder de escolha dos companheiros da expedição, ele denunciou que "varios" escravos (contra a vontade dos senhores), criminosos (com intento real de fuga para a Capitania do Rio de Janeiro), e mulheres queriam acompanhá-lo, mas ele recusava admiti-los na expedição, pois "onde se axa esta qualidade de gente tudo são dizordens e brigas" (APM, SG, caixa 60, documento 25, [1804]).

De fato, além de recair sobre os brancos pobres e sem possibilidades para custear as empresas sertanistas, a qualidade de embusteiro ou farsante recaía, preferencialmente, sobre os mestiços, os forros, os escravos negros e os índios aliados ou aldeados. Estes eram os guias preferenciais em expedições descobridoras de ouro nos sertões, mas, no meio colonial, eles nunca tiveram a reputação de descobridores; para os coloniais lusos e luso-brasileiros, essas pessoas de menos qualidade só serviam de guias para mostrar os pontos significativos dos roteiros, para descobrir as notícias de riquezas minerais, ou mesmo para mostrar os lugares das minas. Tais guias tinham a reputação de conservarem propósitos muito estritos, impróprios da honra demonstrada pelos vassalos, e mais condizentes com a qualidade de infamados. Principalmente nos últimos decênios do século XVIII, a reputação suspeitosa de mestiços, negros e índios foi instituída (codificada socialmente e nos termos da lei), alinhando-se com as suposições de praticarem enganos, extravios e crimes.

Na Vila de Sabará, em 1771, houve um caso significativo da suspeição generalizada desses grupos menos qualificados da sociedade colonial. Um "caboclo [referia-se ao mestiço com ascendência indígena] ou mulato com casta de caboclo", que vinha fazendo requerimentos ao ouvidor intendente da Comarca de Sabará, invadiu sorrateiramente à noite, através de um buraco, a Casa da Intendência e fundição do ouro, e arrombou um cofre, tirando dele seis barras e uma parte de ouro em pó, pertencentes a particulares. De posse do ouro, foi para a casa de uma crioula com quem tinha intenção de casar "e mostrando-lhe com asseveração de que aquele ouro era do descoberto donde o tinha ido buscar e desenterrar, a crioula, desconfiando disto, usou da indústria de lhe fixar a porta de um quarto para onde ele tinha ido lavar-se, por ter chegado todo cheio de terra e sair para fora a dar parte a outra crioula vizinha" ([Documento 358] Documentação referente a Minas Gerais... – *RAPM*, v. 26, 1975, p. 285-286).

Se foi assim que tudo se passou, pois quem relatou o caso foi o próprio intendente, é interessante assinalar que nem os outros pobres livres ou libertos, com os quais o mestiço convivia, acreditaram no seu descobrimento de ouro. Até os mais pobres partilhavam da composição dominante da figura de descobridor embusteiro, conferida segundo a qualidade social da pessoa. É possível, ainda, que as crioulas envolvidas tenham delatado logo tudo às autoridades, tendo em vista o fato de ser praticamente impossível manter um segredo desse porte numa vila das Minas, e para garantir a isenção de culpa se o alegado pelo amigo fosse tomado por crime.[29] Também

[29] De qualquer modo, a cultura da honra foi valorizada pela *gente de cor* – livres, libertos ou escravos –, que habilmente manipulava os códigos dominantes de reputação para

fica sugerido que esse homem mantinha alguma contenda relativa a terras minerais e que, sentindo-se injustiçado pelo descaso do funcionário régio, tenha buscado, a todo custo, readquirir o que lhe parecia de direito.

Freqüentemente, um direito costumeiro e considerado inteiramente legítimo era o que os faiscadores (e jornaleiros) ou os garimpeiros alegavam para fazer valer as suas pretensões de exploração, ou para conseguir o reconhecimento dos seus serviços. Não se pode esperar encontrar arrazoados, ou alegações fundamentadas judicialmente, da lavra dessas pessoas. Seus depoimentos surgem fragmentados, comumente sob os rigores legais dos processos judiciais e dos documentos públicos. Infelizmente quase não se encontram registros pessoais, com justificativas ou reflexões sobre as próprias ações. Mas, num desses raros registros, aparece claramente o tom de indignação contra as medidas do governo régio, reputadas pelos exploradores como sendo injustas e abusivas.[30] Um homem acusado de garimpar na região diamantina, após ser expulso da Comarca do Serro Frio, escreveu, em 1796, uma carta ao irmão que morava no arraial do Tijuco, desabafando:

> Qual foi o meu crime? Tirar diamantes da terra. Mas quem foi que ahi os escondeu, senão Deos, para nós com o nosso trabalho irmos procural-os? Que direito, portanto, há para se nos prohibir a mineração? Deos creou os quatro elementos para goso dos homens: o ar que respiramos, a agua que bebemos, o fogo que nos aquece, e a terra para d'ela tirarmos todo o proveito, já cavando-lhe as entranhas para extrahirmos os mineraes e pedras preciosas, já cultivando-a para alimentarmo-nos, já caçando nas suas matas e campos. Sou proscripto e criminoso por ter querido gosar dos benefícios concedidos pela Providência. (*Apud* Santos, 1976, p. 169)

Se, com os arranjos costumeiros da escravidão nas Minas, houve a expectativa comum entre os cativos faiscadores de sustentarem os jornais pretendidos por seus senhores com explorações autônomas nas serras, quando guiavam entradas descobridoras de minerais preciosos, os escravos consideravam seriamente a possibilidade de serem alforriados caso o

sustentar alguma autonomia, reagindo à exploração dos poderosos ou dos senhores, e para angariar o crédito necessário à melhoria de posição social. Cf. AGUIAR, 1999, p. 233-235, 338.

[30] Na demarcação diamantina, por exemplo, floresceu uma tradição a respeito das alegadas injustiças dos funcionários régios. Cf. COUTO, 1994, p. 86-89.

descobrimento se efetivasse.[31] Do acordo tácito entre o senhor e o escravo, manteve-se o uso, na demarcação diamantina, de premiar com a liberdade aqueles negros que achassem diamante com uma oitava (quatro quilates), ou mais, de peso (APM, SG, caixa 52, documento 15, [14 de março de 1801]). Atento às práticas costumeiras nas Minas e ao que determinava a própria lei, o Erário real premiou com a alforria todos os 14 escravos negros que trabalharam no descobrimento das cabeceiras do rio Abaeté que resultou na manifestação de um diamante com sete oitavas e três quartos de peso.[32]

Quando isso não acontecia, os escravos reagiam com a presunção de que o senhor, ou o administrador, tinha sido injusto. No início da década de 1720, Francisco de Albuquerque, querendo descobrir, no sertão da Bahia, umas supostas minas de prata que seu pai, Lopo de Albuquerque, tinha manifestado ao governador-geral, quis que o seu escravo, um crioulo participante da exploração do pai, o guiasse. Mas o escravo pretendeu que só o faria se Francisco prometesse libertá-lo. Este, num ato impensado, atirou no crioulo com uma espingarda, matando-o, e assim não pôde descobrir as tais minas.[33]

[31] Em 1782, sobre um acordo pretendido por um negro faiscador com seu senhor, envolvendo ainda os donos das terras e oficiais militares encarregados de policiar o lugar, mencionou-se: "me diz o mesmo Negro, que faça eu com seu Senhor o deixá-lo ali [nos morros] nas águas que me segura 2/8 [duas oitavas] de jornal por semana só com água de chuva, o que se tivesse água, ainda que não fosse mais que uma talha dela, se segurava jornal de 3 e mais [oitavas]; porque lhe parece estarem aqueles morros todos cravados de ouro onde se pode encontrar grandeza de muitas arrobas" (APM, Avc, caixa 12, documento 31).

[32] Ordem do Real Erário a favor de Manuel de Assunção Ferraz Sarmento e outros descobridores... [25 de novembro de 1797] em PRÊMIOS aos descobridores... – *RAPM*, v. 2, 1897, p. 41-42. A Ordem régia de 24 de dezembro de 1734 determinou que todos os diamantes que fossem de peso de 20 quilates, ou daí para cima, ficassem reservados à Fazenda Real, devendo ser entregues dentro de 30 dias nas casas de fundição, ou aos ministros mais vizinhos. Se as pedras fossem entregues por algum escravo, este devia ser alforriado, dando-se 400 mil réis ao senhor (REGISTRO das cartas do Governador... – *RAPM*, v. 16, 1911, p. 444).

[33] O sertanista Pedro Barbosa Leal, afirmando que chegou a ver a prata que se apurou nas amostras enviadas por Lopo de Albuquerque, contou ao vice-rei que a mal sucedida empresa de Francisco de Albuquerque ocorreu em 1721 ([22 de novembro de 1725] DOCUMENTOS relativos [...] 1548-1734 – *DIHCSP*, v. 48, 1929, p. 88-89). Ver [Carta de Lopo de Albuquerque da Câmara a João de Lencastre, 6 de junho de 1698], *apud* [Comentário crítico de Andrée Mansuy] ANTONIL, 1968, p. 547. Mesmo que esse caso, lembrado pelos sertanistas no início do século XVIII, seja pouco fidedigno, a implícita

Supunha-se que a luta para conseguir a própria liberdade era motivação vulgar do cativo, e natural da sua condição. Nas relações com as autoridades da Coroa e os moradores coloniais, isso influiu na sua imagem de descobridor embusteiro, aquele de má reputação, que falseava notícias de descobertos de metais e de pedras preciosas para ser recompensado. No Maranhão, contava-se a história de um negro africano chamado Nicolau, escravo do tenente-coronel João Paulo Carneiro, que, no início da década de 1790, "aproveitando-se de fabuloza notícia" de tradição sobre a existência de um grande quilombo de negros denominado Axuhi em certo lugar, apresentou-se ao governador Fernando Antônio de Noronha dizendo que descobrira aquela "cidade" nas margens de uma pequena lagoa. Revelou "que ela era abitada de negros tão ricos, que tinham uma grande imagem da Senhora da Conceição de ouro, bebiam por cuias do mesmo metal, possuiam muito dinheiro de ouro e prata, que o vigario era um jezuita, etc". O farsante, segundo o memorialista que relatou a história, conseguiu persuadir o crédulo governador, que o nomeou capitão-de-milícia. Assim, com melhor reputação, Nicolau chegou a prender algumas pessoas em São Luís, sob a alegação de que elas mantinham relações com os quilombolas da rica cidade de Axuhi. Formou-se uma expedição de mais de dois mil homens de tropa de linha, milícias, pedestres e índios que, finalmente, em 3 de agosto de 1794, partiu da cidade de São Luís com "grande estrondo", seguindo por mar. Dividiu-se a tropa em dois corpos que investigaram sem maior resultado a região dos campos ricos noticiados por Nicolau, o guia do corpo maior da expedição. Este, "vendo que estava proximo o tempo de descobrir-se o seo embuste", fugiu antes de se chegar ao Axuhi. Humilhados, os expedicionários retrocederam, entrando em São Luís à noite para não serem vistos. A conclusão disso tudo foi que a Fazenda Real perdeu mais ouro do que na realidade encontrou, e o negro, promotor do embuste, acabou detido e preso.[34]

Pode-se notar que os temas da tradição, apropriados pelo descobridor embusteiro para compor as notícias de descobertos de riquezas minerais no sertão, foram revigorados no contexto de decadência da mineração

reprovação ao procedimento de Francisco reforçava entre os exploradores a idéia do modo apropriado de agir nessas situações, isto é, devia-se efetivamente recompensar o escravo que desse notícias certas de riquezas minerais.

[34] Toda a história foi narrada por frei Francisco de Nossa Senhora dos Prazeres, entre 1819 e 1820, na sua *Poranduba Maranhense ou Relação histórica da Província do Maranhão* – PRAZERES, 1891, p. 114-116.

do ouro, e de pedras preciosas. Nessa época, como se mostra acima, os agentes do Estado pretenderam representar os inimigos da causa pública, culpando-os pelos males sociais e econômicos das Minas, e revelando os disfarces sob os quais ficavam escondidos. Entre estes, particularmente, incluíram-se os padres jesuítas.

Atacados sistematicamente pela propaganda política do marquês de Pombal, os padres da Companhia, que há muitos anos eram acusados pelos coloniais de negociações escusas e conspirações, foram também alvo de denúncias de andarem associados às minerações clandestinas nos sertões da América portuguesa, chefiando povoações de negros e índios hostis aos coloniais lusos e luso-brasileiros. Na virada do século XVIII para o XIX, o padre José de Siqueira conferiu a fama das explorações de ouro clandestinas dirigidas pelos jesuítas:

Houve na capitania do Pará uma tradição de que os missionários jesuítas conservavam grandes minas no interior do sertão; e aquele rio de água suja que João de Souza Azevedo viu desaguar pela parte oriental dos Arinos [rio], não vigora esta tradição? E a cautela com que os mesmos jesuítas conservavam nas margens do rio Tapajós um armazém, que forneciam de víveres todos os meses, sem que jamais se encontrassem os importadores com os exportadores, que indicará? É bem de supor que com semelhante cautela procuravam os jesuítas conservar em segredo as minas achadas (que não duvido fossem as [minas] dos Martírios), e o mais foi que conseguiram (BNRJ, Avulsos, 22, 1, 7 [Minas e Minerais], Memória a respeito do descobrimento dos Martírios...)

> De qualquer modo, os escravos que guiavam as expedições exploradoras manipulavam certos sinais de riquezas minerais no sertão que, correspondendo ao repertório da tradição oral dos coloniais, ainda mereciam algum crédito. Nas Minas Gerais, em 1760, um escravo chamado José Nagô, dizendo saber de uma lagoa com muito ouro (imagem tradicional recorrente das notícias desde o século XVII), localizada num campo vizinho a um quilombo, guiou a bandeira chefiada por Bartolomeu Bueno do Prado até ela, no sertão oeste da Capitania. Quando se fez a experiência, socavando as vertentes da lagoa e os córregos contíguos, só "se lhe achou [...] malacacheta que parecia ouro, sem que se achasse faisqueira alguma dele".[35]

[35] APM, Sc 103, f. 11-12v, [2 de outubro de 1760]. APM, Sc 103, f. 8v-10v, [13 de novembro de 1760]. Houve, ainda, no final do século XIX, quem pretendesse, segundo antiga tradição, que os jesuítas perseguidos pela Coroa portuguesa, na segunda metade do

É notável a semelhança entre os relatos dos escravos africanos Nicolau, do Maranhão, e José Nagô, de Minas Gerais. Ambos especularam sobre os sinais de riqueza aurífera escondida no sertão: a lagoa, o campo, o quilombo, a rica povoação. Embora a maioria dos agentes coloniais suspeitasse, duvidando, dos descobertos alegados pelos negros (ou pelos mestiços), houve verossimilhança suficiente nos relatos para mobilizar a credulidade do governador do Maranhão, e até a de um poderoso sertanista, como Bartolomeu Bueno.[36]

Na prática, a gente de cor ou pobre, acostumada a palmilhar as serras e os rios (o que verdadeiramente conformava as fronteiras sociais e econômicas das Minas no século XVIII), era quem, na acepção mais estrita, *descobria* as formações de ouro e de diamantes. Para o governo colonial, o estilo de vida da arraia-miúda, inevitavelmente, tornava-os suspeitos quando revelavam notícias de riquezas minerais no sertão: ou de terem explorado clandestinamente, manifestando os minerais preciosos quando a maior parte já tinha sido retirada, ou de denunciarem riquezas que nunca existiram. Nas últimas décadas do século XVIII, a imagem do garimpeiro de

século XVIII, estiveram em conluio com os quilombolas dos sertões ricos situados entre as Capitanias de Minas Gerais e de Goiás, tendo os padres estreitas ligações com o chefe quilombola Ambrósio e os seus companheiros. Todavia, nos documentos coevos do governo de Minas não se encontrou nenhuma menção a isto (QUILOMBOLAS. Lenda mineira... – *RAPM*, v. 9, 1904, p. 827-866. BARBOSA, 1971, p. 32, 79).

36 Em novembro de 1780, um índio *domesticado*, Inácio Xavier, requereu ao governador da Capitania de Mato Grosso ajuda para custear uma expedição de descobrimentos de ouro na paragem chamada Martírios, a partir de notícia relatada por três amigos índios, naturais do sertão daquelas minas. Mas, segundo informações obtidas pelo governador de Mato Grosso, Luís de Albuquerque, sobre o descobridor, ele era um tratante, tendo sido mandado para o presídio por seu procedimento. Os índios amigos de Inácio, quando foram interrogados, disseram que não sabiam das tais minas, pois nem eram naturais daquele sertão (Araé), e tinham vindo para o povoado ainda pequenos. Eles lembraram que a sua língua era geral, não falando mais a língua nativa, e se quisessem voltar para a sua terra não saberiam o rumo. Ainda acusaram Inácio de ser "muito caramboleiro e mentiroso", e de tê-los induzido a fugir para o sertão. Mesmo assim, com suas astúcias, Inácio chegou a enganar com falsas promessas o governador de Goiás, Luís da Cunha Menezes, que teria confiado nele sem buscar "alguma prudente informação" ([Requerimento de Inácio Xavier ao governador da Capitania de Mato Grosso, 15 novembro de 1780; Carta do mestre-de-campo Antônio José Pinto de Figueiredo, acompanhando a antecedente ao general Luís de Albuquerque, 29 de dezembro de 1780], BNRJ, Avulsos, 22, 1, 7 [Minas e Minerais], Memória a respeito do descobrimento dos Martírios...).

diamantes, principalmente, expressava esse traçado, que servia para conceituar o agente. Assim, aos olhos dos poderosos e das autoridades régias, se o garimpeiro não se revelasse um notável extraviador (ou contrabandista) de diamantes, ele era considerado um embusteiro da pior espécie.

A figura do capitão Isidoro surge exemplar. Esse mestiço, chefe de uma tropa de garimpeiros da qual faziam parte os seus filhos, fazia explorações de diamantes na área proibida da demarcação diamantina, Comarca do Serro Frio. Ali, atacado pela guarda da demarcação, acabou refugiando-se na Comarca de Sabará, nos sertões do Campo Grande, e cabeceiras dos rios Andaiá e Abaeté. Como outros exploradores da época, ele aproveitou os conflitos de jurisdição entre os governos de Goiás e de Minas Gerais, naqueles sertões, para burlar a fiscalização, passando de uma Capitania para outra quando era conveniente. Nunca se conseguiu prendê-lo, porque enfrentava as tropas do governo, ou então fugia, bem informado por gente das próprias tropas, das investidas dos soldados. Isidoro vendia os diamantes que extraía clandestinamente aos negociantes da Comarca do rio das Mortes ou da Vila de Pitangui. Depois de um conflito com um desses negociantes, quase foi preso por ordem do governador de Minas Gerais. Sua prisão "se não efetuou por ocultos motivos", mas tomaram as suas bestas e bagagem, deixando-o a pé. Tendo a proteção de poderosos, Isidoro resolveu entregar-se em Vila Rica, e apresentou-se ao governador, com promessa de "mostrar um lugar nesta capitania que ele só sabia mais um filho[,] abundantíssimo e muito rico em diamantes, ouro, e prata, e para prova oferecia um diamante que dizem pesava oitava e meia, porem de resto estava muito pobre". O governador Bernardo José de Lorena aceitou a denúncia, e concedeu um indulto dos crimes que eram reputados ao garimpeiro, ordenando que guiasse uma expedição de descobrimento.[37]

[37] Mostrando que, nas Capitanias onde havia minerações, havia um forte jogo político envolvendo os descobrimentos de riquezas minerais, um homem podia passar por descobridor para o governador de uma Capitania e, ao mesmo tempo, ter a reputação de criminoso ou garimpeiro para o governador de outra Capitania, ou para um funcionário régio. Tudo dependeria da fama e das proteções que tais homens conquistavam. Para o governador de Minas, o pardo capitão Isidoro de Amorim Pereira era sempre obediente quando a guarda das terras diamantinas o mandava sair, demonstrando muitas virtudes morais, e não ofendendo ninguém, e ainda dando esmolas aos pobres; sempre que era revistado, nunca era flagrado com a posse de diamantes. Assim, na opinião do governador de Minas, naturalmente "todos o encobriam". Finalmente, por diligências do governador, Isidoro veio a sua presença, acompanhado de um paulista chamado Domingos Jaime Gonçalves Viana de Toledo, parente do desembargador, na

Segundo o intendente do ouro da Comarca de Sabará, Francisco de Paula Beltrão, que relatou a trajetória de Isidoro e seguiu na expedição patrocinada pela Coroa, a jornada começou no final de abril de 1800. A comitiva do intendente (com seu escrivão, dois sargentos-mores e 22 soldados) foi reunir-se à comitiva de Isidoro no dia combinado, numa fazenda junto ao rio São Francisco. Isidoro e os seus companheiros não apareceram na data marcada, mas sete dias depois, "com uma multidão imensa de gentes de todas as raças e ambos os sexos".[38] Depois de dez dias de viagem, chegaram ao sertão do rio Abaeté, que Isidoro e os seus disseram ser o lugar das "grandes riquezas", o que pareceu muito exagerado já que o tal lugar já era conhecido como diamantino e guardado por quartéis há anos. Nada se descobriu nos serviços que se fez no rio, achando-se somente uns poucos diamantes, e nenhum ouro ou prata. Outras tentativas de exploração foram feitas em outras partes do Abaeté, no córrego dos Tiros e no rio Andaiá, todas com resultados muito diminutos. Frustrados, depois de meses de provas infrutíferas, em outubro de 1800, os participantes da expedição saíram do sertão em direção a Vila Rica.

O intendente de Sabará, indignado, observou que, em vez dos denunciantes (Isidoro e os seus companheiros) mostrarem as riquezas dos lugares que só eles sabiam, "só se viu a pobreza de uns lugares tão públicos e sabidos

época falecido, João Pereira Ramos. Segundo o governador, Isidoro veio sujeitar-se à Coroa, e apresentou um "excelente diamante" de duas oitavas, e ainda denunciou um descoberto onde mostraria haveres de muitos diamantes, ouro, e prata extraída em bateias como o ouro. Transparece, no texto, uma preocupação em qualificar o capitão Isidoro, isentando-o de culpas e crimes, e lançar as suspeitas de má administração e conduta imprópria nos ministros e nos oficiais militares dos lugares proibidos de explorar diamantes. Deve-se assinalar que as ligações do garimpeiro com o paulista bem reputado, investindo na imagem tradicional dos descobridores do passado, ainda serviram para sustentar as justas pretensões de descobrimento de Isidoro. Até o prêmio que resultasse da empresa devia ser repartido com o paulista, verdadeiro avalista da alegação do garimpeiro junto à Coroa (APM, Avulsos Capitania de Minas Gerais/AHU, caixa 149, documento 05, [15 de julho de 1799]).

[38] José Vieira Couto, naturalista conceituado nas Minas, integrante da comitiva de Beltrão, partilhou da visão do intendente de Sabará, ao ver chegar, junto ao rio São Francisco, "a gente grimpeira [de Isidoro]". "Esta gente compunha um magote de 60 para 70 pessoas, mui bem matizado de differentes côres, quaes as de brancos, mulatos, cabras, pretos, tudo gente infima e de costumes taes, como pedia seu pessimo e enfeliz genero de vida". Vieira Couto nota que o capitão Isidoro, homem pardo, com mais de cincoenta anos, era o líder reconhecido pela gente garimpeira, parecendo-lhe cortês, mas dissimulado e sagaz (COUTO, 1905, p. 95).

que até já estavam vedados e guardados com quartéis, e destacamentos de soldados".[39] Disto, segundo o intendente, pôde-se concluir: primeiro, houve a intenção dos denunciantes de enganar o governador, a Junta da Real Fazenda, e o "público"; segundo, houve pouca utilidade, para a Real Fazenda, da expedição e daqueles supostos descobrimentos. Além disso, o governador errou em não fazer os denunciantes manifestarem por escrito, mostrando claramente o que denunciavam e onde estavam as tais riquezas, e se deixou confiar (por interesse ou simples credulidade) nas "palavras e promessas de uns negros e mulatos garimpeiros" (APM, Avulsos Capitania de Minas Gerais/AHU, caixa 158, documento 22, [28 de julho de 1801]).

Naquele final de século, quando o governo e os poderosos se desenganam, cada vez mais, da imagem dos minerais preciosos como riqueza redentora do Império português, o melhor para o Estado era agir como propôs o governador de Minas Gerais, Rodrigo José de Menezes. Ao relatar o tempo que passou no sertão, examinando *in loco* as notícias dos supostos haveres, ele emendou: "ainda julgo poucos [dias] para quem como eu não sabe expor fabulas brilhantes deitadas por expirito de partido, ou por sugestões de ambiciosos interessados em publica-las. As pessoas que tem a honra de serem empregados por Sua Magestade em lugar[es] importantes[,] especialmente naqueles em que me acho não devem acreditar ilusões, nem sustenta-las por capricho quando vem no conhecimento de que forão enganados" (APM, Avulsos Capitania de Minas Gerais/AHU, caixa 117, documento 86, [31 de dezembro de 1781]). Ao fim, o outro lado das Minas Gerais – mestiço, de fronteira, e agropastoril –, desvelou-se com toda a força.

[39] De fato, Vieira Couto anotou, em 1801, que os rios Andaiá, Abaeté, Santo Antônio, Serro e outros foram reconhecidos pelo governo como sendo diamantinos havia mais de 16 anos, ou seja, desde meados da década de 1780. Mas, certamente, os garimpeiros exploravam os sertões do rio Abaeté bem antes disso (*ibidem*, p. 86).

Conclusão

A preocupação historiográfica recente com as descontinuidades temporais, os ritmos desconexos, e as identidades culturais de fronteira obrigam uma maior reflexão teórica sobre a construção do objeto histórico e as metodologias de pesquisa. Como dar conta do "entre-lugar" que permeia as relações socioculturais entre os agentes (Machado, 1999. p. 155), ou como escapar do essencialismo na análise cultural, e do procedimento que considera, a priori, certo elemento substantivo na determinação de um grupo social? Como fazer uma leitura a contrapelo dos textos e documentos coloniais, atentando-se para o fato de que mais do que propriamente informativos, tais textos eram performativos, representativos?

Este trabalho pautou-se por estas questões, embora, com certeza, não tenha conseguido resolver todos os seus impasses.

Assim, chegou-se à compreensão dos descobrimentos de minerais preciosos como o resultado da negociação entre a Coroa, setores da Igreja, e os coloniais (agentes da colonização), numa dimensão histórica. Isso significou mudanças políticas, simbólicas e econômicas no tratamento da questão do descobrimento de minas. Expressão deste novo rumo foi que, no último terço do século XVII, o significado de empresa virtuosa, sediado na noção de feito ou conquista militar, passou a recobrir as ações de descobrimento de riquezas minerais nos sertões da América portuguesa. Deste ponto de vista, o descobrimento de minas foi uma instituição política e imaginária que se definiu como um *programa* de domínio do Estado luso. Isso só aconteceu porque este programa baseava-se nas práticas dos senhores (e dos outros agentes coloniais), na experiência social e econômica do mundo colonial.

No planalto de São Paulo, a negociação, e a associação na empresa colonial, entre a Coroa e os senhores coloniais, manifestaram-se, aperfeiçoadas, nos descobrimentos de minas, e a eficácia dos tratos pôde ser medida pela emulação no meio dos poderosos. A prática de exploração (e de extração) dos depósitos auríferos, a experiência sertanista do apresamento de índios e das conquistas de terras, o uso costumeiro de grande cabedal nas armações de bandeiras, e a tradição de notícias de ricos tesouros minerais no sertão contíguo influíram na lógica desse processo histórico e político marcante das Capitanias do Sul. As entradas dos paulistas poderosos, como a de Fernão Dias Pais, moldadas pelas táticas sertanistas, assumiriam a forma mais adequada para instituir os descobrimentos como atividade política e econômica. A expedição do velho de Parnaíba, por seu poder simbólico, foi mais longe do que outras da época em atingir os propósitos políticos do Governo colonial, e em conduzir-se pelo imaginário dos descobrimentos. Surgiu, então, como modelo de uma empresa virtuosa – o descobrimento –, e contribuiu para a construção do sentido do feito para os coloniais. Tornou-se uma narrativa da memória social, esquematizando um estilo da prática.

Portanto, não é sem razão que a empresa do descobrimento de esmeraldas (e de prata) fosse, sobretudo, um marco institucional dos descobrimentos. Assim, antes que se cristalizasse nos grandes depósitos auríferos das Minas, a partir de meados da década de 1690, o rito de descobrimento já rondava, com seus preceitos regimentais e signos de virtude religiosa e política, as explorações da gente do planalto de Piratininga nos sertões dos arredores. Pois, qualquer desse "descobrimento" não se compunha meramente com as definições do tamanho e do valor dos depósitos ou jazidas minerais. Solidificou-se antes, para os coloniais e os seus governantes, como um enquadramento político, simbólico e econômico das explorações de ouro tradicionalmente reputadas superficiais, passageiras e gerais. Sabe-se que, até a época de fundação das Minas de ouro, a expectativa da prata, e não a do ouro, é que regia os expedicionários nas suas entradas descobridoras.

Contudo, a configuração política e econômica na virada do século XVII para o século XVIII, com a reativação produtiva na Colônia ligada ao fluxo comercial atlântico, e a necessidade concomitante de moeda, conduziu à (re)tomada das atividades de descobrimentos de metais preciosos, bem representados pelas riquezas auríferas das Minas de Taubaté, e depois, de São Paulo. Na primeira década do século XVIII, os descobrimentos das Minas eram uma realidade, e a figura do descobridor, identificada ao paulista de qualidade e de crédito, estava bem constituída. Mesmo assim, os descobridores, os moradores coloniais, e os representantes da Coroa, no século XVIII, não se iludiam tanto quanto os que viriam bem depois: costumavam referir-se aos descobrimentos como uma invenção ou fabricação, que denotavam o investimento sociopolítico, e a força da representação envolvida na ação.

As mercês régias, que cimentavam a associação entre o Rei e os seus vassalos no Antigo Regime, serviram ao suposto pacto político entre os descobridores e a Coroa que inventou as Minas de ouro. Do ponto de vista simbólico, tanto o prêmio como a sua contrapartida, o castigo, eram os olhos, e os braços do Rei que, voltados para cada um dos vassalos, dispunha-os como representantes e agentes da causa do Estado. Desse modo, não se deve ater ao enquadramento das funções formais de governo e da Administração colonial como sinal de relação política relevante para os agentes. Esta, assim como as funções administrativas, no Antigo Regime, era muito mais fluida, e conformava-se à lógica das hierarquias sociais. Ao mesmo tempo, esse Estado exprimia um processo histórico e cultural de vinculação das relações sociais numa outra amplitude (também em terras coloniais): atender ao bem comum do Povo e ao monarca. Então, "a fronteira estatal assume um preciso sentido jurídico, político, militar e fiscal. Constituindo um espaço territorial, afirma o Estado no seu papel de organizador estratégico. Aliás, não foi por acaso que as primeiras administrações (guerra, correio, pontes e estradas, etc.) têm como função principal estruturar o espaço como meio de ação do Estado".[1]

Por isso, as ações de descobrimento das Minas de ouro, na versão sertanista das bandeiras, tiveram, necessariamente, suporte político e logístico dos poderes públicos, e seria anacronismo grosseiro denominá-las de ações privadas dos súditos. Além disso, o aprofundamento da problemática do público e do privado referida aos descobrimentos mostra o equívoco de pretender fundar a presença do Estado nas Minas Gerais, como fez a historiografia convencional, a partir da vinda dos Governadores coloniais, da criação das Ouvidorias (com seus funcionários da justiça régia), ou da formação dos concelhos das Câmaras. Fazer isso seria manter os pressupostos de uma memória que está mais para o mitológico do que

[1] ROSANVALLON, 2001. cap. 5º. O autor refere-se ao caso da França, mas suas interpretações esclarecem o processo político-econômico do Estado na América portuguesa.

para o histórico, como a que transparece no poema *Vila Rica* de Cláudio Manuel da Costa.[2]

Na esteira das premiações régias aos sertanistas-descobridores, mas não supostas por tais concessões, ocorriam os lucros na experiência dinâmica das situações coloniais. Mas, garantia-se a legitimidade destes com o reconhecimento ou privilégio régio, sendo assegurados na forma de direitos dos vassalos. Todos os sertanistas-descobridores estiveram interessados nesses ganhos, fazendo dos seus descobrimentos de ouro e de pedras preciosas, mais do que puramente explorações de terras minerais, um negócio que envolvia benefícios políticos e oportunidades econômicas. Até mesmo o que devia parecer mera honraria, como a concessão de patente de oficial militar, ou um hábito da Ordem de Cristo, traduzia-se em ligações sociais e políticas proveitosas, que melhoravam a qualidade social do requerente ao prêmio. Deste ponto de vista, a esfera do político era a forma mais adequada, e garantida, de fruição econômica dos lucros ou de sustentação da posição social das pessoas e dos grupos na época colonial. Pode-se mesmo dizer, portanto, que os descobrimentos das terras minerais no centro-sul da América portuguesa, sob o influxo da sua vocação sociopolítica, condicionaram a formação do espaço econômico colonial, convergindo para a complexa criação dos "princípios do mercado" interno.[3]

Decerto, era por tudo isso que os forasteiros lusos e luso-brasileiros das Minas de ouro de São Paulo (as Minas Gerais), também interessados em partilhar do proveito destas Minas, desde o final da primeira década do século XVIII, atacaram os pressupostos da representação política dos descobrimentos dos paulistas. Estes não teriam sido verdadeiros descobrimentos de ouro: foram fabricados por acaso, seguindo o interesse próprio e imediato de apresar o gentio, e sem virtude militar de verdadeira conquista e possessão; eram ainda lavras de aluvião, superficiais, passageiras, e, no fundo, enganosas. Na perspectiva de uma memória pró-emboaba, os forasteiros (sem laços de parentesco ou de aliança com os paulistas; não originários de Piratininga), é que acabaram sendo os verdadeiros descobridores e os promotores de descobrimentos naquelas Minas: fundaram

[2] Cf. ARRUDA, 1999. p. 129. "Isto é, o mito superpõe ao tecido maleável e distendido da história uma visão unitária. Nesse sentido, a elaboração mítica não se confunde com a história, mas fala sobre ela de maneira enviesada, reordenando certos significados que aí são gerados."

[3] Cf. CHAVES, 2001. p. 26-78.

a ordem política e religiosa através dos Governadores que supostamente seguiram os desígnios do Estado português (Manuel Nunes Viana, Antônio de Albuquerque Coelho de Carvalho), e implementaram a forma de exploração das encostas e das serras, aonde havia os ricos, e estes sim duradouros, filões subterrâneos.

Esse conflito entre os paulistas e os emboabas sobre os papéis políticos teve efeito nas práticas dos agentes nas Minas, quando passou a vigorar a noção de que os paulistas eram hábeis descobridores de ouro, e os forasteiros eram melhores mineradores, e assim, reais povoadores. Isto repercutiu nos privilégios, e na garantia dos rendimentos dos descobridores, como a preferência ao cargo de Guarda-mor de minas, que, paulatinamente, desde a segunda década do século XVIII, foram perdendo a sua efetividade nas Minas Gerais. Um Governador de Minas Gerais, Lourenço de Almeida, na década de 1720, chegou a afirmar que, na Capitania, não se precisava mais dos paulistas descobridores. A reação paulista foi estabelecer contratos com as autoridades régias, conduzindo as suas propostas ao Governo (como fizeram, por exemplo, os famosos descobridores das Minas de Goiás), e voltar-se para outros sertões interiores onde a autonomia emboaba não se fizesse sentir.

Na década de 1730, o negócio da exploração mineral sobrepõe-se claramente ao empenho descobridor, e pode-se mesmo dizer que a figura do minerador (na realidade um homem negociante que aliava à extração de ouro ou de diamantes, produções de gêneros para o abastecimento, atividades comerciais, e o arrendamento de impostos da Coroa e de taxas) substituiu a figura do descobridor. Basta acompanhar a trajetória de muitos destes sertanistas-descobridores das Minas de ouro que permaneceram vivendo naqueles lugares.

Na segunda metade do século XVIII, com a transformação social e econômica das Minas em curso, quando do esgotamento das formas de exploração mineral usual, os descobrimentos de ouro e de diamantes foram vistos na perspectiva de um Estado-Governo reformador que pretendeu se apresentar como o verdadeiro agente da riqueza econômica. Neste sentido, os descobrimentos, por comissão direta do Governo, apresentam-se como capazes de fundar, ou restaurar, a ordem política e econômica que tinha entrado em crise. Assim, os agentes do Governo, por meio do esforço para constituir novos descobrimentos, buscaram controlar as fronteiras sociais e econômicas reais destas Minas, representadas pelos livres pobres, libertos, escravos, índios aldeados que exploravam as terras de sertões adjacentes.

Como corolário deste processo, eles foram alijados simbólica e politicamente, e conformados à reputação de suspeitosos ou de criminosos.

Portanto, nos últimos decênios do Setecentos, vê-se com nitidez a face encoberta dos descobrimentos de minerais preciosos, desde os últimos anos do século XVII. Foi, comumente, um programa de domínio político e de exploração colonial que se sobrepunha às fronteiras reais de ocupação e de povoamento dos pobres ou dos mestiços, evidentemente valendo-se disso. Os descobrimentos de terras minerais seriam uma forma institucional de controle sociopolítico das fronteiras. Deste ponto de vista, e atentando-se para as práticas de organização das empresas, as ações de descobrimento não configuraram uma disputa aventureira, embora pudessem, à primeira vista, assumir tal expressão de nobreza (Wegner, 2000. p. 30-32). Com efeito, os descobridores qualificados e os agentes dos governos coloniais assumiam as ações conquistadoras/descobridoras como trabalho, cuja conotação (de fundo teológico) de sacrifício, para o bem maior do Estado e da fé católica, era característica. Não era comum no século XVIII a idéia de que sem descobrimentos não haveria as Minas de ouro e de diamantes (criação com trabalho)? E que uma atividade dessa envergadura não podia, nem devia, admitir qualquer um como protagonista?

As memórias ou os alvitres do estamento dominante (mesmo com as tonalidades ilustradas), no final do século XVIII e inícios do XIX, propondo rever o papel das Minas Gerais no Império português, atualizavam a imagem ambivalente tradicional de um mal necessário, e observavam que o "falso fausto" (o castigo) atribuído ao ouro e às pedrarias devia ser superado. Pretendiam reformas políticas, sociais e técnicas que pudessem, num viés conservador, recompor a organização *agromineradora* das origens, pois os veios mais ricos, supunham, mantinham-se encobertos.

Talvez, o que tenha conformado a retórica de uma decadência anunciada das Minas foi a crise das concepções e dos valores envolvidos no imaginário e nas representações convencionais dos descobrimentos, em face, sobretudo, da percepção dos direitos, que os poderosos consideravam indevidos, conquistados pelos pobres e pelos libertos de partilhar o butim nas explorações minerais. Como resultado disso, nesta época, poucos habitadores das Minas Gerais, mas especialmente aqueles do topo da hierarquia social e política, acreditavam que os descobrimentos tivessem alguma razão de ser; teriam virado uma farsa atribuída aos libertos, aos mestiços e aos escravos, ou eram planos de embusteiros contumazes para extorquir a fazenda real, que manifestavam lavras velhas, ou ressuscitavam notícias de pouco crédito. Duvidosos desta economia dos descobrimentos, os poderosos pareciam perguntar: estas Minas, para quê?

A questão que estes nunca pensaram em fazer foi porque um descoberto de *pedras verdes* transformou-se num verdadeiro descobrimento de esmeraldas, ou porque as explorações de emboabas nas lavras deixadas pelos paulistas puderam passar por *novos* descobrimentos, ao passo que as catas de ouro nas montanhas, ou os garimpos dos pobres e dos mestiços não viraram descobrimentos? A ironia maior desta história é que, enquanto um vassalo herói tombou trazendo pedras de pouco (ou nenhum) valor, mas compôs um papel proeminente na memória e na literatura[4] dos descobrimentos de minas, muitos "criminosos" mestiços (como o garimpeiro "pardo" Capitão Isidoro) ou escravos, que promoveram faisqueiras de ouro ou garimpos de diamantes em sertões remotos, não tiveram a visibilidade política e da virtude daquele. Todavia, a partir do cotidiano inventivo destes, ou com os jornais que conseguiam, saíram riquezas para o trato mercantil que esgarçou as fronteiras sociais e geográficas das Minas Gerais, na época da propagada decadência, e mesmo, vários anos depois.

[4] Jorge Luís BORGES (1986: 107-111) tratou desse imaginário do herói no conto *Tema do traidor e do herói.*

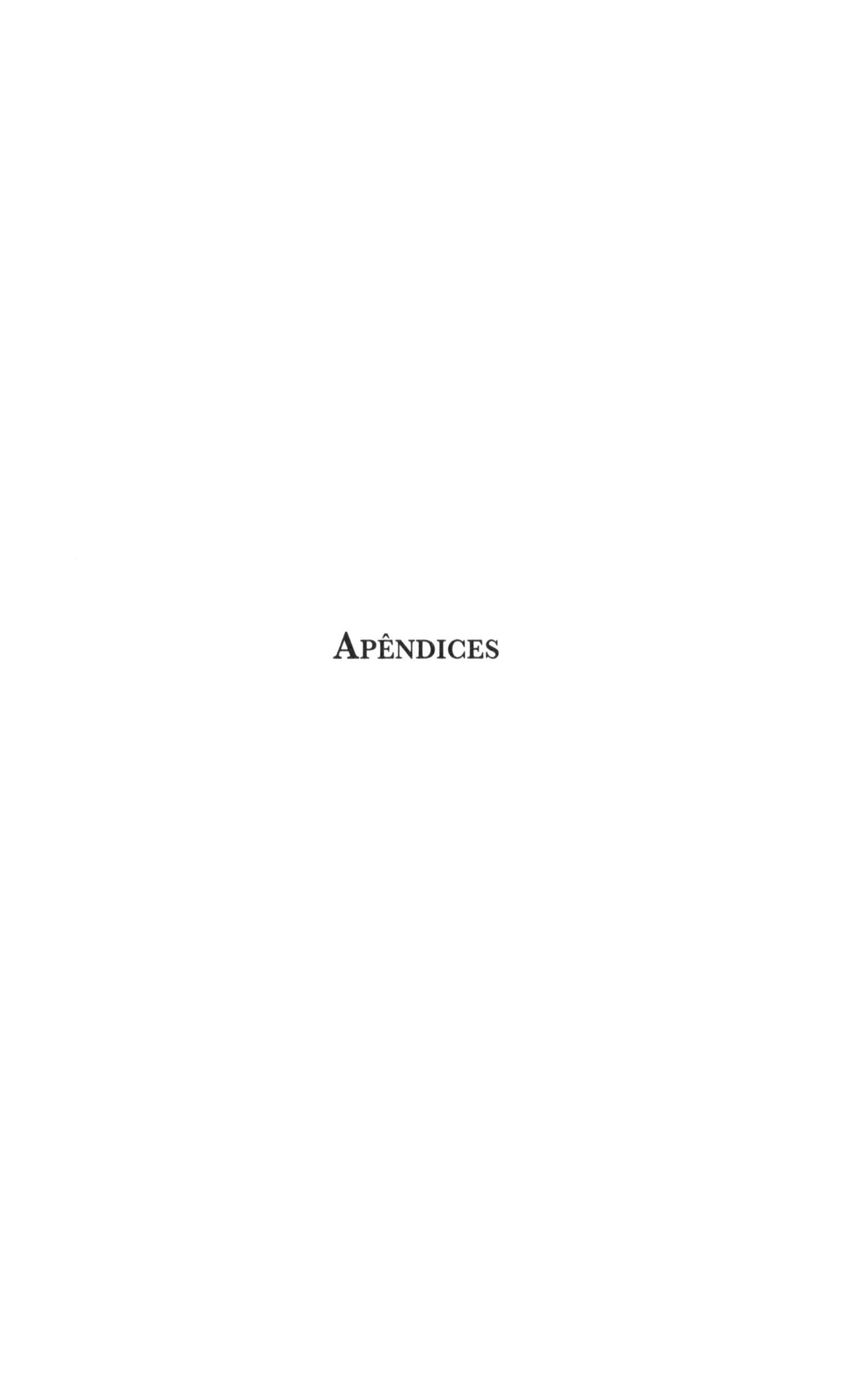

Apêndices

Apêndice A

Mapas e figuras (roteiros)

1º Capitanias da América portuguesa nos primeiros anos do século XVIII. Vê-se no interior, na altura da Capitania do Espírito Santo, e próximo a um lago das cabeceiras do rio Paraná, a referência ao famoso topônimo *Sabarabuçu* (no mapa: *Sarabassu*), designando uma serra – HOMANN, Johann Baptist. *Regnum Brasiliae in America Australi, Primogeniti Portug. Principis dos amplissima.* Norimberg, [post. 1704]. Mapa geral. Escala ca. 1: 14.000.000.

2º Território das Minas Gerais. Mostra o ribeirão do Carmo, e os rios dos Coroados e do Chopotó, cabeceiras do rio Doce, todos localizados na Comarca de Vila Rica. Nota-se Vila Rica e a Vila do Carmo. À direita da grande serra, há uma representação das Vilas de São João del Rei e de São José del Rei, mas sem o registro dos nomes – AHU, Cartografia e Iconografia, Minas Gerais [autor: padre Diogo Soares], [post. 1730], n. 1172/1175.

3º Rios São Francisco, Paraopeba, das Velhas, Gualacho do Sul, Gualacho do Norte, nas Comarcas de Sabará e de Vila Rica, nas Minas Gerais. Notam-se os arraiais dessas Comarcas, sujeitos aos Termos de Pitangui (no canto direito, junto ao morro do Batatal), Sabará, Caeté, Vila Rica, Vila do Ribeirão do Carmo – AHU, Cartografia e Iconografia, Minas Gerais [autor: padre Diogo Soares], [post. 1730], n. 1172/1175.

4º Cabeceiras dos rios Jequitinhonha e Araçuaí, em território diamantino. Registra-se a Vila do Príncipe, sede da Comarca do Serro Frio, e os arraiais do Tijuco, ao norte, e da Conceição, ao sul. Vê-se, à direita, o curso do rio das Velhas, com o caminho para o sertão da Bahia – AHU,

Cartografia e Iconografia, Minas Gerais [autor: padre Diogo Soares], [post. 1730], n. 1172/1175.

5º Vales dos rios Jequitinhonha e Araçuaí. Nota-se a Vila de Nossa Senhora do Bom Sucesso (Minas Novas), nas margens do ribeiro Fanado, afluente do Araçuaí. Assinala-se também, junto ao rio Itacambiraçu, a serra de *Tucambira* (ou Itacambira) – AHU, Cartografia e Iconografia, Minas Gerais [autor: padre Diogo Soares], [post. 1730], n. 1172/1175.

6º Mapa-roteiro do capitão-mor Manuel Francisco dos Santos Soledade, com data de 1729, sobre todas as minas de metais preciosos e de pedrarias nos sertões, desde a Capitania de Pernambuco até as Capitanias do Espírito Santo e do Rio de Janeiro. Representa um "saco do ouro", que contém todo o vale do rio São Francisco com suas nascentes nas Minas, e que tem a boca virada para o litoral atlântico (e para a Metrópole). O autor recomenda que se deve ler o roteiro da direita para a esquerda – reprodução feita a partir de Lamego, 1920, v. 2.

7º Mapa-roteiro de descobridores de ouro no sertão do rio Abaeté (oeste de Minas Gerais), entre o rio São Francisco e a estrada que liga as Gerais a Goiás, passando pelas Minas de Paracatu. No lado esquerdo do desenho, há o registro de um córrego do ouro, abaixo de morros chamados Três Irmãos. Registra-se também alguma jazida de prata, nas nascentes do rio Abaeté (entre um braço e outro) – AIHGB, lata 68, documento 25, Roteiro de um sertanejo que faleceu [s.d.].

Septentrio

Circulus seu Linea Æquinoctialis

REGNUM BRASILIÆ in America Australi Primogeniti Portug. Princip. Dos amplissima

MARE DEL NORT

BRASILIA

BARBARORUM

TAPUYES

CAPITANIA DE PARA

CAP. DE MARAGNAN

CAPITANIA DE SIARA

RIO GRANDE

CAP. DE PARAIBA

CAP. DE TAMARACA

CAPITANIA PERNAMBUCO

C. DE BAHIA DE TODOS LOS SANTOS

CAPITANIA DOS ILHEOS

CAPIT. DE SEGURO

CAPITANIA SPIR. SANTO

CAPITANIA RIO JANEIRO

CAPITANIA S. VINCENTE

Tabaxarei Pop.

Tapuiæ P.

Tignares Pop.

Guaracatiuy Pop.

Annaciugi P.

Quirigay Pop.

Tapiguiry Pop.

Rio Amazones

Rio Paranaiba

Rio grande S. Francisco

Rio Parana

Ria Parana

Lago de Parapitingaa

Sierra de Guaguembuya

Sierra de Urofeig

Sierra de Apocurama

Olinda

S. Salvador

Bahia de todos os Santos

Baxos S. Antonio

Paraguema

I. S. Catharina

Os Abrolhos

Acensaon o I. de l'Assencion

Milliaria Germanica

Milliaria Hispanica

Milliaria Gallica

Tropicus Capricorni

Cap. Frio

I. S. Sebastian

S. Vincente

Conception

Meridies

Occidens

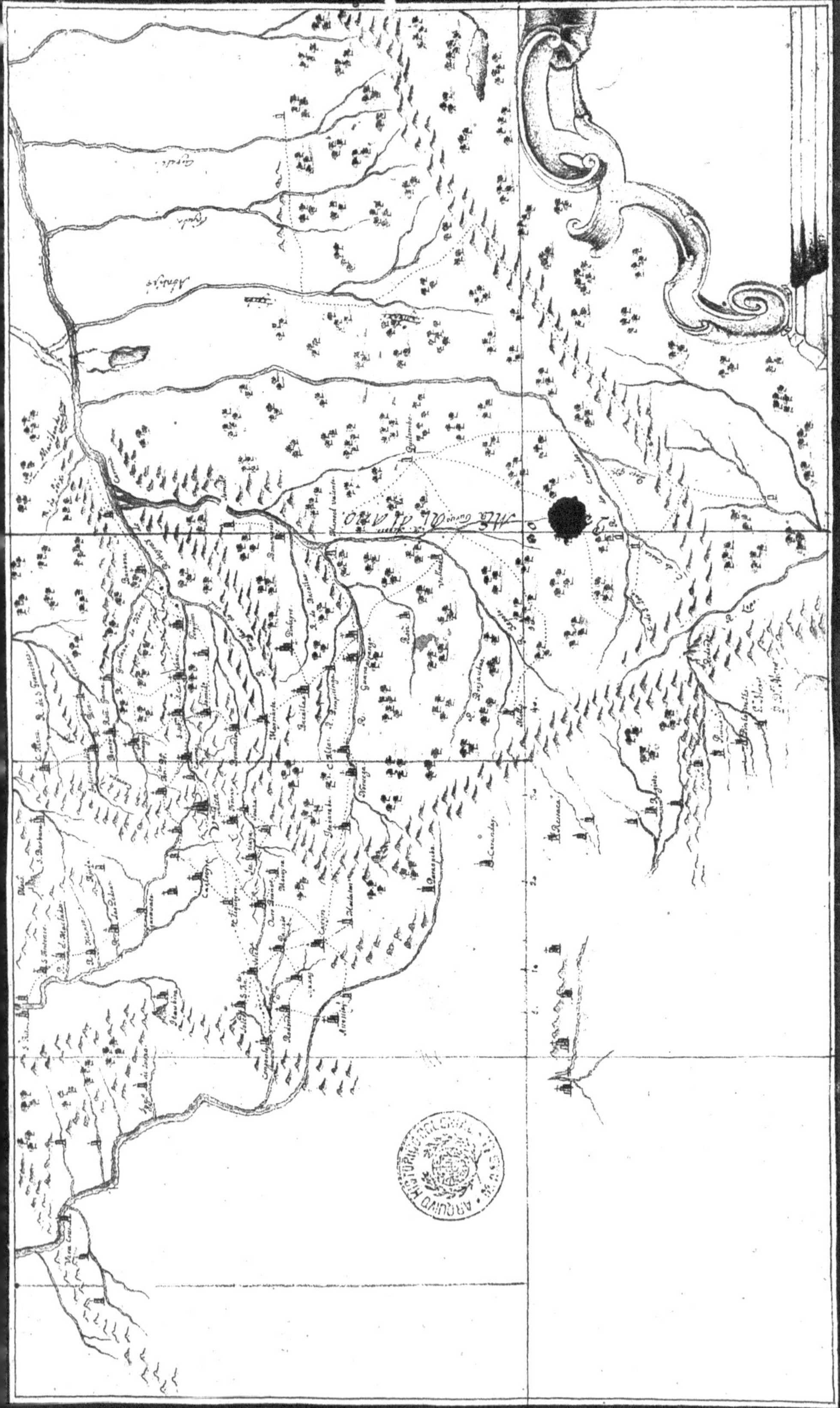

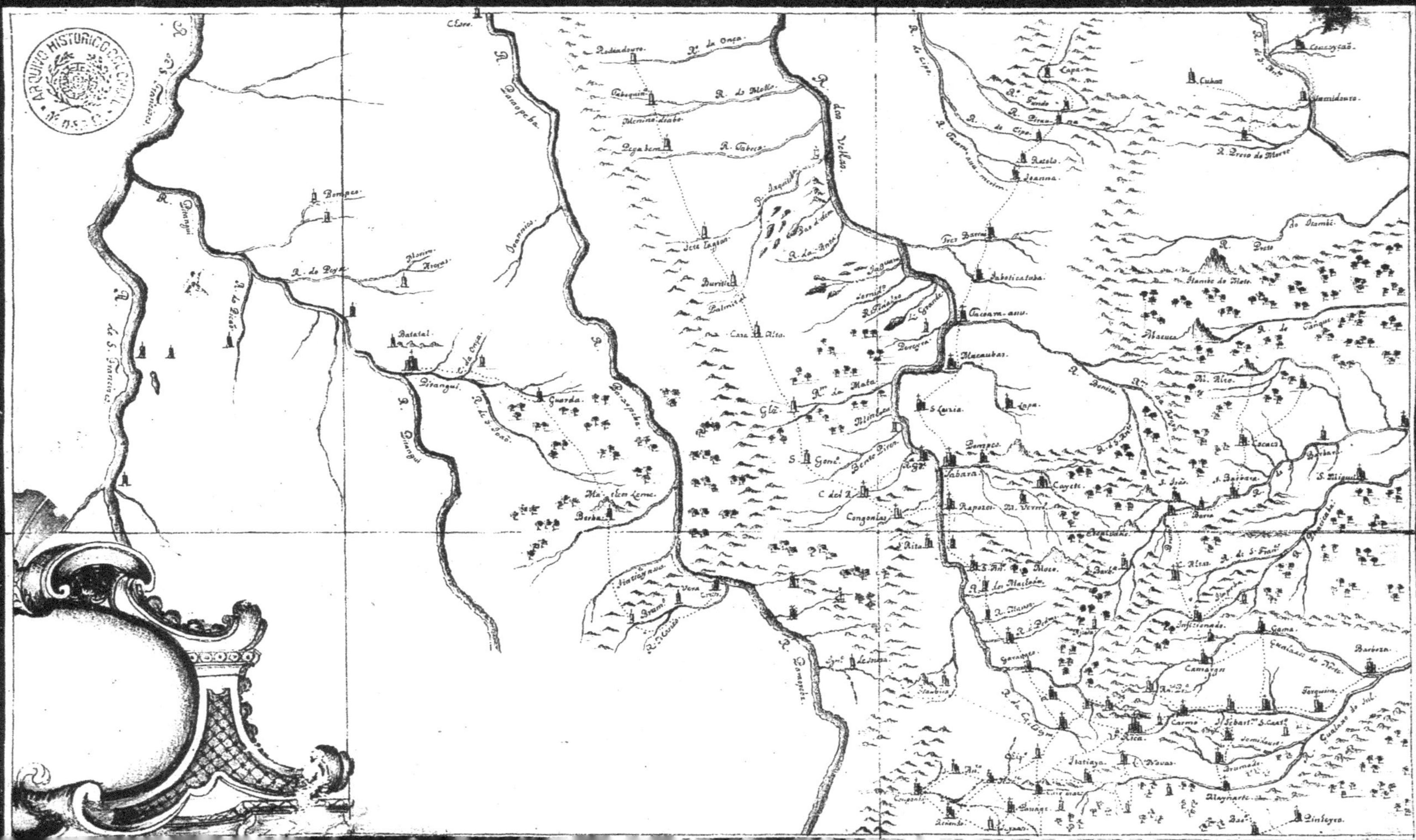
R. das Velhas
R. Paraopeba
R. Pitangui
R. de S. Francisco
R. de Cipo
Sabara
Congonhas
Caeté
Camargos
Carmo
Infiscionado
Guarda
Batatal
Macaubas
S. Luzia
Tres Barras
Jaboticatuba
Conceycaõ
Cubas
Itatiaya
Alagoarte

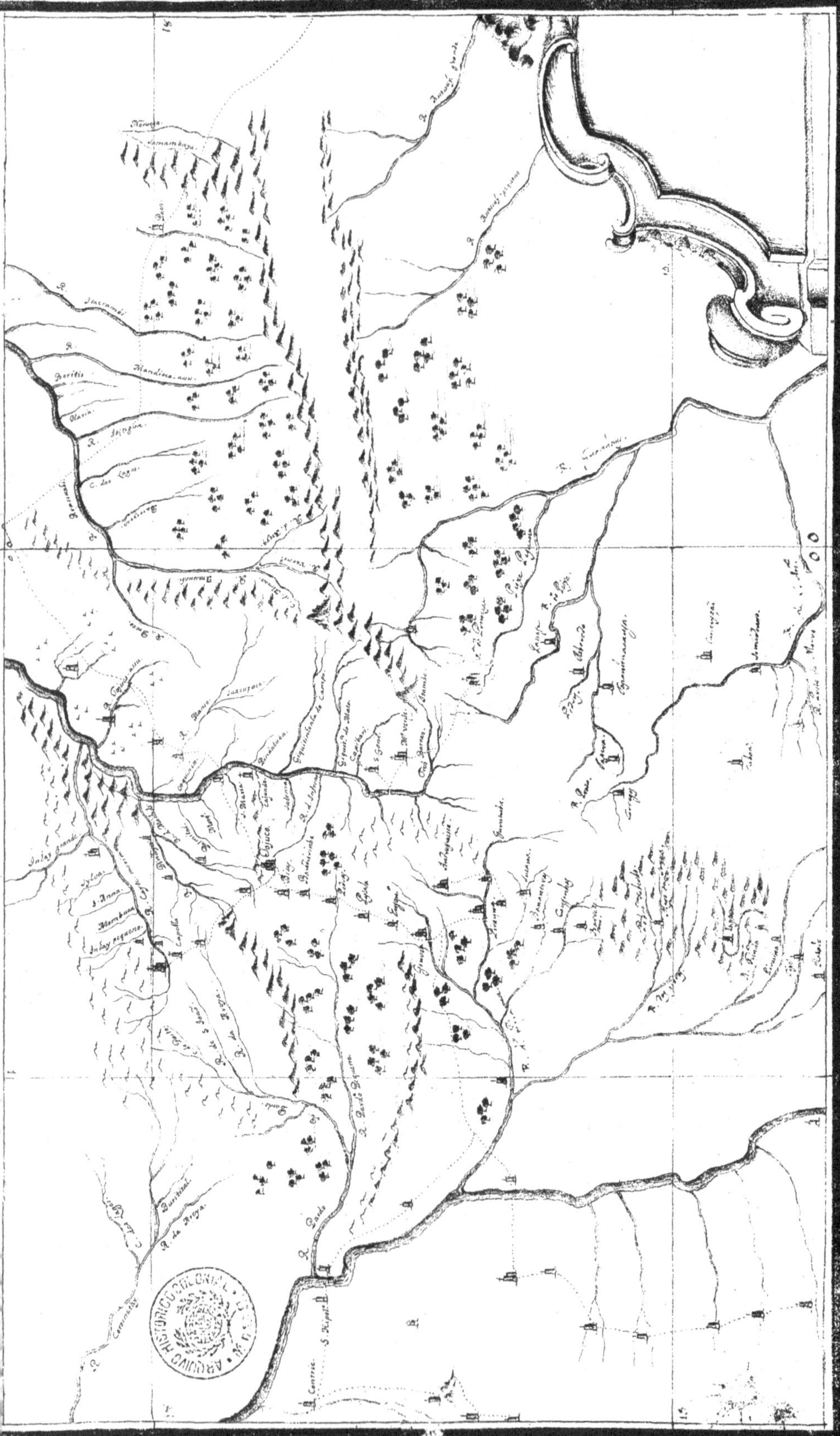

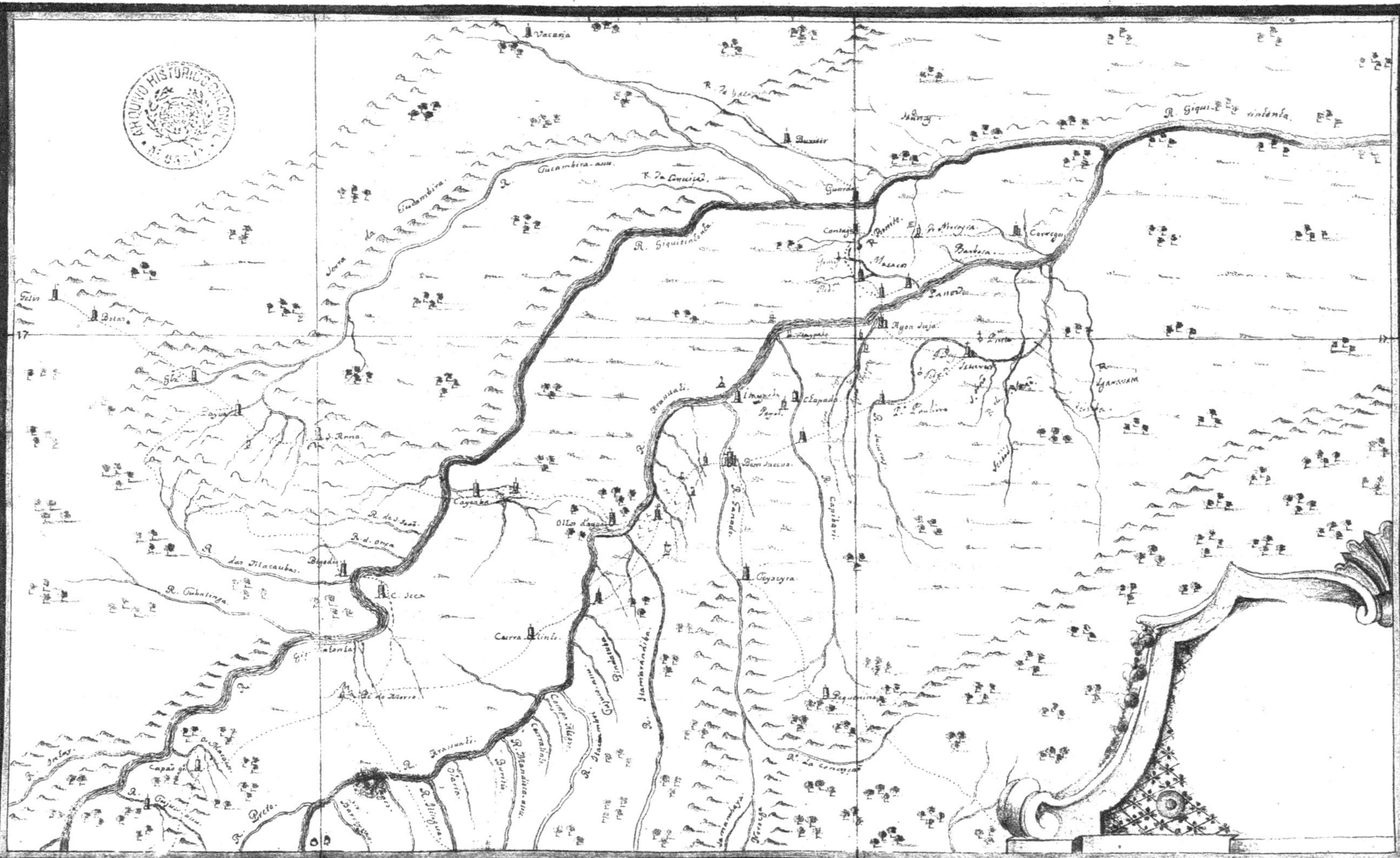
Vacaria
R. Giqui-tinlonla
Buritis
Guarda
R. Giquitinlonla
Corregos
Barbosa
Masaco
Agoa Suja
Capibari
Bom Jaccus
Coysyra
Cayaba
R. das Pitacaubas
R. Cubalinga
Cavra-linh
C. Seca
Alegre
Mandioca-assu

Para Este Rotteyro, Melhor Se pressebêr: Desta parte direyta, p.ª â Esquerda: Se Deue lêr.

As Serras dôs Certoens Dos Brasis: Saõ tam Montuosas, e Monstruosas: que Em partes Se dificultaõ, aô tracto. e Com Muytta distancia Se Rodeaõ: em tal forma: qui para Montar hũ Grao di latitud: Se trilhaõ 40. e 50. e Mais legoâs: Seruindo Dê Exemplo: hauer Da Bahya, aô Ryo de Janeyro: 10 graos: Com 180: Sendo Mais de 500: pello Certam. e Dando Eu: A mesma Estimaçaõ: âs Jornadas que fis, nâ grande Entrada: donde Consummy, Seys annos affectiuos: achey trilhar Muyto Melhor de 2©800, legoas daõ ta Bª aô dº Ryo. e De Cabo; â Cabo: por fora, dô arriscado Risco, âbacho: no qual Se Entendaõ, ôs grossos: por Serranias intractaueys. e algumas Rycas. e ôs delgados: pellas partes, que â Ellas Dam Passages.

8. 9. 10. 11. 12. 13. 14. 15. 16. 17. 18. 19. 20. 21. 22. 23.

Ao Norte deste Cabo: Se Encostam: â Parâybâ: e Parânambûcû: adiante Dâ Serra, do gargâû, e â Noroeste Continuaõ, ôs Seos Certoẽns, do Cyârâ, e ôs Mais por fora Dô Pyâguŷ: que Sê acham inVadidos, Dos Gentjos Barbaros: athe O grad Pârá. e passaõ Aôs Dô Ryo da Pratta, que do Ouro Serâõ.

Cabo, De S. Augustinho. e Costa, Dê Vassabarrys: Com Seôs Certoẽns, Dê Sergype di ElREY. e os Mais Entre Paranambûcû. e â Bahya, e estes Claros, Mostraõ Estradas.

Villa Do Pene do qui Aõ Brasyl mal Exempla. e Poem Medo.

Saõ âqui, âs Minas da Tacobina. e Sua Pauoacaõ: athi O Pancâruŷ.

Bahya, e Suas Nouas Minas de Ouro, e Pratta qui lhê Descobri. nâ Costa do Sul: trilhandoa, mais de Mil legoas: desde 21 graos; â sueste do Serro do frio. e â O norte da Parayba: pellos Certoẽns, do Espirito S. e dos Ryos Dosse. Pardo. e Pretto: de S. Antº e todas Suas Vertentes; e os Dô Ryo das Carauelas. Porto Siguro. Ilheos; e nâs dos Ryos dâs Contas: athe Os dos Mattos, Dô Camamû. em 14 graos: adonde: fasem termo.

Serro do frio, e Suas Minas: athe Parauna Por donde Rodey, â Entrada Dos nouos discobrimentos: Dâs Minas, desta Serra, e âs Dos Ryos Pardo. Pretto de S. Antº Eo Dosse. e Seos Certoens: pellos Campos que fis, a Nordeste: p.ª O Pardo. e ao Sul, p.ª O Dosse. e Outros.

Serra, de Tucambyra. tem Ouro, e Poderá ter Pratta.

Mattos e Campos Do Paraûna. athe Os Mattos, de Dentro Do Caŷte e Minas.

Graos. Cabo frio, e Ryo di Janeyro: Com ôs Certoens, que trilhey: por fora Deste Saco do Ouro do Sul. â Oeste. e Noroeste. mais de 900 legoas. ficandome Atras. a Cury tibâ. Parâpânemâ. e Cuyâbâ. e â Nordeste. 800. athe: O Maranham, e Pârâ. e a sueste, e les nordeste 700. â Bahya, e Paranambûcû. e 500. a ô dº Ryo Saõ. âs dªs 2©800. e mais 100. Lˢ

Os Ryos Caudallosos que Sê apartam da Costa do Sul: â Entrar No de S. Frcº por esta Marge: dô Dâs Velhas: â Lappa: Do Bom JESU. the Esta Lappa: Saõ: Ogŷtycaŷ. Pâcaŷ. Ver de, Dê tucâmbŷra. e de Arrans. e abacho hê: O Parâ mirim. e outro Verde. ambos Minerays.

240 L.

Campos, e Mattos Entre O arco do Ryo dâs Velhas, e o Paraûŷ: pêba que Com Verdentes, Das Minas, do Pŷtânguŷ: Formaõ, O de S. Frcº

Minas: Do Ryo dâs Velhas, e Sabârâ.

Neste Saco, do Norte Estaõ Muyttos Certoẽns, de Paranambûcû; e todos do Pyâguŷ: Com Outros incognitos: athe âs Cabesseyras do Ryo Dâ Pratta; â Oeste do Maranham: que Correm p.ª O Sul: donde hâ diuersas Narçoẽns, de Gentjos Barbaros. e algunas Allas Escandalisados, dâs Mattansas, que lhes tem feytto: Os quais Ocupam terras, que podem produsir ambos, Os Mettays: mettendoôs, de Pas. Com Bandeyras de Guerra festiuays: Resgattes Campays.

Ad Mayorem DEY Gloriam 300 L.

Campos, e Mattos: aô Norte do Ryo grande: que Continuaõ, ao Pretto. e Parnaguâ: De donde, Sem passar, ao Pyâguŷ; Se Entra: âs Serras Rycas, dâ Parnâyba que ficaõ ao Sul, do Maranham e â Noroeste Dâqui

Campos, e Mattos: Entre Os Ryos Corrente. e grande: athe a Pauoacaõ, das Gurûyrás que infestaõ ôs Barbaros. Desta Serra.

A Oeste Desta Barra: a bom Camº Sê farâ: a O Parâ Catû. e Cuyâbâ.

Campos, e Mattos: entre Os Ryos: Parâcatû. e Corrente: por donde Entraõ no de S. Frcº O Vrûcuŷa. Panteyros, e Carirûnhânha, dô Salâ deyros; que infestaõ, os gentjos Barbaros. e podem Ser Minerays.

Campos, e Mattos: Com Serranias intractaueys: entre O Ryo de S. Frcº aô Sueste. Pitanguŷ, â Sudoeste. Cuyâbâ, â noroeste. Parâ Catû, â Nordeste. e neste Parâ Catû de S. Antº Sê acharaõ en Circulo inteyro, âs Mais nouas, e grandiosas Minas: athê O Ryo da Pratta.

Minas Geraes. Entre Parâuŷ pêba. e Pŷtânguŷ: athe O Ribeyraõ. e Campo, Dô Ryo das Mortas. Camº Dô di Janrº por Parâ bûna.

Aldeas, Dos Barbaros Gentjos, dô Ryo Dô Sonno.

Rotteyro fiel Dâs Serras Minerays: que tem trilhado. Em 30 annos O Capp.ᵐ Mor Manoel Frcº dos Santos Solidade: que declara Deuer Se O desenganno. Dâs Minas, Da Pratta: ao Frances Claudio Nul: p.ª o que este fis; De Sua letra, e Signal: nâ Era de 1729. Em Lª Occydental.

300 L.

Maranham Pobre: porque tenaõ aplicas, âs Serras Rycas.

Cuyâbâ Boas Minas. Sem Seremonia. Labor Vincit Omnia

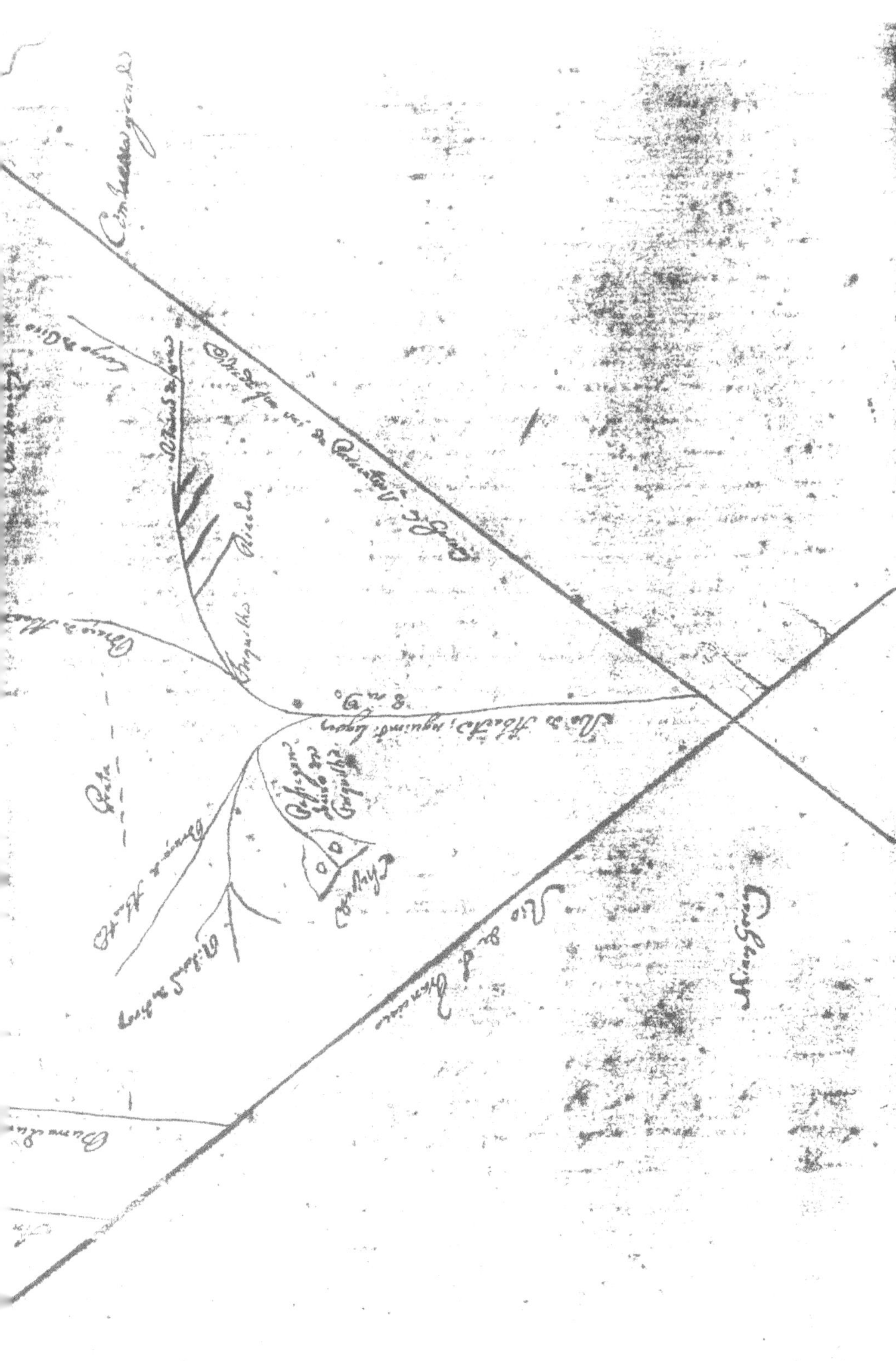

Apêndice B

Quadro 2:

Representação (instituição imaginária) do descobrimento de minerais preciosos

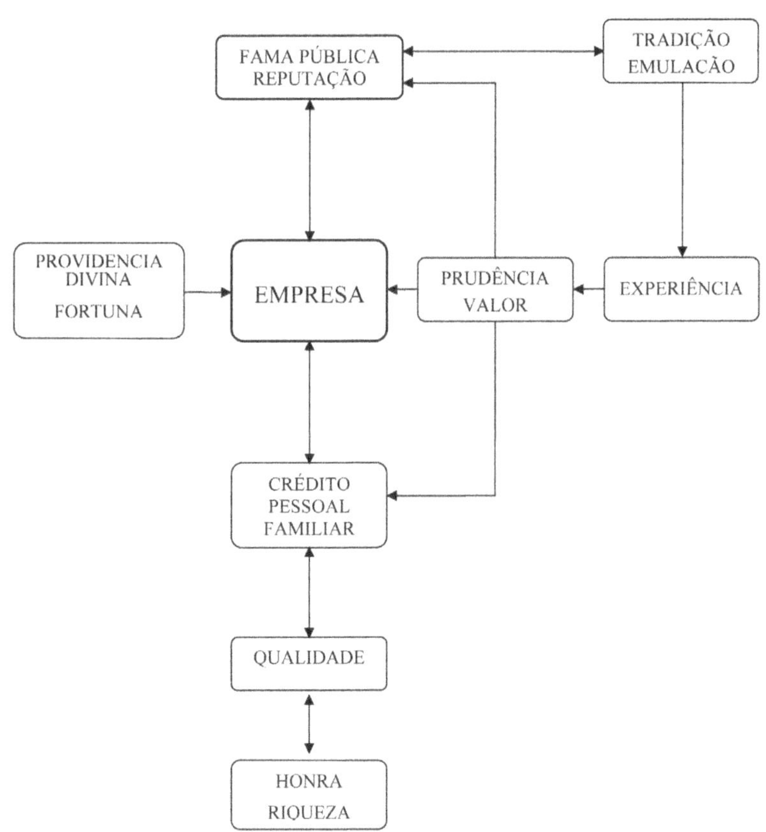

Apêndice C

Quadro 3

Mercês do Estado para descobridores das Minas do ouro[a], 1695-1744.

Descobridor	Minas	Reconhecimento/ mercês da Coroa						
		Guarda-mor/ escrivão	Posto de oficial militar [b]	Função adminis-trativa [c]	Sesmaria	Direito da passagem de rio[d]	Hábito de ordem militar[e]	Título nobiliárquico [f]
Garcia Rodrigues Pais	Cataguases; Sabarabuçu	x	x	x	x	x	x[1]	x
Manuel de Borba Gato	Sabarabuçu/ rio das Velhas	x[2]	x	x	x			
Carlos Pedroso da Silveira	Minas de Taubaté; Cataguases	x	x	x	x			
Bartolomeu Bueno de Siqueira	Minas de Taubaté; Cataguases	x						
Antônio Dias de Oliveira	Minas Gerais/ Antônio Dias	x	x					
Bento Rodrigues Caldeira	Minas Gerais/ Bento Rodrigues				x	x		
João Lopes de Camargo	Minas Gerais/ morro de Antônio Dias; Camargos		x					
José de Camargo Pimentel	Minas Gerais/ Camargos; Piracicaba			x				
Félix de Gusmão Mendonça e Bueno	Minas Gerais/ Ouro Preto				x			
José de Seixas Borges	Minas Gerais			x	x			
Salvador Fernandes Furtado	Minas Gerais/ ribeiro do Bom Sucesso; ribeirão do Carmo	x	x	x	x			
Francisco Bueno de Camargo	Minas Gerais/ ribeirão do Carmo	x		x				

Descobridor	Minas	Concessões de mercês						
		Guarda-mor/ escrivão	Posto de oficial militar[b]	Função adminis-trativa[c]	Sesmaria	Direito da passagem de rio[d]	Hábito de ordem militar[e]	Título nobiliárquico[f]
Antônio Furquim da Luz	Minas Gerais/ ribeirão do Carmo abaixo		x		x			
Domingos Velho Cabral	Minas Gerais/ ribeirão do Carmo	x			x			
Roque Soares Medela	Minas Gerais/ ribeirão do Carmo		x					
Maximiano de Oliveira Leite	Minas Gerais/ ribeirão do Carmo	x	x		x		x	x
Antônio Pereira Machado [Antônio Pereira Dias]	Minas Gerais/ Antônio Pereira				x		x[3]	
Amaro da Rocha [Amaro da Rocha Pires]	Minas Gerais/ ribeiro do Rocha				x			
Sebastião Rodrigues da Gama	Minas Gerais/ Gama				x			
João da Veiga [João da Veiga da Costa]	Baependi; Minas Gerais/ Inficionado		x	x				
Fernando Bicudo de Andrade	ribeiro de Santa Bárbara; Nossa Senhora da Conceição		x		x			
Leonardo Nardi de Arzão	Rio das Velhas/ Caeté		x	x				
Luís do Couto	Rio das Velhas/ Caeté		x					

Descobridor	Minas	Concessões de mercês						
		Guarda-mor/ escrivão	Posto de oficial militar[b]	Função adminis-trativa[c]	Sesmaria	Direito da passagem de rio[d]	Hábito de ordem militar[e]	Título nobiliárquico[f]
Sebastião Pereira de Aguilar	Rio das Velhas/ Caeté		x		x			
Domingos Rodrigues da Fonseca	Rio das Velhas/ ribeiro do Campo; ribeiro de Nossa Senhora do Bom Cabo	x	x	x[4]	x			
Pedro de Morais Raposo	Rio das Velhas/ ribeiro dos Raposos		x	x	x			
Tomé Portes del Rei	rio das Mortes	x				x		
Antônio Soares Ferreira	Ivituruí / Serro Frio/ ribeirão de Santo Antônio do Bom Retiro	x	x					
Manuel Correia Arzão	Serro Frio	x	x					
Baltazar de Lemos de Morais Navarro	Itacambira/ Serro Frio		x	x				
Francisco Machado da Silva	Serro Frio/ Caeté-mirim; rio Pardo; Morrinhos; rio do Peixe; rio Manso	x	x					
Domingos Rodrigues do Prado	Pitangui; Cuiabá; Goiás		x	x			x[5]	
Bartolomeu Bueno da Silva	Pitangui/ Goiás	x[6]	x	x	x	x		

Descobridor	Minas	Concessões de mercês						
		Guarda-mor/ escrivão	Posto de oficial militar[b]	Função adminis-trativa[c]	Sesmaria	Direito da passagem de rio[d]	Hábito de ordem militar[e]	Título nobiliárquico[f]
Antonio do Prado da Cunha	Pitangui; Jacobina [Bahia]		x		x			
João Leite da Silva Ortiz	Goiás	x	x		x	x		
Sebastião Leme do Prado	Minas Novas/ ribeiro de Nossa Senhora do Bom Sucesso do Fanado	x			x			
José Rodrigues Fróis	Paracatu	x						

Obs.:

(a) Foram listados os sertanistas-descobridores famosos das Minas do ouro (ou de Minas Gerais), para os quais foi obtida alguma informação.
(b) Capitão (ordenança); capitão-mor; sargento-mor; coronel; tenente-general; mestre-de-campo.
(c) Juiz de órfãos; provedor dos quintos; provedor dos defuntos e ausentes; procurador da Coroa e da Fazenda Real; escrivão da Fazenda Real; escrivão da Oficina Real dos Quintos; tabelião; administrador de datas da Coroa; administrador das entradas; regente-governador; alcaide-mor.
(d) Neste rol incluíram-se, além da concessão oficial do direito de exploração, as apropriações de fato pelo descobridor, com o reconhecimento tácito dos representantes da Coroa.
(e) Hábito da Ordem de Cristo.
(f) Fidalgo da Casa Real.

(1) Concedido pela Coroa ao descobridor, mas somente teve efeito quando a mercê recaiu no filho, Pedro Dias Pais Leme.
(2) Ocupou também o cargo de superintendente das minas do rio das Velhas.
(3) A concessão só se efetivou quando recaiu no filho.
(4) Foi governador interino da Capitania de São Paulo, em 1726.
(5) Houve pedido ao rei feito pelo governador da Capitania de São Paulo.
(6) Superintendente das minas.

Fontes:

AAEB, v. 3, 1918, p. 285-286.
ANTONIL, 1968, p. 350-359, 421-425.
APM, Avulsos Capitania de Minas Gerais/AHU, caixa 44, documento 90.
APM, Avulsos Capitania de Minas Gerais/AHU, caixa 59, documento 19.
APM, Sc 11, f. 76v.
BA, 54-XIII-424, f. 2-3, Descrição do mapa que compreende os limites do governo de São Paulo e Minas, e também os do Rio de Janeiro [171-?].
BARBOSA, 1995, p. 236-237.
CARVALHO, t. 4, 1931.
CCM, 1999, p. 166-193, 245-246.
DIHCSP, v. 52, 1930, p. 76-78, 127.
DIHCSP, v. 54, 1932, p. 14-38.
FRANCO, 1989.
LEME, v. 6, 1905, p. 581, 1288.
LEME, v. 1 e 2, 1980, p. 257, 122-123.
MAGALHÃES, 1935, p. 159, 167.
RAPM, v. 2, 1897, p. 265, 777-778.
RAPM, v. 37, n. 1, 1988, p. 115, 288, 341.
RIHGB, v. 69, 1908, p. 275-281, 283-287.
RIHGB, v. 84, 1920, p. 34.

Fontes e referências

A) documentos manuscritos (arquivos):

1. ARQUIVO DA CASA DOS CONTOS DE OURO PRETO (ACCOP):

– Coleção Arquivo Judiciário do Fórum de Ouro Preto (microfilme): série petição, v. 2423/ rolo 2202.

2. ARQUIVO HISTÓRICO DA CÂMARA MUNICIPAL DE MARIANA (AHCMM):

– Códice: 664.

3. ARQUIVO HISTÓRICO DA CASA SETECENTISTA DE MARIANA (AHCSM):

Ação cível de Miguel da Fonseca, 1º Ofício, códice 478/auto 10660.

– Registro de provisões e patentes, 1726-1754/ [Câmara de Mariana].

– Inventário *post-mortem*/ testamento de Salvador Fernandes Furtado (1725) – 2º Ofício, códice 128/auto 2800.

4. ARQUIVO HISTÓRICO MUNICIPAL WASHINGTON LUÍS (São Paulo) (AHMWL):

– Avulsos – Câmara Municipal de São Paulo/ série correspondência, caixa 17, Carta do governador-geral Alexandre de Souza à Câmara de São Paulo, 15 de novembro de 1669.

5. ARQUIVO HISTÓRICO DO MUSEU DA INCONFIDÊNICA (AHMI):

– Auto 2423.

6. ARQUIVO HISTÓRICO ULTRAMARINO – CARTOGRAFIA E ICONOGRAFIA (AHU):

– Minas Gerais: 1153, 1172/1175.

– São Paulo: 1755.

7. ARQUIVO DO INSTITUTO DE ESTUDOS BRASILEIROS/USP (AIEB):

– Códices/Coleção Lamego: 9. 8; 28. 1. 4; 67. 2; 67. 3; 67. 4.

8. ARQUIVO DO INSTITUTO HISTÓRICO E GEOGRÁFICO BRASILEIRO (Rio de Janeiro) (AIHGB):

– Avulsos: latas: 08; 763/pasta 16; 68/documento 25.

– Códices (cópias): 1, 3, 3.

– Coleção Conselho Ultramarino (cópias): 1, 2, 13; 1, 1, 21; 1, 1, 23; 1, 1, 25.

9. ARQUIVO NACIONAL DO RIO DE JANEIRO (ANRJ):

– Arquivos Particulares – n. 5 (Francisco Lobo Leite Pereira): caixas: 08.

– Caixa topográfica (avulsos) 02631.

– Governo: códices/volumes: 952/08 – 11 – 12 – 16 – 17, 77/06 – 07 – 11 – 12 – 13 –14 – 17 – 22 – 24, 807/04.

10. ARQUIVO PÚBLICO ESTADUAL DA BAHIA (APEB):

– Avulsos – Arquivo Histórico Ultramarino de Lisboa: caixa/documentos (microfilme): 30.

– Sc – Seção colonial: códices: 130, 149, 151.

11. ARQUIVO PÚBLICO ESTADUAL DO ESPÍRITO SANTO (APEES):

– Avulsos – Arquivo Histórico Ultramarino de Lisboa: caixa/documentos (microfilme): 01, 02, 03.

12. ARQUIVO PÚBLICO MINEIRO (APM):

– Avulsos – Arquivo Histórico Ultramarino de Lisboa (AHU) caixa/documentos (microfilme): 01, 04, 07, 13, 16, 19, 21, 22, 24, 25, 27, 32, 34, 44, 59, 72, 73, 74, 79, 86, 99, 112, 117, 118, 124, 126, 128, 131, 145, 149, 158, 160, 161.

– Avulsos – Capitania de Minas Gerais (Avc): caixa/documentos: 12.

– Avulsos – Seção de Governo (SG): caixa/documentos: 02, 06, 08, 10, 11, 12, 13, 15, 20, 21, 24, 34, 38, 39, 40, 41, 48, 49, 52, 60, 70, 71, 75, 79, 83, 84, 90, 93, 97.

– Avulsos – Fundo Casa dos Contos: rolos (microfilme): 504, 505, 507, 513, 511, 515, 523, 524, 525, 527, 534, 543, 546, 547.

– Fundo – Casa dos Contos: códice 2001.

– Seção colonial (Secretaria de Governo) (Sc): códices:

01: Registro de alvarás, regimentos, cartas e ordens régias, cartas patentes, provisões, confirmações de cartas patentes, sesmarias e doações (1702-1740).

02: Registro de alvarás, regimentos, cartas, ordens régias, cartas patentes, provisões, confirmações de cartas patentes, sesmarias e doações (1702-1751).

04: Registro de alvarás, ordens, cartas régias e ofícios dos governadores ao rei (1709-1722).

05: Registro de alvarás, ordens, decretos e cartas régias (1709-1735).

07: Registro de resoluções, bandos, cartas patentes, provisões, patentes e sesmarias (1710-1713).

08: Registro de patentes, nombramentos e provisões (1711-1713).

09: Registro de cartas, ordens, despachos, instruções, bandos, cartas patentes, provisões e sesmarias (1713-1717).

10: Registro de alvarás, cartas e ordens régias (1713-1749).

11: Registro de cartas do governador a diversas autoridades, ordens, instruções e bandos (1713-1721).

13: Registro de avisos, cartas, ordens, instruções e provisões (1717-1721).

17: Registro de cartas, provisões e patentes régias (1720-1731).

18: Originais de cartas e ordens régias (1720-1763).

19: Originais de ordens e provisões régias (1720-1797).

20: Originais de alvarás, cartas e ordens régias (1721-1725).

21: Registro de cartas, ordens, bandos, instruções, patentes, provisões e sesmarias (1721-1725).

23: Registro de alvarás, cartas e ordens régias e cartas do governador ao rei (1721-1731).

27: Registro de bandos, regimentos, ordens, portarias, petições, representações, propostas, despachos e cartas (1724-1732).

29: Originais de cartas e ordens régias (1725-1731).

32: Registro de cartas e ordens régias, respostas e cartas do governador ao rei (1729-1732).

33: Registro de portarias, regimentos, bandos, cartas, provisões, termos, ordens editais, petições, despachos, informações e autos de arrematação (exploração de diamantes) (1729-1755).

34: Registro de patentes e provisões (1732-1734).

35: Originais de cartas e ordens régias e avisos (1732-1734).

36: Registro de cartas e ordens régias, respostas e cartas do governador ao rei (1732-1734).

37: Registro de sesmarias, ordens, portarias, bandos e cartas (1732-1734).

42: Registro de sesmarias (1733-1739).

44: Registro de cartas e ordens régias, avisos, respostas e cartas do governador (1734-1737).

45: Registro de cartas e ordens régias e cartas do governador ao rei e Conselho Ultramarino (1744-1749).

49: Registro de patentes, nombramentos e provisões (1735-1739).

50: Registro de portarias, regimentos, ordens, bandos, editais, instruções, cartas e assentos (1735-1776).

54: Registro de cartas do governador a autoridades da Capitania, ao conde de Sarzedas e de cartas de autoridades ao governador (1736).

55: Registro de cartas de Gomes Freire de Andrade ao governador e deste a Gomes Freire e ao vice-rei do Estado (1736-1737).

56: Registro de cartas do governador a diversas autoridades e destas ao governador (1736-1737).

59: Registro de petições e despachos (1736-1766).

60: Registro de petições e despachos, ofícios e lojas no Serro Frio (1736-1767).

61: Registro de cartas do governador ao vice-rei, a Gomes Freire e a diversas autoridades, destas ao governador e instruções (1737).

63: Registro de ordens régias e cartas do secretário de Estado (1738).

66: Registro de cartas do governador ao vice-rei e a diversas autoridades da Capitania e do vice-rei ao governador (1738-1743).

67: Registro de cartas do governador ao vice-rei e a diversas autoridades da Capitania e outras (1738-1743).

69: Registro de ordens, editais, nombramentos, portarias, instruções, bandos, petições, informações, despachos e termos (1738-1755).

73: Registro de cartas e ordens régias, avisos e respostas do governador (1739-1742).

76: Registro de cartas de diversas autoridades da Capitania e outras ao governador e respostas deste (1740-1750).

78: Registro de ordens régias, avisos, respostas e cartas do governador (1741-1743).

82: Registro de ordens régias, avisos, respostas e cartas do governador (1743-1744).

84: Registro de cartas do governador ao vice-rei e mais autoridades da Capitania (1743-1749).

93: Registro de ordens régias, avisos, respostas e cartas do governador; cartas do governador ao vice-rei e mais autoridades da Capitania, com respectivas respostas e ainda, alvarás, provisões, regimentos, requerimentos e instruções (1749-1753).

100: Registro de ordens régias e suas respostas (1751-1755).

103: Registro de termos, petições e despachos (1752-1771).

105: Originais de cartas, ordens régias e avisos (1753-1754).

116: Registro de cartas do governador Gomes Freire ao seu lugar tenente e mais autoridades da Capitania (1755-1758).

118: Registro de ordens, portarias, editais, instruções, cartas e atestados (1755-1766).

123: Registro de cartas do governador Gomes Freire e demais autoridades da Capitania; requerimentos, despachos e representações (1758-1760).

130: Registro de cartas do governador ao 1º conde de Bobadela e de outras autoridades, petições e despachos, representações, bandos, termos, instruções (1760-1766).

143: Registro de cartas do governador ao vice-rei, outros governadores e diversas autoridades da Capitania; circulares, ordens, representações e respostas, instruções e cartas de autoridades ao governador (1764-1769).

150: Registro de cartas do governador a diversas autoridades da Capitania (1766-1767).

153: Registro de ordens régias e respostas do governador (1766-1771).

157: Registro de cartas, ordens régias e avisos e respostas do governador (1767-1773).

159: Registro de cartas do vice-rei e autoridades da Capitania ao governador (1768-1769).

162: Registro de cartas e ordens do governador a diversas autoridades da Capitania (1768-1770).

163: Registro de cartas, ordens, circulares e instruções do governador a diversas autoridades da Capitania (1768-1770).

167: Registro de cartas, circulares e ordens do governador a diversas autoridades da Capitania (1769).

171: Registro de sesmarias (1769-1774).

176: Registro de cartas e ordens do governador a diversas autoridades da Capitania (1770-1771).

177: Registro de cartas do governador a diversas autoridades do Rio das Velhas (1770-1772).

178: Registro de cartas do governador às autoridades do Rio das Mortes (1770-1772).

179: Registro de cartas circulares do governador a diversas autoridades da Capitania (1770-1773).

182: Registro de cartas, ordens, instruções a autoridades da Comarca da Vila do Príncipe (1771-1772).

186/186-2: Registro de petições, informações e despachos (1771-1787).

192: Registro de avisos, cartas do governador à Secretaria de Estado (1773).

200: Registro de cartas do governador relativas a descobertos (1773).

203: Registro de cartas do governador a outros governadores e a outras autoridades da Capitania; ordens e circulares (1773-1774).

207: Registro de cartas, ordens e circulares do governador a diversas autoridades da Capitania e cartas destas ao mesmo (1775-1776).

211: Registro de cartas, ordens e provisões régias, avisos e cartas do governador (1775-1779).

212: Troca de cartas entre o governador de Minas e o vice-rei e também outros governadores do Brasil (1775-1779).

215: Registro de cartas, ordens e circulares do governador a diversas autoridades da Capitania e cartas destas ao mesmo (1776-1778).

219: Registro de cartas, ordens e instruções do governador a diversas autoridades da Capitania (1778-1780).

223: Registro de cartas das Câmaras, juízes e outras autoridades da Capitania dirigidas ao governador (1780).

224: Registro de ofícios do governador à Secretaria de Estado (1780-1782).

229: Registro de cartas dirigidas ao governador por militares e ordenanças (1780-1783).

233: Registro de papéis referentes à repartição do descoberto do Valério ou Félix Pereira (Sabará).

239: Registro de cartas recíprocas do governador com o vice-rei e outros governadores (1783-1788).

240: Registro de cartas do governador às Câmaras, juízes e outras autoridades da Capitania (1783-1788).

241: Registro de cartas do governador a oficiais militares (1783-1788).

260: Registro de petições e despachos (1788-1797).

278: Registro de cartas recíprocas do governador com o vice-rei, outros governadores e o bispo (1797-1809).

302: Registro de cartas do governador a diveras autoridades da Capitania (1803-1807).

315: Registro de cartas do governador às Câmaras, juízes e outras autoridades da Capitania (1807-1809).

334: Registro de ofícios expedidos pela Junta da Civilização e Conquista dos Índios do Rio Doce (1808-1814).

369: Registro de ofícios e ordens da Junta da Conquista e Civilização dos Índios e Navegação do Rio Doce (1814-1821).

13. BIBLIOTECA DA AJUDA (Lisboa) (BA):

- Códices: 49-X-43; 54-XIII-4[24]; 51-VII-47

14. BIBLIOTECA NACIONAL DE LISBOA (BNL): Reservados:

- Avulsos: Mss. 9, n. 9.
- Códices: 917, 1337, 1674.
- Coleção Pombalina (códices): 672, 738, 746.

15. BIBLIOTECA NACIONAL DO RIO DE JANEIRO (BNRJ):

- Avulsos: I-28, 28, 13; 5, 3, 40; 22, 1, 7; 1, 3, 11; I-32, 13, 10; 2, 1, 3; 2, 1, 3, n. 5 (códice); 15, 2, 35 (códice); 18, 2, 6 (códice).
- Coleção Morgado de Mateus: I-30, 15, 20; I-30, 16, 4; I-30, 16, 30; 49, 5, 8.
- Casa dos Contos: códices: I-10, I-27.

16. BIBLIOTECA PÚBLICA MUNICIPAL DO PORTO (BPMP):

- Códice: 296.

B) documentos impressos:

ADENDA às efemérides mineiras. *Revista do Arquivo Público Mineiro*, Belo Horizonte, v. 9, p. 89-174, 1904.

ALVARÁ de folha corrida do capitão-mor Garcia Rodrigues Pais... *Anais da Biblioteca Nacional*, Rio de Janeiro, v. 39, p. 268, 1917.

AO CORONEL Matias Barbosa da Silva [carta de sesmaria]. *Revista do Arquivo Público Mineiro*, Ouro Preto, v. 3, p. 814-815, 1898.

AS ENTRADAS pelos rios do sul [documentos]. *Anais do Arquivo do Estado da Bahia*, Salvador, v. 6/7, p. 282-295, 1920.

ATAS da Câmara Municipal de Vila Rica [Termo de vereança, 22 de junho de 1713]. *Anais da Biblioteca Nacional*, Rio de Janeiro, v. 49, p. 273-274, 1927.

AVISOS e cartas régias 1714-1729. *Documentos interessantes para a história e costumes de São Paulo*, São Paulo, v. 18, p. 151-152, 1896.

AVISOS, cartas régias, regulamentos e ordens diversas 1679-1761. *Documentos interessantes para a história e costumes de São Paulo*, São Paulo, v. 16, p. 23-24, 1895.

BANDOS e portarias de Rodrigo César de Menezes. *Documentos interessantes para a história e costumes de São Paulo*, São Paulo, v. 12, p. 55-116, 129-130, 137-139, 1895.

BERNARDO da Fonseca Lobo, o descobridor dos diamantes na Comarca do Serro... *Revista do Arquivo Público Mineiro*, Belo Horizonte, v. 8, p. 353-378, 1903.

CARTA da câmara de Tamanduá à rainha Maria I acerca de limites de Minas Gerais com Goiás. *Revista do Arquivo Público Mineiro*, Ouro Preto, v. 2, p. 372-388, 1897.

CARTA de Pedro Bueno Cacunda, dirigida ao rei (...), 8 de setembro de 1735. *Anais da Biblioteca Nacional*, Rio de Janeiro, v. 46, p. 199-201, 1924.

CARTA do governador D. Rodrigo da Costa, sobre diversos assuntos referentes ao Brasil... . *Anais da Biblioteca Nacional*, Rio de Janeiro, v. 39, p. 302-304, 1917.

CARTA do provedor da Fazenda do Rio de Janeiro e administrador-geral das Minas do sul do Brasil Pedro de Sousa Pereira, dirigida ao Rei... . *Anais da Biblioteca Nacional*, Rio de Janeiro, v. 39, p. 202-205, 1917.

CARTA escrita pelo Conco. Ultramarino sobre o ouro das datas e dos quintos, que veio das Minas do Serro do Frio e Tucambiras... . *Anais do Arquivo do Estado da Bahia*, Salvador, v. 8, p. 14-15, 1921.

CARTAS de ofício 1704 – 1717. *Documentos históricos da Biblioteca Nacional do Rio de Janeiro*, Rio de Janeiro, v. 70, p. 28-337, 1945.

CARTAS de sesmaria. *Revista do Arquivo Público Mineiro*, Belo Horizonte, v. 4, p. 155-214, 1899.

CARTAS de sesmaria. *Revista do Arquivo Público Mineiro*, Ouro Preto, v. 2, p. 257-269, 1897.

CARTAS enviadas ao rei (1705-1706). *Revista do Instituto Histórico e Geográfico de São Paulo*, São Paulo, v. 57, p. 632-658, 1959.

CARTAS régias 1667 – 1681. *Documentos históricos da Biblioteca Nacional do Rio de Janeiro*, Rio de Janeiro, v. 67, p. 189-191, 1945.

CARTAS régias 1681 – 1690... . *Documentos históricos da Biblioteca Nacional do Rio de Janeiro*, Rio de Janeiro, v. 68, p. 140-141, 1945.

CATÁLOGO das cartas régias, provisões, alvarás, avisos, portarias, etc. de 1662 a 1821 [códice 952]. *Publicações Históricas*: Arquivo Nacional, v. 1, p. 67-207.

CATÁLOGO de sesmarias. *Revista do Arquivo Público Mineiro*, Belo Horizonte, ano 37, 1988. 2 v.

CATÁLOGO dos capitães-mores governadores, capitães-generais e vice-reis, que têm governado a Capitania do Rio de Janeiro desde sua primeira fundação em 1565, até o presente ano de 1811. *Revista do Instituto Histórico e Geográfico Brasileiro*, Rio de Janeiro, v. 2, 50-99, 1916 [1ª ed. 1840].

CAUSAS determinantes da diminuição da contribuição das cem arrobas de ouro, apresentadas pela Câmara de Mariana. *Revista do Arquivo Público Mineiro*, Belo Horizonte, v. 6, 143-151, 1901.

CERTIDÃO de um bando que foi publicado na vila de Santos, 31 de março de 1735. *Boletim do Departamento do Arquivo do Estado de São Paulo*, São Paulo, v. 1, p. 96, 1942.

COLEÇÃO das memórias arquivadas pela Câmara da vila de Pitangui, e resumidas por Manuel José Pires da Silva Pontes... . *Revista do Instituto Histórico e Geográfico Brasileiro*, Rio de Janeiro, v. 6, 284-291, 1844.

COLEÇÃO sumária das próprias leis, cartas régias, avisos e ordens que se acham nos livros da Secretaria do Governo desta Capitania de Minas Gerais, deduzidas por títulos separados. *Revista do Arquivo Público Mineiro*, Belo Horizonte, v. 16, p. 408-458, 1911.

CONSULTAS do Conselho Ultramarino (1680-1718). *Revista do Instituto Histórico e Geográfico Brasileiro*, Rio de Janeiro, v. 1, t. especial, p. 46-126, 1956.

CONSULTAS do Conselho Ultramarino. Bahia (...) 1724–1732. *Documentos históricos da Biblioteca Nacional do Rio de Janeiro*, Rio de Janeiro, v. 90, p. 221-266, 1950.

CONSULTAS do Conselho Ultramarino. Bahia 1673–1683. *Documentos históricos da Biblioteca Nacional do Rio de Janeiro*, Rio de Janeiro, v. 88, p. 119-190, 1950.

CONSULTAS do Conselho Ultramarino. Bahia 1673–1695. *Documentos históricos da Biblioteca Nacional do Rio de Janeiro*, Rio de Janeiro, v. 89, p. 48-52, 1950.

CONSULTAS do Conselho Ultramarino. Bahia e capitanias do Norte 1756–1807. Rio de Janeiro 1674–1687. *Documentos históricos da Biblioteca Nacional do Rio de Janeiro*, Rio de Janeiro, v. 92, p. 210-218, 1951.

CONSULTAS do Conselho Ultramarino. Capitanias do Norte 1716–1746. *Documentos históricos da Biblioteca Nacional do Rio de Janeiro*, Rio de Janeiro, v. 100, p. 176-183, 1953.

CONSULTAS do Conselho Ultramarino. Rio de Janeiro 1726–1756. *Documentos históricos da Biblioteca Nacional do Rio de Janeiro*, Rio de Janeiro, v. 94, p. 74-173, 1951.

CONTA que deu o mestre-de-campo João da Silva Guimarães dos progressos do seu descobrimento em que declara o que fez e achou em todo o tempo que andou naquela campanha. *Revista do Instituto Histórico e Geográfico de Minas Gerais*, Belo Horizonte, v. 2, p. 142-153, 1945.

CÓPIA de um importante e interessante processo sobre Fernão Dias Pais – o descobridor das esmeraldas; extraída do antigo Conselho Ultramarino em Lisboa. *Revista do Arquivo Público Mineiro*, Belo Horizonte, v. 19, p. 11-68, 1921.

CORRESPONDÊNCIA do capitão-general Dom Luis Antônio de Souza 1767-1770. *Documentos interessantes para a história e costumes de São Paulo*, São Paulo, v. 19, p. 117-140, 1896.

CORRESPONDÊNCIA do conde de Sarzedas 1732-1736. *Documentos interessantes para a história e costumes de São Paulo*, São Paulo, v. 40, p. 138-141, 1902.

CORRESPONDÊNCIA dos governadores-gerais 1675–1709. *Documentos históricos da Biblioteca Nacional do Rio de Janeiro*, Rio de Janeiro, v. 11, p. 3-379, 1929.

CORRESPONDÊNCIA dos governadores-gerais (...) 1663-1677. *Documentos históricos da Biblioteca Nacional do Rio de Janeiro*, Rio de Janeiro, v. 6, p. 189-261, 1928.

CORRESPONDÊNCIA dos governadores-gerais (...) 1671–1692. *Documentos históricos da Biblioteca Nacional do Rio de Janeiro*, Rio de Janeiro, v. 10, p. 446-453, 1929.

CORRESPONDÊNCIA dos governadores-gerais 1704–1714. *Documentos históricos da Biblioteca Nacional do Rio de Janeiro*, Rio de Janeiro, v. 40, p. 172-360, 1938.

CORRESPONDÊNCIA dos governadores-gerais 1705–1711. *Documentos históricos da Biblioteca Nacional do Rio de Janeiro*, Rio de Janeiro, v. 41, p. 11-285, 1938.

CORRESPONDÊNCIA interna do governador Rodrigo César de Menezes 1721-1728. *Documentos interessantes para a história e costumes de São Paulo*, São Paulo, v. 20, p. 19-24, 1896.

DESCOBERTA de diamantes em Minas. *Revista do Arquivo Público Mineiro*, Ouro Preto, v. 2, p. 271-285, 1897.

DIAMANTES. Histórico de sua descoberta. *Revista do Instituto Histórico e Geográfico Brasileiro*, Rio de Janeiro, v. 63, 307-319, 1901.

DIÁRIO da jornada, que fez o Exmo. Senhor Dom Pedro desde o Rio de Janeiro até a cidade de São Paulo, e desta até as minas ano de 1717. *Revista do Serviço do Patrimônio Histórico e Artístico Nacional*, n. 3, p. 295-316, 1939.

DO BOM êxito da arrecadação do subsídio voluntário e do estado da mineração. *Revista do Arquivo Público Mineiro*, Belo Horizonte, v. 11, p. 287-290, 1907.

DOCUMENTAÇÃO referente a Minas Gerais existente nos arquivos portugueses

(Ivo Porto de Menezes). *Revista do Arquivo Público Mineiro*, Belo Horizonte, v. 26, p. 126-303, 1975.

DOCUMENTOS históricos. *Revista do Arquivo Público Mineiro*, Belo Horizonte, v. 7, p. 939-941, 1902.

DOCUMENTOS interessantes. *Revista do Instituto Histórico e Geográfico de Minas Gerais*, Belo Horizonte, v. 7, p. 705-712, 1960.

DOCUMENTOS para a nossa história. *Revista do Arquivo Público Mineiro*, Belo Horizonte, v. 10, p. 329-333, 1905.

DOCUMENTOS relativos à criação, extinção e desmembramento das capitanias de que resultou S. Paulo... *Documentos interessantes para a história e costumes de São Paulo*, São Paulo, v. 47, p. 71-82, 1929.

DOCUMENTOS relativos à história da capitania de S. Vicente e do bandeirismo (1548-1734)... *Documentos interessantes para a história e costumes de São Paulo*, São Paulo, v. 48, p. 59-121, 1929.

DOCUMENTOS relativos ao "bandeirismo" paulista e questões conexas, no período de 1674 a 1720... *Documentos interessantes para a história e costumes de São Paulo*, São Paulo, v. 53, p. 72-203, 1931.

DOCUMENTOS relativos ao "bandeirismo" paulista e questões conexas, no período de 1711 a 1720... *Documentos interessantes para a história e costumes de São Paulo*, São Paulo, v. 49, p. 48-211, 1929.

DOCUMENTOS relativos ao "bandeirismo" paulista e questões conexas, no período de 1701 a 1705... *Documentos interessantes para a história e costumes de São Paulo*, São Paulo, v. 51, p. 20-400, 1930.

DOCUMENTOS relativos ao "bandeirismo" paulista e questões conexas, no período de 1721 a 1740... *Documentos interessantes para a história e costumes de São Paulo*, São Paulo, v. 50, p. 34-274, 1929.

DOCUMENTOS relativos ao bandeirismo paulista e questões conexas, no período de 1706 a 1710... *Documentos interessantes para a história e costumes de São Paulo*, São Paulo, v. 52, p. 18-20, 50-51, 95-109, 147-149, 171-172, 175-176, 178-179, 1930.

DOCUMENTOS relativos ao descobrimento dos diamantes na Comarca do Serro Frio copiados e conferidos por Augusto de Lima. *Revista do Arquivo Público Mineiro*, Belo Horizonte, v. 7, 263-355, 1902.

ESPÍRITO Santo: documentos coloniais. Série documentos capixabas. Vitória: Fundação Jones dos Santos Neves, 1978. v. 1, p. 39-44, 1978.

EXPEDIÇÃO na zona do rio Doce pelo mestre-de-campo Matias Barbosa da Silva (1734). *Revista do Arquivo Público Mineiro*, Ouro Preto, v. 3, p. 769-772, 1898.

EXPLORAÇÃO no Jequitinhonha. *Revista do Arquivo Público Mineiro*, Ouro Preto, v. 2, p. 31-36, 1897.

EXPOSIÇÃO do governador D. Rodrigo José de Menezes sobre o estado de decadência da Capitania de Minas Gerais e meios de remediá-lo. *Revista do Arquivo Público Mineiro*, Ouro Preto, v. 2, p. 311-327, 1897.

FERNÃO Dias Pais – o descobridor das esmeraldas; conclusão da cópia de documentos interessantes, extraídos do antigo Conselho Ultramarino em Lisboa. *Revista do Arquivo Público Mineiro*, Belo Horizonte, v. 20, p. 159-190, 1926.

GARCIA Rodrigues Paes (alguns subsídios para a história dos bandeirantes) por Basílio de Magalhães. *Revista do Instituto Histórico e Geográfico Brasileiro*, Rio de Janeiro, t. 84, p. 9-40, 1920.

INFORMA um requerimento de Inácio Correia Pamplona (um dos denunciantes da Inconfidência), em que pede algumas mercês para si e seus filhos. *Revista do Arquivo Público Mineiro*, Belo Horizonte, v. 11, p. 294-295, 1907.

INSTRUÇÃO e norma que deu o Ilmo. e Exmo. Sr. conde de Bobadela a seu irmão o preclaríssimo Snr. José Antônio Freire de Andrade para o governo de Minas, a quem veio succeder pela ausência de seu irmão, quando passou ao sul. *Revista do Arquivo Público Mineiro*, Belo Horizonte, v. 4, p. 727-735, 1899.

INSTRUÇÕES de Martinho de Melo e Castro a Luís de Vasconcelos e Souza, acerca do governo do Brasil. *Revista do Instituto Histórico e Geográfico Brasileiro*, Rio de Janeiro, t. 25, p. 479-483, 1862.

INVENTÁRIO dos documentos relativos ao Brasil existentes no Arquivo da Marinha e Ultramar (...) por Eduardo de Castro e Almeida. *Anais da Biblioteca Nacional do Rio de Janeiro*, Rio de Janeiro, v. 31, 48-345, 1913.

IVUTUCAVARÚ. *Documentos interessantes para a história e costumes de São Paulo*, São Paulo, v. 3, p. 54-62, 1913.

MANUAL do guarda-mor composto por Manuel José Pires da Silva Pontes G. M. Geral. *Revista do Arquivo Público Mineiro*, Ouro Preto, v. 7, p. 357-370, 1902.

MERCÊ pedida por Francisco Machado da Silva como descobridor do Serro do Frio. *Revista do Arquivo Público Mineiro*, Belo Horizonte, v. 4, p. 298-299, 1899.

MUDANÇAS no Regimento mineral. Ordens régias. *Revista do Arquivo Público Mineiro*, Ouro Preto, v. 1, 689-690, 1896.

NOTÍCIA – 2ª prática dada pelo alferes Moreira ao P. Me. Diogo Soares... *Revista do Instituto Histórico e Geográfico Brasileiro*, Rio de Janeiro, t. 69, p. 269-273, 1908.

NOTÍCIA – 3ª prática que dá ao R. P. Diogo Soares o Mestre de Campo José Rebelo Perdigão... *Revista do Instituto Histórico e Geográfico Brasileiro*, Rio de Janeiro, t. 69, p. 275-281, 1908.

NOTÍCIA – 4ª prática que dá ao R. P. Diogo Soares o sargento-mor José Matos... *Revista do Instituto Histórico e Geográfico Brasileiro*, Rio de Janeiro, t. 69, p. 283-287, 1908.

NOTÍCIA diária e individual das marchas [,] e acontecimentos ma(i)s condigno(s) da jornada que fez o senhor mestre-de-campo, regente[,] e guarda(-)mor Inácio Corre(i)a Pamplona, desde que saiu de sua casa[,] e fazenda do Capote às conquistas do Sertão, até se tornar a recolher à mesma sua dita fazenda do Capote... *Anais da Biblioteca Nacional*, Rio de Janeiro, v. 108, p. 47-113, 1988.

NOTÍCIAS práticas das Minas Gerais do ouro e diamantes que dá ao R. P. Diogo Soares o capitão-mor Luis Borges Pinto... *Revista do Instituto Histórico e Geográfico Brasileiro*, Rio de Janeiro, t. 69, p. 261-267, 1908.

OFÍCIOS do capitão-general D. Luis Antônio de Souza Botelho Mourão (Morgado de Mateus) 1765-1766. *Documentos interessantes para a história e costumes de São Paulo*, São Paulo, v. 72, p. 86-132, 1952.

OFÍCIOS do capitão-general D. Luis Antônio de Souza Botelho Mourão (Morgado de Mateus). *Documentos interessantes para a história e costumes de São Paulo*, São Paulo, v. 73, p. 170-172, 1952.

ORDEM para Antonio Gonçalves do Prado fazer um descobrimento pelo Jequetinhonha abaixo. *Anais do Arquivo do Estado da Bahia*, Salvador, v. 4/5, p. 233, 1919.

ORDENS reais. *Revista do Arquivo Municipal de São Paulo*, São Paulo, v. 2, p. 66-67, 1934.

ORDENS reais. *Revista do Arquivo Municipal de São Paulo*, São Paulo, v. 4, p. 68-69, 1934.

ORDENS reais. *Revista do Arquivo Municipal de São Paulo*, São Paulo, v. 7, p. 76-78, 1934.

ORDENS régias (1721-1730). *Revista do Arquivo Municipal de São Paulo*, São Paulo, v. 21, p. 111-115, 1936.

ORDENS régias (1721-1730). *Revista do Arquivo Municipal de São Paulo*, São Paulo, v. 22, p. 375-380, 1936.

ORDENS régias. *Revista do Arquivo Municipal de São Paulo*, São Paulo, v. 12, p. 130-132, 1935.

ORDENS régias. *Revista do Arquivo Municipal de São Paulo*, São Paulo, v. 20, p. 60-63, 1936.

ORDENS régias. *Revista do Arquivo Municipal de São Paulo*, São Paulo, v. 32, p. 77-80, 1937.

ORDENS régias. *Revista do Arquivo Municipal de São Paulo*, São Paulo, v. 50, p. 158-160, 1938.

ORDENS régias. *Revista do Arquivo Municipal de São Paulo*, São Paulo, v. 51, p. 70-71, 1938.

OS TRÊS morros. *Revista do Arquivo Público Mineiro*, Belo Horizonte, v. 8, p. 321-324, 1903.

PARACATU quer ser vila e cabeça de Comarca. *Revista do Arquivo Público Mineiro*, Belo Horizonte, v. 8, p. 324-327, 1903.

PATENTE de capitão-mor dos distritos do Serro do Frio e Itacambira concedida ao capitão Antonio Soares Ferreira. *Anais do Arquivo do Estado da Bahia*, Salvador, v. 6/7, p. 267, 1920.

PATENTE de mestre-de-campo e governador absoluto da guerra dos bárbaros, provido em o tenente-general Matias Cardoso de Almeida. *Anais do Arquivo do Estado da Bahia*, Salvador, v. 6/7, p. 178-181, 1920.

PATENTES, provisões, sesmarias [por Basílio de Magalhães]. *Documentos interessantes para a história e costumes de São Paulo (DIHCSP), São Paulo*, v. 54, 14-43, 1932.

POPULAÇÃO da Província de Minas Gerais. *Revista do Arquivo Público Mineiro*, Belo Horizonte, v. 4, p. 294-296, 1899.

PORTARIA para o ouvidor da Comarca do Serro Frio. *Anais do Arquivo do Estado da Bahia*, Salvador, v. 8, p. 15-16, 1921.

PORTARIAS e cartas dos governadores-gerais 1670–1678. *Documentos históricos da Biblioteca Nacional do Rio de Janeiro*, Rio de Janeiro, v. 8, p. 164-347, 1929.

PRÊMIOS aos descobridores do grande diamante do Abaeté. *Revista do Arquivo Público Mineiro*, Ouro Preto, v. 2, p. 41-44, 1897.

PROVISÕES, cartas régias, cartas dos governadores, bandos, patentes (1688-1700). *Revista do Instituto Histórico e Geográfico de São Paulo*, São Paulo, v. 18, p. 281-436, 1914.

PROVISÕES, patentes, alvarás, cartas 1648–1711. *Documentos históricos da Biblioteca Nacional do Rio de Janeiro*, Rio de Janeiro, v. 33, p. 450-452, 1936.

PROVISÕES, patentes, alvarás, cartas 1692–1712. *Documentos históricos da Biblioteca Nacional do Rio de Janeiro*, Rio de Janeiro, v. 34, p. 84-116, 1936.

PROVISÕES, patentes, alvarás, sesmarias, mandados, etc. 1675–1678. *Documentos históricos da Biblioteca Nacional do Rio de Janeiro*, Rio de Janeiro, v. 26, p. 389-406, 1934.

PROVISÕES, patentes, alvarás, sesmarias, mandados, etc. 1678-1681. *Documentos históricos da Biblioteca Nacional do Rio de Janeiro*, Rio de Janeiro, v. 27, p. 7-15, 1934.

QUILOMBOLAS. Lenda mineira inédita por Carmo Gama. *Revista do Arquivo Público Mineiro*, Belo Horizonte, v. 9, p. 827-866, 1904.

REGIMENTO ou instrução que trouxe o governador Martinho de Mendonça de Pina e de Proença. *Revista do Arquivo Público Mineiro*, Ouro Preto, v. 3, p. 85-88, 1898.

REGIMENTO de que há de usar nas minas de São Paulo e São Vicente do Estado do Brasil Salvador Correia de Sá e Benevides (1644). *Revista do Instituto Histórico e Geográfico Brasileiro*, Rio de Janeiro, t. 69, p. 199-216, 1908.

REGIMENTO que trouxe Roque da Costa Barreto, mestre-de-campo general do Estado do Brasil em data de 23 de janeiro de 1677 com várias observações feitas pelo atual vice-rei, e capitão-general-de-mar-e-terra do Estado do Brasil D. Fernando José de Portugal... *Documentos históricos da Biblioteca Nacional do Rio de Janeiro*, Rio de Janeiro, v. 6, p. 312-466, 1928.

REGISTRO das cartas do governador das Minas e da capitania do Rio de Janeiro, Gomes Freire de Andrada a Martinho de Mendonça de Pina e de Proença. *Revista do Arquivo Público Mineiro*, Belo Horizonte, v. 16, p. 239-460, 1911.

REGISTRO de cartas régias 1697–1705... *Documentos históricos da Biblioteca Nacional do Rio de Janeiro*, Rio de Janeiro, v. 84, p. 106-107, 1949.

REGISTRO de diversas cartas patentes concedidas por D. Brás Baltazar da Silveira. *Revista do Arquivo Público Mineiro*, Ouro Preto, v. 3, p. 101-110, 1898.

REGISTRO de diversas cartas, patentes, ordens, bandos, etc. do governador Antonio de Albuquerque Coelho de Carvalho – (1711). *Revista do Arquivo Público Mineiro*, Ouro Preto, v. 2, p. 777-797, 1897.

REGISTRO do Conselho da Fazenda. Bahia 1699–1700. *Documentos históricos da Biblioteca Nacional do Rio de Janeiro*, Rio de Janeiro, v. 65, p. 47-56, 1944.

REGISTRO do testamento com que faleceu o Coronel Bento Fernandes Furtado nesta Vila do Príncipe aos dezenove dias do mês de outubro de 1765... *Revista do Arquivo Público Mineiro*, Belo Horizonte, v. 8, 305-313, 1903.

RELAÇÃO histórica de uma oculta, e grande povoação antiqüíssima sem moradores, que se descobriu no ano de 1753. *Revista do Instituto Histórico e Geográfico Brasileiro*, Rio de Janeiro, t. 1, p. 151-155, 1908.

RELATÓRIO do governador Antonio Paes de Sande... *Anais da Biblioteca Nacional (ABN)*, Rio de Janeiro, v. 39, p. 197-202, 1917.

REQUERIMENTO de Miguel Rangel de Sousa Coutinho... *Anais da Biblioteca Nacional*, Rio de Janeiro, v. 15, p. 14, 1928.

RIO de S. Mateus. *Anais do Arquivo do Estado da Bahia*, Salvador, v. 4/5, p. 234-236, 1919.

ROL dos ornamentos de que faz menção [uma carta do Morgado de Mateus]... *Documentos interessantes para a história e costumes de São Paulo*, São Paulo, v. 6, p. 34-35, 1902.

ROTEIRO do Maranhão a Goiás pela capitania do Piauí. *Revista do Instituto Histórico e Geográfico Brasileiro*, Rio de Janeiro, v. 62, p. 60-161, 1900.

SOBRE a navegação do rio Doce. *Revista do Arquivo Público Mineiro*, Belo Horizonte, v. 11, p. 298-302, 1907.

SOBRE os botocudos. *Revista do Arquivo Público Mineiro*, Belo Horizonte, v. 4, p. 783-786, 1899.

SOBRE os botocudos. *Revista do Arquivo Público Mineiro*, Ouro Preto, v. 3, p. 743-748, 1898.

SÚPLICAS dos mineiros de S. João del Rei, referentes às execuções por dívidas. *Revista do Arquivo Público Mineiro*, Ouro Preto, v. 2, p. 370-372, 1897.

TERRAS minerais. Relação das ordens sobre terras minerais, que, por cópia, foi enviada ao Conselho Geral da Província de Minas Gerais. *Revista do Arquivo Público Mineiro*, Ouro Preto, v. 1, p. 673-734, 1896.

TREZE documentos sobre a história de São Paulo. *Revista do Instituto Histórico e Geográfico Brasileiro*, Rio de Janeiro, v. 230, p. 399-427, 1956.

TRIUNFO Eucarístico. *Revista do Arquivo Público Mineiro*, Belo Horizonte, v. 6, p. 985-1016, 1901.

C) Mapas:

CORTESÃO, Armando, MOTA, Avelino Teixeira da (Orgs.). *Portugaliae Monumenta Cartographica*. Lisboa: Comemorações do 5º Centenário da morte do Infante D. Henrique, 1960. v. 3 e 4.

HOMANN, Johann Baptist. *Regnum Brasiliae in America Australi, Primogeniti Portug. Principis dos amplissima*. Norimberg, [post. 1704]. Mapa geral. Escala ca. 1: 14.000.000. Disponível em: http://bn1.bn.pt/obras/cartografia/registo/213.html (acesso em: 21 de junho de 2001).

SEIXAS, Francisco de. [Capitanias do Brasil]. [S.l.: s.n.], ca. 1767. Mapa político. Escala ca. 1: 16.000.000. Disponível em: http://bd1.bn.pt/obras/cartografia/registo/317.html (acesso em: 21 de junho de 2001).

D) Textos, memórias e crônicas dos séculos XVI, XVII, XVIII e XIX (1ª metade):

ANJOS, Frei Manuel dos. *Política predicável e doutrina moral do bom governo do mundo*. Lisboa: Oficina de Miguel Deslandes, 1693.

ANTONIL, André João. Estudo crítico de Andrée Mansuy. *Cultura e opulência do Brasil por suas drogas e minas*. Paris: Institut des Hautes Études de l'Amérique Latine, 1968.

ARTE de furtar. Lisboa: Imprensa Nacional-Casa da Moeda, 1991.

AZEVEDO, Luis Marinho de. *Doutrina política, civil e militar tirada do Livro Quinto das que escreveu Justo Lipsio*. Útil e necessária para conselheiros de guerra, generaes, governadores, cabos, e oficiais maiores, e menores dos exércitos. Lisboa: Oficina de Domingos Lopes Rosa, 1644.

AZEVEDO, Luís Marinho. *El principe encubierto*, manifestado en quatro discursos politicos, exclamados. Lisboa: Oficina de Domingos Lopes Rosa, 1642.

BARROS, João Borges. *Relação panegírica das honras funerais, que às memórias do mui alto, e muito poderoso senhor rei fidelíssimo D. João V consagrou a cidade da Bahia, Corte da America Portuguesa*. Lisboa: Regia Oficina Sylviana e da Academia Real, 1753.

BLUTEAU, Rafael de. *Vocabulário português e latino*. Coimbra/Lisboa: Real Colégio das Artes da Companhia de Jesus/Oficina de Pascoal da Silva, 1712/1721. 8 v.

BOTERO, João. *Da razão do Estado*. Tradução de Raffaella Longobardi Ralha. Coimbra: Instituto Nacional de Investigação Científica/Centro de História da Sociedade e da Cultura da Universidade de Coimbra, 1992.

BRANDÃO, Ambrósio Fernandes. *Diálogos das grandezas do Brasil*. Introdução de Jaime Cortesão e notas de Rodolfo Garcia. Rio de Janeiro: Dois Mundos, 1943.

CAMPOS, J. Silva. *Chrônica da capitania de São Jorge dos Ilhéus*. Salvador: Imprensa Vitória, 1947.

CASAL, Manuel Aires de. *Corografia brasílica ou relação histórico-geográfica do Reino do Brasil*. Belo Horizonte/São Paulo: Itatiaia/Edusp, 1976.

CASTRO, Damião Antonio de Lemos Faria e. *Politica moral e civil, aula da nobreza lusitana*. Lisboa: Oficina de Francisco Luiz Ameno, 1749. t. 1.

CÓDICE Costa Matoso. Coleção das notícias dos primeiros descobrimentos das minas na América que fez o doutor Caetano da Costa Matoso sendo ouvidor-geral das do Ouro Preto, de que tomou posse em fevereiro de 1749, & vários papéis. Belo Horizonte: Fundação João Pinheiro/Centro de Estudos Históricos e Culturais, 1999.

COSTA, Antonio de Pinho da. *A verdadeira nobreza*. Lisboa: Oficina Craesbeeckiana, 1655.

COSTA, Cláudio Manuel da. Vila Rica. In: PROENÇA FILHO, Domício (Org.). *A poesia dos inconfidentes*: poesia completa de Cláudio Manuel da Costa, Tomás Antônio Gonzaga e Alvarenga Peixoto. Rio de Janeiro: Nova Aguilar, 1996.

COSTA, Cláudio Manuel da. *Vila Rica*. Ouro Preto: Tipografia do Estado de Minas, 1897.

COUTINHO, José Joaquim da Cunha de Azeredo. Discurso sobre o estado atual das Minas do Brasil [1804]. In: HOLANDA, Sérgio Buarque (Org.). *Obras econômicas de J. J. da Cunha de Azeredo Coutinho*. São Paulo: Nacional, 1966.

COUTO, José Vieira. *Memória sobre a Capitania das Minas Gerais*: seu território, clima e produções metálicas. Estudo crítico de Júnia Ferreira Furtado. Belo Horizonte: Fundação João Pinheiro/Centro de Estudos Históricos e Culturais, 1994.

COUTO, José Vieira. Memória sobre as Minas da Capitania de Minas Gerais. Suas descrições, ensaios, e domicílio próprio. *Revista do Arquivo Público Mineiro*, Belo Horizonte, v. 10, 1905.

DEFINIÇÕES e estatutos dos cavaleiros da Ordem de N. S. Jesu Christo, com a história da origem, e principio della [reimpressão fac-similada]. Lisboa: Pedro Craesbeeck, 1628. Edição facsimilada.

DISCURSO histórico e político sobre a sublevação que nas Minas houve no ano de 1720. Estudo crítico de Laura de Mello e Souza. Belo Horizonte: Centro de Estudos Históricos e Culturais/Fundação João Pinheiro, 1994.

EÇA, Matias Aires Ramos da Silva de. *Reflexões sobre a vaidade dos homens e carta sobre a fortuna.* Lisboa: Imprensa Nacional/Casa da Moeda, 1980.

ESCHWEGE, Wilhelm L. von. *Pluto brasiliensis.* Tradução de Domício de Figueiredo Murta. Belo Horizonte/São Paulo: Itatiaia/ Edusp, 1979. 2 v.

FARIA, Manuel Severim de. *Discursos vários politicos.* Évora: Manuel de Carvalho, 1624.

FARIA, Manuel Severim de. *Notícias de Portugal.* Lisboa: Officina Craesbeeckiana, 1655.

FERRAND, Paul. *O ouro em Minas Gerais.* Trad. de Júlio Castanõn Guimarães. Belo Horizonte: Centro de Estudos Históricos e Culturais/Fundação João Pinheiro, 1998.

FERREIRA, Luis Gomes. *Erário Mineral dividido em doze tratados*, dedicado, e oferecido à puríssima, e sereníssima virgem Nossa Senhora da Conceição. Cirurgião aprovado, natural da Vila de S. Pedro de Rates, e assistente nas Minas do ouro por discurso de vinte anos. Lisboa: Oficina de Miguel Rodrigues, 1735.

FREITAS, Frei Serafim de. *Do Justo Império dos portugueses na Ásia* [1625]. Trad. de Miguel Pinto de Meneses. Lisboa: Instituto de Alta Cultura/Centro de Estudos de Psicologia e de História da Filosofia, 1959. v. 1.

GÂNDAVO, Pero de Magalhães de. *Tratado da Terra do Brasil.* 5ª ed. rev.; *História da Província de Santa Cruz a que vulgarmente chamamos Brasil. 1576.* 12ª ed. rev. Recife: Fundaj/ Editora Massangana, 1995.

GRACIÁN, Baltazar. *A arte da prudência* [Oráculo manual e arte da prudência]. Trad. de Ivone Castilho Benedetti. São Paulo: Martins Fontes, 1996.

GRACIÁN, Baltazar. *El héroe. El Discreto.* 7ª ed. Madrid: Espasa-Calpe, 1969.

HOMEM, Pedro Barbosa. *Discursos de la juridica, y verdadera razon de Estado, formados sobre la vida, y acciones del rey Don Juan el II de buena memoria, rey de portugal, llamado vulgarmente el Principe Perfecto.* Contra Machiavelo, y Bodino, y los demas politicos de nuestros tiempos, sus sequazes. 1ª Parte. Coimbra: Imprensa de Nicolao Carvallo, 1626.

INFORMAÇÃO da Capitania de Minas Gerais dada em 1805 por Basílio Teixeira de Saavedra. *Revista do Arquivo Público Mineiro*, Ouro Preto, v. 2, 1897.

INFORMAÇÃO do Estado do Brasil e de suas necessidades. *Revista do Instituto Histórico e Geográfico Brasileiro*, Rio de Janeiro, t. 25, 1862.

INFORMAÇÃO sobre as minas de S. Paulo e dos sertões da sua capitania desde o ano de 1597 até o presente 1772. *Revista do Instituto Histórico e Geográfico Brasileiro*, Rio de Janeiro, t. 64, v. 103, 1901.

INFORMAÇÃO sobre as Minas do Brasil. *Anais da Biblioteca Nacional*, Rio de Janeiro, v. 57, 1935.

INSTRUÇÃO para o governo da Capitania de Minas Gerais por José João Teixeira Coelho (1780). *Revista do Arquivo Público Mineiro*, Belo Horizonte, v. 8, p. 562-564, 1903.

LEME, Antonio Pires da Silva Pontes. Memória sobre a utilidade pública em se extrair o ouro das minas e os motivos dos poucos interesses que fazem os particulares, que mineram igualmente no Brasil. *Revista do Arquivo Público Mineiro*, Ouro Preto, v. 1, 1896.

LEME, Pedro Taques de Almeida Paes. *Nobiliarquia paulistana histórica e genealógica*. 5ª. ed. Belo Horizonte/São Paulo: Itatiaia/Edusp, 1980. 3 v.

LEVANTAMENTO em Minas Gerais no ano de 1708 (extrato da vida do Padre Belchior de Pontes, escrita pelo Padre Manuel da Fonseca). *Revista do Instituto Histórico e Geográfico Brasileiro*, Rio de Janeiro, v. 3, 1841.

LOREA, Frei Antonio de. *David Pecador*, enpresas morales, politico-cristianas. Madrid: Francisco Sanz, 1674.

MADRE DE DEUS, Frei Gaspar da. *Memórias para a história da Capitania de São Vicente*. Belo Horizonte/São Paulo: Itatiaia/Edusp, 1975.

MATOS, Raimundo José da Cunha. *Corografia histórica da Província de Minas Gerais (1837)*. Belo Horizonte/São Paulo: Itatiaia/Edusp, 1981. 2 v.

MENEZES, Sebastião Cesar de. *Suma Política*. Amsterdã: Simão Dias Soeiro Lusitano, 1650.

MIRANDA, Martim Afonso de. *Tempo de Agora*. Lisboa: Oficina de Antônio Rodrigues Galhardo, 1785.

MORENO, Diogo Campos. *Livro que dá razão do Estado do Brasil*. Rio de Janeiro: INL, 1968. Edição facsimilada.

NOBILIARQUIA brasiliense ou Coleção de todas as famílias nobres do Brasil, e as Capitanias, principalmente daquela de São Paulo, com a notícia certa donde são oriundos, mortes e jazigos [por Roque Luís de Macedo Pais Leme, 1820]. *Revista do Instituto Histórico e Geográfico de São Paulo*, São Paulo, v. 32, 1937.

NÓBREGA, Padre Manuel da. *Cartas do Brasil e mais escritos do P. Manuel da Nóbrega (Opera Omnia)*. Estudo crítico de Serafim Leite. Belo Horizonte: Itatiaia, 2000.

NUNES, Feliciano Joaquim de Souza. *Discursos políticos morais* (segundo o texto da primeira edição impressa por ordem do Marquês de Pombal em 1758). Rio de Janeiro: Oficina Industrial Gráfica, 1931.

PARADA, Antonio Carvalho de. *Arte de reinar*. Bruxelas: Paulo Craesbeck, 1644.

PENALVA, Marquês de. *Dissertação sobre as obrigações do vassalo*. Lisboa: Impressão Régia, 1804.

PEREIRA, Nuno Marques. *Compêndio narrativo do Peregrino da América*. 6ª. ed. Rio de Janeiro: Publicações da Academia Brasileira, 1939. 2 v.

PITA, Sebastião da Rocha. *História da América Portuguesa*. Belo Horizonte/São Paulo: Itatiaia/ Edusp, 1976.

PRAZERES, Frei Francisco de Nossa Senhora dos. Poranduba maranhense ou relação histórica da Província do Maranhão. *Revista do Instituto Histórico e Geográfico Brasileiro*, t. 54, v. 83, 1891.

PRAZERES, Frei João dos. *Abecedário real*. Lisboa: Edições Gama, 1943.

RELAÇÃO sumária das coisas do Maranhão escrita pelo capitão Simão Estácio da Silveira dirigida aos pobres deste Reino de Portugal. Lisboa: Imprensa Nacional, 1911.

ROCHA, José Joaquim da. *Geografia histórica da Capitania de Minas Gerais. Descrição geográfica, topográfica, histórica e política da Capitania de Minas Gerais. Memória histórica da Capitania de Minas Gerais.* Estudo crítico de Maria Efigênia Lage de Resende. Belo Horizonte: Centro de Estudos Históricos e Culturais/Fundação João Pinheiro, 1995.

SAINT-HILAIRE, Auguste de. *Viagem pelas províncias do Rio de Janeiro e Minas Gerais*. Trad. de Vivaldi Moreira. Belo Horizonte/São Paulo: Itatiaia/Edusp, 1975.

SAINT-HILAIRE, Auguste de. *Viagem pelo distrito dos diamantes e litoral do Brasil*. Trad. de Leonam de Azeredo Penna. Belo Horizonte/São Paulo: Itatiaia/Edusp, 1974.

SALVADOR, Frei Vicente do. *História do Brasil*: 1500-1627. 7ª ed. Belo Horizonte/ São Paulo: Itatiaia/Edusp, 1982.

SAMPAIO, Francisco Coelho de Souza e. *Preleções de Direito Pátrio Público, e Particular*. Primeira e Segunda Partes. Coimbra: Real Imprensa da Universidade, 1793.

SOUTHEY, Robert. *História do Brasil*. Tradução de Luís Joaquim de Oliveira e Castro. Belo Horizonte/São Paulo: Itatiaia/Edusp, 1981. v. 3.

TESAURO, Emanuele. *Idea delle perfette imprese*. Edição crítica de Maria Luisa Doglio. Firenze: Leo S. Olschki, 1975.

THEATRO moral de la vida humana, en cien emblemas; com el enchiridion de Epicteto, y la tabla de cebes. Amberes: Henrico y Cornelio Verdussen, 1701.

VASCONCELOS, Diogo Pereira Ribeiro. *Breve descrição geográfica, física* e *política da capitania de Minas Gerais.* Estudo crítico de Carla Maria Junho Anastasia. Belo Horizonte: Centro de Estudos Históricos e Culturais/Fundação João Pinheiro, 1994.

VASCONCELOS, Luís Mendes de. *Arte Militar* dividida em tres partes. A primeira ensina a pelejar em campanha aberta, a segunda nos alojamentos, e a terceira nas fortificações. Termo de Alenquer: Vicente Alvarez, 1612.

VASCONCELOS, Simão de. *Crônica da Companhia de Jesus do Estado do Brasil e do que obraram seus filhos nesta parte do Novo Mundo.* Lisboa: Henrique Valente de Oliveira, 1663, t. 1.

VERNEY, Luís António. *Verdadeiro método de estudar*[1746]. 3ª ed. Porto: Editorial Domingos Barreira, s.d.

VIEIRA, Padre Antônio. *Cartas.* Coordenação e notas de João Lúcio de Azevedo. Coimbra: Imprensa da Universidade, 1925-1928. 3 t.

VIEIRA, Padre Antônio. *Sermões.* Porto: Lello e Irmão Editores, 1959, t. 5.

VIEIRA, Antônio. *A história do futuro* – Do Quinto Império de Portugal. 2ª ed. Lisboa: Imprensa Nacional/Casa da Moeda, 1992.

VILHENA, Luís Carlos. *Pensamentos políticos sobre a colônia.* Rio de Janeiro: Arquivo Nacional/Ministério da Justiça, 1987.

E) Livros, artigos e teses:

ABREU, João Capistrano de. *Capítulos de história colonial: 1500-1800 & Os caminhos antigos e o povoamento do Brasil.* Brasília: Ed. UNB, 1982.

ABUD, Kátia Maria. *O sangue intimorato e as nobilíssimas tradições (a construção de um símbolo paulista: o bandeirante).* São Paulo: FFLCH/USP, 1985. (Tese, doutorado em História).

AGUIAR, Marcos Magalhães de. *Negras Minas Gerais*: uma história da diáspora africana no Brasil colonial. São Paulo: FFLCH/USP, 1999. (Tese, doutorado em História).

AINSA, Fernando. *De la edad de oro a el dorado.* Génesis del discurso utópico americano. México: Fondo de Cultura Económica, 1992.

ALBUQUERQUE, Martim de. *A sombra de Maquiavel e a ética tradicional portuguesa.* Ensaio de história da idéias políticas. Lisboa: Faculdade de Letras da Universidade de Lisboa/Instituto Histórico Infante Dom Henrique, 1974.

ALBUQUERQUE, Martim de. Política, moral e direito na construção do conceito de Estado em Portugal. In: *Estudos de Cultura Portuguesa.* Lisboa: Imprensa Nacional/Casa da Moeda, 1983, v. 1.

ALDEN, Dauril. Price movements in Brazil before, during, and after the Gold Boom, with special reference to the Salvador Market, 1670-1769. In: JOHNSON, Lyman L., TANDETER, Enrique (Orgs.). *Essays on the price history of eighteenth-century Latin America.* Albuquerque: University of New Mexico Press, 1990.

ALENCAR, José de. *As minas de prata.* 7ª ed. Rio de Janeiro/Brasília: José Olympio/INL, 1977.

ALENCASTRO, Luís Felipe de. A economia política dos descobrimentos. In: NOVAES, Adauto (Org.). *A Descoberta do homem e do mundo.* São Paulo: Companhia das Letras, 1998.

ALENCASTRO, Luís Felipe de. *O trato dos viventes*: formação do Brasil no Atlântico Sul. São Paulo: Companhia das Letras, 2000.

ALMEIDA, Carla M. Carvalho de. Minas Gerais de 1750 a 1850: bases da economia e tentativa de periodização. *LPH*: Revista de História, n. 5, 1995.

ÁLVAREZ, Fernando Jesús Bouza. Retórica da imagem real. Portugal e a memória figurada de Felipe II. *Penélope. Fazer e desfazer história*, n. 4, nov. 1989.

AMARAL, Sérgio Alcides Pereira do. *Estes penhascos:* Cláudio Manoel da Costa e a paisagem das Minas (1753-1773). Rio de Janeiro: Departamento de História/PUC-RJ, 1996. (Dissertação, mestrado em História).

ANASTASIA, Carla Maria Junho. *Vassalos rebeldes*: violência coletiva nas Minas na primeira metade do século XVIII. Belo Horizonte: C/Arte, 1998.

ANDRADE, Francisco Eduardo de. *A enxada complexa*: roceiros e fazendeiros em Minas Gerais na primeira metade do século XIX. Belo Horizonte: FAFICH/UFMG, 1994. (Dissertação, mestrado em História).

ARRUDA, Maria A. do Nascimento. *Mitologia da mineiridade*: o imaginário mineiro na vida política e cultural do Brasil. São Paulo: Brasiliense, 1999.

BANN, Stephen. *As invenções da história*: ensaios sobre a representação do passado. Trad. de Flávia Villas-Boas. São Paulo: Editora da Universidade Estadual Paulista, 1994.

BARBOSA, Waldemar de Almeida. *A decadência das Minas e a fuga da mineração.* Belo Horizonte: Centro de Estudos Mineiros/UFMG, 1971.

BARBOSA, Waldemar de Almeida. *Dicionário da terra e da gente de Minas.* Belo Horizonte: Imprensa Oficial/Arquivo Público Mineiro, 1985.

BARBOSA, Waldemar de Almeida. *Dicionário histórico-geográfico de Minas Gerais.* Belo Horizonte: Itatiaia, 1995.

BARBOSA, Waldemar de Almeida. *Negros e quilombos em Minas Gerais.* Belo Horizonte: Imprensa Oficial, 1972.

BARBOSA, Waldemar de Almeida. Roteiro da bandeira de Fernão Dias Pais. *Revista do Instituto histórico e geográfico de Minas Gerais*, v. 17, 1973/1974.

BARREIROS, Eduardo Canabrava. *Roteiro das esmeraldas*: a bandeira de Fernão Dias Pais. Rio de Janeiro/Brasília: J. Olympio/INL, 1979.

BARRETO, Abílio. *Belo Horizonte*: memória histórica e descritiva. Belo Horizonte: Fundação João Pinheiro/ Centro de Estudos Históricos e Culturais, 1995.

BARTHES, Roland; MARTY, Eric. Oral/escrito. ENCICLOPÉDIA Einaudi. Lisboa: Imprensa Nacional/Casa da Moeda, 1987.

BICALHO, Maria Fernanda Baptista Bicalho. As câmaras ultramarinas e o governo do Império. In: FRAGOSO, J.; BICALHO, M. F. B.; GOUVÊA, M. F. S. (Ed.). *O Antigo Regime nos trópicos*: a dinâmica imperial portuguesa (séculos XVI-XVIII). Rio de Janeiro: Civilização Brasileira, 2001.

BLAJ, Ilana. *A trama das tensões*: o processo de mercantilização de São Paulo colonial (1681-1721). São Paulo: FFLCH/USP, 1995. (Tese, doutorado em História).

BLAJ, Ilana. Agricultores e comerciantes em São Paulo nos inícios do século XVIII: o processo de sedimentação da elite paulistana. *Revista Brasileira de História*, São Paulo, v. 18, n. 36, 1998a.

BLAJ, Ilana. Sérgio Buarque de Holanda: historiador da cultura material. In: CÂNDIDO, Antonio (Org.). *Sérgio Buarque de Holanda e o Brasil*. São Paulo: Fundação Perseu Abramo, 1998b.

BLANCO, Ricardo Román. *Las "bandeiras"*. Instituciones bélicas americanas. Brasília: Universidade de Brasília, 1966.

BLOCH, Marc. *Los reyes taumaturgos*. Trad. de Marcos Lara. México: Fondo de Cultura Económica, 1988.

BORGES, Jorge Luís. Tema do traidor e do herói. In: BORGES, Jorge Luís. *Ficções*. Trad. de Carlos Nejar. 4ª ed. Porto Alegre: Globo, 1986.

BOSCHI, Caio C. Colonialismo, poder e urbanização no Brasil setecentista. In: Colóquio de estudos históricos Brasil-Portugal, 1, 1994, *Anais...* Belo Horizonte: PUC/MG, 1994.

BOURDIEU, Pierre. *A Economia das trocas lingüísticas*: o que falar quer dizer. Trad. de Sérgio Miceli *et al.* São Paulo: Edusp, 1996a.

BOURDIEU, Pierre. A identidade e a representação. Elementos para uma reflexão crítica sobre a idéia de região. In:BOURDIEU, Pierre. *O poder simbólico*. Trad. de Fernando Tomaz. 2ª ed. Rio de Janeiro: Bertrand Brasil, 1998.

BOURDIEU, Pierre. *Razões práticas*: sobre a teoria da ação. Trad. de Mariza Corrêa. Campinas: Papirus, 1996b.

BOXER, Charles R. *A Idade do Ouro do Brasil*. 2ª ed. Trad. de Nair de Lacerda. São Paulo: Editora Nacional, 1969.

BOXER, Charles R. *O império marítimo português*: 1415-1825. Trad. de Inês Silva Duarte. Lisboa: Edições 70, 1992.

BRUNER, Jerome. *Atos de significação*. Trad. de Sandra Costa. Porto Alegre: Artes Médicas, 1997.

BURKE, Peter. *O mundo como teatro*. Estudos de antropologia histórica. Trad. de Vanda Maria Anastácio. Lisboa: Difel, 1992.

BUXÓ, José Pascual. El resplendor intelectual de las imágenes: jeroglífica y emblemática. In: *Juegos de ingenio y agudeza*: la pintura emblemática de la Nueva España. México: Museo Nacional de Arte, 1994/1995.

BUXÓ, José Pascual. *Las figuraciones del sentido*. Ensayos de poética semiológica. México, D. F.: Fondo de Cultura Econômica, 1997.

CALÓGERAS, João Pandiá. *As minas do Brasil e sua legislação*. Rio de Janeiro: Imprensa Nacional, 1904, v. 1.

CALVET, Louis-Jean. *Linguistique et colonialisme*. Petit traité de glottophagie. Paris: Payot, 2002.

CANABRAVA, Alice Piffer. João Andreoni e sua obra. In: ANDREONI, João Antonio. *Cultura e opulência do Brasil por suas drogas e minas*. 2ª ed. São Paulo: Companhia Editora Nacional, 1967.

CANO, Wilson. Economia do ouro em Minas Gerais (século XVIII). *Contexto*, n. 3, jul. 1977.

CARDIM, Pedro. *Cortes e cultura política no Portugal do Antigo Regime*. Lisboa: Cosmos, 1998a.

CARDIM, Pedro. O quadro constitucional. Os grandes paradigmas de organização política: a coroa e a representação do Reino. As cortes. In: MATTOSO, José (dir.). *História de Portugal*. O Antigo Regime (1620-1807). Lisboa: Estampa, 1998b, v. 3.

CARDOZO, Manuel. The Guerra dos Emboabas, Civil War in Minas Gerais, 1708-1709. *Hispanic American Historical Review*, v. 22, n. 3, ago. de 1942.

CARRARA, Ângelo Alves. *As estruturas agrárias da Capitania de Minas Gerais (1674-1807)*. Rio de Janeiro: UFF, 1997 (Tese, doutorado em História).

CARVALHO, Teófilo Feu de. *Ocorrências em Pitangui* (História da Capitania de São Paulo e Minas): 1713-1721. *Anais do Museu Paulista*, t. 4, 1931.

CARVALHO, Teófilo Feu de. *Comarcas e Termos*: criações, supressões, restaurações, incorporações, desmembramentos de comarcas e termos, em Minas Gerais (1709-1915). Belo Horizonte: Imprensa Oficial do Estado de Minas Gerais, 1922.

CASCUDO, Luís da Câmara. *Literatura oral*. Rio de Janeiro: José Olympio, 1952.

CASTORIADIS, Cornelius. *A instituição imaginária da sociedade*. Tradução de Guy Reynaud. Rio de Janeiro: Paz e Terra, 1982.

CASTRO, Márcia de Moura. *Ex-votos mineiros*. As tábuas votivas no Ciclo do Ouro. Rio de Janeiro: Expressão e Cultura, 1994.

CERTEAU, Michel de. *A invenção do cotidiano*: artes de fazer. Trad. de Ephraim Ferreira Alves. 3ª ed. Petrópolis: Vozes, 1998, v. 1.

CHARTIER, Roger. *A aventura do livro*: do leitor ao navegador. Trad. de Reginaldo de Moraes. São Paulo: Ed. UNESP, 1998.

CHARTIER, Roger. *A história cultural*: entre práticas e representações. Lisboa: Difel, 1990.

CHARTIER, Roger. Cultura popular: revisitando um conceito historiográfico. *Estudos históricos*, Rio de Janeiro, CPDOC/ Fundação Getúlio Vargas, v. 8, n. 16, 1995.

CHARTIER, Roger. O mundo como representação. *Estudos Avançados*, v. 11, nº 5, 1991.

CHAVES, Cláudia M. das Graças. *Melhoramentos no Brazil*: integração e mercado na América portuguesa (1780-1822). Niterói: UFF, 2001. (Tese, doutorado em História).

CHAVES, Cláudia M. das Graças. *Perfeitos negociantes*: mercadores das minas setecentistas. São Paulo: Annablume, 1999.

CHEVALIER, Jean; GHEERBRANT, Alain. *Dicionário de símbolos*: mitos, sonhos, costumes, gestos, formas, figuras, cores, números. Trad. de Vera da Costa e Silva *et al.* 13ª ed. Rio de Janeiro: José Olympio, 1999.

CÓDICES e documentos avulsos: Casa dos Contos de Vila Rica. Documentação existente no Arquivo Público Mineiro. Centro de Estudos do Ciclo do Ouro/CECO. v. 1.

COELHO, France Maria Gontijo. Foucault para o estudo das profissões científicas. *Revista da SBHC*, n. 16, 1996.

CORTESÃO, Jaime. *A política de sigilo nos Descobrimentos*. Lisboa: Imprensa Nacional-Casa da Moeda, 1997.

CORTESÃO, Jaime. *Introdução à história das bandeiras*. Lisboa: Portugália, 1964. 2 v.

COSTA, Iraci del Nero da. *Arraia-miúda*. São Paulo: MGSP Editores, 1992.

COSTA, Iraci del Nero da. *Vila Rica*: População (1719-1826). São Paulo: Faculdade de Economia e Administração/USP, 1977 (Dissertação de Mestrado).

COURTINE, Jean-François. Direito natural e direito das gentes. A refundação moderna, de Vitoria a Suárez. In: NOVAES, Adauto (Org.). *A descoberta do homem e do mundo*. São Paulo: Companhia das Letras, 1998.

COURTINE, Jean-François. L'Héritage scolastique dans la problematique théologico-politique de l'âge classique. In: MÉCHOULAN, Henry (dir.). *L'État baroque:* regards sur la pensée politique de la France du premier XVIIe siècle. Paris: Libraire Philosophique J. Vrin, 1985.

CURTO, Diogo Ramada. *O discurso político em Portugal (1600-1650)*. Lisboa: Centro de Estudos de História e Cultura Portuguesa, 1988.

DAVIDOFF, Carlos Henrique. *Bandeirantismo*: verso e reverso. 2ª ed. São Paulo: Brasiliense, 1984.

DEAN, Warren. *A ferro e fogo*: a história e a devastação da Mata Atlântica brasileira. Trad. de Cid Knipel Moreira. São Paulo: Companhia das Letras, 1996.

DERBY, Orville A. Os primeiros descobrimentos de ouro em Minas Gerais. *Revista do Instituto Histórico e Geográfico de São Paulo*, São Paulo, v. 5, 1901a.

DERBY, Orville A. Os primeiros descobrimentos de ouro nos distritos de Sabará e Caeté. *Revista do Instituto Histórico e Geográfico de São Paulo*, São Paulo, v. 5, 1901b.

DERBY, Orville A. O roteiro de uma das primeiras bandeiras paulistas. *Revista do Instituto Histórico e Geográfico de São Paulo*, v. 4, 1898/1899.

DESCOBRIMENTO e devassamento do território de Minas Gerais. *Revista do Arquivo Público Mineiro*, v. 7, 1902.

DOGLIO, Maria Luisa. Introduzione. In: TESAURO, Emanuele. *Idea delle perfette imprese*. Edição crítica de Maria Luisa Doglio. Firenze: Leo S. Olschki, 1975.

DOLNIKOFF, Miriam. O poder provincial (política e historiografia). *Revista de História*, n. 112, São Paulo, 1990.

DUTRA, Francis A. Membership in the Order of Christ in the Seventeenth century: its rights, privileges, and obligations. *The Americas*, v. 27, n. 1, jul. 1970.

EAGLETON, Terry. *Ideologia*. Uma introdução. Trad. de Silvana Vieira, Luís Carlos Borges. São Paulo: Ed. UNESP/Editora Boitempo, 1997.

ECO, Umberto. *As formas do conteúdo*. Trad. de Pérola de Carvalho. 3ª ed. São Paulo: Perspectiva, 1999.

ECO, Umberto. *O signo*. Trad. de Maria de Fátima Marinho. 5ª ed. Lisboa: Editorial Presença, 1997.

EHRARD, Jean. *L'idée de nature en France dans la première moitié du XVIIIe siècle*. Paris: Albin Michel, 1994.

ELIAS, Norbert. *A sociedade de corte*. Lisboa: Estampa, 1987.

ELIAS, Norbert. *O processo civilizador*: uma história dos costumes. Trad. Ruy Jungman. Rio de Janeiro: Jorge Zahar, 1994, v. 1.

ELIAS, Norbert. *O processo civilizador*: formação do Estado e civilização. Trad. de Ruy Jungman. Rio de Janeiro: Jorge Zahar, 1993. v. 2.

ELLIS JÚNIOR, Alfredo. *O bandeirismo paulista e o recuo do meridiano*. 2ª ed. São Paulo: Companhia Editora Nacional, 1934.

ELLIS, Myriam. As bandeiras na expansão geográfica do Brasil. In: HOLANDA, Sérgio B. de. (Org.) *História geral da civilização brasileira.* 8ª ed. Rio de Janeiro: Bertrand Brasil, 1989. t. 1, v. 1.

ELLIS, Myriam. Contribuição ao estudo do abastecimento das zonas mineradoras do Brasil no século XVIII. *Revista de História,* v. 36, São Paulo, 1958.

ELLIS, Myriam. Paulistas nos sertões do ouro. Fernão Dias Pais. Revista do Instituto Histórico e Geográfico de São Paulo, São Paulo, v. 69, 1971.

FAJARDO, Diego Saavedra. *Empresas politicas*: idea de un principe politico-cristiano. Edición preparada por Quintin Aldea Vaquero. Madrid: Editora Nacional, 1976. 2 v.

FALCON, Francisco José C.. *A época pombalina*: política econômica e monarquia ilustrada. São Paulo: Ática, 1982.

FAORO, Raimundo. *Os donos do poder*: formação do patronato político brasileiro. 11ª ed. São Paulo: Globo, 1997. 2 v.

FAUSTO, Carlos. Fragmentos de história e cultura tupinambá. Da etnologia como instrumento crítico de conhecimento etno-histórico. In: CUNHA, Maria Manuela Carneiro da. *História dos índios no Brasil.* São Paulo: Companhia das Letras/Secretaria Municipal de Cultura/FAPESP, 1992.

FEBVRE, Lucien. *El problema de la incredulidad en el siglo XVI.* La religion de Rabelais. Trad. de Jose Almoina. México, D. F.: Union Tipografica Editorial Hispano Americana, 1959.

FENTRESS, James; WICKHAM, Chris. *Memória social*: novas perspectivas sobre o passado. Tradução de Telma Costa. Lisboa: Teorema, 1992.

FERLINI, Vera Lúcia do A.. Pobres do açúcar: estrutura produtiva e relações de poder no Nordeste colonial. In: SZMRECSÁNYI, Tamás (Org.). *História econômica do período colonial.* São Paulo: Hucitec/FAPESP/ABPHE, 1996.

FERNANDES, Florestan. *Circuito fechado*: quatro ensaios sobre o "poder institucional". São Paulo: Hucitec, 1976.

FIGUEIREDO, Luciano Raposo de Almeida. *Barrocas famílias.* Vida familiar em Minas Gerais no século XVIII. São Paulo: Hucitec, 1997.

FIGUEIREDO, Luciano Raposo de Almeida. *O avesso da memória*: cotidiano e trabalho da mulher em Minas Gerais no século XVIII. Rio de Janeiro/Brasília: José Olympio/Edunb, 1993.

FONSECA, Cláudia Damasceno. O espaço urbano de Mariana: sua formação e suas representações. In: *Termo de Mariana*: história e documentação. Ouro Preto: Ed. UFOP, 1998.

FOUCAULT, Michel. *As palavras e as coisas.* Trad. de Salma Tannus Muchail. 6ª ed. São Paulo: Martins Fontes, 1992.

FOUCAULT, Michel. *A ordem do discurso*. Trad. de Laura Fraga de Almeida Sampaio. 5ª ed. São Paulo: Ediçoões Loyola, 1999.

FOUCAULT, Michel. *Microfísica do Poder*. Trad. de Roberto Machado. Rio de Janeiro: Ed. Graal, 1984.

FRAGOSO, João Luís Ribeiro. *Homens de grossa aventura*: acumulação e hierarquia na praça mercantil do Rio de Janeiro (1790-1830). Rio de Janeiro: Arquivo Nacional, 1992.

FRAGOSO, João Luís Ribeiro. À espera das frotas: hierarquia social e formas de acumulação no Rio de Janeiro, século XVII. *Cadernos do LIPHIS*, n. 1, 1995.

FRAGOSO, João Luís Ribeiro. A formação da economia colonial no Rio de Janeiro e de sua primeira elite senhorial (século XVI e XVII). In: FRAGOSO, J.; BICALHO, M. F. B.; GOUVÊA, M. F. S. (Ed.). *O Antigo Regime nos trópicos*: a dinâmica imperial portuguesa (séculos XVI-XVIII). Rio de Janeiro: Civilização Brasileira, 2001.

FRANCO, Francisco de Assis Carvalho. *Bandeiras e bandeirantes de São Paulo*. São Paulo: Editora Nacional, 1940.

FRANCO, Francisco de Assis Carvalho. *Dicionário de bandeirantes e sertanistas do Brasil*: século XVI, XVII, XVIII. Belo Horizonte/São Paulo: Itatiaia/Edusp, 1989.

FRANCO, Maria Sylvia de Carvalho. *Homens livres na ordem escravocrata*. 4ª ed. São Paulo: Ed. UNESP, 1997.

FREIRE, Felisbelo Firmo de Oliveira. *História de Sergipe (1575-1855)*. Rio de Janeiro: Tipografia Perseverança, 1891.

FRIEIRO, Eduardo. *Feijão, angu e couve*: ensaio sobre a comida dos mineiros. Belo Horizonte: Centro de Estudos Mineiros, 1966.

FURTADO, Júnia Ferreira. *O livro da capa verde:* o Regimento diamantino de 1771 e a vida no distrito diamantino no período da Real Extração. São Paulo: Annablume, 1996.

FURTADO, Júnia Ferreira. *Homens de negócio*: a interiorização da metrópole e o comércio nas Minas setecentistas. São Paulo: Hucitec, 1999.

GEERTZ, Clifford. *A interpretação das culturas*. Rio de Janeiro: LTC, 1989.

GIL, Juan. De los mitos de las Indias. In: BERNARD, Carmem (Org.). *Descubrimiento, conquista y colonización de América a quinientos años*. México: Fondo de Cultura Económica, 1994.

GINZBURG, Carlo. Représentation: le mot, l'idée, la chose. *Annales ESC*, n. 6, novembre-décembre 1991.

GIUCCI, Guillermo. *Sem fé, lei ou rei:* Brasil 1500-1532. Trad. de Carlos Nougué. Rio de Janeiro: Rocco, 1993.

GODELIER, Maurice. Racionalidade dos sistemas econômicos. In: ______. *Racionalidade e irracionalidade na economia*. Rio de Janeiro: Tempo Brasileiro, [197-].

GODINHO, Vitorino Magalhães. *A estrutura da antiga sociedade portuguesa*. Lisboa: Arcádia, 1975.

GOES FILHO, Synesio Sampaio. *Navegantes, bandeirantes, diplomatas*: um ensaio sobre a formação das fronteiras do Brasil. São Paulo: Martins Fontes, 1999.

GOLGHER, Isaias. *Guerra dos emboabas:* a primeira guerra civil nas Américas. Belo Horizonte: 1956.

GOMES, Plínio Freire. *Um herege vai ao paraíso*: cosmologia de um ex-colono condenado pela Inquisição (1680-1744). São Paulo: Companhia das Letras, 1997.

GREENBLATT, Stephen. *Possessões maravilhosas*: o deslumbramento do Novo Mundo. Trad. de Gilson César Cardoso de Souza. São Paulo: Edusp, 1996.

GRUZINSKI, Serge. *O pensamento mestiço*. Trad. de Rosa Freire d'Aguiar. São Paulo: Companhia das Letras, 2001.

GUIMARÃES, Carlos Magno. Mineração, quilombos e Palmares. Minas Gerais no século XVIII. In: REIS, João José Reis; GOMES, Flávio dos Santos (Orgs.). *Liberdade por um fio*: história dos quilombos no Brasil. São Paulo: Companhia das Letras, 1996.

HAGGARD, Henry Rider. *As minas de Salomão*. Trad. de Eça de Queiroz. São Paulo: Hedra, 2000.

HANSEN, João Adolfo. Colonial e Barroco. In: *América*: descoberta ou invenção – 4º Colóquio UERJ. Rio de Janeiro: Imago, 1992.

HANSEN, João Adolfo. Leituras coloniais. In: ABREU, Márcia (Org.). *Leitura, história e história da leitura*. São Paulo: Fapesp, 1999.

HANSON, Carl A. *Economia e sociedade no Portugal Barroco*: 1668-1703. Trad. de Maria Helena Garcia. Lisboa: Dom Quixote, 1986.

HESPANHA, António Manuel. A nobreza nos tratados jurídicos dos séculos XVII e XVIII. *Penélope. Fazer e desfazer a história*, n. 12, 1993.

HESPANHA, António Manuel. A punição e a graça. In: MATTOSO, José (Dir.). *História de Portugal*. O Antigo Regime (1620-1807). Lisboa: Estampa, 1998. v. 3.

HESPANHA, António Manuel. *História de Portugal moderno político e institucional*. Lisboa: Universidade Aberta, 1995.

HESPANHA, António Manuel. *Poder e instituições na Europa do Antigo Regime*. Lisboa: Fundação Calouste Gulbekian, 1984.

HOBSBAWN, Eric. Introdução: A invenção das tradições. In: HOBSBAWN, Eric; RANGER, Terence (Orgs.). *A invenção das tradições*. Trad. de Celina Cardim Cavalcante. 2ª ed. Rio de Janeiro: Paz e Terra, 1997.

HOLANDA, Sérgio Buarque de (Org.). A herança colonial – sua desagregação. In: HOLANDA, Sérgio Buarque de. *História geral da civilização brasileira*. Rio de Janeiro: Bertrand Brasil, 1993. t. 2, v. 1.

HOLANDA, Sérgio Buarque de A mineração: antecedentes luso-brasileiros. In: HOLANDA, Sérgio Buarque de. *História geral da civilização brasileira*. A época colonial. 7ª ed. Rio de Janeiro: Bertrand Brasil, 1993. t. 1, v. 2.

HOLANDA, Sérgio Buarque de. *Caminhos e fronteiras*. 3ª ed. São Paulo: Companhia das Letras, 1994a.

HOLANDA, Sérgio Buarque de. Metais e pedras preciosas. In: HOLANDA, Sérgio Buarque de. *História geral da civilização brasileira*. A época colonial. 7ª ed. Rio de Janeiro: Bertrand Brasil, 1993. t. 1, v. 2.

HOLANDA, Sérgio Buarque de. *Monções*. 3ª ed. São Paulo: Brasiliense, 2000.

HOLANDA, Sérgio Buarque de. *Raízes do Brasil*. 24ª ed. Rio de Janeiro: José Olympio, 1992.

HOLANDA, Sérgio Buarque de. *Visão do Paraíso*: os motivos edênicos no descobrimento e colonização do Brasil. 6ª ed. São Paulo: Brasiliense, 1994b.

IGLÉSIAS, Francisco. Minas e a imposição do Estado no Brasil. *Revista de História*, São Paulo, v. 50, t. 1, 1974.

KANTOROWICZ, Ernst H.. *Os dois corpos do rei*: um estudo sobre teologia política medieval. Trad. de Cid Knipel Moreira. São Paulo: Companhia das Letras, 1998.

KOK, Maria da Glória Porto. *O sertão itinerante*: expedições da capitania de São Paulo no século XVIII. São Paulo: FFLCH/USP, 1998. (Tese, doutorado em História).

KOSHIBA, L. *A honra e a cobiça*. São Paulo: FFLCH/USP, 1988. (Tese, doutorado em História).

KUZNESOF, Elizabeth Anne. A família na sociedade brasileira: parentesco, clientelismo e estrutura social (São Paulo, 1700-1800). *Revista Brasileira de História*, v. 9, n. 17, set 1988/fev. 1989.

LADURIE, Emmanuel Le Roy. *O Estado monárquico, França, 1460-1610*. Trad. de Maria Lúcia Machado. São Paulo: Companhia das Letras, 1994.

LAMEGO, Alberto. *A Terra Goytacá à luz de documentos inéditos*. Rio de Janeiro: Livraria Garnier, 1920. v. 2.

LANGFUR, Harold Lawrence. *The forbidden lands*: frontier settlers, slaves, and indians in Minas Gerais, Brazil, 1760-1830. Austin: The University of Texas, 1999. (Tese, Doutorado).

LARA, Silvia Hunold. *Campos da violência*: escravos e senhores na Capitania do Rio de Janeiro – 1750-1808. Rio de Janeiro: Paz e Terra, 1988.

LE GOFF, Jacques. Memória. In: ENCICLOPÉDIA Einaudi. Lisboa: Imprensa Nacional/Casa da Moeda, 1984.

LEME, Luiz Gonzaga da Silva. *Genealogia paulistana*. São Paulo: Duprat, 1903-1905. 9 v.

LEVI, Giovanni. Les usages de la biographie. *Annales ESC*, n. 6, nov./dez. 1989.

LEWKOWICZ, Ida. As mulheres mineiras e o casamento: estratégias individuais e familiares nos séculos XVIII e XIX. *História*, v. 12, 1993.

LEWKOWICZ, Ida. *Vida em família*: caminhos da igualdade em Minas Gerais (séculos XVIII e XIX). São Paulo: Faculdade de Filosofia, Letras e Ciências Humanas/USP, 1992. (Tese, doutorado em História).

LIBBY, Douglas Cole. *Transformação e trabalho em uma economia escravista – Minas Gerais no século XIX*. São Paulo: Brasiliense, 1988.

LIMA, Ruy Cirne. *Pequena história territorial do Brasil*. Sesmarias e terras devolutas. São Paulo: Ed. Arquivo do Estado de São Paulo, 1991. Edição facsimilada.

LIMA JÚNIOR, Augusto de. *A Capitania de Minas Gerais*. Belo Horizonte/São Paulo: Itatiaia/Edusp, 1985.

LIMA JÚNIOR, Augusto de. *História dos diamantes nas Minas Gerais (século XVIII)*. Rio de Janeiro/Lisboa: Edições Dois Mundos, 1945.

LUÍS, Washington. Contribuição para a história da Capitania de São Paulo (Governo de Rodrigo Cesar de Menezes). *Revista do Instituto e Histórico e Geográfico de São Paulo*, São Paulo, v. 8, 1903.

LUNA, Francisco Vidal. Estrutura da posse de escravos em Minas Gerais (1718). In: BARRETO, Antônio Emílio Muniz (Org.). *História econômica*: ensaios. São Paulo: IPE, 1983.

MACEDO, Jorge Borges de. Formas e premissas do pensamento luso-brasileiro do século XVIII. *Revista Biblioteca Nacional*, Lisboa, v. 1, n. 1, 1981.

MACHADO, Alcântara. *Vida e morte do bandeirante*. Belo Horizonte/São Paulo: Itatiaia/Edusp, 1980.

MACHADO, Maria Helena P. T. O descontínuo na história da cultura colonial e pós-colonial: acidente ou fatalidade? *Revista de História*, v. 141, 1999.

MAGALHÃES, Basílio de. *Expansão geográfica do Brasil Colonial*. São Paulo: Editora Nacional, 1935.

MAGALHÃES, Joaquim Romero. As estruturas sociais de enquadramento da Economia portuguesa de Antigo Regime: os concelhos. *Separata da Revista Notas Económicas*, n. 4, nov. 1994.

MAGALHÃES, Joaquim Romero. Reflexões sobre estrutura municipal portuguesa e a sociedade colonial brasileira, *Revista de História Econômica e Social*, Lisboa, Sá da Costa, 1985.

MANSUY, Andrée. Mémoire inédit d'Ambroise Jauffret sur le Brésil à l'époque de la découverte des mines d'or (1704). *Actas do 5º Colóquio Internacional de Estudos Luso-brasileiros*, Coimbra, v. 2, 1965.

MARAVALL, José Antonio. *A cultura do barroco*: análise de uma estrutura histórica. Trad. de Silvana Garcia. São Paulo: Edusp, 1997.

MARAVALL, José Antonio. *Antiguos y modernos*. Madrid: Alianza Universidad, s.d.

MAUSS, Marcel. Ensaio sobre a dádiva. Forma e razão da troca nas sociedades arcaicas. In: *Sociologia e Antropologia*. Trad. de Lamberto Puccinelli. São Paulo: EPU, 1974.

MELLO, Evaldo Cabral de. *O nome e o sangue*: uma parábola familiar no Pernambuco colonial. 2ª ed. Rio de Janeiro: Topbooks, 2000.

MELLO, Evaldo Cabral de. *Olinda restaurada*: guerra e açúcar no Nordeste, 1630-1654. 2ª ed. Rio de Janeiro: Topbooks, 1998.

MELLO, Evaldo Cabral de. *Rubro veio*: o imaginário da restauração pernambucana. 2ª ed. Rio de Janeiro: Topbooks, 1997.

MELLO, J. Soares de. *Emboabas*: crônica de uma revolução nativista (documentos inéditos). São Paulo: São Paulo Editora, 1929.

METCALF, Alida C. *Family and frontier in colonial Brazil*: Santana de Parnaíba. 1580-1822. Berkeley: University of California Press, 1992.

METCALF, Alida C. Fathers and sons: the polities of inheritance in colonial brazilian township. *Hispanic American Historical Review*, v. 66, n. 3, 1986.

MONTEIRO, John Manuel. *Negros da terra:* índios e bandeirantes nas origens de São Paulo. São Paulo: Companhia das Letras, 1994.

MONTEIRO, John Manuel. Os Guarani e a história do Brasil meridional: séculos XVI-XVII. In: CUNHA, Maria Manuela Carneiro da. *História dos índios no Brasil*. São Paulo: Companhia das Letras/Secretaria Municipal de Cultura/FAPESP, 1992.

MONTEIRO, Nuno Gonçalo. Casa e linhagem: o vocabulário aristocrático em Portugal nos séculos XVII e XVIII. *Penélope. Fazer e desfazer a história*, Lisboa, n. 12, 1993.

MONTEIRO, Nuno Gonçalo. Notas sobre nobreza, fidalguia e titulares nos finais do Antigo Regime. *Ler História*, n. 10, 1987.

MONTEIRO, Nuno Gonçalo. Poder senhorial, estatuto nobiliárquico e aristocracia. In: MATTOSO, José (dir.). *História de Portugal*. O Antigo Regime (1620-1807). Lisboa: Estampa, 1998, v. 3.

NAZZARI, Muriel. Dotes paulistas: composição e transformações (1600-1870). *Revista Brasileira de História*, v. 9, n. 17, set. 1988/fev.1989.

NAZZARI, Muriel. *O desaparecimento do dote*: mulheres, famílias e mudança social em São Paulo, Brasil, 1600-1900. Trad. de Lólio Lourenço de Oliveira. São Paulo: Companhia das Letras, 2001.

NAZZARI, Muriel. Parents and daughters: change in the practice of dowry in São Paulo (1600-1770). *Hispanic American Historical Review*, v. 70, n. 4, 1990.

NAZZARI, Muriel. Transition toward slavery: changing legal practice regarding indians in seventeenth-century São Paulo. *The Americas*, v. 49, n. 2, 1992, p. 131-155.

NOVINSKY, Anita. Ser marrano em Minas colonial. *Revista Brasileira de História*, São Paulo, v. 21, n. 40, 2001.

O` GORMAN, Edmundo. *La invención de América*: investigación acerca de la estructura histórica del Nuevo Mundo y del sentido de su devenir. México: Fondo de Cultura Econômica, 1984.

OLIVEIRA JUNIOR, Paulo Cavalcante. Afonso d'E. Taunay e a construção da memória bandeirante. *Revista do Instituto Histórico e Geográfico Brasileiro*, Rio de Janeiro, v. 156, n. 387, abr./jun. 1995.

PAULA, João Antônio de. O processo de urbanização nas Américas no século XVIII. In: SZMRECSÁNYI, Tamás (Org.). *História econômica do período colonial*. São Paulo: Hucitec, 1996.

PAZ, Octavio. *Sóror Juana Inés de la Cruz*: as armadilhas da fé. Trad. de Wladir Dupont. São Paulo: Mandarim, 1998.

PÉCORA, Alcir. *Teatro do sacramento*: a unidade teológico-retórico-política dos sermões de Antonio Vieira. São Paulo/Campinas: Edusp/Ed. Unicamp, 1994.

PÉCORA, Antonio Alcir Bernárdez. O demônio mudo. In: NOVAES, Adauto (Org.). *O olhar*. São Paulo: Companhia das Letras, 1988.

PEREIRA, Francisco Lobo Leite. Em busca das esmeraldas. *Revista do Arquivo Público Mineiro*, Ouro Preto, v. 2, 1897.

PERRONE-MOISÉS, Beatriz. Índios livres e índios escravos: os princípios da legislação indigenista do período colonial (séculos XVI e XVIII). In: CUNHA, Maria Manuela Carneiro da. *História dos índios no Brasil*. São Paulo: Companhia das Letras/Secretaria Municipal de Cultura/FAPESP, 1992.

PESAVENTO, Sandra Jatahy. Em busca de uma outra história: imaginando o imaginário. *Revista Brasileira de História*, São Paulo, v. 15, n. 29, 1995.

PETRONE, Pasquale. *Aldeamentos Paulistas*. São Paulo: Edusp, 1995.

PITT-RIVERS, Julian. Honra e posição social. In: PERISTIANY, John G. *Honra e vergonha*: valores das sociedades mediterrânicas. Trad. de José Cutileiro. 2ª ed. Lisboa: Fundação Calouste Gulbenkian, 1988.

POLANYI, Karl. *La gran transformación*: los orígenes políticos y económicos de nuestro tiempo. Trad. de Eduardo L. Suárez. México: Fondo de Cultura Económica, 1992.

POLANYI, Karl. The economistic fallacy. *Review*, v. I, n. 1, 1977.

PORTO, José da Costa. *O sistema sesmarial no Brasil*. Brasília: Edunb, s.d.

PUNTONI, Pedro. *A guerra dos bárbaros*. Povos indígenas e a colonização do sertão nordeste do Brasil, 1650-1720. São Paulo: FFLCH/USP, 1998. (Tese, doutorado em História).

RAMOS, Donald. *A social history of Ouro Prêto*: stress of dynamic urbanization in colonial Brazil, 1695-1726. Gainesville: University of Florida, 1972.

RAMOS, Donald. From Minho to Minas: the portuguese roots of the mineiro family. *Hispanic American Historical Review*, v. 73, n. 4, 1993.

RAMOS, Donald. Marriage and the family in colonial Vila Rica. *Hispanic American Historical Review*, v. 55, n. 2, 1975.

RAMOS, Donald. O quilombo e o sistema escravista em Minas Gerais. In: REIS, João José; GOMES, Flávio dos Santos (Orgs.). *Liberdade por um fio*: história dos quilombos no Brasil. São Paulo: Companhia das Letras, 1996.

RENGER, Friedrich E. Direito mineral e mineração no Códice Costa Matoso (1752). *Varia Historia*, n. 21, jul. 1999.

REVEL, Jacques. Conhecimento do território, produção do território: França, séculos XIII-XIX. In: REVEL, Jacques. *A invenção da sociedade*. Trad. de Vanda Anastácio. Rio de Janeiro/Lisboa: Bertrand/Difel, 1989.

RIBEIRO, Renato Janine. Apresentação a Norbert Elias. In: ELIAS, Norbert. *O processo civilizador*. Uma história dos costumes. Trad. de Ruy Jungman. Rio de Janeiro: Jorge Zahar, 1994. v. 1.

ROBIN, Regine. *História e Lingüística*. Trad. de Adélia Bolle. São Paulo: Cultrix, 1977.

RODRIGUES, José Honório. *História da história do Brasil*. Historiografia colonial. 2ª ed. São Paulo: Ed. Nacional, 1979.

ROMEIRO, Adriana. *Um visionário na corte de D. João V*: revolta e milenarismo nas Minas Gerais. Campinas: IFCH-UNICAMP, 1996. (Tese, doutorado em História).

ROSANVALLON, Pierre. *O liberalismo econômico*. História da idéia de mercado. Trad. de Antônio Penalves Rocha. Bauru: Edusc, 2001.

RUSSEL-WOOD, A. J. R. *Fidalgos e filantropos*: a Santa Casa da Misericórdia da Bahia, 1550-1755. Trad. de Sérgio Duarte. Brasília: Ed. UNB, 1981.

RUSSEL-WOOD, A. J. R. Identidade, etnia e autoridade nas Minas Gerais do século XVIII: leituras do Códice Costa Matoso. *Varia Historia*, n. 21, jul. 1999.

RUSSEL-WOOD, A. J. R. O governo local na América Portuguesa: um estudo de divergência cultural. *Revista de História*, v. 55, n. 109, jan./mar. 1977.

SAGRADA Bíblia: version critica sobre los textos hebreo y griego. 3ª ed. Madrid: Biblioteca de Autores Cristianos, 1953.

SAHLINS, Marshall. A primeira sociedade da afluência. In: CARVALHO, Edgard Assis (Org.). *Antropologia econômica.* São Paulo: Livraria Editora Ciências Humanas, 1978.

SALGADO, Graça (Coord.). *Fiscais e meirinhos: a administração no Brasil colonial.* Rio de Janeiro: Nova Fronteira, 1985.

SALVADOR, José Gonçalves. *Os cristãos-novos em Minas Gerais durante o ciclo do ouro (1695-1755).* Relações com a Inglaterra. São Bernardo do Campo: Pioneira, 1992.

SANTOS, Joaquim Felício dos. *Memórias do distrito diamantino da Comarca do Serro Frio (Província de Minas Gerais).* 4ª ed. Belo Horizonte/São Paulo: Itatiaia/Edusp, 1976.

SANTOS, Wanderlei Guilherme dos. *Paradoxo do liberalismo*: teoria e história. 2ª ed. Rio de Janeiro: Revan, 1999.

SARAIVA, António José, LOPES, Óscar. *História da Literatura Portuguesa.* 16ª ed. Porto: Porto Editora, 1995.

SCHWARTZ, Stuart B. *Burocracia e sociedade no Brasil colonial.* A Suprema Corte da Bahia e seus juízes: 1609-1751. São Paulo: Perspectiva, 1979.

SCHWARTZ, Stuart B. De ouro a algodão: a economia brasileira no século XVIII. In: BETHENCOURT, Francisco, CHAUDHURI, Kirti (dir.) *História da expansão portuguesa.* O Brasil na balança do Império. Lisboa: Círculo de Leitores, 1998. v. 3.

SCHWARTZ, Stuart B. Somebody and nobody, mentalities and social structure in Colonial Brazil, *Latin American Research Review*, v. 31, nº1, 1996.

SEBASTIÁN, Santiago. Los libros de emblemas: uso y la difusión en Iberoamérica. In: *Juegos de ingenio y agudeza*: la pintura emblemática de la Nueva España. México: Museo Nacional de Arte, 1994/1995.

SEED, Patrícia. *Cerimônias de posse na conquista européia do Novo Mundo (1492-1640).* Trad. de Lenita R. Esteves. São Paulo: Ed. Unesp, 1999.

SEIXO, Maria Alzira. Entre cultura e natureza: ambigüidades do olhar viajante. *Revista USP.* Dossiê Brasil dos viajantes, n. 30, jun./ago. 1996.

SILVA, Andrée Mansuy Diniz. Introdução. In: ANTONIL, André João. *Cultura e opulência do Brasil por suas drogas e minas.* Lisboa: Comissão Nacional para as Comemorações dos Descobrimentos Portugueses, 2001.

SILVA, Maria Beatriz Nizza da. *História da família no Brasil colonial.* Rio de Janeiro: Nova Fronteira, 1998.

SILVEIRA, Marco Antônio. O universo do indistinto: cultura e sociedade em Minas no século XVIII. São Paulo: FFLCH/USP, 1994. (Dissertação, mestrado em História social).

SKINNER, Quentin. *As fundações do pensamento político moderno*. Trad. de Renato Janine Ribeiro e Laura Teixeira Motta. São Paulo: Companhia das Letras, 1996.

SOUZA, Laura de Mello e. *Desclassificados do ouro:* a pobreza mineira no século XVIII. 2ª ed. Rio de Janeiro: Graal, 1986.

SOUZA, Laura de Mello e. Formas provisórias de existência: a vida cotidiana nos caminhos, nas fronteiras e nas fortificações. In: SOUZA, Laura de Mello e. (Org.). *História da vida privada no Brasil*: cotidiano e vida privada na América portuguesa. São Paulo: Companhia das Letras, 1997.

SOUZA, Laura de Mello e. Tensões sociais em Minas na segunda metade do século XVIII. In: NOVAES, Adauto. *Tempo e história*. São Paulo: Companhia das Letras/ Secretaria Municipal da Cultura, 1992.

SOUZA, Laura de Mello e. Violência e práticas culturais no cotidiano de uma expedição contra quilombolas. In: REIS, João J.; GOMES, Flávio dos S. *Liberdade por um fio*: história dos quilombos no Brasil. São Paulo: Companhia das Letras, 1996.

SPENCE, Jonathan. *O Palácio da memória de Matteo Ricci*. A história de uma viagem: da Europa da contra-refoma à China da dinastia Ming. Trad. de Denise Bottmann. São Paulo: Companhia das Letras, 1986.

STAROBINSKI, Jean. *As máscaras da civilização*: ensaios. Tradução de Maria Lúcia Machado. São Paulo: Companhia das Letras, 2001.

SUBTIL, José. Os poderes do Centro. In: MATTOSO, José (Dir.). *História de Portugal*. O Antigo Regime (1620-1807). Lisboa: Estampa, 1998. v. 3.

TAUNAY, Afonso de E. *A grande vida de Fernão Dias Pais*. 3ª ed. São Paulo: Melhoramentos, 1977.

TAUNAY, Afonso de E. História da cidade de São Paulo no século XVIII (1711-1720). *Anais do Museu Paulista*, t. 5, 1931a.

TAUNAY, Afonso de E. História da vila de São Paulo no século XVIII (1701-1711). *Anais do Museu Paulista*, t. 5, 1931b.

TAUNAY, Afonso de E. *História geral das bandeiras paulistas*. São Paulo: Imprensa Oficial do Estado de São Paulo, 1946/1948, t. 8 e t. 9.

TERMO de Mariana: história e documentação. Ouro Preto: Ed. UFOP, 1998.

THOMPSON, Edward P. *Costumes em comum*. Trad. de Rosaura Eichemberg. São Paulo: Companhia das Letras, 1998.

TORGAL, Luís Reis. Introdução. In: BOTERO, João. *Da razão de Estado*. Tradução de Raffaela Longobardi Ralha. Coimbra: Instituto Nacional de Investigação Científica, 1992.

TURNER, Frederick. *O espírito ocidental contra a natureza:* mito, história e as terras selvagens. Rio de Janeiro: Ed. Campus, 1990.

VASCONCELOS, Diogo de. *História antiga de Minas Gerais.* 4ª ed. Belo Horizonte: Itatiaia, 1999.

VASCONCELOS, Diogo de. *História média de Minas Gerais.* 4ª ed. Belo Horizonte: Itatiaia, 1974.

VASCONCELOS, Salomão de. *Bandeirismo.* Belo Horizonte: Biblioteca de cultura, 1944.

VASCONCELOS, Salomão de. Como nasceu Sabará. *Revista do Serviço do Patrimônio Histórico e Artístico Nacional*, n. 9, 1945.

VASCONCELOS, Sylvio de. *Vila Rica.* Formação e desenvolvimento: residências. São Paulo: Perspectiva: 1977.

VENÂNCIO, Renato Pinto. Os pequenos proprietários de escravos em Passagem de Mariana: as listagens de 1723 e 1727. *Anais*: 7º Seminário sobre a Economia Mineira. Belo Horizonte: CEDEPLAR/UFMG, 1995.

VENÂNCIO, Renato Pinto. *Os últimos carijós:* escravidão indígena em Minas Gerais. [S.l.]: [s.n], [199-].

VIANA, Hélio. Quem matou D. Rodrigo de Castel Blanco. *Revista do Intituto Histórico e Geográfico Brasileiro*, Rio de Janeiro, v. 255, 1962.

VILLALTA, Luiz Carlos. *Reformismo ilustrado, censura e práticas de leitura*: usos do livro na América portuguesa. São Paulo: FFLCH/USP, 1999. (Tese, doutorado em História).

WEBER, Max. *Economia y sociedad.* Esbozo de sociología comprensiva. 3ª ed. México: Fondo de Cultura Económica, 1996.

WEGNER, Robert. *A conquista do Oeste*: a fronteira na obra de Sérgio Buarque de Holanda. Belo Horizonte: Ed. UFMG, 2000.

WHITE, Hayden. A questão da narrativa na teoria contemporânea da história. *Revista de História* IFCH/Campinas, n. 2/3, 1991.

WHITE, Hayden. *Trópicos do discurso*: ensaios sobre a crítica da cultura. Trad. de Alípio Correia de França Neto. São Paulo: Edusp, 1994.

XAVIER, Ângela Barreto; HESPANHA, António Manuel. A representação da sociedade e do poder. In: MATTOSO, José (Dir.). *História de Portugal.* O Antigo Regime (1620-1807). Lisboa: Estampa, 1998a. v. 3.

XAVIER, Ângela Barreto; HESPANHA, António Manuel. As redes lientelares. In: MATTOSO, José (Dir.). *História de Portugal.* O Antigo Regime (1620-1807). Lisboa: Estampa, 1998b. v. 3.

ZEMELLA, Mafalda P. *O abastecimento da Capitania das Minas Gerais no século XVIII.* 2ª ed. São Paulo: Hucitec/Edusp, 1990.

Qualquer livro do nosso catálogo não encontrado nas livrarias pode ser pedido por carta, fax, telefone ou pela Internet.

Rua Aimorés, 981, 8º andar – Funcionários
Belo Horizonte-MG – CEP 30140-071

Tel: (31) 3222 6819
Fax: (31) 3224 6087
Televendas (gratuito): 0800 2831322

vendas@autenticaeditora.com.br
www.autenticaeditora.com.br

Este livro foi composto com tipografia Bembo e impresso em papel Chamois Fine Dunas 80 g. na Formato Artes Gráficas.